Regina Scheer

Machandel

Roman

PENGUIN VERLAG

Alles ist wahr, aber so war es nicht.

Die Orte und Geschehnisse, bis auf historisch verbürgte, sind fiktiv.
Auch die Personen sind erfunden, obwohl manche reale Namen tragen.

Sollte diese Publikation Links auf Webseiten Dritter enthalten,
so übernehmen wir für deren Inhalte keine Haftung,
da wir uns diese nicht zu eigen machen, sondern lediglich auf
deren Stand zum Zeitpunkt der Erstveröffentlichung verweisen.

Verlagsgruppe Random House FSC® N001967

PENGUIN und das Penguin Logo sind Markenzeichen
von Penguin Books Limited und werden
hier unter Lizenz benutzt.

5. Auflage 2017
Copyright © 2014 beim Albrecht Knaus Verlag, München,
in der Verlagsgruppe Random House GmbH,
Neumarkter Straße 28, 81673 München
Umschlag: Sabine Kwauka
Umschlagmotiv: Hanka Steidle/plainpicture
Satz: Uhl + Massopust, Aalen
Druck und Bindung: GGP Media GmbH, Pößneck
Printed in Germany
ISBN 978-3-328-10024-9
www.penguin-verlag.de

Dieses Buch ist auch als E-Book erhältlich.

Inhalt

I

CLARA

Abschied

Heute Vormittag bin ich über die abgeernteten Felder zur Kirche von Klabow gelaufen, die Hotelbesitzer haben den alten Holzengel mit dem pausbäckigen Gesicht restaurieren lassen, und ich wollte ihn mir ansehen. Emma hat immer behauptet, so wie der Engel hätten ihre Kinder ausgesehen, als sie klein waren. Der abblätternde Goldanstrich ist entfernt worden, die Holzfigur hat ihre Bemalung mit Pflanzenfarben zurückbekommen. Die Wurmlöcher hat der Restaurator versiegelt, nun sieht der Engel aus, wie er vor zweihundert Jahren ausgesehen haben mag, dick und rotbäckig, vergnügt auf den ersten Blick, aber dann sieht man die aufgerissenen Augen, den wie zum Schrei geöffneten kleinen Mund und fragt sich: Was hat der Engel gesehen? Was ist ihm geschehen?

In der Kirche bin ich die Holztreppe mit dem brüchigen Geländer hochgestiegen, habe wie oft schon aus den winzigen Turmfenstern über das wellige Land geblickt. Die neuen Windräder an der Straße nach Güstrow verändern die Landschaft. Die waren noch nicht da, als wir hierherkamen, vor fünfundzwanzig Jahren.

Die Hügelgräber kann man von dort oben nicht sehen, aber auch wenn man vor ihnen steht, erkennt man sie nur, wenn man weiß, dass sie zu dieser Landschaft gehören. Sonst sieht man nur Steinhaufen. Von oben ahnt man sie unter den baumbewachsenen Inseln inmitten der Felder und Weiden, aber manchmal verdecken die Büsche und Bäume auch nur eines der Wasserlöcher, die sie hier Augen nennen. Manche der Hügelgräber liegen versteckt in den Wäldern, die es vielleicht noch nicht gab, als vor mehr als tausend Jahren in dieser Gegend die Obodriten gesiedelt haben, Slawen, die die Göttermutter Baba verehrten. Zwischen den Hügeln liegen wie von Riesen hingeworfene einzelne Steine, Findlinge, man weiß nicht, liegen sie schon seit der Eiszeit so da, sind sie Reste von Obodritengräbern oder haben die Germanen sie an ihre Plätze gerollt. Oder der Landschaftsgärtner der Gutsfamilie.

Auf dem Rückweg ins Dorf ging ich ein Stück über die Weiden, an Findlingen vorbei, die mir vertraut geworden sind wie so viele Zeichen in dieser Landschaft. Von oben sahen sie nicht besonders groß aus, aber manche sind größer als ich. Zu Hause habe ich ein Foto, da trägt Michael unsere kleine Tochter Caroline auf der Schulter, und sie berührt den glatt polierten Stein, vor dem ich jetzt stand. Die Kinder nannten ihn *Alter Mann*. Caroline war zwei oder drei damals, heute ist sie Mitte zwanzig, so alt, wie ich damals war. Bevor ich zur Wegscheide nach Mamerow kam, sah ich noch mehr solcher glatten Steine, auch zerklüftete und aufgesprungene, aus denen etwas wie erstarrte Lava quillt. Wenn man näher an sie herantritt, löst das Steingrau sich auf in unzählige Farbschattierungen, man erkennt bunte Einsprengsel, manche Findlinge sind wie aus bunten Streifen zusammengesetzt, die wieder grau wirken, wenn man weitergeht.

In einem Bogen lief ich über die Weiden zurück zur Kastanienallee, noch immer habe ich mich nicht daran gewöhnt, dass der alte Kirchweg nun asphaltiert ist und dass schnelle Autos mich überholen. Zum Glück haben sie den Parkplatz des

Hotels außerhalb des Dorfes angelegt, gleich neben dem Golfplatz, der früher Schmökenwiese genannt wurde.

Früher. Ich bin schon wie die alten Frauen, die in dem Dorf wohnten, als wir hierherkamen; sie lebten mit Menschen, die nicht mehr da waren, das längst Vergangene gehörte zu ihrer Gegenwart. So geht es mir auch, wenn ich an meinen Katen denke, ein schönes Haus mit einem Badezimmer und großen grünen Kachelöfen, die geölten Fenster aus Lärchenholz, das Fachwerk innen und außen mit Lehm verputzt. Ich sehe noch immer das zugewachsene Haus, das mir vom ersten Moment an gefiel, in dem der Wind durch die Ritzen pfiff, dessen Fenster mit Brettern vernagelt waren. Für mich toben noch immer meine Töchter als kleine Mädchen durch den Garten, und wenn ich in der Abenddämmerung durchs Dorf gehe, sehe ich Natalja, die Russin, auf der Schlosstreppe stehen, die alte Auguste hinter den Fenstern des Inspektorhauses. Aber Auguste, außer ihrem Schwager Richard die Einzige von den Alten, die noch lebt, wohnt in Basedow in einem Pflegeheim, ich habe sie einmal besucht, aber sie erkannte mich nicht. Ihr Name ist schon auf dem Grabstein des alten Wilhelm eingraviert, nur das Sterbedatum fehlt noch.

Ich hätte statt zu den Findlingen auf den Waldfriedhof vor Klabow gehen können. Aber dort war ich oft, gleich im ersten Sommer habe ich das Grab meiner Großmutter gesucht, sie hat dort einen Stein, der war schon damals verwittert und von Efeu überwuchert. Immergrün wuchs lila blühend bis auf den Weg. Das Immergrün hatte Natalja gepflanzt, die pflegte auch die namenlosen Gräber an der Friedhofsmauer, die Russen und der erschlagene Pole sollen dort liegen. Und deutsche Flüchtlinge, die 1945 bald nach ihrer Ankunft im Schloss gestorben sind. Natalja hatte Feldsteine gesammelt und um die Gräber gelegt. Jetzt hat sie dicht daneben unter Sonnenblumen selbst ein

Grab. Ihre Tochter Lena hat ihr einen schönen Granitstein setzen lassen, der seit Ewigkeiten im Düstersee im flachen Wasser lag. Natalja aus Smolensk liegt dort auf dem Waldfriedhof vor Klabow, als müsste das so sein, neben Wilhelm und Emma und all den anderen Nachbarn.

Und der alte Wilhelm liegt nur ein paar Meter entfernt von dem erschlagenen Polen, der ihn gehasst hat. Aber es gibt keinen mehr, der sich erinnern könnte, dass da ein Pole liegt und dass es der kleine Josef war. Die Namen der toten Russen kannte sowieso niemand, außer vielleicht Natalja, und das Grab wurde nicht einmal in den Friedhofsbüchern eingetragen, vor ein paar Jahren habe ich danach gesucht. Im Kirchenbuch gibt es eine Eintragung über drei unbekannte und zwei bekannte Kriegsopfer, Sowjetbürger, die im September 1949 auf den sowjetischen Ehrenfriedhof nach Lalenhagen überführt wurden. Aber der alte Pfarrer, der vor fünf Jahren zu Emmas Beerdigung aus Ratzeburg, wo er jetzt lebt, gekommen war, hatte mir beim Kaffeetrinken erzählt, er wisse, in Lalenhagen lägen nicht nur Soldaten der Roten Armee. Dort am Bahnhof wurden Deutsche begraben, Flüchtlinge, die im Barackenlager an Typhus starben, und Tote aus den überfüllten Zügen, die von Tieffliegern beschossen wurden. Auch Soldaten kamen in dieses Massengrab, russische und deutsche, man machte im Mai 1945 keinen Unterschied, es war plötzlich heiß geworden und die Toten mussten unter die Erde. Drei, vier Jahre nach Kriegsende sei dann der Befehl gekommen, die auf den Dörfern beigesetzten sowjetischen Soldaten und Ostarbeiter zu exhumieren und auf den zentralen Ehrenfriedhof nach Lalenhagen zu überführen. Man hat auch in Klabow die alten Gräber geöffnet, aber kein Friedhofsarbeiter war bereit, die Überreste anzurühren. Nur die beiden Russen, die im Mai 1945 im Buchenwald am Wieversbarg auf eine Tellermine getreten waren, hatten einen

Sarg. Deren Namen kannte man noch. Der alte Pfarrer erzählte, er habe es damals auf sich genommen, für die anderen Toten mit Sand gefüllte Kisten nach Lalenhagen überführen zu lassen, wo ein Ehrenmal mit rotem Stern errichtet wurde, als lägen da nur Russen.

Sie sagen hier Russen zu allen sowjetischen Soldaten, obwohl, wie der Pfarrer sich erinnerte, bei den Einheiten, die 1945 in diese Gegend kamen, auch Georgier und Mongolen mit Schlitzaugen waren. Vielleicht waren es auch keine Mongolen, sie nennen hier alle Asiaten Mongolen. Oder Fidschis.

Es hat lange gedauert, bis ich verstand, was sich hinter der Sprache der Leute hier verbarg. Ihr Plattdeutsch konnte ich verstehen, das hatte ich im Seminar gelernt. Aber ich brauchte lange, bis ich ihr Schweigen entschlüsseln konnte. Für manches hatten sie hier keine Worte und für anderes so viele verschiedene. Sogar der Machandelstrauch, nach dem das Dorf benannt ist, hatte viele Namen. Sie nannten ihn Wacholder oder Knirkbusch, Kranewitter oder Quickholder. Auch Reckholder oder Wachandel habe ich gehört, Weckhalter oder Kronabit, der alte Pfarrer nannte ihn Jochandel. Die Flüchtlinge, die 1945 aus dem Osten ins Dorf kamen, brachten ihre eigenen Worte mit für das, was sie hier vorfanden. Die Wolhynier haben den Machandel Räucherstrauch genannt, manchmal auch Feuerbaum. Der alte Wilhelm nannte ihn Kaddig.

Die heute hier wohnen, reden anders. Die Geschäftsführer des Hotels, zu dem das Gutshaus geworden ist, sprechen bemüht Hochdeutsch, aber man hört den schwäbischen Klang sogar, wenn sie mit den Hotelgästen Englisch reden. Und die Direktrice habe ich einmal das Wort Machandel mit Betonung auf der letzten Silbe sprechen hören, als wäre es eine französische Bezeichnung: Machandelle.

Mir ging so vieles durch den Kopf, als ich heute Vormittag

aus der Klabower Kirche kam. Ich weiß nicht, wie lange ich auf dem flachen Findling am Waldrand saß, dem meine Töchter den Namen *Junger Mann* gegeben haben, im Unterschied zum großen *Alten Mann*. Wenn ich da sitze, vergesse ich die Zeit und höre nur die Rufe der Vögel und den Wind, und je länger ich ihnen zuhöre, umso deutlicher werden auch die Stimmen von Menschen, die hier gelebt haben.

Seit fünfundzwanzig Jahren gehört Machandel, dieses abgelegene Dorf auf dem Malchiner Lobus der Endmoräne, zu meinem Leben. Vorher war ich nie hier gewesen. Dabei sind meine Eltern sich hier begegnet, und mein Bruder Jan, das wusste ich immer, wurde im Schloss von Machandel geboren. Aber Jan ist vierzehn Jahre älter als ich, und bei meiner Geburt im Jahr 1960 wohnte meine Familie schon lange in Berlin. Unsere Großmutter, die in Machandel geblieben war, starb kurz danach, es gab keinen Grund mehr für einen von uns, in dieses Dorf zu fahren. Dachte ich.

Wenn ich mich an meine Ankunft hier erinnere, spüre ich einen Schmerz, noch nach so vielen Jahren. Es war der letzte Ausflug mit meinem Bruder. Ich weiß noch, wie überrascht ich war, als er mir und Michael vorschlug, gemeinsam in das Dorf seiner Kindheit zu fahren, es läge nur zwei Stunden von Berlin entfernt in nördlicher Richtung.

Da hatte Jan schon all seine Bücher, die selbst gebauten Regale und sein altes Ledersofa verschenkt, seine Stereoanlage stand schon bei uns, alle seine Laufzettel waren abgestempelt. Ein paar Tage nach diesem Ausflug verließ er das Land, mit zwei Koffern und all seinen Kameras. Den Ausreiseantrag hatte er erst wenige Wochen zuvor gestellt. In diesem Sommer gingen so viele, die meisten hatten jahrelang warten müssen. Dass es bei Jan so schnell ging, lag wohl an unserem Vater. Der war zwar längst Rentner, aber immer noch Volkskammerabgeordneter und Mitglied des Antifa-Komitees, und er kannte die Telefonnummern irgendwelcher Männer, die Kurt oder Karl hießen, und manchmal sagte er ihre Decknamen aus der Illegalität, die klangen so ähnlich. Die hatten die Macht, mit ein paar Anrufen alles zu regeln. Aber ich glaube, unser Vater wusste gar nichts von Jans Ausreiseantrag und er hätte ihn auch nicht unterstützt, doch die, die darüber entschieden, wussten, wessen Sohn mein Bruder war. In seinem Beruf hatte er schon lange nicht mehr arbeiten dürfen, den Presseausweis hatten sie ihm abgenommen, seine Fotos wurden nicht mehr gedruckt, ausstellen durfte er nicht. Auch da hätte mein Vater etwas für ihn tun können, aber das wollte er nicht und Jan hätte es auch nicht gewollt.

Auf der Fahrt in das Dorf war Jan noch schweigsamer gewesen als sonst. Er saß am Steuer, obwohl sein vierzehn Jahre alter Trabant schon mir gehörte.

Wir wussten nicht genau, was er in diesem Dorf suchte, dessen Name auf all seinen Ausreisepapieren als Geburtsort stand: Machandel. Er hatte dort bei unserer Großmutter gelebt, bis er zur Schule kam. Aber die war eine Zugezogene gewesen, sie war mit unserer Mutter von weiter her gekommen, aus Ostpreußen. Umsiedler wurden sie genannt, Flüchtlinge, Heimatvertriebene; sie haben im Schloss gewohnt, es waren viele. Ich hatte mir ein Gebäude mit Zinnen und Türmchen vorgestellt, aber dann standen wir vor einem schlichten Gutshaus mit Mittelrisalit und Freitreppe, sehr schön, aber erbärmlich heruntergekommen. Wasserflecken zogen sich über die bröckelnde Fassade. Ich war begeistert von den hohen Sonnenblumen mit großen Köpfen, die überall wuchsen, um das Schloss herum und an den Gartenzäunen, alles wirkte auf mich wie in einem dieser russischen Filme, die man im Studiokino sehen konnte, *Abschied von Matjora, Kalina Krasnaja*. Alte Frauen

mit Kopftüchern machten sich in ihren Vorgärten zu schaffen. Eine schien uns hinter ihrer Gardine zu beobachten. Jan
verschwand, ohne ein Wort zu sagen, hinterm Schloss in den
Weiten des Parks, Michael und ich spürten, dass er allein sein
wollte, und schlenderten Hand in Hand durch das wie verwun-
schen daliegende Dorf. Schwalben jagten einander über den
niedrigen Dächern. Ein Hahn krähte.

Emma sagte später, sie hätte mich schon an diesem ersten Tag
gesehen, als wir den grünen Trabant vor dem Schloss parkten
und durch das Dorf liefen. Ich trug ein langes Kleid, wie ein
Nachthemd, sagte sie. Mich und meinen Mann Michael hatte
sie ja noch nie gesehen, aber meinen Bruder Jan erkannte sie
sofort. Der sei ja im Dorf aufgewachsen und auch später oft
gekommen.

Sie hat beobachtet, wie wir vor dem Katen stehen blieben.
Da hatte sie ja selbst jahrelang gelebt, bevor sie in den Neubau
gezogen war, ein nüchternes, zweistöckiges Haus, das in den
50er-Jahren mitten im Schlosspark für neun Flüchtlingsfamilien
errichtet worden war. Aber das erfuhren wir erst später, wir
kannten Emma ja noch nicht an diesem Sommertag im Jahre
1985, und der schäbige Neubau im Park interessierte uns nicht,
uns interessierte der Katen. Das Haus schien lange schon un-
bewohnt, die Fenster waren ohne Glas, eine Tür knarrte bei
jedem Luftzug, sie war nur mit einem Draht verschlossen wie
ein altes Stalltor. Zwischen den Dielen einer Stube wuchs eine
kleine Birke. Wilde Rosenbüsche drängten sich an die Hauswand, später erfuhr ich, wie Emma sie nannte: Kartoffelrosen.
Schwere, duftende Zweige hingen durch die Fenster ins Haus.
Wir gingen durch die verlassenen Zimmer wie verzaubert,
sprangen durch die Fenster in den verwilderten Garten, gingen
durch die pendelnde Tür in die nächste Wohnung, drei waren es
insgesamt, und schon begannen wir uns vorzustellen, dass wir

die Lehmwände einreißen, die Zimmer vergrößern könnten. Wir könnten hier wohnen, in den Sommern wenigstens und an den Wochenenden, wir hatten ja nun ein Auto. Wir wollten nicht wie Jan ausreisen, wir wollten im Land bleiben, aber dieses Haus, das spürten wir, würde unser Zufluchtsort werden, hier würde es das nicht geben, was uns in Berlin oft so wütend und ratlos machte. Ich stellte mir vor, wie unsere Kinder in dem verwilderten Garten spielen würden, und schon in diesen ersten Stunden in Machandel beschlossen wir, alles zu tun, damit das halb zerfallene Haus unseres würde.

Wir gingen Jan suchen und fanden ihn auf der Schlosstreppe neben einer sonderbaren Frau. Bisher hatten wir nur alte Menschen in diesem Dorf gesehen, aber die Frau neben Jan war etwa so alt wie er, noch nicht vierzig. Sie war groß und schlank und Jan schien sie zu kennen. Sie standen beieinander, an das rostige Geländer gelehnt, um das sich wilde Wicken rankten. Jan hielt etwas in der Hand, das ihm die Frau wohl gegeben hatte. Sie schwiegen, aber mir schien eine Vertrautheit in diesem Schweigen zu liegen, die mich erstaunte. Vielleicht hatten sie vorher miteinander geredet, aber als wir kamen, sprachen sie kein Wort. Jan kam uns entgegen, ich sah, wie er das Ding in die Jackentasche steckte. Die Frau warf den Kopf in den Nacken, es war, als würde sie ihren Blick von Jan abziehen, aber sie blieb stehen, ganz ruhig. »Kennst du sie von früher?«, fragte ich meinen Bruder, und er antwortete kurz: »Ja.« Ich war gewohnt, nicht nachzufragen, wenn er in diesem Ton antwortete. Auch mein Vater gibt manchmal solche kurzen Antworten, nach denen es unmöglich ist, weiterzufragen.

Wir zeigten Jan den Katen, unser Haus nannten wir ihn schon. Er sah sich genau um, holte seine kleine Kamera aus der Tasche und fotografierte. Mit einem Griff riss er verklumpte Tapetenschichten von der Wand, kratzte an der Lehmwand darunter und zeigte uns das Stück eines freiliegenden Balkens, die Kerben und Einschnitte. Er wusste, dass der Katen vor hundertfünfzig Jahren als Schafstall gedient hatte und dass Ziegel und Holz aus einem noch älteren Haus geholt worden waren. Aber das ernüchterte uns nicht, wir fanden alles gut, wie es war, und als wir später mit Jan am Waldrand an einem Platz lagen, den er als Kind geliebt hatte, als wir im sattgrünen Gras die Wacholderbüsche, die hier hoch wie Bäume waren, gegen den Mecklenburger Himmel stehen sahen, spürten wir: Hier wollen wir sein.

Wir liefen dann noch zu einem der Seen, doch vor der Abfahrt war Jan wieder verschwunden. Michael und ich gingen ein letztes Mal durch unser Haus, da stand ein alter grauer Mann mit Gehstock im Vorraum, als hätte er uns erwartet. Wo Jan sei, fragte er und gab sich selbst die Antwort: »Bei der Stummen.« Das war Wilhelm Stüwe, ich weiß nicht, ob wir seinen Namen schon an diesem ersten Tag in Machandel erfuhren. Mir fiel der schöne elfenbeinerne Knauf seines Stockes auf. »Wollt ihr das Haus kaufen?«, fragte er und beschrieb uns, wo wir den Bürgermeister Uwe Schaumack finden würden. Das hier sei das älteste Haus des Dorfes. Es sei noch älter als das Gutshaus. Ja, es sei ein Schafstall gewesen, fiel ihm mein Mann ins Wort. Michael hatte manchmal so eine Art, sein Halbwissen auszubreiten. Der Alte betrachtete ihn, wie mir schien, mit leichter Verachtung. Dann wies er auf mein langes helles Kleid und fragte spöttisch, ob ich die Weiße Frau sei, die aus der Sage von Mamerow. Er konnte nicht wissen, dass ich mich für meine Dissertation mit niederdeutschen Sagen beschäftigte. Für mich war das damals ein Forschungsgegenstand, der gehörte in die Räume der Staatsbibliothek, ins Institut, an meinen Arbeitstisch zu Hause, nicht in dieses Dorf. Ich war verwirrt. Mein Mann fragte nach und der Alte erzählte knapp:

In Mamerow, einem der Nachbardörfer, das seinen Namen wohl noch aus der slawischen Zeit habe, spuke eine Weiße Frau auf einem Hof, sie war im Kriege erschossen worden. »In welchem?«, unterbrach mein Mann, doch der Alte lachte nur. Ihre Seele wohne nun in einem Baum, der sei eines Tages gefällt und als Bauholz in einen Schafstall gekommen. Lauernd beobachtete er die Wirkung seiner Worte. »Wurde sie Mahrte genannt?«, fragte ich, denn ich kannte solche Sagen. Der Alte spuckte ein Stück Kautabak auf den mit Moos überwachsenen Dielenboden und wandte sich grinsend zum Gehen. »Mahrte, Spukgeist, Huckup, pottegal. Ik bin keen Spökenkieker.« In der Tür stieß er mit Jan zusammen, und obwohl er kurz zuvor nach ihm gefragt hatte, ging der Alte wortlos an ihm vorbei.

Jan drängte jetzt zum Aufbruch. Unsere Hochstimmung war verflogen, etwas Unheimliches hatte der alte Nachbar in den Räumen zurückgelassen. Am Trabant stand die hochgewachsene Frau, die Stumme, wie der Alte sie genannt hatte. Aber sie sagte leise ein paar Worte zu Jan, sie umarmten sich fest und lange. Ich sah, dass mein Bruder weinte, und bemühte mich, nicht hinzuschauen.

Es war zu spät, noch den Bürgermeister aufzusuchen. Aber wir beschlossen, ihn gleich am nächsten Tag wegen des Hauskaufs anzurufen. Jan hatte im Fahren seine Jacke ausgezogen und mir auf den Schoß gelegt, etwas fiel heraus, wohl das, was die Frau ihm gegeben hatte: Auf den ersten Blick ein gewöhnlicher kleiner Feldstein, aber dann sah ich, das beinahe herzförmige Ding war zur Hälfte überzogen mit einer Kruste aus blauem Glas, die in einem gläsernen Tropfen endete, in der anderen Hälfte gab es einen Riss, aus dem etwas Schwarzes quoll. Während ich den Stein noch betrachtete, griff Jan danach und schob ihn in die Jacke zurück. Er fuhr schweigend, in Gedanken versunken wie schon bei der Hinfahrt, aber als wir uns

Berlin näherten, fragte er: »Was hat denn der Alte gewollt?«
Ich erzählte ihm von der Sage. Jan kannte sie. »Jeder in den
Dörfern um Machandel kennt diese alten Geschichten«, sagte
er. »Aber die von der Weißen Frau aus Mamerow geht noch
weiter. Die hockt längst nicht mehr in dem Schafstall. Ein paar
Knechte mussten sie einfangen und auf den Kirchhof von Klabow tragen. Dort ist sie nun in einem Gewölbe eingemauert.
Nach einer anderen Variante sitzt sie nun in einem Machandelbaum. Den Knechten aber war jedes Wort darüber verboten.«

Ich weiß noch, dass ich lange wach lag in der Nacht nach
diesem Ausflug. Ich spürte, etwas war geschehen, das unser
Leben verändern würde. War es der Abschied von Jan, war es
das Haus, das wir gefunden hatten wie etwas, nach dem wir
uns immer gesehnt hatten, ohne es zu wissen, oder war es die
Sage von der Weißen Frau, die mich bis in den Traum verfolgte?
Vielleicht war es auch der Name des Dorfes: Machandel. Das
Märchen vom Machandelboom hatten wir in unseren niederdeutschen Seminaren analysiert und interpretiert, niemals war
mir dabei das Dorf meines Bruders und meiner unbekannten
Großmutter in den Sinn gekommen.

2

NATALJA

Die Seidenbluse

Nun liegt mein Grab in Mecklenburg bei den Machandelbäumen und ich bin nie wieder nach Hause gekommen. Ich habe länger in Mecklenburg gelebt als in Smolensk, aber bin doch eine Fremde geblieben unter den Deutschen. Aber ich wäre auch eine Fremde gewesen, wenn ich zurückgekehrt wäre an den Ort, an dem ich geboren bin. Smolensk war so eine schöne Stadt, wir haben Lieder über sie gesungen, sie liegt auf sieben Hügeln und an siebzehn Flüssen. Den Dnjepr hätte ich gern noch einmal gesehen. In der Gegend um Machandel gibt es keine richtigen Flüsse, die Warnow, der Peenestrom, die Nebel sind nur Rinnsale gegen den Dnjepr. Der ist so breit, fast wie ein Meer, und wenn ein Schiff vorbeifährt, schlagen die Wellen ans Ufer wie bei der Meeresbrandung. Man sieht kaum die Menschen auf der anderen Seite, nur die Hügelkette. Wenigstens ist das Land um Machandel hügelig. Manchmal, in den ersten Jahren, bin ich über die Weiden gegangen und habe mir einen Platz zwischen den Hecken gesucht, an dem mich keiner sehen konnte. Dann habe ich den Wolken nachgeschaut und geträumt, ich sei noch ein Kind, ich sei zu Hause, wir hätten einen Ausflug ins Hügelland gemacht und meine Mutter und mein Vater seien bei mir. Meine Mutter war Lehrerin, manchmal, wenn sie mit ihren Schülern einen Ausflug machte, durfte ich mitkommen, auch als ich noch ganz klein war. Einmal saßen wir alle am Rand eines Sonnenblumenfeldes, die Pflanzen waren größer als erwachsene Menschen, es war für mich wie ein Wald, ein Wald aus Sonnenblumen, in den ich hineinlaufen und mich verstecken konnte, aber ich wurde immer gefunden, und es war schön.

In Mecklenburg haben sie *Die Russin* gesagt, wenn sie über mich sprachen. Aber ich war keine Russin. Bevor ich geboren wurde, gehörte Smolensk eine Zeitlang zu Belarus, ich war Weißrussin wie meine Mutter. Das habe ich ihnen nie gesagt, sie hätten es nicht verstanden. Aber vielleicht irre ich mich, vielleicht war ich in meinen Papieren Russin.

1939 war ich vierzehn und mein Vater und meine Mutter wurden geholt, morgens um drei, sie seien Sowjetfeinde, hieß es. Aber ich weiß, dass sie keine Feinde waren und dass sie an den Kommunismus glaubten. Damals verschwanden viele – Lehrer, Nachbarn, der Vater meines Mitschülers Kolja. So viele Feinde konnte es gar nicht geben. Ich stand im Nachthemd auf dem Korridor, als die Männer meine Eltern wegführten. Was mein Vater gesagt hat, wie er aussah, habe ich vergessen. Ich habe es vergessen und es gibt auch keine Fotos mehr von ihm. Mama hat mich traurig angeschaut mit ihren schönen Augen, ihr Haar, das sie sonst hochgesteckt trug, hing herunter wie bei einem Mädchen. »Budj silnoi«, hat sie gesagt. Nur diese beiden Worte. Ich habe sie mir immer wieder gesagt, mein ganzes Leben lang. Wenn es schwer war, habe ich die Augen geschlossen und Mamas Gesicht gesehen: Sei stark.

Einer der Männer kam dann zurück, sie wollten die Wohnung versiegeln, ich sollte verschwinden. Nicht einmal angezogen habe ich mich, nur einen Mantel über das Nachthemd geworfen, ein paar Kleider zusammengerafft, meine Schultasche. So kam ich zu meinem Tantchen, andere Verwandte hatten wir nicht in Smolensk. Das Tantchen war alt, sie hatte nur ein ärmliches Zimmer in einer Kommunalka, aber sie besaß ein Klavier und spielte abends Stücke von Chopin, bis die Nachbarn an die Wände klopften. Sonntags lief sie in die Kirche und küsste dem Popen die Hand. Sie nahm mich mit, ich sollte beten und um Verzeihung bitten für meine Sünden und die meiner Eltern, dann kämen sie vielleicht zurück. Das Tantchen war nicht klug. Aber sie war ein guter Mensch, sie hat ihr Essen mit mir geteilt, sie hat mir aus ihren Vorhängen und alten Stoffen Kleider genäht, denn ich hatte ja nichts. Und an Feiertagen ging sie mit mir in die Mariä-Entschlafens-Kathedrale, die stand hoch über der Stadt am Steilufer des Dnjepr. Ich habe die goldenen Fresken betrachtet, die Gewölbe, den geschmückten Altar, die schönen Ikonen und gedacht: Das haben Menschen gemacht. Das alles hat sich ein Baumeister ausgedacht, und die Maurer haben die Steine herbeigeschleppt, dann haben andere auf Gerüsten gestanden und diese zarten Blütenblätter gemalt und das Gesicht der Maria, die eine junge Mutter war, die ihr Kind beschützen wollte. Das alles, habe ich gedacht, ist schon viel älter als jeder Mensch auf der Erde und wird noch sein, wenn ich nicht mehr bin.

Und jetzt bin ich tatsächlich nicht mehr und die Mariä-Entschlafens-Kathedrale gibt es wohl noch immer. Und die Sonnenblumenfelder bei Smolensk und die Hügel dort und um Machandel.

Vielleicht wird meine Tochter Lena einmal nach Smolensk fahren und in die Altstadt gehen, sie haben sie ja wieder aufgebaut. Das armselige Alltagskirchlein meiner Tante wird sie nicht mehr finden, aber die Mariä-Entschlafens-Kathedrale unserer Feiertage steht noch. Lange nach dem Krieg war die Zahnärztin aus Teterow mit einer Reisegruppe dort, sie hat mir einen Touristenprospekt mitgebracht, da habe ich die Bilder einer fremden Stadt mit fremden Menschen angeschaut, doch die Mariä-Entschlafens-Kathedrale sah aus wie in meiner Erinnerung. Wenn Lena dort sein wird, wenn sie unter dem goldenen Gewölbe steht, spürt sie vielleicht dasselbe wie ich damals, und unsere Gefühle treffen sich, denn sie haben nichts zu tun mit der Zeit; was man fühlt und denkt, ist in der Welt und vergeht nicht so schnell wie die Menschen. Ich habe auch immer meine Mutter gespürt, als sie längst nicht mehr da war.

Am Tag, als die Deutschen kamen, im Sommer 1941, war meine Abschlussfeier in der Schule. Tantchen hatte mir aus einem alten Seidenkleid eine hellblaue Bluse genäht. Am Nachmittag wollte ich mit meinen Freundinnen zum Flussufer gehen, aber am Nachmittag war schon Krieg.

Ich wollte zur Front, als Soldat oder Sanitäterin, aber ich war erst sechzehn, sie haben mich nicht genommen. Dann war die Front rings um Smolensk, sie war in den Straßen, sie war überall. Wir schliefen in fremden Kellern, in Höhlen am Flussufer. Unser Haus, unsere Straße waren zerschossen. Dann starb die Tante, eine herabstürzende Mauer hat sie erschlagen. Viele starben. Ich weiß gar nicht mehr, ob ich trauern konnte. Im September feierten die Deutschen ihren Sieg in unserer Stadt, zwei Monate lang hatten die Unseren sie aufgehalten, obwohl die Deutschen dreimal so viele waren und modernere Waffen besaßen. Jetzt war der Weg nach Moskau frei.

Ich hatte die hellblaue Bluse an, als sie mich wegschleppten, es war warm, muss aber schon Anfang Oktober gewesen sein. Ich war unterwegs zum Glinka-Denkmal, zu einem Treffen mit einem Jungen, Kolja. Er war siebzehn, war in meine Schule gegangen. Er war noch kein Soldat, aber bei den Straßenschlachten hatte er gekämpft und war verwundet worden, seine Mutter hatte ihn versteckt und gesund gepflegt. Sie kannte mich, sie hat mich auf der Straße getroffen und mir gesagt, in welcher Ruine sie hausten, ich solle sie besuchen kommen. Das hatte ich ein paarmal getan, Kolja war der Einzige, mit dem ich reden konnte. Sein Vater war verhaftet worden wie meiner. Er hat es mir ganz offen erzählt, ich habe nie über meine Eltern gesprochen. Trotzdem, so bestärkten wir uns gegenseitig, war die Rote Armee unsere, die Deutschen waren unsere Feinde. Er schlug vor, wir sollten uns alleine treffen, ohne seine Mutter. Es war leichtsinnig, weil es kaum noch junge Männer in den Straßen gab. Die Deutschen nahmen sie gefangen, manche wurden gleich erschossen. Trotzdem verabredeten wir uns. Er hatte sich in mich verliebt. Ich war so allein. Ich habe Kolja nicht wiedergesehen, denn ich war es, die aufgegriffen wurde.

Für die Deutschen war ich nicht zu jung, sie haben mich eingefangen wie ein Tier und von der Straße weg in die Sammelstelle gebracht. Vielleicht haben andere sich freiwillig gemeldet, ich nicht.

Von der Sammelstelle mussten wir zum Güterbahnhof laufen, hundertfünfzig Mädchen, eine Herde Vieh mit Bewachern. Manche trugen Rucksäcke und Bündel, ich hatte nichts. Wir kamen an den zerstörten Gebäuden vorbei, am Opernhaus, am Pädagogischen Institut, es war so ein schöner, sonniger Tag im Oktober. Altweibersommer. Aber ich habe nicht aufgeblickt, ich ging neben den anderen und wäre gern unsichtbar gewesen. Meine Seidenbluse war schmutzig, in der Sammelstelle hatten wir auf dem blanken Boden gelegen und uns nicht waschen können. Ich schämte mich für mein Aussehen und hoffte, keiner würde mich sehen. Ich schämte mich auch, weil manche der Frauen neugierig auf Deutschland waren, weil sie sich freuten, im Ausland arbeiten zu können, und weil ich fürchtete, man könnte mich für eine von denen halten. Später habe ich oft an diesen letzten Gang durch Smolensk gedacht und gewünscht, ich wäre nicht so gebeugt gegangen, mit dem Blick nach unten. Ich hätte mich umsehen sollen, vielleicht hätte ich noch

Bekannte gesehen, vielleicht Kolja, und oft habe ich im Halbschlaf gedacht, ich hätte den Kopf heben müssen, dann hätte ich am Straßenrand meine Mutter sehen können oder meinen Vater, die Sowjetfeinde, denn es hieß, die Gefängnisse seien geöffnet worden, als die wirklichen Feinde kamen. Aber ich wusste ja nicht einmal, wohin man sie gebracht hatte und ob sie noch lebten, und ich habe niemanden gesehen, als ich zum letzten Mal durch die Straßen meiner Kindheit lief.

Später konnte ich mich kaum an die Reise erinnern. Andere sagten mir, dass wir mit den Güterwagen bis Warschau fuhren und dort zwei Wochen in einem Lager waren. Da haben wir auch Männer gesehen, unsere Jungs, Kriegsgefangene. Sie sahen hungrig aus, verprügelt, sie wurden noch strenger bewacht als wir. Zu uns kamen dann noch Ukrainerinnen, die die Deutschen von den Feldern geholt hatten, die noch ihre Arbeitskittel und verschwitzte Kopftücher trugen. Im Lager bei Warschau konnte ich meine Bluse waschen, daran erinnere ich mich. Plötzlich war es kalt geworden. Mit den Ukrainerinnen und polnischen Frauen müssen wir dann weiter nach Berlin transportiert worden sein. Ich weiß es nicht mehr, vielleicht war ich krank. Aber ich sah später ein Bild vor mir, wie wir in Reihen frierend auf einem Berliner Bahnhof standen, russische Frauen, weißrussische, ukrainische, auch polnische, um weitertransportiert zu werden, in Viehwagen, die an einen gewöhnlichen Zug angehängt wurden. Auf diesem Bahnhof warteten deutsche Reisende auf ihre Abfahrt, Frauen, Männer, auch Kinder. Sie waren so schön, so sauber, die blonden Frauen trugen gewellte Frisuren, sie wirkten glücklich. Und ich sah, mit welchen Blicken sie uns musterten, voller Abscheu und Ekel. Eine Frau zeigte ihrer Tochter die Ukrainerinnen, mit dem Finger wies sie auf die Frauen in den geflickten Arbeitskitteln, auf die Holzschuhe. Das Schlimmste aber war, ich sah es plötzlich selbst, dass wir nicht wie Menschen blickten, sondern wie Tiere, wie gefangene Tiere voller Angst. Ich schaute an mir herunter, ich trug gute Lederschuhe, mein Rock war etwas zerrissen, aber die Bluse, meine hellblaue Bluse von der Abschlussfeier, war noch unversehrt, zwar zerknittert und angeschmutzt, aber es war eine schöne Bluse von elegantem Schnitt. Sie war nicht aus so billigem, dünnem Sommerstoff, der schnell zerreißt, sondern aus festem, gutem Seidenstoff, der Mann der Tante war Eisenbahner in Tschita gewesen und hatte solche Stoffe von der chinesischen Grenze mitgebracht.

Vielleicht war es diese Bluse, die mir das Leben rettete.

In Schwerin, wohin wir gebracht worden waren, wurden wir wieder in ein Durchgangslager getrieben, das war irgendein öffentliches Gebäude, eine Schule oder eine Kaserne mit großen Sälen. Da waren schon Russinnen, die den deutschen Aufsehern halfen. Sie sagten uns, wir sollten sehen, dass wir nicht in eine Munitionsfabrik kämen, das sei gefährlich, da würde man nicht überleben, es gäbe Explosionen und Unfälle. Ich habe mir den Namen der Stadt gemerkt, in die man sich nicht schicken lassen sollte: Torgelow. Besser sei, sagten die russischen Helferinnen, man würde in die Landwirtschaft geschickt, da hätte man genug zu essen. Und am besten sei es, wenn man eine Arbeit bei der Kirche bekäme, auf Friedhöfen.

Aber man hat uns ja nicht gefragt. Wir blieben nur wenige Tage in Schwerin, bekamen zu essen und es gab Waschräume, sogar etwas Seife. Wieder wusch ich meine Bluse und mein Haar. Die Deutschen siegten noch immer, die russischen Dolmetscherinnen erzählten es uns. Am dritten oder vierten Tag wurden wir auf einen Hof getrieben, mussten uns aufstellen wie Soldaten. Männer, manche in Uniform, schritten die Reihen ab, blieben stehen, forderten die Frauen auf, den Mund zu öffnen, ihr Gebiss zu zeigen. Wie bei Pferden, dachte ich. Das waren die Abgesandten der Munitionsfabriken und der Gutshöfe, vielleicht auch der Kirche, die sich ihre Arbeitskräfte aussuchten. Mir schauten sie nicht in den Mund, ich wurde gleich aufgefordert, einem der Männer zu folgen. Drei oder vier Mädchen und ich wurden in einen Raum geführt, in dem eine Frau wartete, eine Dame in Lederstiefeln, nicht mehr jung. Sie musterte uns, eine nach der anderen, an mir blieb ihr Blick hängen. »Das ist doch noch ein Kind«, sagte sie zu dem, der uns gebracht hatte. Sie sprach Deutsch, natürlich sprach sie Deutsch. Ich hatte Deutschunterricht in der Schule, bei uns zu Hause standen viele Bücher in deutscher Sprache, Heinrich Heines Gedicht von dem einsamen Fichtenbaum hatte mir meine Mama schon beigebracht, als ich noch in den Kindergarten ging. *Er träumt von einer Palme, / die, fern im Morgenland, / einsam und schweigend trauert / auf brennender Felsenwand.* In Smolensk und während der wochenlangen Fahrt in diese Stadt Schwerin hatte ich nicht gezeigt, dass ich die Deutschen verstand. Diese deutsche Sprache um mich herum klang so anders als die, die ich zu Hause gelernt hatte. Sie hatte ganz andere Worte: Todesgefahr. Lebensgefahr. Beides bedeutete dasselbe. Der Tod und das Leben sind gleich für sie, dachte ich. Mir gefiel diese Sprache nicht. Aber jetzt sagte ich wie von selbst: »Ich bin kein Kind, ich bin achtzehn Jahre alt.«

Wenn ich später an diesen Moment dachte, wusste ich nicht, warum ich gelogen hatte, vielleicht wegen der Warnungen der russischen Aufseherinnen, ich wollte versuchen, eine gute Arbeitsstelle zu bekommen. Die Frau kam bestimmt nicht von einer Munitionsfabrik voller Todesgefahr. Erstaunt fragte sie, woher ich Deutsch könne. »Aus der Schule«, antwortete ich. Plötzlich griff sie an meine Bluse, prüfte den Stoff zwischen den Fingern. »Crêpe de Chine«, sagte sie verblüfft, »woher hat die das?« Sie wandte sich an einen Mann in einer Art Jägeruniform, der Gutsverwalter, wie ich später erfuhr. »Sie wirkt sauber«, sagte sie. »Und intelligent. Versuchen wir es.« »Sie scheint nicht besonders kräftig zu sein«, wandte der Gutsverwalter ein, aber die Frau meinte, sie brauche keinen Trampel für die Feldarbeit, sondern ein Mädchen, das Gläser polieren könne und, sie wies auf meine Bluse, feine Wäsche waschen.

Die Blicke der anderen Mädchen, die einfach stehen gelassen wurden, verfolgten uns. Gepäck besaß ich ja nicht, ich wartete am Lagereingang, während die Frau und ihr Verwalter im Büro bei den Uniformierten etwas erledigten, wahrscheinlich unterschrieben sie eine Art Kaufvertrag, denn von nun an, sie haben es mir später oft gesagt, hatte ich nur zu tun, was sie mir sagten, ich sollte den Mund halten und arbeiten.

Ich hatte das schon verstanden, ich kannte ja das Wort dafür: Lebensgefahr. Eine Deutsche aus der Verwaltung des Durchgangslagers übergab mir zwei eckige Stoffstücke mit der Aufschrift OST, die musste ich in Zukunft fest an meiner Kleidung tragen. Und ein Papier auf Russisch gab sie mir, auf dem stand, was ich alles nicht durfte. Der Verwalter war in Zukunft mein Betriebsführer, dem musste ich gehorchen.

Es gab noch einen Wortwechsel meines Betriebsführers mit denen vom Durchgangslager, die wollten, dass ich im Lager bliebe und mit einem Ostarbeitertransport nachgeschickt würde, es ginge nicht, dass ich in einem Automobil mit meinen neuen Dienstherren fahren würde. Aber die Dame setzte sich durch und sie nahmen mich mit wie einen guten Einkauf.

Von den Mädchen im Lager habe ich mich nicht verabschiedet, mit keiner hatte ich mich angefreundet, die ganze Zeit über hatte ich still in der Ecke gehockt und gar nichts gefühlt. Sie zankten sich und weinten viel, manchmal sangen sie auch, dann tat mir das Herz weh. Eine war schon in Berlin verrückt geworden und wollte sich aus dem Fenster stürzen, die war so geschlagen worden, dass sie nicht mehr alleine gehen konnte. Es waren nur noch wenige Mädchen aus Smolensk dabei. Ich habe sie nicht wiedergesehen. Doch Dunja und Anna, Zwillingsschwestern aus Minsk, waren mit mir in Schwerin in dem Durchgangslager. Eine von ihnen arbeitete später in der Mühle in einem Nachbardorf, in Kuhelmies.

So kam ich nach Machandel, auf dem Rücksitz eines Automobils. Die Frau saß vorn neben dem Betriebsführer, sie drehte sich unterwegs manchmal nach mir um, sagte aber nichts. Ich war noch nicht oft mit einem Auto gefahren, schon gar nicht in so einem schönen mit roten Ledersitzen. Wir fuhren etwa zwei Stunden durch flache Landschaften, erst am Schluss wurden sie wellig wie zu Hause. Wir kamen an kleinen Seen vorbei, an weidenden Kühen und Gärten. Die Dörfer sahen so aufgeräumt und sauber aus, so friedlich. Vor Häusern aus rotem Ziegelstein waren Zierbüsche gepflanzt wie in den Parkanlagen von Smolensk. Aber einmal sah ich ein Blumenbeet, das war angelegt wie ein Hakenkreuz. Sonnenblumen sah ich nicht. Die blühen ja nur bis in den Oktober und der war vorbei.

3

CLARA

Das Gedächtnis der Glockenblumen

Jan fuhr, glaube ich, über die Brücke an der Bornholmer Straße nach Westberlin. Ich war nicht dabei, habe ihn nicht bis zur Absperrung begleitet, er wollte es nicht. Als ich ein kleines Kind war, hat eine unserer Haushälterinnen ganz in der Nähe gewohnt, von ihrem Fenster in der Finnländischen Straße aus sah man auf die Grenzanlagen. Manchmal war ich in ihrer Wohnung, und von ihr hörte ich den Namen der Brücke: Böse-Brücke. Heute weiß ich, dass sie nach einem von den Nazis ermordeten Widerstandskämpfer, Wilhelm Böse, benannt war, aber damals fragte ich meine Mutter, warum denn die Brücke böse sei. Sie gab zerstreut zur Antwort, dass dahinter Westberlin läge, und mir leuchtete die Antwort ein. Nun war Jan also fort, über die böse Brücke in den anderen Teil der Stadt, den ich nie gesehen hatte, vielleicht nie sehen würde. Als ich ein Jahr alt war, wurden die Grenzschutzanlagen gebaut, so nannten meine Eltern sie. Meine ganze Kindheit lang wohnten wir in einem Haus in Pankow hinterm Bürgerpark, der an die Mauer grenzte. Vom Spielplatz aus sah man einen Wachturm. Nachts hörte man manchmal Schüsse, vielleicht waren wilde Kaninchen in die Grenzschutzanlagen geraten, vielleicht aber hatte auch jemand versucht abzuhauen. Republikflucht zu begehen, wie meine Eltern sich ausdrückten.

Jan beging nicht Republikflucht. Er reiste aus, das war ein Unterschied. Aber er war fort. Und er fehlte mir schon nach ein paar Stunden. Vielleicht hat mir mein großer Bruder immer gefehlt, er blieb irgendwie unerreichbar, auch wenn er mich in den Arm nahm. Nun würde er gar nicht mehr da sein. Nun hatte ich nur noch seine Stimme, so fremd durch das Telefon. Er sprach nicht viel, wir wussten ja, dass mitgehört wurde, aber das wussten wir schon immer und hatten uns daran gewöhnt. Er würde nicht lange in Westberlin bleiben, das hatte er uns schon vorher gesagt. Was er vorhatte, wussten wir nicht, vielleicht wusste er es damals selbst nicht. Am Abend seiner Ausreise ging ich mit Michael zu unseren Freunden. Vielleicht waren wir verabredet, ich weiß es nicht mehr. Wir trafen uns oft einfach so, man meldete sich nicht an, wenn man die anderen sehen wollte. Die Kinder nahmen wir mit, sie waren daran gewöhnt, zwischen Haufen von Mänteln und Parkas auf großen selbst gebauten Betten zu schlafen oder durch die Wohnungen zu toben, während wir redeten, redeten. In meiner Erinnerung sind diese Jahre die Jahre endloser Gespräche, die sich oft im Kreis drehten. Wir tranken billigen Rotwein, ich glaube, er hieß Rosenthaler Kadarka, aßen irgendeine Suppe, das Essen war uns damals nicht wichtig, erst Jahre später lernten wir, mit Freude zu kochen. Nur das scharfe ungarische Gulasch von Jans Freund Herbert war etwas Besonderes. Noch heute kocht er es manchmal, auch Lena mag es. Damals wohnte Herbert mit seiner Frau Maria und den beiden Kindern in der Wollankstraße, eine Zeitlang haben wir uns oft in ihrer großen Wohnung getroffen. Jan und Herbert kennen sich schon von der Kadettenanstalt in Naumburg. Aber als Jan ausreiste, war Herbert schon lange unter Dauerbewachung der Staatssicherheit. Im Halbdunkel des Treppenhauses in der Wollankstraße standen Tag und Nacht zwei oder drei Bewacher. Sie gaben sich gar keine Mühe, ungesehen zu bleiben. Wenn Herbert das Haus verließ, folgten ihm zwei. Ich wusste nicht, was die damit erreichen wollten, ob es ihnen nur um die Drohgebärde ging. Wir hatten keine Angst, wir fanden die lauernden Gestalten lächerlich. Aber heute erschrecke ich, wenn ich mich an unsere Furchtlosigkeit erinnere. Wäre es nicht natürlicher gewesen, Angst vor den Kerlen im Treppenhaus zu haben, vor der Macht, die hinter ihnen stand?

Herbert war ein leiser, zurückhaltender Mensch. Als junger Historiker an der Akademie der Wissenschaften war er der Einzige an seinem Institut gewesen, der gegen eine Parteistrafe für den Professor gestimmt hatte, den die Akademie loswerden wollte. Die Parteistrafe sollte die längst beschlossene Kündigung des Wissenschaftlers einleiten. Nachdem Herbert das einstimmige Ergebnis verdorben hatte, musste auch er gehen. Ihm wurde nicht gekündigt, er kündigte selbst, nachdem alle Entwürfe seiner B-Promotion immer wieder abgelehnt und scharf kritisiert worden waren, nachdem wegen angeblich konterrevolutionärer Denkweise ein Parteiverfahren gegen ihn eröffnet worden war und der Institutsleiter selbst ihn bat, sich und dem Institut das alles zu ersparen. Sein Geld verdiente Herbert als Hausmeister in einem kirchlichen Kinderheim. Auch seiner Frau Maria, die am Modeinstitut gearbeitet hatte, war nahegelegt worden, von selbst zu gehen, man würde ihre Entwürfe fortan kaufen. Eine Zeitlang ging das so, aber dann gestand ihre ehemalige Chefin Maria zögernd, ihr sei aufgetragen worden, die Zusammenarbeit unter einem Vorwand zu beenden.

Wir redeten uns immer ein, dieser ganze undurchsichtige und allgegenwärtige Apparat sei uns gleichgültig. Wenn in Pankow ein Staatsbesuch erwartet wurde, machten wir uns gegenseitig auf die albernen Burschen aufmerksam, die sich mit Einkaufsbeuteln aus Blümchenstoff tarnten und zu zweit durch die Stra-

33

ßen schlenderten. Bei öffentlichen Diskussionen nach Lesungen oder Filmvorführungen im Studiokino lachten wir schon, wenn sich diese blassen Männer mit den Namen Lutz Müller oder Dieter Krause vorstellten und dümmliche Provokationen oder eingeübte Phrasen äußerten.

Am Abend nach der Ausreise meines Bruders trafen wir uns sicher nicht in Herberts Wohnung. Aber ich weiß noch genau, dass er dabei war, als wir um den runden Tisch in einer großen Küche saßen, vielleicht war es bei der Pfarrerin oder bei jemandem aus dem Friedenskreis, vielleicht auch bei der Puppenspielerin Katja in der Florastraße, die meinen Bruder liebte und im Jahr nach ihm ausreiste, ihm nachreiste nach London und Nicaragua, ohne ihn jemals wiederzufinden. Unsere Küchen sahen einander so ähnlich. Nein, bei Katja wird es nicht gewesen sein, ihre Wohnung war klein und dunkel, die S-Bahn fuhr dicht am Fenster vorbei und es war feucht. Es wird wohl bei der rothaarigen Pfarrerin und ihrem Mann am Schlosspark gewesen sein. Ich war nicht getauft, die gesamte Familie meines Vaters war bereits aus der Kirche ausgetreten, als er noch ein Kind war, und meine Mutter hat oft wiederholt, was sie auf ihren Parteischulen gelernt hatte: »Religion ist Opium für das Volk.«

Aber ein paar Jahre zuvor hatte ich mit meinem Bruder im Pankower Gemeindehaus eine Ausstellung seiner Fotos über den Prager Frühling 1968 aufgebaut, um derentwillen er im Gefängnis gesessen hatte, seitdem ging ich oft zu den Treffen des Evangelischen Friedenskreises. Die Alte Pfarrkirche in Pankow war in Berlin bekannt für die ungewöhnlichen Gottesdienste der jungen Pfarrerin, die von ihrem Superintendenten geschützt wurde. Aber auch die Männer mit den Namen Lutz oder Dieter saßen neben uns in den Bänken und waren an ihren betont ausdruckslosen und irgendwie starren Gesichtern zu erkennen, an ihrer auffällig unauffälligen Kleidung.

Die Pfarrerin forderte in Bittgottesdiensten dazu auf, eine Kerze anzuzünden für Wehrdienstverweigerer oder für politische Gefangene, deren Namen sie nannte. Viele taten das, ohne sich um die anwesenden Spitzel zu kümmern. Am Sonntag nach Jans Ausreise ging ich zum ersten Mal nach vorn und zündete eine Kerze an für meinen Bruder. Als ich mich wieder hinsetzte, spürte ich den Blick eines dieser blassen Kerle, der mich ungeniert musterte, als wollte er sich jede Einzelheit einprägen, und mir wurde übel.

In unsere Wohnungen ließen wir diese verdrucksten Gestalten nicht, und doch ahnten wir, dass auch hier jedes Wort mitgehört oder, schlimmer noch, von irgendeinem am Tisch weitergegeben wurde. Wer dieser eine war, diese Frage beschäftigte uns oft, wir hatten mal diesen und mal jenen Verdacht, verwarfen ihn, schämten uns des Misstrauens und wurden es doch nie ganz los. Aber als sich vor ein paar Jahren nach der Öffnung der Akten herausstellte, wer die Berichte geschrieben hatte, wer aus Geltungsbedürfnis oder weil er erpresst worden war oder für einen Judaslohn als Zuträger gedient hatte, ließ mich das seltsam gleichgültig. Wir hatten es doch gewusst. Und keiner, dem ich wirklich vertraut hatte, war dabei gewesen.

Trotz der Ahnung, dass man in den Wohnungen nie ganz sicher war, waren die Treffen mit den Freunden damals das Wichtigste. Wir suchten die Nähe der anderen, erst recht, wenn wieder einer gegangen war. Vielleicht mussten wir uns in diesen Jahren so oft an den Küchentischen versammeln, weil wir uns vergewissern wollten: Wir sind nicht allein. Wir gehen nicht.

Ich verstehe es heute nicht mehr, aber an diesem Abend nach der Ausreise meines Bruders waren wir fröhlich, wir lachten viel, und ein paarmal musste ich die anderen bitten, leiser zu sein, weil Caroline nebenan schlief. Julia, die Sechsjährige, saß neben mir. Sie lachte nicht mit, sie war traurig. Natürlich waren wir auch traurig. Natürlich war der Schmerz um Jan nicht fort, wenn ich lachte. Dieser Schmerz saß mir schon seit Jahren im Hals, seitdem ich ein achtjähriges Kind war und wusste: Mein Bruder ist im Gefängnis. Ach, dieser Schmerz war da, solange ich mich erinnern kann. Schon als ich noch nicht zur Schule ging, spürte ich ihn als würgendes Mitleid mit meinem Vater. Denn auch er war ein Gefangener gewesen, viele Jahre, in einem KAZETT, lange vor meiner Geburt. Die Nazis hatten ihn eingesperrt. Jan aber haben die Freunde meines Vaters eingesperrt, seine Genossen, die mit ihm im Lager gewesen waren, die am 1. Mai auf der Tribüne saßen. Jan war nicht jahrelang Häftling gewesen wie unser Vater, er kam wieder nach ein paar Wochen oder Monaten. Niemand hat mir, der Achtjährigen, etwas erklärt. Mein Bruder wohnte dann nicht mehr bei uns. Wenn er kam, saß unsere Mutter blass im Wintergarten, wo ihre leeren Weinbrandflaschen hinter den Zimmerpalmen versteckt waren, während Jan und unser Vater sich anschrien, und ich verstand kaum, worum es ging. Oft fiel das Wort: Verrat. Ich verstand es nicht, aber in mir war damals schon das Gefühl, mein wunderbarer, starker Vater habe die falschen Freunde. Sie waren es, die Jan eingesperrt hatten, sie waren die Verräter, und wahrscheinlich wusste er es nicht einmal.

An dem Abend nach Jans Ausreise war mir seltsam leicht, vielleicht weil ich dachte, dass mein Bruder ihnen jetzt entronnen war, vielleicht weil ich mich den anderen so nahe fühlte, denen es wohl ähnlich ging. Die Pfarrerin tanzte an diesem Abend mit Michael nach russischen Zigeunerromanzen, Herbert versuchte vergeblich, mir Tangoschritte beizubringen, und irgendwann an diesem Abend erzählte ich von unserem Ausflug nach Machandel, von unserem künftigen Sommerhaus.

Schon am übernächsten Wochenende fuhren ein paar Leute aus dem Friedenskreis mit Michael zum Katen, säuberten zwei der Zimmer, und als ich in der dritten Woche nach Jans Ausreise mit den Kindern kam, waren schon Fensterscheiben eingesetzt. Der Bruder von einem aus dem Friedenskreis hatte sie aufgetrieben, er war Handwerker und half meinem Mann, das Dach zu flicken. Im Theologischen Sprachenkonvikt in der Borsigstraße wurden gerade die Haustüren ausgewechselt, wir besorgten einen Anhänger und holten uns ein paar der noch brauchbaren Türen für den Katen, der Hausmeister dort gab uns auch ein paar ausgemusterte Stühle aus der Golgathakirche mit, die wir nur neu verleimen mussten. Als Michael und ich uns vor ein paar Jahren trennten, überließ er mir alle unsere Möbel, aber diese schönen eichenen Stühle mit den geschnitzten Lehnen wollte er mitnehmen.

An dem Abend von Jans Ausreise hatten manche gesagt, wir sollten uns nicht zu früh freuen, man würde uns das Haus nicht überlassen, es gäbe neue Bestimmungen, Häuser dürfe man nur kaufen, wo man auch polizeilich gemeldet sei. Der Grund war wohl, dass es schon zu viele abseits gelegene Sommerhäuser von Berlinern ohne Telefonanschlüsse gab, was unseren Bewachern die Arbeit erschwerte.

Aber dann ging alles ganz leicht; der Bürgermeister Schaumack, ein beleibter Mann mittleren Alters, der mitten in der Erntezeit nicht viel Zeit für uns hatte, stellte uns einen Mietvertrag in Aussicht, für hundert Mark im Jahr könnten wir die Bruchbude haben. Und wenn es uns gelänge, den Katen vor dem Verfall zu bewahren, woran er allerdings bei uns Büchermenschen zweifle, dann könnten wir das Haus auch kaufen. Er fragte uns, warum wir ausgerechnet nach Machandel gekommen seien, keine Straße führe doch an diesem Nest am Rande der Mecklenburger Schweiz vorbei. Nur noch alte Leute würden da leben. Nach der Schneekatastrophe vor ein paar Jahren hatte man erwogen, alles vom Bagger zusammenschieben zu lassen, es sei zu aufwendig, wegen der paar Leute einen Winterdienst einzurichten und den Konsumbus zu schicken. Das Schloss sei ja auch nichts mehr wert und würde nur noch von zwei Frauen bewohnt, der Russin und der Stummen. Für die Gemeindeschwester und den Briefträger sei es eine Zumutung, mit dem Rad da rauszufahren, durch Wald und Sumpfgebiet. »Aber die Alten in Mecklenburg sind stur, die wollen nicht weg.« Er lachte. »Es ist eigentlich ganz gut, wenn da mal wieder was Jüngeres hinkommt.«

Ich erwähnte meine Großmutter und meine Mutter, die nach dem Krieg im Schloss gelebt hatten. Der Bürgermeister horchte auf, er kannte ihre Namen, dann sagte er etwas von einem Geigenbogenbauer, dem Lebensgefährten meiner Großmutter. Ich wusste von keinem Geigenbogenbauer. Er selbst, sagte der Bürgermeister, sei eines der vielen Flüchtlingskinder im Schloss gewesen. Durch die Bodenreform seien auch seine Eltern Neubauern geworden, sie hätten sich ein Haus in einem der Nachbardörfer gebaut, das ihm noch heute gehöre.

Anfang August zog ich mit den Kindern für einen Monat in unseren Katen. Michael musste arbeiten und kam nur an den Wochenenden. Wir hatten die Türen verschließbar gemacht, aber manchmal vergaß ich abends abzuschließen, und auch tagsüber ließen wir das Haus offen, wenn wir über die Weiden zum See gingen.

Wir schliefen auf Matratzen, nur für Caroline hatten wir am Fenster ein Kinderbettchen aufgestellt. Einmal hatte sie sich am frühen Morgen, als Julia und ich noch nicht aufstehen wollten, an den Gitterstäben hochgezogen und zeigte mit begeisterten Rufen, so laut, dass ich die Augen öffnete, auf zwei Mäuse, die durchs Zimmer rannten, ohne sich von unserer Anwesenheit stören zu lassen, die Wände hoch und runter, als spielten sie Fangen. Die Mäuse hatten den Katen jahrelang bewohnt, sie fürchteten sich nicht vor Menschen, und es dauerte lange, bis sie sich vor uns wenigstens versteckten.

Damals, während unseres ersten Sommers in Machandel, lebte noch eine Familie von Siebenschläfern unterm Dach. Wir hörten sie poltern, sahen sie aber nicht.

Über diesem ersten Sommer, an den ich oft denke, lag etwas wie ein Nebel, der die Dinge auch in der Erinnerung verschwimmen lässt. Vielleicht war es die Trauer um Jan, die über allem lag. Ja, Trauer. Wir trauerten um die Weggegangenen ähnlich wie um Gestorbene, dabei ging doch ihr Leben weiter, nur irgendwo anders in einer Welt, die wir nicht kannten. Sie verschwanden wie in diesem sagenhaften Bermudadreieck, und wenn sie doch wieder auftauchten, waren sie andere; die alte Vertrautheit hatte sich aufgelöst, es gab oft Streit, und man verstand kaum, worum es ging, und war sich fremd. Mit meinem Bruder würde es nicht so sein, da war ich mir sicher, aber würden sie Jan denn wieder einreisen lassen? Würde er kommen wollen?

Ich hatte mir nach Machandel das Material für die Dissertation mitgebracht, einen Wäschekorb voller Bücher und Exzerpte, die lagen ordentlich auf der aufgebockten Stalltür, die mein Arbeitstisch sein sollte.

Aber ich kam nicht zum Schreiben in diesem Sommer 1985. Es gab kein Wasser im Katen, und mehrmals täglich ging ich zum Verwalterhaus neben dem Gutshaus, wo mir die fast zahnlose Frau des Alten, der uns die Sage von der Weißen Frau erzählt hatte, mürrisch meinen Eimer füllte. Sie hieß Auguste Stüwe und war, wie sie mir nach und nach erzählte, hier im Dorf geboren, in unserem Katen sogar, in der linken Wohnung. Aber schon mit vierzehn hatte sie im Schloss gearbeitet, in der Küche und dann als Zimmermädchen. Das habe nicht jede gedurft, behauptete sie stolz, aber sie sei so sauber und anstellig gewesen, außerdem flink wie keine sonst. Mit siebzehn musste sie heiraten, das erste Kind war unterwegs. Ihr Mann, der damals junge Wilhelm, hatte als Melker die Wohnung überm Kuhstall. Drei Kinder wurden da oben geboren, eng war es, aber immer warm, auch im Winter. Noch als die Kinder da waren, wurde sie oft zum Putzen ins Schloss geholt, manchmal auch in die Küche. Bis dann alles zu Ende war mit der Frau Baronin und es keine Gesellschaften mehr gab im Schloss, nur allerlei Gesindel, wie Auguste sich ausdrückte. Keinen Schritt mehr habe man gehen können in Machandel, ohne auf die Hergelaufenen zu treten.

»Hergelaufene sind ja auch wir«, sagte ich. Sie winkte ab. »Wenigstens keine Russen«, hörte ich sie murmeln und irgendwas über gebildete Leute, womit sie uns meinte. Der Wasserhahn war außen an der Hauswand angebracht, ich habe das ehemalige Verwalterhaus nie betreten. Und ich habe sie auch nicht gefragt, wie sie aus der engen Melkerwohnung in dieses schöne, große Haus gekommen waren. Der Gutsverwalter, Inspektor nannten ihn die Leute, war wohl 1945 mit der Familie der Baronin geflohen, und seitdem wohnten Wilhelm und Auguste Stüwe dort.

Der alte Wilhelm kam beinahe täglich auf seinem Spaziergang zu uns hinters Haus, wo Brennnesseln und Disteln meterhoch wuchsen. Er zeigte uns die verkrauteten Reste von Gemüsebeeten, kratzte mit seinem Stock in der Erde und erklärte mir, wie ich Erdbeeren setzen solle und wo ein Bohnenbeet hingehöre. Er brachte mir Pflanzen und Samen und guckte zu, wie ich die Beete anlegte. Obwohl es mir sinnlos schien, denn ich würde ja nicht das ganze Jahr in Machandel verbringen, und obwohl ich meine Arbeit mitgebracht hatte, ließ ich mich gern darauf ein.

Manche Tage in diesem ersten Sommer habe ich brütend heiß

in Erinnerung, dann war es im Lehmhaus angenehm kühl. Es gab aber auch Gewitter, nach denen es plötzlich kalt war, dann hielten die Wände die Wärme, und wir fühlten uns geborgen. Wenn die Sonne schien, krabbelte Caroline im Garten auf einer Decke herum, sie mochte das Gras nicht und schrie, wenn die Halme an ihren dicken Beinchen kitzelten.

In der Dämmerung taumelten die Fledermäuse aus dem Dach des Katens, Schatten huschten über die Wände. War es der Siebenschläfer? Ein Marder? Es duftete nach Pfefferminze, die hier überall wuchs. Die Äste eines alten Kirschbaumes waren schwer von den süßen, prallen Früchten, die unteren hingen so tief, dass Julia sie mit dem Mund pflücken konnte. »Wie im Schlaraffenland«, jubelte sie, und in diesen Momenten zerriss der Nebel und ich war einfach nur glücklich, dass wir das Haus gefunden hatten. Doch wir hatten nicht bedacht, wie mühselig es sein würde, die Kinder hier draußen zu versorgen und die Wäsche zu waschen. Die Windeln der Kleinen kochte ich auf einem kleinen Propangasherd, Papierwindeln gab es nicht immer und sie waren teuer. Doch wenn die Kinderwäsche zwischen den Apfelbäumen im Wind wehte, war ich froh, und die kleinen grünen Äpfel kündigten an: Auch im Herbst würde das hier ein Schlaraffenland sein.

In diesen Wochen schleppte ich Hunderte Eimer mit Müll und Schutt aus den anderen Zimmern des Hauses. An den Wochenenden kam Michael mit Helfern und wir stemmten Durchgänge in die Lehmwände, nahmen die Füllungen zwischen dem Fachwerk heraus und ließen nur einige der alten Holzbalken stehen. Diese Arbeit war nicht schwer, aber staubig. Abends liefen wir zu einem der Seen und wuschen den Dreck ab.

Nur die beiden Räume, in denen wir schliefen und aßen, waren bewohnbar. Das waren die Stuben, in denen die alte Emma

Peters mit sieben Kindern und ihrem Mann Paul gelebt hatte, unsere Tochter Julia brachte diese Nachricht mit und zeigte mir, was sie gehört hatte: An der Außenwand stand das Bett, einen Ofen brauchte man hier nicht, der Atem der Schlafenden hielt das Zimmer warm. In der Wohnstube hatte es einen Ofen gegeben, den grünen Kachelofen, der noch immer dort stand, aber im Winter wurde der Schnee durch die Fensterritzen getrieben und lag auf den Dielen.

Julia verschwand meist gleich nach dem Frühstück. Schon an einem der ersten Tage fand ich sie im Schlosspark, wo sie mit einem der vielen Enkelkinder von Emma Peters eine Bude baute. Emma hatte von ihren sieben Kindern einundzwanzig Enkel, die alle in der Umgebung wohnten und sie abwechselnd in ihrer Neubauwohnung besuchten. Bald sah ich meine Tochter auch mittags nicht, denn was sie in Emmas Küche bekam, schmeckte ihr besser als das, was ich mühsam auf dem Campingherd kochte. Emma Peters hatte mir gleich gefallen. In ihrem schönen, alten, von Furchen durchzogenen Gesicht sah man, was sie dachte und fühlte. Sie sprach anders als die Leute hier, erst 1943 war sie als junge Frau nach Machandel gekommen, nach dem großen Bombenangriff auf Hamburg.

Manchmal verliefen wir uns in der wie verzauberten Landschaft und kehrten um, ohne den Laden im Nachbardorf erreicht zu haben. Der kürzeste Weg sollte über die Wiesen führen, an Wasseraugen vorbei, über den Schmeerbarg und den Wieversbarg.

Unterwegs, Julia an der Hand, Caroline im Tragetuch, erzählte ich Geschichten von Niklot, dem letzten Stammesfürsten der Obodriten, und seinem Sohn Pribislav, und es hätte mich nicht gewundert, wenn die Reiter plötzlich aus einer Senke aufgetaucht wären. Aber uns begegnete hier kein Mensch, nur

Hasen und Rehe sprangen vor uns auf, und große Vögel kreisten über den Hügeln.

In diesem ersten Sommer in Machandel verlor ich das Gefühl für die Uhrzeit und auf unseren Streifzügen verschwammen manchmal auch die Jahrhunderte. Eichen wuchsen aus den Stümpfen noch mächtigerer Eichen. Machandelbäume standen in gerader Reihe auf Wegscheiden, die keine mehr waren. An anderen Stellen bildeten Machandelbüsche und Schlehen ein undurchdringliches Dickicht.

Manchmal fand Julia kleine versteinerte Seetiere, Muscheln, Hühnergötter wie am Meer, und stopfte sie in die Taschen ihrer speckigen Lederhose. Noch vor den Obodriten, noch vor der Bronzezeit, als es hier noch keine Menschen gab, waren gewaltige Eismassen vom Norden her gekommen und hatten sich über diese Landschaft gewälzt, sie für immer geprägt. »Wissen die Bäume, dass hier einmal ein Meer war?«, fragte Julia. »Und das Gras? Und die Blumen? Können sie sich erinnern?« Ich wollte sagen, dass nur Menschen ein Gedächtnis haben, aber dann zögerte ich. Mein Bruder hatte mir einmal von brasilianischen Glockenblumen erzählt, die mit ihrem Samen Informationen über das Licht weitergeben. Vom Licht hängt die Entwicklung der Blumen ab. Doch auch wenn die jungen Pflanzen unter ganz anderen Lichtverhältnissen aufwachsen, richten sie sich nach der Erfahrung der Mutterpflanzen. So gut ich konnte, erklärte ich das meiner Tochter. Sie überlegte. »Dann ist es doch nicht gut, wenn die Pflanzenmütter ihre Erfahrung vererben. Wenn die jungen Glockenblumen ganz anders aufwachsen, schadet ihnen doch die Erinnerung an etwas, was gar nicht mehr ist.«

Wenn ich an die ersten Jahre in Machandel denke, fällt mir auch immer das Gespräch mit meiner sechsjährigen Tochter über die Erinnerung ein.

An einem Vormittag fanden wir endlich den Dorfkonsum, der in einer Baracke im Hauptdorf untergebracht war. Auf einer Bank saßen Stallarbeiter, tranken Bier und einen Fusel, den sie hier Blauer Würger nennen. Sie hatten ihre Arbeit um vier Uhr früh begonnen, Alkohol gehörte wie selbstverständlich zu ihrem Frühstück.

In den Regalen des Konsumladens zählte ich neun verschiedene Sorten Schnaps, aber nur eine Sorte Käse. Wurst und Fleisch gab es nur freitags. Die Verkäuferin hatte ich schon in Machandel am Schloss gesehen, sie wurde die Russin genannt, eine vielleicht sechzigjährige hochgewachsene Frau, die ihr langes, schon ergrauendes Haar lockig über die Schultern fallen ließ, wie es hier sonst nicht üblich war für eine Frau ihres Alters. Als sie mich ansah, erinnerte mich ihr Blick an die Frau, von der mein Bruder sich verabschiedet hatte. Sie musste die Mutter der Stummen sein. Die Frau sprach mich freundlich mit meinem Namen an und nannte ihren: Natalja. Wenn sie Clara sagte, rollte sie das R auf kaum wahrnehmbare Weise. »Ich wohne im Schloss von Machandel wie damals deine Großmutter«, sagte Natalja. »Ich kann dir deine Einkäufe mitbringen, du musst mir nur sagen, was ihr braucht.«

So war es dann auch, ich schrieb Natalja alle paar Tage einen Zettel mit meinen Wünschen, und sie brachte mir, was es gab. Sie und ihre Tochter waren die Einzigen, die im Schloss wohnten. Als ich mit den Kindern zum ersten Mal kam, zeigte Natalja uns das Schloss, so selbstverständlich, als wäre sie die Besitzerin. Die oberen Etagen waren nicht mehr bewohnt, aber das mit Dellen und Brandflecken übersäte Parkett glänzte, die Messingklinken waren geputzt. Möbel gab es nicht in den Räumen. Manche Türen und Fenster hatten bunte Bleiglasscheiben, einige waren herausgebrochen, das rot und blau gefilterte flirrende Licht fiel bis auf den Wandelgang, es genügte, um die Räume zu füllen. Auch die schön geschwungenen Wendeltreppen glänzten wie frisch gebohnert, nichts wirkte staubig oder verlassen. Der Blick durch die Fenster ging auf den zugewachsenen Park, der Teich war versumpft, wilde Birken und Sträucher wuchsen bis an das Haus. Natalja ging uns voran und schloss die große Küche auf. »Früher gab es zwei Küchen«, erklärte sie. »Eine für die Herrschaft und in der anderen wurde für die Leute und das Vieh gekocht. In der aßen auch die Gutsarbeiter. Aber die Leuteküche lag im Anbau, der wurde lange schon abgerissen. Das hier war die Küche für die Herrschaft.« Sofort fiel mir eine alte eiserne Kochmaschine auf, wie auf Bildern von Carl Larsson, aber die Feuerringe fehlten und Risse durchzogen die blauen Wandkacheln. Delfter Kacheln. Dort stand ein großer eichener Tisch, die Stühle waren fort und Küchenschränke gab es nicht mehr, nur an der Wand aufgereiht vier oder fünf kleine altmodische Elektroherde. »Die sind noch aus den 50er-Jahren. 234 Menschen haben hier im Gutshaus gelebt, Flüchtlinge. Die meisten sind im Mai 1945 gekommen, in jedem Raum, jeder Besenkammer lebte eine Familie, auf den Korridoren schliefen sie, die großen Säle waren mit Stricken und Decken aufgeteilt worden, später erst wurden Trennmauern hochgezogen. Diese Herde waren damals eine große Erleichterung.«

Die Trennwände konnte ich noch erkennen, man sah vergilbte geblümte Tapeten, elektrische Kabel, die über abblätternde Deckengemälde, über Weinranken und Amorfiguren gezogen waren, der Stuck war an vielen Stellen abgeschlagen. In den hölzernen Wandpaneelen mit filigranen Intarsien steckten Nägel und Haken, manche Paneele waren halb herausgerissen, das nackte Mauerwerk dahinter lag frei. »Dem schönen Haus ist Gewalt angetan worden«, sagte ich zu Julia. Natalja warf den Kopf in den Nacken, eine Bewegung, die ich schon an ihrer

Tochter gesehen hatte. »Den Menschen, die das gemacht haben, ist auch Gewalt angetan worden«, antwortete sie mit plötzlich hartem russischen Klang.

Ihre eigene Küche hatte sie sich in einem kleinen Raum auf der anderen Seite der Eingangshalle eingerichtet. Früher, sagte sie, sei das die Gästegarderobe gewesen. Hinter einem Vorhang war eine Dusche installiert. Die Badezimmer der Baronsfamilie, sagte Natalja, gebe es noch, aber sie seien nicht mehr zu benutzen. In ihren beiden Wohnräumen erinnerte außer der Höhe nichts an ein Schloss, sie waren schlicht mit hellen Möbeln eingerichtet, da standen viele Bücher, auch einige in kyrillischer Schrift. »Meine Tochter Lena ist Bibliothekarin«, erklärte Natalja. »Mit einem Bücherbus fährt sie über die Dörfer. Hier sind Emma und ich die Einzigen, die Bücher lesen. Lena bringt sie uns mit, so wie ich selbst die Nachbarn mit den Waren aus dem Konsum versorge. Aber es kommt auch alle vierzehn Tage ein Konsumbus, der hat mehr im Angebot.«

Natalja war freundlich, aber vielleicht lag es an dem fremden Klang ihrer Stimme, dass sie mir trotz ihrer Hilfsbereitschaft irgendwie unnahbar erschien. Dennoch fragte ich sie nach meiner Großmutter. Hier in Machandel musste ich oft an sie denken. Ich kannte sie ja nur von Fotografien, schön sah sie aus, aber auf eine ganz andere Weise als meine Mutter, deren helle Augen und das wellige Haar über dem Schwanenhals ich leider nicht geerbt habe. Ich sehe meinem Vater ähnlich. Von ihm gibt es keine Verwandten mehr, nicht einmal Fotos. Seine Mutter starb früh, die Brüder sind im Krieg gefallen, seine Schwester erstickte mit ihren Kindern unter Trümmern, und von seinem Vater hat er nichts erfahren, als er aus dem KAZETT zurückkam. Umso seltsamer erschien es mir plötzlich, dass wir fast nie über die Mutter meiner Mutter gesprochen haben. Meine Mutter hat überhaupt nicht viel mit mir gesprochen. Sie fragte manchmal nach den Schularbeiten, aber war froh, wenn alles reibungslos lief und ich sie bei ihren ewigen Prüfungsvorbereitungen in Ruhe ließ. Die Haushälterin in der Küche wusste mehr über mich als meine Mutter. Und alles, was meinen Vater wirklich zu interessieren schien, hatte mit der Vergangenheit, mit der Illegalität, dem Zuchthaus oder dem Lager zu tun. Meine Großmutter hat bis 1960 gelebt, da war sie, fiel mir plötzlich auf, gerade so alt, wie meine Mutter vor Kurzem geworden war, achtundfünfzig Jahre. Sie war dreiundvierzig, als sie in dieses Schloss kam, meine Mutter gerade achtzehn. Noch nie hatte ich mir das ausgerechnet. Und mein Vater, wie war mein Vater in dieses Dorf gekommen? Er war doch in Sachsenhausen gewesen, er war doppelt so alt wie meine Mutter, als sie sich begegneten. Hier im Schloss?

»Deine Großmutter hat im Musikzimmer der Tochter der Baronin gewohnt«, sagte Natalja und schickte sich an, mir dieses Zimmer zu zeigen. Caroline trug ich auf dem Arm, Julia lief mit einem kleinen Jungen, der von irgendwoher gekommen war, die Wendeltreppen hoch, den Gang entlang, am anderen Ende wieder herunter, sie jagten einander, versteckten sich, lachten und lärmten, ihre Stimmen hallten wider in dem leeren Haus. Natalja schien nichts dagegen zu haben. Sie öffnete mir ein Zimmer im ersten Stock, ein ehemals wohl schönes Erkerzimmer, schmal, man sah am Deckenstuck, dass es nachträglich verkleinert worden war. Es war leer bis auf einen staubigen Flügel. »Ein Bechstein«, sagte ich erstaunt.

»Der stand schon immer hier. Deine Großmutter hat ihn geliebt.«

»Konnte meine Großmutter Klavier spielen?«

»Deine Mutter auch«, antwortete Natalja kurz.

Ich hatte meine Mutter nie spielen gehört, das einzige Musikinstrument in unserem Haus war eine alte Gitarre von

Jan. Ich sah mich in dem Zimmer um und versuchte mir vorzustellen, dass Jan hier als Kind geschlafen, gegessen, gelebt hatte mit meiner unbekannten Großmutter.

»Hier ist dein Bruder geboren.« Natalja wies auf den Erker. »Im Bett der Baronin, das hatten sie aus dem ehemaligen Schlafzimmer hierhergetragen.«

Dass meine Mutter auch hier gelebt hatte, konnte ich mir schon gar nicht vorstellen, sie braucht viel Platz um sich herum und legt, anders als mein Vater, Wert auf Bequemlichkeit. »Und meine Großmutter – ist sie hier gestorben?«, fragte ich und schaute auf den Erker.

»Sie ist nicht hier gestorben«, antwortete Natalja. »Beim Kirschenpflücken ist sie vom Baum gestürzt. Gefallen ist sie, weil ihr Herz plötzlich aufgehört hat zu schlagen. Ein schöner, leichter Tod war das.«

Ich spürte mein eigenes Herz und das meiner kleinen Tochter im Tragetuch. Natalja zeigte auf die Zimmerwand und erklärte, damals habe meine Großmutter auch den anderen Teil des Raums bewohnt. Der Bogenbauer habe dort ein großes Bett für sie beide gebaut.

Der Bogenbauer. Den hatte schon der Bürgermeister erwähnt. Ich fragte nach ihm und Natalja sah mich erstaunt an. Mir schien, sie zögerte, aber dann berichtete sie: »Das war 1945 im Spätsommer. Das Schloss war eigentlich schon überfüllt, aber es kamen immer noch mehr Menschen, Frauen mit Kindern, Reichsdeutsche aus Polen, die waren zuvor monatelang im Lager Lamsdorf interniert gewesen. Verlaust waren sie, hungrig. Alle, die damals und davor aus den Lagern kamen, hatten diesen leeren Blick. Auch dein Vater, Clara. Aber der war schon da, als diese Gruppe aus Lamsdorf kam, bei der nur ein Mann war. Der war ein Königsberger, etwa vierzig Jahre alt. Er hatte einen Rucksack bei sich, den er wer weiß durch welche

Höllen monatelang geschleppt hatte. Darin waren silberne Instrumente, Plättchen aus Perlmutt und Elfenbein, kleine Teile aus Ebenholz und Horn, der Mann hatte in Königsberg eine Geigenbogenwerkstatt besessen.

Hier im Musikzimmer stand noch ein Schrank mit Noten, den die Leute nicht fortgeschleppt hatten. Dahinter hat deine Großmutter einen Geigenbogen gefunden, den das Fräulein zurückgelassen hatte. Die Geige und andere Bögen hat sie wohl mitgenommen, aber dieser mit Leder und Seide ausgeschlagene hölzerne Kasten blieb zurück, mitsamt dem französischen Violinbogen, der aus einer alten, berühmten Werkstatt stammen sollte. Das sagte der Bogenbauer, dem deine Großmutter das Ding gezeigt hat. Er hat den Bogen an sich genommen und nicht mehr hergegeben. Die Frauen, mit denen er gekommen war, wurden weitergeschickt in eine weniger überfüllte Flüchtlingsunterkunft, er hätte auch gehen sollen, aber er blieb, vielleicht wegen des Geigenbogens. Vielleicht auch wegen Walja, deiner Großmutter.« Natalja lächelte und auf meine Bitte erzählte sie weiter über den Geigenbogenbauer. »Anfangs hat er keinen Platz im Schloss gefunden und sich in der Eingangshalle eine Ecke eingerichtet, da saß er stundenlang und betrachtete den Geigenbogen mit einer Lupe aus seinem Rucksack. Irgendwann verschwand er dann, den Geigenbogen nahm er mit. Ich dachte damals, er sei fort für immer. Aber nach ein paar Monaten kam er mit einem Auto vorgefahren. Ein Opel mit Berliner Nummer, der Dienstwagen deines Vaters Hans Langner, der inzwischen wieder in Berlin war. Im Kofferraum lagen Bündel mit Holzstäben und Instrumente, die soll die Witwe eines Geigenbauers aus dem Vogtland über den Krieg gerettet haben. Der Bogenbauer, er hieß Arthur, hatte ihr die wertvollen brasilianischen Hölzer abgebettelt und später richtete er sich eine Werkstatt ein in der alten Melkerwohnung überm Stall.«

»Die Melkerwohnung, in der Wilhelm Stüwe gelebt hat?«, fragte ich.

»Ja, der zog mit Auguste ins Inspektorhaus«, bestätigte Natalja, dann sprach sie weiter über den Geigenbogenbauer. »Arthur besaß auch selbst eine Geige, aber er spielte selten, und nie mit dem französischen Bogen. Johanna, deine Mutter, ging dann auch nach Berlin. Den kleinen Jan, der ein paar Monate jünger ist als meine Lena, hatte sie bei ihrer Mutter gelassen, die hauste immer noch im ehemaligen Musikzimmer. Arthur zog dann zu ihr und mauerte die Trennwand, damit Jan einen eigenen Raum hatte. Damals gab es schon mehr Platz im Schloss, irgendwann hatten sie hier eine richtige kleine Wohnung mit einem Vorraum. Und der Bogenbauer ließ die alte Futterküche im Stall zur Badestube umbauen. Er besaß eine Erlaubnis für sein Handwerk, eine Lizenz, die hat dein Vater ihm verschafft. Nun kamen noch öfter Autos aus Berlin, auch Ausländer haben Machandel besucht, berühmte Geiger und Cellisten, denen er Bögen bauen sollte. Die aus Berlin wollten ihn hier wegholen, ihm eine moderne Werkstatt einrichten, denn man konnte die Bögen gegen Devisen verkaufen, aber er blieb hier, und erst als deine Großmutter Walja nicht mehr lebte, zog er fort. In einem Dorf im Vogtland bildet er junge Bogenbauer aus. Den Violinbogen des Fräuleins hat er wohl noch immer.«

»Dann kannte mein Bruder Jan diesen Bogenbauer auch?«, fragte ich.

Natalja lachte lautlos, warf den Kopf in den Nacken. »Jan und Lena haben jeden Tag bei ihm in der Werkstatt gesessen. Er hat ihnen seine Kunst beibringen wollen, aber Lena hat ungeschickte Hände und Jan holten eure Eltern ja dann nach Berlin und steckten ihn in die Soldatenanstalt. Doch Lena redet noch heute über achtkantige Pernambucostangen und Beinchen aus Silber und Ebenholz, über die alten Werkstätten in Cremona und Nürnberg, über den Baum, aus dem das rote Holz für die Geigenbögen gewonnen wird.«

Plötzlich erinnerte ich mich wie an einen halb vergessenen Traum, dass mein Bruder mir manchmal von den Indianern in Brasilien erzählt hatte, damals ging ich noch nicht zur Schule. Ich lehnte mit Caroline im Tragetuch an der Tür des ehemaligen Musikzimmers im Schloss von Machandel und sah mich in Jans Dunkelkammer in unserem Haus in Berlin zusammengekauert in einem Korbstuhl, er entwickelte seine Fotos und sprach dabei mit mir. Es waren Geschichten von den Indianern am Amazonas, vom Regenwald, von einem Küstenstreifen mit dem Namen Mata Atlântica, auf dem der geheimnisvolle Baum Fernambuk wuchs, der so viele Namen hat. Mit seinem feuerfarbenen Holz habe man früher die Kleider der Mädchen rot gefärbt, nun verwende man es für Geigenbögen. Das Holz dieses Baumes schwinge auf eine besondere Art, es könne die Töne auffangen. Aber der Fernambuk brauche lange, um zu wachsen, sehr lange. Nun gäbe es nur noch wenige dieser Bäume und das Holz sei sehr teuer. Irgendetwas über die Haare mongolischer Hengste hatte er mir noch erzählt.

Sogar der scharfe Geruch der Chemikalien, mit denen Jan in seiner Dunkelkammer hantierte, stieg mir bei der Erinnerung in die Nase. Er hatte oft über Geigenbögen gesprochen, fiel mir jetzt ein. Ich habe nie gefragt, woher er das wusste. Mein Bruder wusste eben alles.

Aber jetzt ahnte ich, dass ich hier an diesem Ort etwas finden könnte, was wie ein verlorenes Verbindungsstück zu ihm wäre. Und vielleicht auch zu unseren Eltern.

4

HANS

Todesmarsch

Meine Tochter Clara hat mich immer wieder gefragt: »Wie bist du damals nach Machandel gekommen?« Ich wollte ihr ein Buch über den Todesmarsch der Häftlinge aus Sachsenhausen geben, aber das kannte sie. Sie wollte wissen, was ich erlebt hätte, ich selbst. Ich habe gesagt: »Ich bin müde. Frag mich ein andermal.« Dabei fiel mir ein, dass mein Sohn mir immer meine Sprache vorgeworfen hat. Es sei eine harte, bürokratische Sprache, aus der ich mich selbst verbannt hätte, sagte er. Ich würde meine eigenen Gefühle unterdrücken, um nicht mit der Parteilinie aneinanderzugeraten. Was weiß mein Sohn von der Parteilinie. Ich habe nur nicht jederzeit alles ausgesprochen, was ich sah und dachte, das Leben hat mich gelehrt zu fragen: Wem nützt es? Und ich habe nie zu denen gehört, die sich mit ihren Heldentaten und überstandenen Leiden schmückten.

Mein Sohn wusste übrigens, wie ich in dieses Mecklenburger Dorf gekommen bin, es war ja kein Geheimnis. Seine Großmutter hat es ihm erzählt und er hat in Archiven nach Dokumenten über den Todesmarsch gesucht. An meine Parteiakten, an die Protokolle der Überprüfungen aus den 50er-Jahren wird er nicht herangekommen sein. Die sind bis heute verschlossen, hoffentlich. Aber die Berichte über die letzten Tage in Sachsenhausen, über den Todesmarsch und die Befreiung sind für jeden einsehbar. In der Nachkriegszeit wurden wir aufgefordert, persönliche Erinnerungen aufzuschreiben, über den Prozess, die verschiedenen Lager, auch über den Todesmarsch. Vielleicht hat mein Sohn danach gesucht, er hat ja immer nach etwas gesucht. Er war besessen von der Idee, etwas aufdecken zu müssen. Man kann doch aber nicht zu jeder Zeit alles öffentlich machen. Der Karl Schirdewan leitete in den Nachkriegsjahren die Erinnerungsarbeit der Partei, der war mein Kamerad gewesen in Sachsenhausen. Dem habe ich aufgeschrieben, was er wissen wollte. Nachdem der Schirdewan 1958 abserviert worden war, interessierte sich für viele Jahre keiner mehr für die Erinnerungen. Was wir KZ-Häftlinge erlebt haben, wollte niemand so genau wissen. Das wurde später wieder anders, aber da hielten die meisten von uns schon den Mund. Auch wer in der Westemigration gewesen war, hatte keine große Klappe. Es zählte eben nur, wenn man in Moskau gewesen war. Aber ich bin ja nicht freiwillig in Deutschland geblieben, ich hatte ja diesen Sonderauftrag.

Darüber habe ich nichts geschrieben, es hat mich bis heute keiner dazu aufgefordert. Meine Vorgesetzten in den 30er-Jahren saßen in Moskau, die Kuriere gingen über Prag und Paris. Von denen hat 1945 keiner mehr gelebt. Nur Franz Dahlem hat gewusst, was mein Auftrag gewesen war. Der war Mitglied der KPD-Leitung, später in Paris Nachfolger von Ulbricht. Im Jahr 34 war er für ein paar Monate illegal in Berlin, da sind wir uns begegnet, auch Else hat er gekannt. Else. Meine Frau Else. Schon wieder denke ich an sie.

Seit ich alleine wohne und so viel Zeit habe, drängt sich immerzu Else in meine Gedanken. Komm, Hans, nimm dich zusammen. Wie bin ich denn jetzt darauf gekommen?

Meine Tochter Clara hat mich gefragt, wieso ich ausgerechnet nach Machandel gekommen sei.

Ich bin ein alter Mann. Ich sitze hier auf einem verödeten

Kinderspielplatz hinter diesem Plattenbau auf einer Bank und die Gedanken drehen sich im Kreis. Hier wohnen keine Kinder, nur Alte und neuerdings so glatte Geschäftsleute. In unserem Haus werde ich wohl der Älteste sein, ich bin weit über neunzig. Wenn mich einer anspricht, kann ich so tun, als ob ich ihn nicht verstehe. Doch mich spricht keiner an. Nachher wird die Pflegekraft kommen und mich wieder in die Wohnung bringen.

Gleich 1990, noch vor der Wiedervereinigung, sind wir in diesen Neubau gezogen, damals hieß das hier noch Otto-Grotewohl-Straße. Den Grotewohl habe ich gekannt, der war eine Lusche, Sozialdemokrat eben, kein Arbeiter, obwohl er mal Buchdrucker gelernt hat. In der Nazizeit hat er auch mal gesessen, war dann Verkäufer für Heißluftherde und Versicherungsvertreter, vielleicht hat ihn auch seine Frau ernährt, die erste, mit der er 30 Jahre zusammen war. Bei uns hat er dann seine Sekretärin geheiratet. Den brauchten wir, der war Mitbegründer des Zentralausschusses der Sozialdemokraten. Vor der SED-Gründung hat er sich geziert wie eine alte Jungfer, aber dann hat er sie doch durchgezogen. Das war keine Zwangsvereinigung, wie sie heute sagen. Natürlich haben wir die Sozialdemokraten untergebuttert, das war aber auch richtig so, schließlich hatten die geschichtlich versagt. Bei der Wiedervereinigung heute ist es die DDR, die untergebuttert wird. Meine Tochter Clara sagt, die DDR habe auch geschichtlich versagt, aber was weiß sie schon. Mit Hitlers und Stalins Leuten konnte man keinen Sozialismus machen, die Sache war wohl von Anfang an verloren. Aber einen Versuch war es wert und es gab keine Alternative.

In unserer Villengegend in Pankow sind 1990 die Bürgerkomitees herumgestreift, mit Kamera und Schreibblock, ganz wichtig fühlten die sich. Kleine Lichter die meisten. Friedhofsgärtner und Kirchendiener. Die haben geprüft, wer die Bewohner waren, woher die Zuweisungen kamen, ob die Kaufpreise stimmten. In Wandlitz, wo die Politbüromitglieder wohnten, haben sie die Kühlschränke und Waschmaschinen aus Westproduktion abgefilmt. Jeder Zahnarzt in Westberlin hätte wahrscheinlich nur gelacht über die Dinger. Meine Tochter meint, die führenden Genossen hätten nicht besser leben dürfen als das Volk, na, meinetwegen. Ich habe damals gleich nachgeguckt, was wir für eine Waschmaschine im Keller haben, ob Johanna uns so ein Westding aus einem Sonderkontingent eingeschleppt hat. Aber es war eine aus dem Erzgebirge. Wir waren auch nur Mieter der Villa, nicht mal Johanna wäre auf die Idee gekommen, das Haus kaufen zu wollen. Da hätten wir uns ja selbst um alle Reparaturen kümmern müssen. So musste sie nur bei der Wohnungsverwaltung anrufen. »Ja«, hat mir meine Tochter vorgehalten, »in einer Spezialabteilung, die für besondere Mieter zuständig war. Normale Mieter mussten alles selbst machen.« Über solche Dinge kann Clara endlos mit mir diskutieren. Lächerlich. Zu uns sind diese Bürgerrechtler nicht gekommen, aber so weit wollten wir es gar nicht erst kommen lassen.

Als Johanna hörte, dass eine andere Johanna, die Töpfer, die stellvertretende Vorsitzende der Gewerkschaft, sich umgebracht hatte, weil die Bürgerkomitees ihre Einrichtung so luxuriös fanden, wollte sie sofort raus aus unserem Haus. Die Johanna Töpfer kannte ich, eine blasse, nichtssagende Genossin, wer weiß, warum die sich dieses kleinbürgerliche Zeug angeschafft hat, das übrigens ordentlich gekauft und bezahlt war. Aber als der Vorwurf des Amtsmissbrauchs zurückgenommen wurde, hatte sie sich schon vergiftet. Schade um sie, die war noch jung, erst sechzig. Meine Johanna hat dann schnell diese Wohnung hier gefunden, organisieren konnte sie gut, auch wenn sie lange schon die Flaschen hinter den Büchern im Regal versteckte und in ihrem Wäscheschrank und überall. Den Umzug hat sie gut gemacht, unsere Tochter Clara und ihre Freunde haben geholfen. Claras Freunde waren auch solche selbst ernannten Sozialismusreformer, Neues Forum, Unabhängiger Frauenverband, Demokratischer Aufbruch. Und der Evangelische Friedenskreis mit seinem *Schwerter zu Pflugscharen.* Wir wären froh gewesen in Sachsenhausen, wenn wir Waffen gehabt hätten und nicht die Bewacher. Naiv war dieser ganze Friedenskreis, hat der Konterrevolution genützt. Heute kräht kein Hahn mehr nach denen. Einer ist wohl Staatssekretär geworden, von den Sozialdemokraten aus, bei uns war er Pfaffe.

Den hat Clara auch angeschleppt, die Bücherkisten zu packen, ich habe ihn später im Fernsehen erkannt. Der Umzug war richtig. Damals war ich schon einundachtzig, kam schlecht die Treppen hoch. Der Neubau hat einen Fahrstuhl. Die Wohnung ist in Ordnung, aber jetzt heißt das hier wieder Wilhelmstraße wie um 1740, nach Friedrich Wilhelm I. Das Rad der Geschichte hat sich zurückgedreht. Von meinem Balkon aus kann ich einen Parkplatz sehen, darunter liegt ein Bunker, ein Rattenloch, in dem Hitlers Fahrbereitschaft untergebracht war. Der Fahrerbunker. Den Führerbunker gibt es auch, der war ein Stückchen weiter, den haben sie eingestampft und bauen jetzt die Landesvertretungen darauf. Im Fahrerbunker haben die Historiker, gerade als wir hier eingezogen waren, ein paar vergammelte Wandgemälde entdeckt, Soldaten und SS-Männer, dazu verrostete Schränke, zusammengeklumpte Zeitungen. Die wollten den Dreck unter Denkmalschutz stellen, haben alles fotografiert wie Reliquien. Kunstwissenschaftler sind erschienen und haben den Wert der Gemälde überprüft. Dann haben sie vernünftigerweise doch wieder alles zugeschüttet. Doch dauernd kommen Touristen, ganze Gruppen, und fotografieren den Parkplatz, gucken andächtig, als ob Eva Braun und der Führer gleich persönlich erscheinen würden oder wenigstens ihr Chauffeur.

Es ist seltsam, dass ich ausgerechnet an diesem Ort hocke und auf den Tod warte. Ich könnte den Touristen erzählen, dass ich ihren Scheißbunker kenne, dass ich damals da drinnen war, dass ich ihre Wandgemälde in frischer Pracht gesehen habe, die Stahlhelmhelden und Soldaten mit Lanzen wie Engelsflügel und die deutschen Maiden. Die würden staunen, wenn sie wüssten, dass ich, ein Häftling aus dem Lager Sachsenhausen in gestreiftem Zebraanzug, mit meinem Hintern Hitlers Sessel in der Reichskanzlei entweiht habe. Aber das würden sie mir sowieso nicht glauben und ich werde es ihnen auch nicht erzählen. Gar nichts werde ich erzählen, aber vergessen habe ich es auch nicht.

Ende 1944 war das, in Sachsenhausen hatten sie siebenundzwanzig deutsche Häftlinge an einem einzigen Oktobertag ermordet, alles Politische. Und immer noch schnüffelte eine Sonderkommission vom Reichssicherheitshauptamt im Lager herum. Die meisten von unseren Leuten versuchten, in Außenkommandos zu kommen. Mein Kamerad Bruno, Spanienkämpfer, war Vorarbeiter einer Truppe, die in den zerbombten Dienstgebäuden die Trümmer wegräumte. Ein Himmelfahrtskommando, immer wieder knallte es. Aber jetzt sollten sie in einem kaum beschädigten Gebäude Ersatzfenster aus Spanplatten einsetzen. Ich habe Metaller gelernt, nicht Zimmermann, aber Bruno forderte mich als angebliche Fachkraft für das Kommando an. Wir dachten auch, bei dieser Arbeit würden wir besser verpflegt, war aber nicht so. Karel, mein tschechischer Lagerkamerad, war auch dabei, er war tatsächlich Zimmermann. Wir waren fünfzehn und fuhren in unserer Häftlingskleidung mit der S-Bahn von Oranienburg nach Berlin. Die Bewacher waren SS-Männer, Beutegermanen, wie wir sie nannten, Letten und Rumänen, die merkten auch, dass es zu Ende ging, und wollten keinen Ärger mehr. Eingesetzt wurden wir in der Wilhelmstraße, in der Neuen Reichskanzlei, wo damals Hitler unten in seinem Loch saß und zitterte. Seine Feinde standen ja längst an den Grenzen des Deutschen Reichs. Die Bombenangriffe kamen meist in den Mittagsstunden. Das Kaufhaus da in der Nähe ist von einer schweren Luftmine getroffen worden und alle Fensterscheiben in der Wilhelmstraße waren zersprungen. Im Kaufhaus Hertie hat Else 1935 die Flugblätter in der Stoffabteilung… Schon wieder denke ich an Else. Damals, 1944, war sie schon tot. Damals habe ich gar nicht an sie gedacht, nur an den nächsten Tag, nur ans Überleben. Wir mussten mit Äxten die hohen Mahagonirahmen aus den Fenstern der Reichskanzlei herausschlagen und einfache Rahmen aus Dachlatten einsetzen, an die wir dann die Sperrholzplatten nagelten.

Am ersten Tag haben sie uns beim Bombenangriff in diesen Fahrerbunker getrieben, da konnte ich die Wandgemälde bewundern. Doch in den Tagen darauf haben sie uns beim Bombenangriff einfach in dem Gebäude eingeschlossen. Das war sowieso menschenleer, in den Büros wurde nicht mehr gearbeitet. Wir sollten auf einem langen Korridor bleiben und abwarten, die Türen zum Treppenhaus waren verschlossen. In der Mitte des Korridors gab es eine hohe Flügeltür, über der die goldenen verschnörkelten Buchstaben A und H prangten, das war das Arbeitszimmer des Führers, hatten unsere Aufseher ergriffen festgestellt. Aber die waren verschwunden, als der Bombenalarm losging, die verkrochen sich im Bunker, denen war es egal, ob wir da oben krepierten. Am zweiten Tag merkten wir, dass die Tür zu Hitlers Raum offen war, eben noch hatten ein paar Hausdiener zusammengerollte Teppiche herausgetragen, die hatten sie fallen gelassen, als die Sirenen losgingen, und waren weggestürzt. Wir gingen in diesen Saal, fünfzehn Häftlinge – Deutsche, Tschechen, Russen, ein Franzose –, wir fläzten uns in die Sessel, johlten und lachten, während es draußen krachte und kreischte und blitzte. Wir hatten keine Angst, seltsam. Diese Bomben, dachten wir, sind nicht für uns. Dabei wären wir hin gewesen, wenn das Haus getroffen worden wäre. In diesem Raum waren die Fenster noch nicht vernagelt, trotzdem wurde es schlagartig dunkel, dann brannte es ein Stück weiter unten in der Wilhelmstraße, in dem flackernden Lichtschein saß Bruno am Schreibtisch des Führers und brüllte mit Hitlers Stimme Befehle, auf die wir johlend mit den gemeinsten Ausdrücken antworteten, die uns einfielen. Ich weiß noch, dass einer aufs Parkett hinter den Schreibtisch des Führers pinkelte. Ich selbst hatte mich an den Konferenztisch aus Eiche in den größten Sessel gesetzt, ich, der politische Häftling Hans Langner, bis zur Verhaftung Instrukteur der illegalen Kommunistischen Partei, Zuchthäusler, Hochverräter. Ich lachte und lachte, bis ich nicht mehr konnte. Am nächsten Tag wurden wir in ein anderes Kommando geschickt, zu Räumarbeiten am Fehrbelliner Platz.

Und jetzt sitze ich hier, blicke auf die Asphaltdecke über dem zugeschütteten Bunker und warte, dass die Pflegekraft mich abholt und in meine Wohnung bringt. Die redet mit mir immer, als wäre ich schon völlig verblödet, ich lasse sie, so muss ich wenigstens nicht antworten, wenn ich nicht will.

Meine Tochter aber ist hartnäckig. Sie wird mich wieder fragen, wie ich nach Machandel gekommen bin. Na wie, zu Fuß bin ich gekommen. Nein, das stimmt nicht, in Nataljas Pungenwagen bin ich vorgefahren. Aber nicht vor die Freitreppe, sondern hintenrum, heimlich bin ich abgestiegen. Nein, das stimmt auch nicht, sie haben mich runtergehoben, laufen konnte ich nicht mehr. In Machandel habe ich Johanna getroffen, die Mutter meiner Kinder. Sie trug die Haare wie Else, so bauschig nach oben gekämmt, hinter den Ohren mit kleinen Kämmen festgesteckt. Dass man so etwas nicht vergisst. Der Franz Dahlem hat mich einmal nach Else gefragt, er war der Einzige. Ich musste sie nicht angeben in den Fragebögen, wir waren nie verheiratet. In meinen Prozessakten kam sie nicht vor, die haben ihre Informanten und Spitzel immer aus dem Prozess herausgehalten. Informant. Spitzel. Else war kein Spitzel. Sie war zerbrechlich, sie haben sie zerbrochen. Ich hätte sie schützen müssen.

Der Franz Dahlem hat meinen Sonderauftrag gekannt. Aber der war bald selbst kaltgestellt. Den haben sie in den 50er Jahren aus dem Städtchen, dieser Funktionärswohnsiedlung am Schloss Niederschönhausen, herausgeschmissen, der durfte nicht mehr neben Ulbricht und Pieck wohnen. Ich habe zum Glück nie im Städtchen gewohnt. Zuerst habe ich in so einer Bude in Lichtenberg gehaust, bei Genossen in Untermiete. Da hat auch Johanna gelebt, als sie mir aus diesem Dorf Machandel hinterherkam. Und als die Genossen auszogen, hatten wir die zweieinhalb Zimmer für uns. Mir hätte das gereicht, auch noch, als der Junge zu uns kommen sollte. Zweieinhalb Zimmer für eine Familie wären genug gewesen, wir haben zu Hause in Stube, Küche und Kammer gewohnt, zu acht. Mit Else hatte ich nur eine Kochstube, Toilette im Hausflur. Aber Johanna war so eine Feine, sie wollte ein Haus, das stünde mir zu, meinte sie und kümmerte sich darum. Das Haus hatten wir schon Anfang 52, der Junge kam erst im Sommer 53, die Großmutter wollte ihn nicht hergeben. Und als er endlich kam, hatten wir keine Zeit für ihn. Das waren die Monate, in denen ich dauernd vor die Parteikontrollkommission musste. Und dann brach die Tuberkulose wieder aus und ich musste in die Heilstätte nach Sülzhayn, am 17. Juni bin ich da angekommen, ausgerechnet. Ein paar Tage später wurde Berija, der Sicherheitschef bei den Freunden, verhaftet. Berija der gesagt haben soll: »Jeder, den wir verhaften, ist grundsätzlich schuldig.« Nun war er selbst grundsätzlich schuldig. Und ein halbes Jahr später tot.

Aber das nützte Karel auch nichts mehr.

Ich war gar nicht da, als mein Sohn zu uns kam. Der Geigenbogenbauer hat ihn gebracht, dieser verschrobene Kerl. Ich habe gewollt, dass der Junge bei uns in Berlin lebt, eine richtige Familie wollte ich endlich. Und Johanna wollte nicht, dass Jan zur Dorfschule geht und bei dieser unpolitischen Großmutter und ihrem Arthur lebt. Da hockte sie nun erst einmal allein mit dem Kind in der Villa am Heinrich-Mann-Platz, die war sowieso viel zu groß für uns. Nebenan wohnte Ernst Busch, das war ein guter Mann. Der war auch im Zuchthaus Brandenburg gewesen, wie ich. Begegnet sind wir uns da nicht. Aber Else hat vor 33 beim Roten Sprachrohr mitgemacht, die konnte alle seine Lieder auswendig. *Vorwärts und nicht vergessen...* Else, schon wieder Else. Johanna kannte das nicht. Die hat andere Lieder gesungen als junges Ding auf dem Lyzeum in ihrem ostpreußischen Kaff. Später hat sie dann die Platten gehört, das schon. Aber sie hat nicht gern gesehen, wenn ich mit dem Ernst Busch, selten genug, zusammengesessen habe, als ich wieder da war. Sie war froh, dass die Partei mir wieder vertraute, und der Ernst Busch schien ihr ein unsicherer Kantonist, der war dauernd in Verschiss. Aber 1952, als im *Neuen Deutschland* stand, dass Karel Hunzek in Prag als Konterrevolutionär hingerichtet worden ist, habe ich dem Ernst Busch am Gartenzaun gesagt, dass der mein Lagerkamerad war in Sachsenhausen, dass ich mit dem geflohen bin und ohne ihn nicht mehr leben würde. Keinem sonst habe ich das gesagt, nur vor der Parteikontrollkommission musste ich dann immer wieder aussagen, woher wir uns kannten. Der Ernst Busch kam dann mit einer Flasche Schnaps rüber, das war das einzige Mal, dass ich mit ihm gesoffen habe. Gesagt hat er nichts weiter, wir wussten doch Bescheid, was soll man da reden.

Manchmal, selten, wenn ich sonntags Zeit hatte, bin ich in

der Schönholzer Heide spazieren gegangen, da habe ich ein paarmal den Dahlem getroffen, dem sie ein Haus nebenan in der Pfeilstraße gegeben hatten. Wenigstens ließ Ulbricht ihn weich fallen. Der Dahlem war nie allein, sein Chauffeur oder Sekretär war immer dabei als Aufpasser, und wir haben nur einen Gruß gewechselt. Nur auf dem Parteitag 1971, als Ulbricht abgesetzt wurde, hat er mich in der Pause angesprochen, ich solle doch endlich einmal aufschreiben, wie das damals war, 1933, mit der Quartiersuche für Thälmann, mit der Hinrichtung Kattners und der Verhaftung von Rudi Schwarz Ende 33. Als ob das heute noch einer wissen will. Jetzt sind sie alle tot, Dahlem auch längst, Ulbricht sowieso. Jetzt wird unsere Parteigeschichte in der Boulevardpresse ausgebreitet, und Leute, die immer unsere Feinde waren, wühlen hämisch darin herum. Von mir wird keiner etwas erfahren. Mein Sohn hat von diesen Dingen nichts gewusst. Meine Tochter schon gar nicht, sie hat mich nur nach dem Todesmarsch gefragt und wie ich in dieses Dorf gekommen bin. Das kann ich ihr ja erzählen, aber wo soll ich anfangen? Wenn ich darüber nachdenke, und ich habe ja nichts anderes zu tun, als nachzudenken, tauchen Gesichter auf. Else. Karel. Otto.

Mein Sohn hat meinen Bericht über den Todesmarsch gelesen, dabei stieß er auch auf die Namen von Karel Hunzek und Otto Svobod, das waren meine tschechischen Kameraden, mit denen zusammen ich geflohen war. Jan hat mich gelöchert nach diesen beiden, er kannte Karels Namen, im Westen waren Bücher über den Slánský-Prozess 1952 in Prag erschienen, die hat er sich besorgt, da standen auch die Namen der Hingerichteten. Immer wieder hat mein Sohn mich nach denen gefragt, ich wollte nicht antworten. Er hatte doch genug Probleme, ich wollte nicht, dass er die ganze Last unserer Vergangenheit mit sich schleppt. Das mussten wir mit uns abmachen. Mein Sohn hat mich angeschrien, er hat mich behandelt, als wäre ich persönlich der Henker von Karel Hunzek gewesen. Der war mein Freund. Über wenige habe ich das gesagt im Leben.

Mit Karel und Otto bin ich in diesem Dorf Machandel angekommen, das war am 28. April 1945. Sie sind dann weiter in Richtung Berlin, die wollten schnell zurück nach Prag. Seit 1938 waren sie in Sachsenhausen. Als wir uns da getroffen haben, lag schon die Zuchthauszeit hinter mir und Neuengamme. Wir waren zusammen in mehreren Kommandos, wir haben zusammen auf Hitlers Parkett herumgetrampelt, sind zusammen auf den Todesmarsch gegangen und zusammen abgehauen. Man konnte sich auf Karel verlassen, hundertprozentig. Er war fünf Jahre älter als ich, hatte sogar am gleichen Tag Geburtstag, im Lager ist er vierzig geworden, ich fünfunddreißig, das haben wir aber erst fünf Jahre danach festgestellt, als wir wirklich zusammen Geburtstag gefeiert haben. Im Lager hat keiner an solche Dinge gedacht. Geburtstagsfeiern wären uns sowieso kleinbürgerlich vorgekommen. Aber nach der Befreiung war das anders, da war jeder Geburtstag ein Fest, ein Siegesfest. Auf Otto konnte man sich auch verlassen, aber der war damals ein junger Kerl, Student an der Karls-Universität war er gewesen, kein Parteimitglied. Das ist er erst später geworden, nach dem Krieg, aber nicht lange, 1952 haben sie ihn wieder ausgeschlossen.

Wenn sie Karel doch auch nur ausgeschlossen hätten.

Nach der Befreiung haben wir uns oft gesehen, Karel war Zweiter Sekretär der Prager Bezirksleitung seiner Partei geworden, dann stellvertretender Minister wie ich. Er war ein paarmal in Berlin, wir haben uns getroffen, privat. Einmal auch in Prag mit unseren Frauen. Ich war bei ihm in der Wohnung, das vor allem haben sie mir vorgeworfen bei dem Parteiverfahren 1952. Von seiner Alena hatte Karel mir schon im Lager erzählt, die war in Theresienstadt. Von Else wusste er nichts. Über Else habe ich mit keinem gesprochen. Nur mit Johanna am Anfang, aber sie fragte nichts. Johanna war so jung, die konnte sich das alles gar nicht vorstellen. Das war gut so. Damals. Später hat sie dann vieles erfahren und falsch verarbeitet. Vielleicht hätte ich ihr doch einiges erklären müssen. Aber wie sollte ich erklären, was mit Karel war. Johanna kannte Karel, er war ja dabei, als wir uns getroffen haben in diesem Junkerdorf in dem Schloss von der Baronin, die schon das Fluchtgepäck gepackt hatte, als ich mit den Tschechen ankam. Nein, die Tschechen sind mit mir gekommen, sie haben mich halb getragen, ich fieberte, konnte nicht mehr allein unter den Mehlsäcken hervorkriechen. Pungen nannten sie die Mehlsäcke da oben in Mecklenburg. Komisch, dass man das nicht vergisst.

Wir waren schon eine Woche unterwegs gewesen, am 19. April hatten sie uns aus dem Lager Sachsenhausen getrieben, in Kolonnen zu fünfhundert Mann. Im Lager herrschte Chaos, die SS hatte den Überblick verloren, sie befahlen die Evakuierung, wie sie es nannten, aber immer noch kamen Häftlingstransporte aus den Außenlagern an, plötzlich war der Appellplatz voller Frauen, die bei Mercedes-Benz in Genshagen gearbeitet hatten, monatelang in einer Halle ohne Fenster, die waren alle krank und halb verrückt vor Angst. Sie waren zu Fuß nach Sachsenhausen getrieben worden und hatten gehört, sie würden vergast. Tatsächlich gab es eine Gaskammer in Sachsenhausen, aber die funktionierte wohl nicht. Unter diesen Frauen waren viele Tschechinnen, die erzählten Karel und Otto, mehrere ihrer Kameradinnen, die zu schwach gewesen waren für den Fußmarsch, seien schon in Ludwigsfelde an der Autobahn erschossen worden. Zwei Jahre später, im Sommer 47, habe ich die Stelle suchen lassen. Wir haben die Grube gefunden, neunzehn Frauen, alle mit Kopfschüssen. Die Frauen aus

den Außenlagern haben wir später auf der überfüllten Landstraße wieder getroffen, da waren Kinder bei ihnen, dreißig
oder vierzig Zigeunerkinder. Die sprachen tschechisch und
ungarisch. Wo die herkamen, weiß ich nicht. Unsere Kolonne
überholte die Frauen und die Kinder, wir schleppten uns durch
das Dorf Herzberg, die Bauern verrammelten ihre Türen wie
vor dem Teufel. Wir waren die Konzentrationäre, wir waren
für sie schuld an allem, an der Niederlage. Irgendwo weit weg
hörten wir schon die Geschütze. Aber wir wussten nicht, wo
die Amerikaner waren und wo die Rote Armee, und wie weit
weg sie standen, das wussten wir auch nicht. Unsere Bewacher
waren wieder Beutegermanen, Letten, die schossen scharf und
schnell. Auf dem Dorfanger von Herzberg standen zwei große
weiße Lastkraftwagen vom Schweizer Roten Kreuz. Die hatten die Winkel und Nummern der Toten gesammelt, die sie an
den Wegrändern fanden, mehr machten sie nicht. Sie waren nur
Beobachter. Anderswo haben sie Lebensmittelpakete verteilt,
viele Kameraden sind noch am Schluss an dem fetten Büch-
senfleisch krepiert, zum Glück gaben sie uns nichts. Wir hatten Franzosen unter uns, einer sprach den Schweizer Fahrer
an und erzählte ihm auf Französisch von den Kindern hinter
uns, und tatsächlich setzten sie sich in Bewegung. Aber unter
unseren Bewachern war Streit entstanden, sie hatten nicht verstanden, was der Franzose den Schweizern gesagt hatte, und
der Kamerad wurde hinter Herzberg abgeknallt und blieb im
Straßengraben liegen. Dann kamen wir durch eine Gegend,
über die Tiefflieger hinweggegangen waren. Tote Deutsche lagen am Wegrand, ganze Familien, Pferde mit aufgerissenen Leibern, Wagen mit gebrochenen Achsen. Ohne darauf zu achten,
schleppten sich noch immer Flüchtlinge über die Straßen, ein
endloser Zug, viele hatten ihre Federbetten dabei, die warfen
sie unterwegs weg, am Straßenrand lagen riesige Bettenbündel,

mit Hanfstricken verschnürt, ich hatte nur den Wunsch, mich da hineinzulegen, zu schlafen. Da hatte ich schon Fieber, mir war alles egal. Karel und sein junger Kamerad Otto hatten mich links und rechts eingehakt und zogen mich mit.

Manchmal schossen unsere Bewacher uns die Straße frei, sie trieben uns weiter nach Norden, wir wussten nicht, wohin und wozu. Es gab Gerüchte, der Stab der Lagerleitung läge da vorne irgendwo und wir würden entlassen, andere Kameraden meinten, man würde uns zur Ostsee bringen, auf Schiffe verladen und ertränken. Ich bekam damals alles nur noch verschwommen mit, aber ich habe es gespeichert wie einen Film, der mit den Jahren immer klarer wurde. Wenn ich die Augen schließe, sehe ich alle Einzelheiten.

Endlich machten wir halt an einem einzeln stehenden Gehöft, in der Scheune sollten wir übernachten, die Bewacher bildeten eine Postenkette. Aber ein paar Kameraden hatten sich über eine Kartoffelmiete hergemacht, der Bauer und seine Leute gingen mit Mistforken auf sie los und die Bewacher schossen dazwischen. Das Durcheinander, die Schüsse und Schreie nutzten Karel und Otto, sie zogen mich mit, es ging ganz schnell, plötzlich hockten wir in einem Abtritt unter dem Brett mitten in der Scheiße. Zum Glück war die Grube fast leer. Aber wir konnten uns nicht hinsetzen, hielten uns aneinander fest und drückten uns an die gemauerten, mit Kot beschmierten Wände. Zwei- oder dreimal kamen in der Nacht Leute aus der Bauernfamilie und benutzten die Latrine. Wir sahen, wie ihr Arsch das Loch ausfüllte, pressten uns, ohne zu atmen, an die Wände, damit sie uns nicht ins Gesicht schissen. Bis es hell wurde, blieben wir da, dann hörten wir, wie unsere Kolonne unter dem Gebrüll der Bewacher abzog. Wieder fielen Schüsse. Als es still war, kletterte Otto raus und erkundete die Lage. Nach einer Weile kam jemand, hob den Deckel, steckte den Kopf zu uns in die Unterwelt, es war ein Mädchen. »Kommt raus, sofort!«, forderte sie uns mit russischem Akzent auf. Neben der Hofpumpe lagen unsere erschossenen Kameraden in einer Reihe, neun Männer. Ich kannte alle. Bruno, mein Kamerad Bruno war dabei. Die Bauersleute waren nicht zu sehen. Schnell führte das Mädchen uns in einen Stall und durch eine Hintertür in einen Garten, wo in einer Art Gewächshaus Otto auf uns wartete. Er trug Arbeitshosen aus Drillich, etwas dreckig, aber wenigstens nicht mit Kot verschmiert wie unsere stinkende Häftlingskleidung. Das Mädchen, eine Ostarbeiterin, hieß Anna, das habe ich mir gemerkt, auch meine Mutter hieß Anna. Anna brachte auch für Karel und mich Zivilklamotten, ich bekam eine Art guten Anzug, der zu weit und zu kurz war. Sie zeigte uns eine Regentonne, an der wir uns säuberten, trieb uns zur Eile an. Der Bauer und seine Leute würden gleich wiederkommen, sie seien dabei, am Feldrand auf der anderen Straßenseite eine Grube auszuheben für die Toten, sie hätten Angst, sagte das Mädchen, dass man die auf ihrem Hof finden und sie dafür selbst erschießen würde. Die Amerikaner und auch die Russen wären nicht weit, aber wie weit, wusste sie auch nicht. Ganze SS-Divisionen seien unterwegs, wir sollten sehen, dass wir weiterkämen, nur fort von hier. Der Bauer sei Nazi und habe auch eine Pistole. Sie nannte uns den Namen eines Gutes, dem ihre Zwillingsschwester Dunja als Mühlenarbeiterin zugeteilt sei. Kuhelmies hinter Krakow am See. Dunja schreibe ihr regelmäßig und habe sie auch schon besuchen können. Sie habe es gut getroffen bei den dortigen Müllersleuten. Die Hälfte des Gutes gehöre einer Prinzessin Lobkowicz, deren Mann sei verhaftet worden, die Gutsbesitzerin sei eine Nazigegnerin. Anna brachte uns eine Wanderkarte, damit wir die Richtung fänden, dann drückte sie uns etwas Brot in die Hand, trug uns Grüße an ihre Schwester auf und drängte uns zur Flucht durch einen Buchenwald, der fünfzig Meter hinter dem Haus begann. Ich weiß nicht, ob wir zwei oder vier Tage unterwegs waren, ich weiß nur, dass wir die Dörfer vermieden, dass wir uns tagsüber wie die Tiere in Höhlen versteckten. Manchmal ließen Karel und Otto mich für Stunden in einem hohlen Baum oder im Schilf an einem See zurück, aber sie kamen immer zurück mit Wasser und etwas Essbarem, schleppten mich in den kalten Nächten weiter. Schließlich kamen wir nachts an ein Vorwerk, in dem alles dunkel lag, nur ein einziges Haus war hell erleuchtet. Otto pirschte sich vor, erkundete die Lage, dann holte er uns nach. Die Höfe waren verlassen, kein Hund bellte. Die Elektroleitungen waren zerstört, das hell erleuchtete Haus hatte wohl eine eigene Stromanlage. Auch dort war kein Mensch. Der Kachelofen war noch warm, auf dem Herd stand eine Suppe. Wir schliefen nicht in den weichen Bauernbetten, das waren wir nicht mehr gewohnt, außerdem konnten die Leute ja zurückkommen. Wir legten uns in der Futterküche auf Lumpen. Ein paar Stunden später wachten wir auf, weil nebenan im Stall die Kühe brüllten. Karel ging, sie zu melken. Er konnte das. Karel konnte alles. Als er wiederkam, brachte er Milch mit, warme, frische Milch, die er mit Wasser von der Hofpumpe verdünnte, denn Fett zerreißt die Gedärme, wenn man so ausgehungert ist, wie wir waren. Im Stall lagen die Leichen der Hofbewohner, berichtete er, zwei Frauen und vier Kinder, der Bauer hatte sie wohl erschossen, sich selbst am Schluss. Wir hatten die Milch noch nicht ausgetrunken, als wir die mahlenden Geräusche sich nähernder Panzer hörten, unsere Befreier, hofften wir, aber vorsichtshalber versteckten wir uns auf dem Dachboden über der Futterküche. Durch die Ritzen sahen wir, dass es deutsche Panzer waren. Sie hielten nicht an. Im Morgengrauen liefen wir wieder durch die Wälder, über Wiesen, an zerschossenen Bahngleisen vorbei. Eigentlich liefen nur Karel und Otto, ich hing zwischen ihnen, sie trugen mich beinahe. Ein paar Stunden später kamen wir in diesem Ort Kuhelmies an. Es war ein wunderbarer Frühlingsmorgen, wir hockten zusammengedrängt auf einem Jägerhochsitz, glotzten den Sonnenaufgang an und blickten in die hügelige, liebliche Landschaft, durch die sich ein Flüsschen zog, über dem Nebel aufstieg. Später erfuhr ich, dass man dieses Tal Nebeltal nennt, auch der Fluss heißt Nebel. Als ich ein paar Monate später Leiter des Ernährungsamtes in dieser Gegend war, bin ich mehrmals dort gewesen. Mit dem Müller haben wir gut zusammengearbeitet. Und an der Nebel bin ich mit Johanna spazieren gegangen, als sie schon schwanger war.

Wieder schickten wir Otto vor, er sollte den Gutshof mit der Wassermühle finden, den wir hinter der Flussbiegung vermuteten, wo das obere Ende eines Wasserturms über die Baumwipfel ragte. Nach zwei Stunden näherte sich ein Mädchen unserem Versteck, das war Dunja, sie sah genauso aus wie Anna, ihre Zwillingsschwester. Dunja kletterte zu uns hoch, holte verschrumpelte Winteräpfel und frisches, warmes Brot unter ihrer Schürze hervor, fragte uns aus nach ihrer Schwester. Sie warnte uns, zum Schloss zu gehen, die Prinzessin Lobkowicz sei gar nicht da, die lebe jetzt in Frankfurt. Ihr Mann, der Prinz, sei in Haft, weil er mit den Leuten zu tun hatte, die im vergangenen Jahr das Attentat auf Hitler verübt hatten. Aber im Schloss wohne eine Gräfin Olga, deren Mann sei Generalmajor der Polizei und befehlige Einheiten der Waffen-SS. Die könnten jeden Moment hier eintreffen, auch lebten mehrere Nazifamilien in Baracken im Schlosspark, Evakuierte aus Berlin vom Reichspostministerium. Uniformierte hausten in allen Sälen des Schlosses, es würde gesoffen und gefeiert, man warte auf die Wunderwaffe oder auf das blutige Ende. Uns sähe man an, wo wir herkämen, sie würden uns erschießen wie streunende Hunde, wenn sie uns fänden. Der Müller Mevius sei kein schlechter Mensch, aber er habe Angst. Zu seinen russischen und polnischen Arbeitern sei der anständig, aber er würde kein Risiko auf sich nehmen.

Otto habe Glück gehabt, dass er ihr, der Ostarbeiterin, begegnet sei, als er sich zur Mühle schlich. Sie habe ihn unterhalb der Mühlengebäude getroffen, am Wehr. In der Aalfangkiste gleich neben dem Turbinenhaus habe sie Otto versteckt, erzählte Dunja, aber da könne er nicht lange bleiben. In der Mühle würde Tag und Nacht gearbeitet, die Bauern aus den umliegenden Orten kämen und ließen auf Vorrat mahlen. Auch versorge die Mühle das Schloss mit Strom. Viele Menschen gingen da täglich ein und aus, zu viele.

Aber sie versprach, nach Hilfe zu suchen, zur Nacht würde sie uns Decken bringen. Schon gegen Mittag kam sie und brachte uns alte Mehlsäcke gegen die Kälte, ich klapperte mit den Zähnen vor Schüttelfrost. Ihr rundes Gesicht strahlte, sie hatte eine gute Nachricht. Von einem benachbarten Gut, Machandel, keine zwanzig Kilometer entfernt, hätten die Herrschaften nach Mehl geschickt. Sie wollten weg, nach Westen, und sie wollten Pungen mitnehmen, gefüllte Mehlsäcke. Ihre Ostarbeiterin, Natalja aus Smolensk, hätten sie mit dem Pferdewagen geschickt. Natalja sei schüchtern und verschlossen. Sie, Dunja, habe ihr klargemacht, dass sie uns mitnehmen müsse und in Machandel verstecken, die Herrschaften dort würden in ein paar Stunden fort sein, da könnten wir in Ruhe abwarten, bis das alles vorbei sei.

Ein oder zwei Stunden später hörten wir Ottos Pfiff unter unserem Jägerstand, er war von hinten durch den Wald gekommen. Schnell kletterten wir hinunter, Karel musste mir helfen. Ein kurzes Stück schlugen wir uns durchs Dickicht, dann kam ein Forstweg, auf dem der Pferdewagen wartete. Ein Mädchen mit Kopftuch saß auf dem Kutschbock, eine zarte kleine Person, sie sah aus wie eine Fünfzehnjährige. Das war Natalja. Mit ihrem Geburtsdatum musste ich mich Jahre später noch beschäftigen, als es um ihre Papiere ging. Sie war ja Sowjetbürgerin, hat sich aber nicht gemeldet, als ihre Leute repatriiert wurden. Jahrelang hat die Natalja mit ihrer Tochter schwarz in Machandel gelebt, ohne Papiere. Eine heikle Sache. Ich hätte da auch nichts machen können, wenn nicht mein Genosse Sepp Schwab, den ich schon vor der Illegalität und aus der Zeit meines Sonderauftrags kannte, inzwischen stellvertretender Außenminister geworden wäre.

Er kannte seinen Moskauer Amtskollegen gut, so gab es wenigstens keinen Ärger mit den Freunden. Natalja und ihre Tochter wurden bei uns eingebürgert. Ich glaube, sie haben nie erfahren, welche Kreise ihre Geschichte gezogen hat. Wahrscheinlich leben sie noch immer in dem Dorf, meine Tochter müsste sie kennen, sie fährt da immer hin. Aber ich werde ihr das nicht erzählen. Schon gar nicht, dass Natalja mich um Hilfe gebeten hat. So wie sie mir geholfen hat. Und Karel. Und Otto. Sie war nicht fünfzehn, sondern zwanzig an diesem 28. April 1945, als sie da auf dem Kutschbock des Pungenwagens saß, mit sechzehn war sie nach Deutschland verschleppt worden.

Schnell hockten wir uns zwischen die Mehlsäcke, zogen uns Dunjas leere Beutel über den Kopf, das war keine gute Tarnung, aber Natalja trieb das Pferd an und rief nach hinten, da würde keiner genauer hinsehen, alles sei in Panik und in zwei, drei Tagen sei der Krieg vorbei, der Gutsinspektor von Machandel sei schon geflohen, mit dem Opel der Baronin. Die stünde nun da mit ihrer Tochter, jetzt mache sie den Vierspänner fertig und wolle nach München zu ihren Verwandten, dorthin kämen die Amerikaner. »Am meisten Angst haben sie vor den Unsrigen«, rief das sowjetische Mädchen in den Wind, und wir lachten.

So bin ich nach Machandel gekommen, Tochter, so kann ich es dir erzählen.

Aber ich kann doch nicht von der Angst erzählen. Ich kann die Kälte nicht beschreiben, die mir in dem Scheißloch und auf dem Jägerstand in die Knochen gekrochen ist und nie mehr herausging.

Und die Toten. Clara, so viele Tote, wie ich gesehen habe, wirst du in deinem ganzen Leben hoffentlich nicht sehen. Auf diesem Bauernhof bei Parchim lag Bruno, der Spanienkämpfer, neben der Pumpe. So einen wie Bruno habe ich nicht wieder getroffen. Ein Arbeiterjunge aus Neukölln, gewitzt und geistesgegenwärtig. Den haben die Nazis gleich am Anfang kaputt geschlagen, da ist er in die Tschechoslowakei emigriert und von da nach Spanien gegangen. Am Ebro ist er verwundet worden, in einem Lazarett am Mittelmeer haben sie ihn zusammengeflickt, der Chirurg war der Bruder vom Rasenden Reporter Kisch, hat er mir erzählt. Aus einem französischen Lager wurde er an die GeStaPo ausgeliefert, und so ist er nach Sachsenhausen gekommen. Und im letzten Moment ist er auf diesem Hof verreckt. Ende 46, als ich schon wieder in Berlin war, bin ich mit einem Dienstauto nach Parchim gefahren, ich habe den Hof gefunden, die Scheune, das Scheißhaus, in dem wir uns versteckt hatten, sogar die Regentonne war noch da. Ich habe den Bauern gefunden, ich habe ihn gefragt, wo die Toten sind, er hat schlotternd gesagt, er wisse von keinen Toten auf seinem Hof. Da habe ich den Genossen der K 5 Bescheid gesagt, das waren die Vorläufer der Staatssicherheit, das wirst du auch nicht wissen, Clara. Kann man heute auch keinem mehr erzählen. Staatssicherheit, Stasi, die stehen heute alle als Verbrecher da. Von dem Franzosen am Straßenrand hinter Herzberg habe ich der K 5 erzählt, den haben sie gefunden, und dann haben sie gesucht und noch mehr unserer Leute an dieser Strecke entdeckt. Auch die neun Männer, die auf dem Bauernhof erschossen wurden. Am Ackerrand. Zur Tarnung hat der Bauer Schutt über die Grube gehäuft. Die Männer trugen unsere Zebraanzüge. Eine Frau war dabei. Den Bauern wollten die Genossen nach Sachsenhausen bringen ins Sonderlager, aber der hat sich vorher aufgehängt. Ich hatte kein Mitleid mit ihm. Er hat meine Kameraden nicht ermordet, aber er hat sie verscharrt wie Hundekadaver. Und die Frau, die bei den Toten lag, das bekamen die von der K 5 raus, war eine Russin, sie hatte beim Bauern gearbeitet. Das war wohl das Mädchen, das uns geholfen hat. Anna. Dunjas Schwester. Ich kriege immer noch eine Wut, wenn ich an das alles denke. Und jetzt heulen sie im Fernsehen herum wegen der Sonderlager. Es gab gar nicht genug solcher Lager für dieses Pack.

Aber das werde ich dir nicht sagen, Clara, ich weiß, was du antworten würdest, und ich habe keine Lust mehr auf solche Diskussionen. Ich bin über neunzig.

Du hast gefragt, wie ich nach Machandel gekommen bin, und ich werde dir antworten. Auf Nataljas Pungenwagen. Und dann lagen wir wieder in so einem kalten Loch, im Eiskeller im Schlosspark. Da hat Natalja uns versteckt, dort, wo die Frau Baronin ihren Wein zu kühlen pflegte. Aber die Baronin war dann weg mit ihrem Anhang und Natalja holte uns ins Schloss, und da habe ich in so einem herrschaftlichen Bett gelegen, ich war nicht wach und habe nicht geschlafen, die dachten, ich bin ohne Bewusstsein, aber ich habe alles genau registriert. Jedes Wort habe ich gehört und die Muster in der Seidentapete kann ich noch heute auswendig. Und als sie mir sagten, dass der Krieg zu Ende sei, waren schon Nataljas Landsleute da, der Kommandant hieß Semjon Baranowitsch.

Dann haben sich Karel und Otto verabschiedet, die wollten zu ihren Leuten, erstmal nach Berlin. Und das Gutshaus war überfüllt mit Flüchtlingen, doch sie ließen mir das Schlafzimmer der Baronin, ein paar Wochen muss ich da gelegen haben. Ein russischer Arzt kam, und die Frau, die mir die Medizin brachte und das Essen, die nächtelang an meinem Bett saß, war Else, meine Else, und ihr zerschlagenes schwarzes Gesicht war wieder so glatt und schön wie zuvor, und ihre verfilzten Haare, die bei der Gegenüberstellung in der Prinz-Albrecht-Straße um ihr verschwollenes Gesicht hingen, waren schön gekämmt, mit dieser Welle über der Stirn, die ich so liebte, und mit kleinen Kämmen aus Horn, und sie sagte nicht viel, sondern schaute mich nur an mit ihren grünen Augen, die waren wieder ganz klar, und sie waren plötzlich blau, und es war nicht Else, die mich in diesem Schloss in Machandel gesund pflegte, sondern sie hieß Johanna, es war deine Mutter, Clara.

So war das, so bin ich nach Machandel gekommen.

Ich will es dir erzählen, Tochter, aber alles kann man nicht beschreiben. Und ich kann auch nicht erzählen, wie mir das Herz wehtut, wenn ich an Karel denke.

5

CLARA

Das Fotoalbum

Der Eifer, mit dem wir uns in den ersten Jahren auf das Haus in Machandel stürzten, kommt mir heute sonderbar vor. Wir beizten Tische und Stühle ab, nähten Vorhänge, rührten Lehmschlämme in einer alten Kinderbadewanne an und schnipselten Stroh hinein. Sägespäne und Sand gaben wir dazu, weil der Lehmputz so besser an den Wänden halten sollte. Zum Schluss strichen wir die Wände mit Weißkalk, in den wir Magerquark hineinrührten. Der alte Wilhelm wunderte sich, dass wir unser Haus so renovierten wie früher die armen Landarbeiter. Er habe moderne Tapeten an seinen Wänden, meinte er, aber er lud uns nie in sein Haus ein. Wenn wir erschöpft im Gras lagen, dem Spiel der Schwalben am Mecklenburger Himmel zusahen, die Kinder vom Waldrand her lachen hörten, dann spürte ich ein Glücksgefühl, das ich in Berlin nicht kannte.

Der Sommer des Jahres 86 war der nach der Katastrophe von Tschernobyl. Eine Erschütterung, die das Vertrauen in die Beständigkeit des Gewohnten endgültig zerstörte. Nicht bei allen. Erbittert hatte ich mit Julias Lehrerin gestritten, die das Kind auslachte, weil es keine Milch trinken wollte, und spöttisch meinte, bei uns zu Hause würde wohl zu viel Westfernsehen gesehen. Sie zeigte demonstrativ Salatköpfe, die sie in der Kaufhalle gekauft hatte, wo es plötzlich auch Gurken gab. Wider alle Vernunft fühlte ich mich in Mecklenburg sicherer als in der Stadt, als wären wir da weit weg von allen Gefahren. Aber in Machandel spürte ich unklar andere Bedrohungen. Michael und ein Freund hatten die Erde aufgegraben für Wasserrohre, immer hatte ich Angst, dass ein Kind hineinfallen würde. Die Mecklenburger Handwerker vertrösteten uns von Monat zu Monat, ihnen fehlte es an Material. Ich hatte auch Angst vor dem Kellerloch in der Kammer, das ich zuschütten ließ. Michael legte neue Dielenbretter über die von Mäusen zernagte Klappe. Wir hatten schon vieles am Haus repariert, aber an die marode Elektroleitung und an das Verlegen der Wasserrohre wagten wir uns nicht. Schließlich, im Herbst, schickte meine Mutter uns eine Berliner Handwerkerbrigade, die an einem einzigen Wochenende die elektrischen Leitungen erneuerte, die Rohre verlegte und Wasserleitungen installierte. Die Männer kamen von irgendeinem Sonderbauvorhaben, sie brachten Material mit und Armaturen, wie man sie nirgends kaufen konnte. Ich wusste nichts davon, an diesem Wochenende war ich in Berlin geblieben, und als Michael mir stolz den Elektroherd zeigte, die Wasserhähne, die neuen Steckdosen, die Durchlauferhitzer und sogar eine Badewanne und den Waschmaschinenanschluss, war ich wütend auf meine Eltern. Ich wollte ihre Privilegien nicht, es war mir auch peinlich vor unseren Freunden, lieber hätte ich noch länger ohne Wasser in unserem Sommerhaus gelebt. Aber Michael hatte meine Mutter um Hilfe gebeten. Als ich das erfuhr, stritten wir uns, es war ein alter Streit, der erst verebbte, als mein Vater keine Privilegien mehr besaß und Michael gar nicht mehr in Berlin lebte.

Michael sagte, dass er besorgt um mich gewesen sei, der zweite Sommer mit den Kindern in Machandel ohne Wasser und Strom hätte mich überfordert, ich sei ständig gereizt gewesen, und manchmal hätte er den Eindruck gehabt, die Grenzen von Zeit und Raum würden mir zerfließen.

Tatsächlich hatte ich mich mehrmals in der Landschaft um Machandel verlaufen, kam erst nach Stunden wieder und konnte nicht erklären, warum ich den Weg zum See nicht gefunden hatte. Manchmal saß ich stundenlang auf einem Stein und vergaß, dass sie im Katen auf mich warteten. Erinnerungen brachen in die Wirklichkeit ein, Träume und Fragmente anderen Lebens. Wir hatten in den unbewohnten Räumen die bröseligen Tapetenschichten von den Lehmwänden gelöst, alte Zeitungen klebten darunter, steif von getrocknetem Leim. Ich versank in Artikeln über die Gründung der Maschinen-Traktoren-Stationen, über die Bodenreform, über die Vorteile kollektiver Landwirtschaft, über blühende Kolchosen in der Sowjetunion und über Ablieferungsquoten und markenfreie Arbeitshandschuhe. Ein paar kaum noch lesbare Zeitungsblätter vom August 1946 handelten von einem Prozess vor dem Schwurgericht in Schwerin gegen einige Pfleger und eine Schwester der Schweriner Nervenklinik Sachsenberg, die ihre Patienten getötet hatten. Auch Kinder. Das waren, nach dem Kontrollratsbeschluss 38, Verbrechen gegen die Menschlichkeit. Die Angeklagten beriefen sich darauf, dass dieser Kontrollratsbeschluss erst nach dem Kriegsende erlassen worden sei. So selbstverständlich war es gewesen, unheilbar kranke Patienten zu töten, dass es keiner von ihnen als Mord empfunden hatte. Der Oberarzt selbst habe Patienten zur Tötung bestimmt, sie seien doch nur Befehlsempfänger gewesen, verteidigten sie sich. Doch der Oberarzt war nach Köln geflohen und die Angeklagten wurden zum Tode verurteilt.

So alt und vergilbt diese Zeitung war, man sah, dass jemand den Artikel aufmerksam gelesen hatte, mit einem Kopierstift waren einzelne Sätze unterstrichen, aufgequollene lila Striche.

Ich musste mich von den alten Zeitungen losreißen, denn in diesem Sommer war Caroline kein Baby mehr, sie blieb nicht mehr im Garten auf der Decke sitzen, ihre Scheu vor dem Gras hatte sie verloren. Sie lief herum und man musste auf sie aufpassen, es gab schartige Ecken an den Balken, der Holztreppe zum Boden fehlte das Geländer und vor der Haustür war die Treppe kaputt. Man konnte das Kind auch nicht einfach auf der Wiese hinterm Haus spielen lassen, überall steckten Scherben im Gras. Als ich nach den Anweisungen des alten Wilhelm den kleinen Gemüsegarten anlegte, fand ich bei jedem Spatenstich Müllreste aus weit zurückliegenden Jahrzehnten, Stiefel ohne Sohle, zerlöcherte Kochtöpfe, zerbrochene Gurkengläser, rostiges Werkzeug der ehemaligen Bewohner unseres Hauses. Sie haben die Wiese nicht geliebt, dachte ich, sonst hätten sie ihr das nicht angetan. Sie haben auch den Katen nicht geliebt, sonst wären die Vorräume nicht mit dem festgetretenen Dreck unzähliger Jahre überzogen gewesen. Mit einem Messer habe ich, während meine größere Tochter draußen mit Emmas Enkeln spielte, den schwarzen Belag von den roten Backsteinen abgekratzt. Einer der Fußbodensteine war sogar ein Morgenstein. Früher kam das Baumaterial aus den Ziegeleien, die es hier überall gab, der erste Stein vom ersten Brand nach der Winterpause, der Morgenstein, bekam eine Verzierung. Dieser hier zeigte eine Sonne und den Abdruck einer Kinderhand. Unter dem gummiartigen Schmutz war er nicht zu erkennen gewesen. Eigentlich fand man solche Morgensteine nur in den Giebeln sehr alter Häuser, wahrscheinlich hatte man diesen vor hundertfünfzig Jahren, als der Schafstall zum Wohnhaus umgebaut wurde, aus einem Abrisshaus geholt.

Ich schabte, bürstete und wusch den Stein sauber, rief die Kinder. Gemeinsam betrachteten wir die Sonne und die Hand, stellten uns das Kind vor, zu dem sie einmal gehört hatte. Die Mädchen legten ihre eigenen rechten Hände auf den Abdruck und die der siebenjährigen Julia passte. Ich erzählte Wossidlos

Sage von der Weißen Frau, die in einem Baum überlebt hatte und später im Bauholz eines Schafstalls. Julia rief sofort: »Unser Haus ist doch auch ein Schafstall gewesen!«, und Emmas Enkelin wunderte sich: »Eigentlich sind es doch die Machandelbäume, in denen sich die Seelen früherer Menschen verborgen halten.« Julia fand: »Aber auch die Stämme der alten Weiden auf dem Weg nach Mamerow sehen aus wie uralte Frauen; wenn der Wind die Blätter bewegt, kann man sie hören.« »Sie raunen«, ergänzte Emmas Enkeltochter.

Wenn ich auf dem Propangasherd kochte, wenn ich Carolines Windeln in einem Eimer wusch, wenn ich mit ihr spielte, stellte ich mir oft Emma als junge Frau vor und die Kinder, die hier aufgewachsen waren. Wie haben sie so leben können? Auch der Gedanke an die von ihren Pflegern getöteten Kinder aus der Nervenheilanstalt Sachsenberg ließ mich nicht los, und alles, schien mir, war miteinander verwoben. Ich dachte an meinen Bruder, von dem ich monatelang nichts gehört hatte. An meinen Vater in Berlin, der immer schweigsamer und starrsinniger wurde, und an meine Mutter, die im Schloss gelebt hatte und nie über diese Zeit sprach, die ich nie an einem Klavier gesehen habe, obwohl sie doch spielen konnte, wie Natalja wusste. Dazu gingen mir plattdeutsche Reime durch den Kopf.

Ich hatte in diesem Sommer wieder die Materialien für meine Dissertation mitgebracht, ohne wirklich daran zu arbeiten. Mein Professor war entzückt gewesen, als er hörte, dass ich einen Ort namens Machandel entdeckt hätte, in dem man Wossidlos Sage von der Weißen Frau noch kannte. Und er hatte mir vorgeschlagen, mich dem plattdeutschen Märchen vom Machandelboom zuzuwenden, das die Brüder Grimm 1812 in ihre Sammlung übernommen haben. Statt wie vorgesehen mehrere Sagen miteinander zu vergleichen, sollte ich nun archaische Naturmotive in diesem Zaubermärchen analysieren und mit anderen, ähnlichen Motiven außerhalb des plattdeutschen Sprachraums vergleichen. Seit Monaten hatte ich mich mit dem Märchen vom Machandelboom beschäftigt. Nun kamen mir immerzu, in den unpassendsten Momenten, die schaurigen Reime in den Kopf: *Min Moder, de mi slacht, / min Vader, de mi att, / min Swester, de Marleenken, / söcht alle mine Beenken, / bind't se in een syden Dook, / legts ünner den Machandelboom. / Kywitt, kywitt, wat vör'n schöön Vagel bün ik!* Goethe muss diese alten Verse im Kopf gehabt haben, als er sie abgewandelt schon 1774 das Gretchen in der Kerkerszene auf Hochdeutsch sagen ließ. Auch die Brüder Grimm haben eine hochdeutsche Fassung drucken lassen: *Meine Mutter, die mich schlacht', / mein Vater, der mich aß, / mein Schwester, das Marlenichen, / sucht alle meine Benichen, / bind't sie in ein seiden Tuch, / legt's unter den Machandelbaum. / Kywitt, kywitt, was für ein schöner Vogel bin ich!*

Der schöne Vogel Kranawitt, die Wacholderdrossel, flog auch in Wirklichkeit oft vom Waldrand her über die Hecken an unserem Haus vorbei, dabei rief er aber nicht lockend kywitt, kywitt – so riefen nachts die Käuzchen vom Schlosspark –, sondern hart und rau tschak, tschak, tschak. Der alte Wilhelm hatte mich auf den Ruf und den schwerfälligen Flug des Vogels aufmerksam gemacht. Ich hätte die Wacholderdrossel nicht von einer Amsel unterscheiden können, aber sie war größer und anders gefärbt.

Wilhelm kam auch in diesem zweiten Sommer fast täglich bei uns vorbei, die Kinder mochten ihn, und aus den Taschen seiner grauen Joppe zauberte er manchmal eine Tüte Kirschen oder ein Bündel Pfefferminze heraus, Geschenke von seiner Frau, die das Haus nur verließ, wenn der Konsumbus kam. Als ich den alten Nachbarn fragte, ob er das Märchen vom Machandelboom kenne, lachte er nur: »Kinningskram. Dat is nu all lang heer, wohl ewe dusend Jor.«

Mit genau diesen Worten fing das Märchen an, ich sagte es ihm, und aus seinem Lachen konnte ich nicht erkennen, ob er es wusste oder ob es Zufall war.

An den Wochenenden und in den Ferien kamen oft Freunde aus Berlin mit nach Machandel, und dann waren es doch die immer gleichen Gespräche, die die Stille vertrieben. Wie in unseren Berliner Küchen diskutierten wir stundenlang. Die Geräusche der Nacht, die ich in Machandel so liebte, die Rufe der Nachtvögel und das Scharren und Kratzen, das Knarren und Ächzen in dem alten Haus wurden übertönt von unseren Worten. Und wenn nachmittags Natalja mit dem Rad aus dem Konsum kam, lief ich ihr entgegen, weil sie die Zeitung mitbrachte, auf die ich mich stürzte, als stünde zwischen den Zeilen etwas, was ich sofort erfahren müsste. Auf was für Nachrichten warteten wir denn? Alles schien möglich.

Herbert spielte an den Abenden stundenlang Gitarre und sang dazu Texte des Liedermachers Wenzel, der oft als Clown mit einer Maske auftrat. Eines dieser Lieder kommt mir in den Sinn, wenn ich an die ersten Jahre in Machandel denke, die letzten für das Land, in dem wir aufgewachsen waren: *Das Mädchen wartet auf den Brief. / Der Redner wartet auf die Rede. / Der Junge im Park wartet auf das Nichts. / Das Land wartet auf goldene Zeiten.*

Ja, wir warteten auf die anderen Zeiten, die sich schon ankündigten. Im Jahr, als wir Machandel entdeckten, war Gorbatschow in der Sowjetunion Staats- und Parteichef geworden. Wir hatten seine Reden gelesen, und die waren wie ein Feuerwerk der Hoffnung, das in den Himmel geschossen wurde, sich verteilte; bunte Lichtpunkte, denen man hinterherschaute, wenn sie schon verpufft waren. Als Gorbatschow im April 86 zum Parteitag nach Berlin gekommen war, hatte er zur Selbstkritik aufgefordert, und dieses Wort allein begeisterte uns. Eine der öden Losungen, mit denen wir aufgewachsen waren, hieß: Keine Fehlerdiskussion. War Jan zu früh weggegangen? Auf seinem Schreibtisch hatte ein Foto Rosa Luxemburgs gestanden mit dem Zitat: *Jede revolutionäre Tat beginnt damit, auszusprechen, was ist.* Das schien uns ein wunderbarer Gedanke, die Karte hing nun in Machandel über meinem Arbeitsplatz und eine Kopie in Berlin an unserer Küchenwand.

Das Land wartet auf die Zukunft, hieß es spöttisch in Wenzels Lied.

Manchmal schien mir, wir sprachen schon über nichts anderes mehr als über die Veränderungen, die wir ersehnten. Selbst wenn ich in der Staatsbibliothek Unter den Linden im Lesesaal saß, schien das Schweigen davon zu handeln. Mehrere Leser an ihren Tischen hatten Gorbatschows Reden vor sich, die sie langsam lasen, Wort für Wort. Wenn sie aufblickten, suchten sie in den Gesichtern der anderen. Die Pausen verbrachte ich oft im »Espresso« an der Ecke Friedrichstraße, dort saßen die Architekten der benachbarten Bauakademie, Angestellte der umliegenden Verlage und Redaktionen, Dozenten der Universität, Menschen, die Zeit zu haben schienen und Geschichten aus ihrem Arbeitsleben erzählten, Geschichten von erstickten Träumen, von verhinderten Ideen, böse, traurige Geschichten, über die manche sich ausschütteten vor Lachen, während andere verstummten. Um die Spitzel, die sicherlich auch an den Tischen saßen, scherte sich niemand. Ich trank meinen Tee, hörte die Gesprächsfetzen und dachte an meinen Bruder, der auch oft im »Espresso« gesessen hatte, wenn er in den Redaktionen seine Fotos angeboten hatte, die die Redakteure an ihre Pinnwände hefteten, aber nicht abdruckten.

Wer weiß, wo er jetzt war. Wenn er plötzlich zur Tür hereinkäme, könnte er sich an einen Tisch setzen, als wäre er gar nicht fort gewesen, es waren immer die gleichen Geschichten, immer dieselben Gespräche. *Der Verurteilte wartet auf das Urteil. / Der auf den Koffern Sitzende wartet auf Bescheid. / Die Freiheit wartet auf ihre Stunde.* Dieses Abwarten konnte man spüren, das »Espresso« Unter den Linden war wie eine Wartehalle.

Michael erzählte ich nichts von diesen Stunden, er spottete manchmal über meine Arbeit, bei der man im Café sitzen und Zeitung lesen konnte. Er selbst war Ingenieur in einem Kraftwerk. Seit Jahren entwickelten sie dort eine Rauchgasentschwefelungsanlage, doch die Wäsche auf den Berliner Balkonen blieb schwärzlich vom Ruß. Manchmal erzählte er von fehlenden Arbeitskräften, von schlechter oder ganz ausbleibender Kohle, von gefälschten Werten der CO_2-Emissionen und alltäglichen Lügen. Schließlich bestellte man bei einem britischen Unternehmen die Entschwefelungsanlage, aber darüber durfte er nicht sprechen. Wenn Michael nach zehn, zwölf Stunden von der Arbeit kam, grau und abgekämpft, war er nur noch müde.

Und doch teilten wir mit unseren Freunden die Hoffnung, die Ahnung, dass die dumpfe Enge aufbrechen würde, bald schon, womöglich hatte der Aufbruch schon begonnen.

Im Berliner Alltag jedoch war kein Aufbruch zu spüren. Ich erinnere mich an eine Elternversammlung, in der Julias Lehrerin forderte, man müsse die Kinder zum gesunden Hass auf den Klassenfeind erziehen – ihr Mann war Offizier der Volksarmee. Mit vor Verzweiflung schriller Stimme rief ich dazwischen: »Hass ist ein zerstörerisches Gefühl, vor dem muss man Kinder bewahren!« Das unwillige Gemurmel der anderen Eltern galt nicht der Lehrerin, sondern mir, sie wollten ihre Zeit nicht vergeuden und lieber wissen, warum das ohnehin miserable Schulessen oft schon kalt war, wenn es in Kübeln angeliefert wurde, oder warum die Musikstunde seit acht Wochen ausfiel. Ein paar Tage später wurde ich zur Direktorin bestellt, ich erinnere mich an ihr verkniffenes Gesicht unter der Dauerwelle. »Sie sind doch die Tochter des Genossen Langner«, sagte sie, »über den im *Neuen Deutschland* geschrieben wurde, weil er ein Kampfgefährte Ernst Thälmanns war. Da müssten Sie doch Verständnis haben für den Hass auf den Klassenfeind.« Ihren Vorschlag, mit den Kindern eine Wandzeitung über Ernst Thälmann zu gestalten, lehnte ich ab. Schon während meiner eigenen Schulzeit haben die Lehrer immer wieder nach meinem Vater gefragt, er sollte in die Schule kommen und über den antifaschistischen Widerstandskampf reden. Er hatte nie Zeit dafür, und ich glaube, er wollte es auch nicht.

Als Gorbatschow an die Macht kam, war er schon Rentner, fast den ganzen Tag saß er in seinem Arbeitszimmer und las. Er besorgte sich die Originalreden aus der *Prawda* und verglich die Nachdrucke im *Neuen Deutschland* mit einem Wörterbuch Satz für Satz, als traute er seinem Zentralorgan nicht. Und tatsächlich fehlten in der deutschen Fassung oft ganze Passagen.

Ich fragte ihn nicht danach. Mit meinen Freunden konnte ich darüber sprechen und auch wir lasen diese Reden ganz genau. An einer Stelle hieß es: *Durch den Kampf der Gegensätze bildet sich eine widersprüchliche, aber in vielen wechselseitigen Abhängigkeiten zusammengehörige, in hohem Maße ganzheitliche Welt heraus…*

Wir hatten ja alle Russisch gelernt und fanden heraus, dass Gorbatschow gesagt hatte: *Durch den Kampf der Gegensätze, mit Schwierigkeiten, gleichsam vorantastend bildet sich eine widersprüchliche…*

Diese unterschlagenen Worte, aber auch alle anderen Passagen der Reden wendeten wir hin und her. Manche von uns meinten, es sei längst zu spät, das Ruder herumzureißen. Plötzlich hörte man überall das Wort *Glasnost*, Offenheit. Aber warum hatte auch Gorbatschow im Frühjahr fast drei Wochen

gebraucht, bis er offenlegte, was im Atomkraftwerk von Tschernobyl geschehen war? Und warum nannte er es dann beschöni-
gend eine Havarie?

Auch mein alter Professor an der Universität, der meine
Arbeit betreute, war skeptisch. Als wir einmal im Kasino der
Staatsbibliothek über Glasnost sprachen, meinte er lachend, so
neu sei das alles gar nicht. Schon viele Reformer hätten sich
im Namen verschiedener Ideologien im Russischen Reich ab-
gearbeitet, und das Wort *Glasnost* habe schon Zar Alexander II.
im 19. Jahrhundert verwendet. Mit diesem Begriff habe er die
Öffentlichkeit der Gerichtsverhandlungen eingeführt. Dennoch habe es noch nie eine unabhängige Justiz gegeben, schon
gar nicht in Russland.

Im April 1987 habe ich diesen Professor eines Morgens wegen meiner Arbeit aufgesucht. Er saß in seinem mit Akten und
Büchern verstopften Kabinett im Institut, ich musste einen
Stapel Broschüren wegräumen, um mich setzen zu können. Mit
schwer deutbarem Lächeln schob er mir eine Zeitung über den
Tisch, in der ein Interview mit Kurt Hager abgedruckt war, der
war im Politbüro der Partei für Ideologie zuständig. Ich kannte
das Interview schon. Hager hatte Gorbatschows Perestroika
mit einem Tapetenwechsel verglichen und erklärt, man müsse ja
nicht seine Wohnung renovieren, nur weil der Nachbar es täte.
Als wir am Vorabend in unserer Küche mit Herbert und anderen Freunden über das Interview gesprochen hatten, musste
ich vor Wut heulen. »Dieselben Leute, die Gorbatschow jetzt
anpinkeln, haben doch jahrzehntelang alles, was aus der Sowjetunion kam, heiliggesprochen. Glauben diese Arschkriecher
wirklich, es geht um einen Tapetenwechsel? Hier geht es doch
um alles, um das ganze Leben. Sind die so dumm und blind
oder nur korrupt? Ahnen sie, dass ihre Tage bei Perestroika
und Glasnost gezählt sein würden?«

Michael nahm mich in den Arm, als er meine Tränen sah, aber Herbert zitierte ironisch ein paar Zeilen aus Wenzels Lied: *Das Opfer wartet auf Güte. / Die Wahrheit erwartet die Aufwartung. / Aber das Land wartet ab.*

Und nun meinte mein Professor mit einem Anflug von Häme: »Das Wort ewig muss man wohl neu definieren. Möglicherweise ist auch das im Vestibül hängende Spruchband *Für ewig an der Seite der Sowjetunion* überholt.«

Ich schob die Zeitung weg und sagte: »Ich möchte über meine Dissertation reden.«

Er nickte. »Das ist das Klügste, was Sie tun können. Das Märchen vom Machandelboom ist älter als alle Losungen und wird sie überdauern.«

Eigentlich war ich froh, gerade diesen Philologen, der kurz vor der Pensionierung stand, zum Doktorvater zu haben. Er verabscheute Phrasen und verlangte von seinen Studenten, selbst zu denken. Manchmal lud er mich zum Essen in die Professorenmensa ein, dort sprachen wir nicht nur über meine Arbeit. Einmal erzählte er mir, er habe als sechzehnjähriger Junge aus Deutschland emigrieren müssen. In Shanghai habe er in einem Ghetto gelebt und all die deutschen Bücher gelesen, die die Flüchtlinge mitgebracht hätten. Er habe den Faust studiert und das Nibelungenlied. Die deutsche Sprache sei ihm zur Heimat geworden, nachdem die Nazis ihn staatenlos gemacht, die japanischen Besatzer Shanghais ihn eingesperrt hätten. Die Flüchtlinge in Shanghai seien aus Wien und aus Süddeutschland gekommen, aus Berlin, von der Nordseeküste und aus Sachsen, manche aus Prag, aus Polen und Rumänien. Alle hätten deutsch gesprochen, aber ihre Dialekte seien verschieden gewesen. Er habe damals begonnen, die Unterschiede zu notieren.

Ein andermal erzählte er mir: »Mein Vater starb in Shanghai. Meine Schwester heiratete noch im Ghetto einen Breslauer, mit dem sie nach dem Krieg nach England ging. Ich aber bin 1947 zurückgekommen nach Berlin, zusammen mit unserer Mutter und anderen Emigranten. Als wir am Görlitzer Bahnhof aus dem Zug stiegen, sahen wir als Erstes eine Blumenhändlerin, die musterte unsere Gruppe und rief laut: ›Da sindse wieda, die feinen Herrschaften. Wie et uns schlecht jing, sind se abjehaun, wegjemacht sind se, inne Sonne ham se sich jeaalt, unsre Jungs mussten die Birne für die mit hinhalten und jetze kommse wieder anjeschissen, die Juden.‹ Meine Mutter wäre umgekehrt, wenn sie gewusst hätte, wohin. Aber ich hatte ehrlich gesagt nichts anderes erwartet und war trotzdem begeistert, das Berliner Idiom wieder zu hören. Für mich war wichtig, dass ich hier das Abitur ablegen konnte. In der Vorstudienanstalt der Universität war übrigens auch Ihre Mutter Johanna.«

Davon hatte ich schon gehört, meine Mutter hatte einmal erwähnt, dass er damals in kurzer Zeit, viel schneller als sie und alle anderen, die Prüfungen ablegte, studierte und promovierte. Die Dialekte der deutschen Sprache, ihre Stufen und Varietäten blieben seine Leidenschaft. Bald wurde er ein bekannter Spezialist fürs Mittelhochdeutsche und auch der niederdeutschen Dialekte, wobei er diese Bezeichnung ablehnte. Er war überzeugt, das Niederdeutsche oder Plattdeutsche, eine eigenständige Sprache, sei erst im 19. Jahrhundert zur Volkssprache herabgesunken. »Seien Sie misstrauisch, wenn das Wort Volk zur Vorsilbe verkommt«, sagte er einmal in einem Seminar, und als ein Kommilitone einwandte: »Dann stehen ja auch Begriffe wie Volksdemokratie oder Volkseigentum in Frage, auch Volkspolizei«, lachte er nur. Er ließ uns die niederdeutsche Fassung der Lutherbibel studieren, und als man ihn deswegen angriff, führte er seine Seminare, in denen nun immer Fremde saßen und mitschrieben, seelenruhig weiter. Wir Studenten wurden von einem aus der FDJ-Leitung der Universität befragt, ob der Professor Martin Simon uns christlicher Propaganda ausgesetzt hätte. Er schien nicht zu wissen, dass unser Lehrer, obwohl Atheist, Mitglied der jüdischen Gemeinde war. In einer der nächsten Vorlesungen ließ der Professor uns wissen, übrigens sei er Atheist nicht im platten Sinne, sondern er finde, dass jedes Dogma kritisch zu analysieren sei. Er hielt einen kleinen Vortrag über Spinozas Religionskritik und zitierte Schopenhauer, der den Pantheismus als eine Euphemie für den Atheismus bezeichnet hatte. »Aber auch dieses Zitat sollten Sie kritisch sehen.« Ich verehrte ihn, aber sein leiser Spott über Gorbatschows Perestroika verwirrte mich.

Worauf sonst sollten wir hoffen?

Immer öfter gab es Zusammenstöße von Polizisten mit Jugendlichen, manchmal genügte es, dass einer jung war, lange Haare trug, frech guckte, um ihn mitzunehmen, zur Klärung eines Sachverhalts, wie es dann hieß. In Pankow neben dem Rathaus wohnte meine Freundin Ruth. Von ihren Fenstern aus konnte man auf den Springbrunnen sehen, der den alten Dorfanger abschloss. Da saßen an manchen Sommerabenden junge Leute auf den Bänken, manche ließen sich auch auf dem Rasen nieder. Seit einiger Zeit war das geduldet. Aber einmal fuhr gegen neun Uhr ein Polizeiauto langsam vorbei, übers Megaphon wurden die *Bürger* aufgefordert, die *öffentliche Ruhestörung* zu beenden. Einige gingen. Andere rückten noch enger zusammen, in ihrer Mitte saß ein Gitarrenspieler, vielleicht achtzehn Jahre alt. Beatlessongs spielte er und *We shall overcome,* nicht lauter als die quietschenden Straßenbahnen. Ich habe das gehört, wir standen auf Ruths Balkon. Und ich habe gesehen, wie plötzlich ein großes Aufgebot von Polizisten die kleine Grünanlage stürmte, wie sie auf die Jugendlichen einprügelten, sie in bereitstehende Wagen mit vergitterten Fenstern schleppten.

Der Gitarrenspieler wehrte sich nicht, sie haben ihm die Arme auf den Rücken gedreht und ihn abgeführt. Er drehte sich nach seiner Gitarre um. Ich habe gesehen, wie ein Polizist sie mit seinen Stiefeln zertrat. Und ein paar der Jugendlichen, denen es gelungen war, wegzulaufen in Richtung der Alten Pfarrkirche, wurden an der Kaufhalle von zivil gekleideten Männern abgefangen, die sie mit professioneller Härte verprügelten.

Das habe ich gesehen, und ich wusste, dass irgendeine Eingabe von namenlosen Bürgern nichts ändern würde. Am nächsten Tag erzählte ich meinem Vater davon, bebend vor Wut, und ich wollte, dass er etwas unternahm. Er versuchte gar nicht, wie früher oft, seine Genossen Volkspolizisten zu verteidigen. Seitdem mein Bruder gegangen war, hatte unser Vater sich verändert. Geredet hatte er nie viel, aber was er sagte, war sonst laut gewesen, autoritär. Ich glaube, er hat meinem Bruder nie zugehört. Mir hörte er zu und versprach, diesem Vorfall nachzugehen. Einer seiner Genossen, mit dem er in Neuengamme gewesen war, arbeitete noch immer im Innenministerium. Ich glaube, alle Beziehungen meines Vaters gründeten sich auf seine Zeit als Häftling. Schon am nächsten Tag, als ich ihn danach fragte, antwortete er knapp, sein Lagerkamerad habe einen Bericht aus Pankow angefordert und zur Antwort erhalten, die Sache sei in Ordnung. Der Rädelsführer sei bekannt als Wehrdienstverweigerer und habe einen Ausreiseantrag gestellt. Der Freund meines Vaters habe zu bedenken gegeben, dass die Jugendlichen Anzeige erstatten könnten wegen der Tätlichkeiten. Aber die Antwort aus Pankow war, dass einige der zivilen Kräfte selbst Anzeige erstatten und bezeugen würden, dass die Gewalt von den Jugendlichen ausgegangen sei, die nun namentlich erfasst seien und bearbeitet würden. Man könne sich von denen nicht auf der Nase herumtanzen lassen, die Regeln machen wir und nicht die. Mein Vater zitierte das so, dass ich nicht wusste, was er selbst darüber dachte und was die Meinung seines ehemaligen Lagerkameraden war. Mehr dazu sagen wollte er nicht.

Nach diesem Erlebnis war ich froh, wieder für ein paar Tage nach Machandel fahren zu können. Dort räumte ich den Dachboden auf, fand zwischen den Dachbalken von Motten zerfressene Mäntel, wurmstichige Stühle und einen alten Kinderschlitten. In einem von Schimmel bedeckten, von Mäusen angenagten Koffer lag ein altes Fotoalbum, die Bilder darin waren stockfleckig, feucht. Fast alle zeigten Kinder, Babys auf einem Lammfell, Einschulung, Konfirmation. Auf einem standen fünf Geschwister hintereinander, der Größe nach aufgestellt, das Jüngste konnte kaum stehen, trug nichts als ein Windelpaket und hielt sich am etwas größeren Brüderchen davor fest, die Erste in der Reihe war etwa zehn. Ihr Gesicht war ernst dem Fotografen zugewandt. Das letzte Foto im Album zeigte dieses Mädchen ein paar Jahre später im dunklen Konfirmationskleid, keine Schleife mehr in den fest geflochtenen Zöpfen, aber immer noch dieser ernste, fragende Blick. Es war keine Studioaufnahme, sondern ein kleines, gar nicht schlechtes Amateurfoto, im Freien fotografiert, vor der Schuppenwand, die ich sofort erkannte. Der kleine Baum daneben musste unser Nussbaum sein, inzwischen größer als der Schuppen selbst.

Ich nahm das Album mit, als ich zum Inspektorhaus ging, Wasser holen. Die alte Auguste blätterte überrascht darin. »Dat sinn Paul Peters sien Gören«, sagte sie und zählte die Namen der Kinder auf, das große Mädchen hieß Marlene. Dann gab sie mir das Album wieder zurück und wandte sich ab. »Dat smiet denn nu ma wech. Wotau dat noch upbewohren.«

»Was ist aus dem Mädchen geworden?«, fragte ich schnell.

Auguste Stüwe machte eine vage Handbewegung zum Hals. Dann ging sie ins Haus.

6

NATALJA

Die Fremde

Das Mädchen, das ich war, als ich nach Machandel kam, hielt den Blick gesenkt und huschte herum wie ein Schatten. Mein Schlafplatz war in einer Kammer neben der Leuteküche. Die anderen Dienstboten schliefen unterm Dach, aber ich durfte nicht mit den Deutschen zusammen schlafen. Manchmal musste ich auf dem Boden neben den Gesindekammern Wäsche aufhängen, dann sah ich aus den Luken weit übers hügelige Land. Hinter den Bäumen ragte der Turm der Kirche von Klabow auf. Sonntags gingen sie alle gemeinsam dorthin. Mich nahmen sie nicht mit, Ostarbeiter durften auch nicht mit Deutschen zusammen den Gottesdienst besuchen.

Was war das für ein Gott, an den sie glaubten? Ihr Pfarrer hat mich aus der Kirche gejagt. Das war in meinem ersten Sommer in Machandel, vielleicht auch im zweiten. In meiner Erinnerung verschwimmen die Monate. Erst als 1944 Grigori nach Machandel kam, konnte ich sie wieder unterscheiden. Da war Marlene schon fort. Da war sie schon tot. Da gehörte Smolensk wieder uns. Uns? Über mich bestimmten die Deutschen, und ich bin in ihrem Hügelland geblieben, bis diese Landschaft auch mir gehörte.

Sie haben mich während der Ernte mit der Mittagssuppe zu den Feldarbeitern geschickt, manchmal blieb der Handwagen in dem lockeren Sand stecken, aber ich zog ihn gern über den von Schlehenhecken gesäumten Weg, auf dem mich Vögel begleiteten wie in den Märchen meiner Kindheit. Ich kannte ihre Namen noch nicht, später wusste ich, dass es Kolkraben und die sich immerfort zankenden Krähen waren, manchmal auch die Wacholderdrossel, die im Fliegen sang. So wellenförmig und etwas schwerfällig wie ihr Flug war auch ihr Lied, tschak, tschak, tschak oder trarrat, trarrat, manchmal schien mir, ihr Gesang klinge gar nicht deutsch, vielleicht war sie aus einer ganz anderen Landschaft hierhergekommen, wie ich.

Auf dem Rückweg von den Feldern sah ich einmal die Kirchentür offen. Ich ging hinein und betrachtete alles. Hier gab es kein Gold und keine Muttergottesbilder, das schlichte Gewölbe war mit Blumenranken ausgemalt und der Fußboden mit roten Ziegelsteinen bedeckt, das gefiel mir. Die Familie der Baronin hatte sogar eine eigene Loge, zu der eine Holztreppe führte, da oben standen ihre Namen auf kleinen Messingschildern an den geschnitzten Stühlen. Auch der Inspektor, mein Betriebsführer, hatte da oben sein Namensschild. Von unten konnte man sie nicht sehen, aber sie konnten auf alle herabschauen. Über dem einfachen Altar hing ein Engel, eine hölzerne Figur, goldbunt bemalt, aber die Farben waren schon verblasst. Es war ein dicker Engel, er sah aus wie ein Bauernkind. Ich trat näher und musste lachen. Dieser pausbäckige Engel hatte ein Gesicht wie die kleinen Kinder aus Machandel, die mit ihrer Schwester Marlene in dem alten Katen gegenüber vom Schloss lebten. Marlene war etwa so alt wie ich, sie sorgte allein für sechs oder sieben Geschwister, sie waren arm, trugen keine Schuhe und den Kleinen hing immer der Rotz unter der Nase. Wie hungrige Katzen strichen sie oft am Eingang zur Leuteküche herum, manchmal steckte die Köchin ihnen ein Wurstbrot oder einen Kuchenrand zu. Dann freuten sie sich, und man sah, was sie für liebe, schöne Gesichter hatten. Wie dieser Engel. Vielleicht hat der Holzschnitzer vor hundert oder mehr Jahren die Gesichter ihrer Vorfahren vor Augen gehabt, als er den Engel schuf. Ich streichelte mit den Fingerspitzen die Pausbacken, da hörte ich einen wütenden Schrei. Ein Mann kam auf mich zu und hatte die Hand erhoben, als ob er mich schlagen wollte. Was er sagte, verstand ich nicht, er sprach so laut und schnell. Aber ich begriff, dass dies seine Kirche war und dass ich hier nichts zu suchen hatte, und ich war ja schon draußen und griff nach der Deichsel des Handwagens. Den ganzen Weg über klopfte mein Herz, die schwarzen Vögel, die eben noch meine Freunde gewesen waren, schienen mir nun wie unheilvolle Boten. Ich hatte Angst, der Kirchenmann würde meinen Betriebsführer informieren, der besaß das Züchtigungsrecht, das stand auf dem Papier, das sie mir gegeben hatten. Aber er hatte mich noch nie geschlagen, und auch die anderen Menschen im Gutshaus gaben mir höchstens einen Stoß oder schimpften, wenn ich sie nicht gleich verstand. Vielleicht war ich für sie so etwas wie ein Haustier, das man anschreien konnte und treten, dem sie aber auch etwas zum Fressen hinwarfen, weil es nun einmal da war und zum Gut gehörte. Doch immer hatte ich Angst, etwas Verbotenes zu tun und in ein Straflager zu kommen oder in eine Munitionsfabrik geschickt zu werden, wo ich bei einer Explosion umkommen könnte. In Machandel war mir verboten, mit den deutschen Gutsarbeitern am Tisch zu sitzen. Ich bekam mein Essen in einem Topf mit Deckel und sollte es allein in irgendeinem Winkel essen, aber mir war es recht so. Und die Köchin gab mir gute Sachen in den Topf, wenn keiner zuschaute.

Meine Arbeit war, täglich die Zimmer in der ersten Etage zu säubern. Da gab es Möbel wie in einem Museum, die musste ich polieren. Auch das Parkett musste glänzen, und für die Teppiche gab es einen Staubsauger, vor dem ich mich anfangs fürchtete. Im Salon standen in Leder gebundene Bücher in Glasschränken, ich las die Namen der Schriftsteller: Keller, Goethe, Schiller, Storm. Heine sah ich nicht. Gern hätte ich die Bücher in die Hand genommen. Das war mir nicht erlaubt. Auch die Musikinstrumente im Erkerzimmer durfte ich nicht berühren. Nur den Flügel musste ich abstauben, er hieß Bechstein und manchmal spielte die Baronin darauf. Ich musste das Bad des Fräuleins säubern, die war nur zwei oder drei Jahre älter als ich, aber sie sprach nie mit mir. Sie war ein blasses Mädchen, immer erkältet, das nichts tat, als Geige zu spielen und auf irgendetwas zu warten. Ihre Brüder waren Soldaten an der Front; als einer zum Weihnachtsfest nach Hause kam, fürchtete ich mich vor seiner Uniform. Es kamen oft solche Uniformierten zu Besuch ins Schloss, dann war ich froh, wenn keiner nach mir verlangte. Jeder konnte mir etwas befehlen. Sie schickten mich über den gefrorenen Krevtsee ins Nachbardorf, Fische von den Eisanglern zu holen, und im Sommer schickten sie mich aufs Feld mit der Suppe. Ich musste in der Küche helfen und im Gemüsegarten, mehrmals in der Woche die Stiefel der Baronin putzen und manchmal Knöpfe an weiße Bettwäsche nähen. Meist war es keine schwere Arbeit, aber immer hatte ich Angst, etwas falsch zu machen.

Mein zerschlissener Rock und meine hellblaue Seidenbluse lagen gewaschen und zu einem Bündel verschnürt am Fußende meines Bettgestells. Manchmal roch ich daran und dachte an meine Tante, die mir die Sachen genäht hatte, an zu Hause, aber ich wusste ja, dass die Tante tot war und dass es kein Zuhause mehr gab, in Smolensk waren jetzt die Deutschen. Meine alten Kleider rochen nach gar nichts, trotzdem behielt ich die Lumpen, sie waren alles, was ich von früher besaß. Bei der Arbeit im Haus trug ich jetzt braun-weiß gestreifte Baumwollkleider und eine Schürze. Die Haushälterin der Baronin, eine steife,

groß gewachsene Frau, hatte mir die Kleider bald nach der Ankunft gegeben, sie waren neu. Ich besaß auch warme Hosen
und Baumwollblusen, einen Rock und einen weichen Pullover,
der aber zu schön war, um ihn anzuziehen. Auch Unterwäsche
gehörte mir. Bald nach meiner Ankunft hatte die Haushälterin
mich in die Wäschekammer gerufen, da waren Stapel von Klei-
dungsstücken auf dem Mangeltisch ausgebreitet. Die Baronin
und ihre Tochter hatten Kleider für die Winterhilfe aussortiert,
aber die Haushälterin sagte: »Man muss ja nicht alles wegge-
ben, die Sachen können ruhig in Machandel bleiben.« Ich sollte
mir warme Sachen heraussuchen. Auch Marlene, die große
Schwester der Kinder mit den Engelsgesichtern, war aus dem
Katen gerufen worden, und sie stand schüchtern wie ich vor
dem Tisch und traute sich nicht, die Kleider zu berühren. Die
Haushälterin drängte uns, die Skihosen anzuprobieren, und da
lag auch der Wollpullover, mit Blumen bestickt, am Hals mit
kleinen herzförmigen Knöpfen zu schließen. Noch nie hatte
ich so ein Kleidungsstück besessen. Er war so hellblau wie die
Bluse aus dem Seidenkleid meiner Tante. Aber ich schämte
mich, mein Kleid auszuziehen, weil die Unterwäsche darunter
voller Löcher war. Ich hatte nur den einen Schlüpfer, den ich
alle paar Tage mit kaltem Wasser wusch und am Morgen feucht
anzog. Meine Strümpfe waren so zerrissen, dass man sie nicht
mehr stopfen konnte. Auch Marlene zögerte. Wir musterten
uns gegenseitig aus den Augenwinkeln. Sie war etwas größer
und kräftiger als ich. Unter ihrem Hemd zeichneten sich runde,
feste Brüste ab.

Schließlich ließ sie ihren Rock fallen, und ich sah, dass ihre
Unterwäsche nicht besser war als meine. Ihr ehemals wohl rosa
Leibchen war grau und schon ganz fadenscheinig. Schnell nahm
sie einen karierten Rock des Fräuleins vom Stapel. Er passte und
sie ging ein paar Schritte hin und her, wie eine Tänzerin. Ich sah

zu, wie sie mit den Fingerspitzen den Saum anhob, sich drehte und mir ins Gesicht lachte. Wir waren uns schon oft begegnet, hatten uns aber kaum angeschaut und noch nie miteinander gesprochen. Ich lachte zurück, und so standen wir beide da in unserer löcherigen Unterwäsche und hörten nicht auf zu kichern vor Freude über die schönen Kleider und vor Erleichterung, dass wir uns voreinander nicht schämen mussten. Als wir beide gleichzeitig nach dem Pullover mit den Herzknöpfen griffen, berührten sich unsere Hände. Marlene zog ihre zurück. Ich ließ den Pullover erschrocken los, schließlich war sie eine Deutsche, ich hatte kein Recht auf den hellblauen Pullover. Aber die Haushälterin zog ihn mir über den Kopf, und als sie ihn zurechtgezupft hatte, klatschte Marlene vor Begeisterung in die Hände. Ich spürte selbst, wie gut mir der Pullover stand. Die Haushälterin musterte uns wortlos, dann ging sie aus dem Raum und brachte uns einen Stapel Unterwäsche. Die hatte das Fräulein auch aussortiert, sie sollte aber nicht in die Winterhilfesammlung gegeben werden, sondern zu Silberputzlumpen verarbeitet werden. Marlene suchte sich einiges aus und die Haushälterin schob mir den Rest zu. Ich war verwirrt und froh und wusste nicht, ob das alles erlaubt war. Ich verstand die Deutschen nicht, mit denen ich nicht an einem Tisch essen durfte, die mir aber so schöne Kleider gaben. Das Tantchen hat mir immer gesagt, auch wenn man arm ist, soll man sich nichts von Fremden schenken lassen, aber ich brauchte ja die Sachen. Als ich sie in meine Schlafkammer trug, sah ich durchs Fenster, wie Marlene mit ihrem Kleiderbündel über die Hintertreppe ging, sie hielt es an sich gepresst, als könnte einer es ihr wieder wegnehmen.

In der Schnitterkaserne zwischen Klabow und Lalenhagen waren Kriegsgefangene untergebracht aus einem großen Lager mit dem Namen STALAG Fünfeichen, angeblich Polen und Russen, auch Serben. Sie mussten auf den Feldern helfen, weil die deutschen Landarbeiter Soldaten geworden waren. In der Küche unterhielten sich die Frauen darüber, dass der Aufseher einen der Kriegsgefangenen halb totgeschlagen habe wie einen Hund. Ich verstand die Frauen kaum, wenn sie plattdeutsch untereinander redeten, aber die Köchin sah mir an, dass ich bei dem Wort Russen aufhorchte, und übersetzte mir auf Hochdeutsch, was geschehen war. Die anderen Kriegsgefangenen hatten ihrem Kameraden helfen wollen und den Aufseher angegriffen, nun seien sie alle zurückgebracht worden in das große STALAG bei der Stadt Neubrandenburg, und dort würde man sie wohl aufhängen. In der Schnitterkaserne hausten schon neue Kriegsgefangene aus Fünfeichen. Ihr Aufseher, der den Gefangenen so geschlagen hatte, war aus Machandel, er hieß Wilhelm Stüwe. Über dem Kuhstall neben dem Gutshaus wohnte er, seine Frau Auguste half manchmal in der Gutsküche aus, ich hatte sie auch schon an der Wäschemangel gesehen. Weil ihr Mann ein Bein nachzog, war er nicht an der Front. Ich begegnete ihm oft, in Machandel konnte man niemandem ausweichen. Einmal saß er in der Leuteküche und wartete auf Auguste. Ich musste Kartoffeln schälen und hob den Blick nicht von der Schüssel. Ich fürchtete mich vor ihm, weil er Menschen wie Hunde schlagen konnte, und ich fürchtete seinen schamlosen Blick, mit dem er auf meine Brüste sah, über denen der Kleiderstoff spannte.

Auch die Köchin bemerkte diesen Blick, und sie sah, was ich schon gespürt hatte: Ich war gewachsen und voller geworden. Die neuen Sachen waren schon wieder zu eng. Sie lachte und meinte, ich sei wie der Knastebusch, ich würde sogar im Winter wachsen. Der Knastebusch ist der Wacholderbaum, sie nennen ihn auch Machandel, nach ihm heißt das Dorf. Die Köchin hatte es mir erklärt, als sie mich im Oktober geschickt hatte, die blauschwarzen Beeren zu ernten, die sie im Schloss zum Schnapsbrennen brauchte. Zweige vom Machandel sollte ich unter mein Bett legen, das halte die Mäuse ab, riet mir eine der Frauen in der Küche. Aber eine andere warf ein, in den Zweigen des Wacholderbaumes lebten die Seelen der Verstorbenen, die würde sie sich nicht in die Kammer holen. Vor den Verstorbenen fürchtete ich mich nicht.

Die Machandelbäume umstanden das Dorf im Kreis, zogen sich zwischen den Hügeln hin, als hätte man sie vor langer Zeit an einen Weg gepflanzt, den es nicht mehr gab. Am Waldrand entdeckte ich eine Stelle zwischen zwei mit Machandel bewachsenen Hügeln, die beim näheren Hinsehen Steinhaufen waren, über und über mit Moos und Gräsern bedeckt. In der Vertiefung zwischen diesen beiden Hügeln konnte man liegen, ohne gesehen zu werden, und den würzigen, angenehmen Duft des Wacholders einatmen. Manchmal, wenn ich wusste, sie würden mich jetzt nicht suchen, schlich ich zu dieser Stelle und legte mich auf den Rücken, blickte den Wolken nach, sah die Vögel kreisen oder fast unbeweglich am Himmel stehen. In den Astgabeln einzelner Bäume hinter den Machandelhügeln hatte ich die Nester der Wacholderdrosseln gesehen, die sie mit feuchter Erde haltbar gemacht und mit trockenem Gras ausgelegt hatten, damit die Jungen es warm und weich hatten. Sie waren nicht sehr vorsichtig bei ihrem Nestbau. Aber wenn ein fremder Vogel sich ihren Nestern näherte, griffen sie ihn gemeinsam unter großem Geschrei und scheinbar furchtlos an. Sie bespritzten die Eindringlinge mit ihrem Kot, bis sie davonflogen.

Vielleicht würden Unsere zu Hause die Eindringlinge auch bald zurückschlagen. Aber die Deutschen siegten noch immer. Wenn ich in meinem Versteck bei den Wacholderhügeln lag, dachte ich oft an zu Hause, stellte mir vor, der Krieg sei bald vorbei und ich könnte zurückkehren.

Doch langsam verstand ich die Zeichen der fremden Landschaft, und ich lernte, die Menschen zu unterscheiden. Machandel hatte nicht viele Einwohner und alle gehörten irgendwie zum Schloss. Die Gutsherrin stand über ihnen allen, aber sie war mit ihrer Tochter oft auf Reisen, und auch wenn sie da war, kümmerte sie sich kaum um die Wirtschaft. Es war der Inspektor, mein Betriebsführer, vor dem alle Angst hatten. Mir schien, sogar Wilhelm Stüwe in seiner Uniform krümmte sich, wenn er ihn sah. Alle Gespräche verstummten, und jeder arbeitete schneller, wenn er in die Nähe kam. Nur die große Haushälterin stritt oft mit ihm, sie hatte auch das Recht, mir eine andere Arbeit zu geben, als er angeordnet hatte.

Die Haushälterin gab mir passendere Kleiderschürzen und ich musste das Ostarbeiterzeichen von den alten abtrennen und auf die Ärmel der neuen nähen. Auch in diesen Kleidern spürte ich Wilhelm Stüwes gierigen Blick auf meinen Brüsten, ich schämte mich, und am liebsten wäre ich unsichtbar gewesen, wenn er in der Nähe war.

Manchmal sah ich Marlene von Weitem, dann winkte sie mir zu und rief etwas, ich wusste nicht, ob ich zurückwinken durfte. Doch als einmal viel Suppe übrig geblieben war, schickte mich die Köchin mit einem Topf zu ihrem Katen. Ich wusste schon, wie schlimm es da drinnen aussah, obwohl ich nie zuvor dort gewesen war. Die Frauen in der Leuteküche sprachen oft über Marleneken und ihre Familie. »Arm wie die Kirchenmäuse«, hörte ich von der Köchin, und von Minna Möllers: »Ne polsche Wirtschaft wier dat all bi Paul Peters sinne Fru. De künnt jo nich moa richtig koken. Bi de hätt aals na Kascha schmeckt.« Eine Stallfrau wusste: »Die war ja auch mehr eine Polsche. Als Schnitterin ist sie dahergekommen mit nichts als einem geblümten Kopftuch«, und Auguste erinnerte sich: »Door hätt nix inn Kasten klimpert, as Paul Peters de olle Traus heirat hätt, de trug all Marlene ünner de Schött.« »Alle zwei Jahre ein Kind, das letzte ein Soldatenkind«, meinten die Frauen, und ich erfuhr, Paul Peters sei schon vor dem Kriegsbeginn eingezogen worden, aber »zum Kindermachen haben die Urlaube gereicht«. Auch zur Beerdigung sei er da gewesen, habe aber gleich wieder weggemusst. Eine Fürsorgerin aus der Stadt sei in Machandel aufgetaucht, die habe entschieden, Marlene sei alt genug, um die Wirtschaft zu führen. Das würde ihr sogar als Arbeitsdienst angerechnet.

Marleneken sei in der Schule die Beste gewesen, im Büro habe sie lernen wollen, feine Dame werden, aber am Tag der Abschlusszeugnisse sei ihre Mutter zur Niederkunft nach Teterow ins Krankenhaus gebracht worden, nur das Kleine sei zurückgekommen. Da sei Schluss mit Marlenes Zukunftsplänen gewesen.

Am letzten Schultag – fast wie bei mir, dachte ich, wenn die Frauen in der Küche über Marlenes Unglück redeten, halb mitleidig und halb schadenfroh.

Die Tür zum Katen ging von selbst auf, als ich kam, vielleicht hatten sie mich durchs Fenster gesehen. Die kleinen Kinder hielten sich an Marlenes Beinen fest, das Jüngste war keine zwei Jahre alt. Sie nahm mir den Topf ab und verscheuchte die gierigen Geschwister, die sich sofort auf die kalte Suppe stürzen wollten; sie müsse erst Feuer machen, rief sie und schickte die Schar in die Stube zurück. Ich wartete, wie die Köchin es mir aufgetragen hatte, bis sie die Suppe in ihren eigenen Topf umgefüllt hatte. Es gab keine Küche, im Vorraum standen der Herd und ein weiß gestrichener Küchenschrank. Die Holzschuhe der Kinder und die Eimer und Töpfe waren an den schwarz verrußten Wänden aufgereiht, ganz ordentlich. Der Fußboden war mit roten Ziegelsteinen bedeckt wie der Boden der Kirche. Marlene fragte: »Passt dir der schöne Pullover noch?«, und ich war verwirrt, weil sie so zu mir sprach, als wäre ich wie sie und kein Russenmädchen.

Sie gab mir den Topf zurück, den sie mit den Fingern ausgewischt hatte. »Abwaschen kann ich ihn nicht, wir haben kein Wasser im Haus«, sagte sie verlegen und leckte die Finger ab. Dabei lachte sie. »Wenn die Köchin dich wieder in die Pilze schickt, dann kann ich doch mitkommen. Ich kenne gute Stellen.« Mein Herz klopfte vor Freude, als ich mit dem leeren Topf über die Dorfstraße lief.

Wir sind zusammen in die Pilze gegangen. Im Schlechten Moor haben wir Kräuter gesammelt. Und einmal waren wir schwimmen im Krevtsee, in den sonst keiner ging. Aber wir hatten nicht viel Gelegenheit, zusammen zu sein. Wenn ich Marlene sah, rief sie mir etwas zu, doch bis mir eine Antwort einfiel, war die Begegnung schon vorbei. Die Haushälterin und die Köchin beschäftigten mich meistens im Haus und im Garten. Inzwischen verstand ich alles, was sie sagten, auch wenn sie Platt sprachen. Sie aber dachten, ich würde sie sowieso kaum verstehen, und redeten in meinem Beisein, als wäre ich nicht da.

Marlenes Geschwister mit den Engelsgesichtern behandelten mich, als gehörte ich zum Schloss wie die anderen Dienstboten, sie wussten nicht, was das Ostarbeiterzeichen bedeutete, lachten mich an, und einmal gab mir eine Kleine ein paar zerdrückte Butterblumen. Ihnen fiel gar nicht auf, dass meine Sprache anders war. Aber ich merkte selbst, wie das Deutsche mir allmählich zuwuchs wie etwas Eigenes, wie die Sprache selbst mein Freund wurde. Die Worte waren wie Lebewesen, die auf verborgene Weise zusammengehörten, erst wenn man diese geheimen Zusammenhänge entschlüsselt hatte, verstand man ihre Bedeutung. Manche Worte gaben ihren Sinn sofort prahlerisch preis, aber wenn man sie drehte und wendete, kam nichts mehr; andere hatten viele Bedeutungen, die sich erst nach und nach überraschend erschlossen. Die Köchin hatte mir ein zerlesenes Kochbuch geschenkt. Darin gab es viele unbekannte Worte, die ich zu kleinen Paketen verschnürte, damit ich sie nicht wieder verlor, so konnte ich sie besser mit mir herumtragen, bis sie mir ganz gehörten. Kleine runde Dinge fingen oft mit K an. Knospe. Knoblauch. Knopf. Kaddigbeere. Mit St fingen lange, dünne Dinge an: Straße. Strahlen. Stock. Aber diese Ordnung löste sich auf, als ich die Sprache besser verstand. Es gab merkwürdige Zusammenhänge. Wolle. Wollen. Wolken. Ich hatte viel nachzudenken, um die deutsche Sprache zu verstehen.

Manchmal schickte die Köchin mich über die feuchten Wiesen, wo ich Kräuter für den Salat sammeln sollte. Anfangs kam sie mit und zeigte mir die guten Kräuter und solche, die sie Unkraut nannte. Alle hatten sie schöne Namen: Löwenzahn. Schafgarbe. Augentrost. Sauerampfer. Klappertopf. Der giftige scharfe Hahnenfuß. Wiesenfuchsschwanz. Frauenmantel. Und sogar diese bescheidenen Pflanzen besaßen mehrere Namen, wie so vieles hier. Wenn ich dachte, ich kenne den Namen für ein Ding, hörte ich plötzlich einen anderen. Der Löwenzahn hieß auch Kuhblume oder Ringelblume. Marlenes Geschwister nannten ihn Butterblumen und später, wenn er verblüht war, Pusteblumen. Langsam füllte sich mein Kopf mit den deutschen Wörtern und nur noch nachts im Traum sprach ich wie zu Hause.

Am besten war, dass ich nun alle Einzelheiten verstand, wenn sie in der Küche vom Verlauf des Krieges sprachen. Im Zimmer des Fräuleins hing eine Karte an der Wand, auf der sie mit Stecknadeln die Frontlinie absteckte. Wenn sie nicht da war, konnte ich genau sehen, wie es um ihre und um unsere Soldaten stand. Schon im Januar nach meiner Ankunft in Deutschland hatte die Wehrmacht sich aus dem Kaukasus zurückziehen müssen. Unsere hatten Leningrad zurückerobert. Im Februar kapitulierten die Deutschen in Stalingrad. Die Baronin ging mit verweintem Gesicht umher. Ich zeigte meine Freude niemandem, aber abends in meiner Kammer drückte ich mein Gesicht in das Kleiderbündel von zu Hause und stellte mir vor, wie ich von einem der sieben Hügel auf den Dnjepr blicken und wie die Sonne auf dem Wasser glitzern würde. Es würde nach den Piroggen der Tante riechen und nach dem Maiglöckchenparfüm meiner Mutter, das sie nur manchmal benutzte, nach dem aber alle ihre Kleider geduftet hatten. Das Parfüm hieß *8. März*.

Ich glaube, es war im April 1943, als sie mich ins Inspektorhaus schickten, die Fenster zu putzen. Da saß mein Betriebsführer mit einer Zeitung am Tisch und fragte mich, ob ich nicht aus Smolensk sei. Er fragte, ob ich den Ort Katyn kennen würde. Dort hätten die Sowjets, meine Leute, sagte er, Tausende Menschen ermordet, polnische Offiziere. Die Deutschen hätten die Massengräber entdeckt. Ich schwieg überrascht, denn noch nie hatte er mich so angesprochen; bisher hatte er mir nur kurze Befehle erteilt oder mir gesagt, was verboten sei. Außerdem glaubte ich ihm kein Wort. Aber nachts fiel mir ein, was mein Freund Kolja mir in Smolensk erzählt hatte, in den Wochen, bevor sie mich eingefangen hatten. Wir hatten über meine Eltern gesprochen und seinen Vater, die so spurlos verschwunden waren wie so viele, und Kolja hatte den Namen eines Ortes geflüstert, Kurapaty bei Minsk, dort gäbe es einen riesigen Friedhof im Wald, dort lägen all die Weißrussen, die von den Männern der Geheimpolizei abgeholt worden seien. Ich wollte es nicht glauben, obwohl Koljas Mutter das angeblich von einem Verwandten erfahren hatte, der selbst bei der Geheimpolizei war, ich wollte nichts hören von Massengräbern, damals in

Smolensk nicht und nun auch nicht in Machandel. Katyn und Kurapaty aber ließen sich nicht vergessen, diese Namen klangen so heimatlich und doch so bedrohlich, manchmal wachte ich nachts von meiner Angst auf und lauschte erschrocken in die Stille, ob jemand mein Schreien gehört haben könnte. Aber was da raschelte und scharrte, waren nur die Mäuse unter den Dielen meiner Kammer. Die Machandelzweige hatten sie nicht vertrieben.

Einmal, das war im Mai oder Juni, stand ich nachts auf und verließ meine Kammer, entriegelte die Hintertür und ging hinaus, als wollte ich zur Latrine für die Stallarbeiter, die auch ich benutzen sollte. Aber ich wollte nur der stickigen Enge meiner Kammer entkommen, deren Fenster sich nicht öffnen ließ, ich wollte die Nacht spüren, den Sternenhimmel sehen, langsam gehen und nicht wie ein Schatten huschen, ich wollte mich frei fühlen. Ich war schon am Eiskeller, fast am Ende des Schlossparks, als ich am Kuhstall eine Tür knarren hörte und mich instinktiv an die Eisentür drückte, wo mein Körper im Dunkeln mit ihr verschmolz. Ich stand wie erstarrt, nur wenige Meter von mir entfernt ging Wilhelm Stüwe vorbei. Trotz seines leicht hinkenden Gangs schritt er zielsicher aus, nicht zur Latrine, sondern fort vom Schlossgelände, zur Dorfstraße, wo sein Schatten sich in den Umrissen von Marlenes Katen verlor. Ein Hund schlug kurz an, dann wurde es wieder still. Ich lauschte noch eine Weile in die Nacht, ohne etwas zu hören, dann huschte ich durch den Park bis zu dem Sandweg, der zur Kirche nach Klabow führte, das Mondlicht lag auf dem Weg wie Schnee. Hier gab es keine menschlichen Geräusche, nur meinen eigenen Atem hörte ich und die Schreie der Nachtvögel. Es roch anders als am Tag, ich atmete diesen würzigen Geruch ein, und meine Füße führten mich über die Weide zu meinem Lieblingsplatz am Waldrand. Vor meinen Füßen schreckten Tiere auf, aber ich fürchtete mich nicht. Mir war auch nicht kalt, als ich mich zwischen die Machandelbäume hockte und der Nacht zuhörte. Die Wacholderdrosseln schliefen wohl, aber Eulenvögel hörte ich, und als meine Augen sich an das Nachtlicht gewöhnt hatten, glaubte ich sie auch mit steifem Flügelschlag vorbeigleiten zu sehen. Verschieden klingende, lang gezogene Rufe hingen in der Luft und kamen mal vom Schlosspark, mal vom Waldrand, sie hörten sich an wie eine Botschaft, nur an mich gerichtet. Je länger ich in die Nacht lauschte, umso mehr schienen dieses Huuhuu, Djuudjuu, Kjuwitt, das heisere Srii, das hohe Psii und all die fremden unergründlichen Rufe zu einem einzigen zu verschmelzen, und der klang wie die letzten beiden Worte meiner Mutter, als sie in Smolensk zwischen den beiden Männern vom Geheimdienst stand und mich ansah: *Budj silnoi.* Sei stark.

Plötzlich glaubte ich vom Dorfrand einen Klagelaut zu hören, ein Wimmern, menschliche Laute, die anschwollen zu einem Schrei, der aber abbrach wie erstickt. Es war nun ganz still, auch die Tiere schienen einen Moment den Atem anzuhalten. Nebel stieg auf, als ich zurück zum Schloss schlich, jetzt spürte ich auch die Kälte, die mich zittern ließ. Aber vielleicht kam das Zittern nicht von der Morgenkühle, sondern weil ich wieder Wilhelm Stüwe sah, wie er aus Marlenes dunklem Katen ins erste Zwielicht trat, sich kurz umsah und dann in Richtung des Kuhstalls verschwand.

7

CLARA

Das Schweigen

Während ich an meiner Dissertation schrieb, blieb ich manchmal über Wochen in Machandel. Aber schon nach ein paar Tagen vermisste ich die Stimmen unserer Kinder und nachts Michael neben mir. Manchmal wurde ich wach durch die Stille, in der ich nichts hörte als meinen eigenen Atem und das Ächzen der alten Balken. Oft war auch Caroline bei mir, und ich brachte sie morgens mit dem Fahrrad nach Lalenhagen, wo es einen Kindergarten gab, in dessen Garten Schafe weideten. Sie war gern dort, und wenn ich sie nachmittags abholte, wollte sie manchmal noch länger bleiben. In Machandel war sie das einzige Kind, Emma Peters' Enkel kamen nur an den Wochenenden und in den Schulferien. Hier lebten nur noch kaum zwanzig meist alte Menschen, die gingen früh schlafen. Manche sah ich nur am Konsumbus oder wenn sie gebeugt in ihren Gärten arbeiteten.

Nur an den Wochenenden, wenn die Kinder der Alten mit den Enkeln zu Besuch kamen, erwachte Machandel zum Leben. Die Einfahrt zum Schloss stand dann voller Autos. Kinder tobten durch den Park. Die Nachbarn schienen auch am Sonntag nach festen Regeln zu leben, und zwischen dem Mittagessen und dem Nachmittagskaffee gingen sie, jede Familie für sich, in Sonntagskleidern spazieren, durch den Schlosspark und über die kurze, mit Kopfsteinen gepflasterte Dorfstraße, die am Teich in einen von Kastanien und Hecken gesäumten Sandweg überging. Meist spazierten sie bis zu der Weggabelung, wo es links zu einem Buchenwald und rechts zu den Wacholderbäumen zwischen Hügeln und Weiden ging. Über die Weiden, zum Tabacksberg oder gar zum Schlechten Moor, gingen sie nie, sie trugen Sonntagsschuhe. Die größte Familiengruppe scharte sich um Emma, die zwar einen Stock brauchte, aber zügig ausschritt. Die alte Frau war viel kleiner und zierlicher als ihre allesamt kräftigen Kinder und Schwiegerkinder, die auch schon über fünfzig Jahre alt waren. Vor unserem Katen blieben sie stehen und sagten etwas über das Wetter oder die Saat. Manchmal baten wir sie ins Haus, dann gingen sie durch die Stuben, betrachteten alles, lobten die Veränderungen und waren doch merkwürdig still. Etwas hielt mich davon ab, diese in ihren Sonntagskleidern etwas steifen Männer und Frauen mit den schweren Körpern und verarbeiteten Händen nach ihrer Kindheit in diesem Haus zu fragen. Auch das von Mäusen angefressene Fotoalbum, das ich auf dem Boden gefunden hatte, zeigte ich ihnen nicht. Aber irgendwann wollte ich es mit Emma zusammen anschauen und sie nach Marlene fragen, dem ältesten Kind mit dem ernsten Blick, das schon lange nicht mehr lebte.

Die Kinder von Wilhelm und Auguste Stüwe kamen seltener, ich lernte sie nicht kennen. Natalja und ihre Tochter Lena bekamen nie Besuch. Manchmal stellten sie zwei Korbstühle auf die Schlossterrasse über der Freitreppe, tranken dort Tee und lasen. Da die schmale Dorfstraße leicht anstieg, stand das Schloss wie auf einem Hügel, und die beiden lesenden Frauen auf der Terrasse konnten von ihrem Platz aus über das Dorf schauen wie Schlossherrinnen.

Obwohl der grüne Trabant uns jetzt schon so lange gehörte, dachte ich immer an meinen Bruder, wenn an den Freitagabenden das alte Auto auftauchte. Einen Moment lang stellte ich mir dann vor, Jan würde aussteigen, er wäre zurückgekommen, und wenn ich sah, dass es nur mein Mann mit der Großen war, spürte ich sekundenlang einen kleinen Anflug von Enttäuschung. Aber dann ging die Freude der beiden auch auf mich über; von Michael wusste ich, dass Julia die ganze Fahrt über gesungen hatte und dass sie immer schon auf ihrem Sitz zu zappeln und zu hüpfen begann, wenn sie von der Landstraße zwischen Krakow und Teterow nach Machandel abbogen. Kaum hielt der Trabant, stürzte sie hinaus in meine Arme, dann zu ihrer Schwester, die sie so heftig umarmte, dass beide Kinder umfielen und sich lachend im Gras kugelten, bis Julia von Caroline fortgezogen wurde, zu einem Vogelnest oder einer neuen Höhle irgendwo hinter den Büschen.

Aber mein Mann brachte Zeitungen mit, Briefe, Nachrichten, es gelang uns nicht, die Stille des Dorfes in uns aufzunehmen, einfach nur da zu sein, wie ich es mir oft wünschte. In Berlin kamen wir nicht zur Ruhe und hier im Dorf auch nicht. In meiner Erinnerung veranstalteten wir dauernd Sommerfeste, bei denen die Frauen in weißen Kleidern herumgingen wie in einem Stück von Tschechow. Wir tanzten barfuß auf der Dorfstraße zu Akkordeonmusik, frühstückten stundenlang, doch all diese Feste gerieten am Ende doch zu Versammlungen, bei denen wir diskutierten, uns stritten, versöhnten, kostbare Fotokopien von Artikeln aus fremden Zeitungen von Hand zu Hand gehen ließen, uns gegenseitig wütend aus unseren eigenen Zeitungen vorlasen, Gramsci zitierten und Rosa Luxemburg, Volker Braun und Neruda, bis irgendwer am Ende betrunken heulte. Die Nachbarn kamen nicht zu unseren Festen, obwohl wir sie einluden. Nur der dicke Bürgermeister, der auch Jäger war und uns einmal ein selbst geräuchertes Wildschwein aus seinem Deputat verkauft hatte, kam ein einziges Mal mit seiner

Frau. Er legte schnell sein Jackett ab und lockerte den Schlips, tanzte begeistert mit meinen Freundinnen, aber seine Frau, eine Lehrerin, fühlte sich nicht wohl.

Dieser Bürgermeister stand eines Sonntags plötzlich in unserer Küche. Er bestand darauf, mit uns im Garten zu reden, nicht im Haus. Ächzend ließ er sich auf der grob gezimmerten Bank unterm Apfelbaum nieder, schaute uns eine Weile bekümmert an und sagte dann: »Ich weiß, dass ich mich vielleicht um Kopf und Kragen rede, aber ich rate euch, schnell einen Termin beim Notar in Rostock zu machen. Ihr müsst den Katen kaufen. Solange ihr nur Mieter seid, kann man euch das Ding wieder wegnehmen.«

Ich fragte, als wüsste ich nicht die Antwort: »Wer will uns denn hinaussetzen?«

Der Bürgermeister hob die Hände, sah uns bedeutungsvoll an, senkte schließlich die Stimme: »Die waren bei mir. Die wollten alles wissen, die Autonummern eurer Besucher soll ich notieren. Das kann ich nicht, habe ich ihnen gesagt. Ich weiß ja nicht, was die von euch wollen, vielleicht ist es wegen Hans Langner, der war ja schon damals ein hohes Tier und soll in Berlin noch höher gestiegen sein, sagen die Leute. Was weiß ich.«

»Mein Vater ist längst Rentner.«

»Oder es ist wegen Jan. Dein Bruder ist ja wohl abgehauen«, meinte der Bürgermeister achselzuckend. »Ich will mit solchen Sachen nichts zu tun haben, bin kein Denunziant. Kauft das Haus, bevor wir was unternehmen müssen. An uns bleibt das wieder hängen. So was wie in Hinzenhusen will ich hier nicht erleben.«

Michael und ich wechselten einen Blick. Wir wussten, dass in Hinzenhusen, einem Dorf im benachbarten Landkreis, sich vor ein paar Jahren Puppenspieler und Schauspieler im verlassenen Gutshaus einquartiert hatten.

»Die wollten eine Künstlerkommune gründen oder was weiß ich«, fuhr der Bürgermeister fort. »Lustige Leute waren das, schöne Frauen waren dabei. Die konnten auch zupacken, haben aus der Scheune ein Theater gemacht. Das Stück, das sie zum Erntefest aufführten, hat allen gefallen. Faust auf modern. Die hatten schon ihr Dach neu gedeckt, als die Anweisung über die Abteilung Inneres kam, dass sie raus sollten. Der dortige Bürgermeister sollte sich einen Grund ausdenken, Ruhestörung oder so. Aber die waren ja beliebt im Dorf. Dann ist der Schuppen abgebrannt mit allen Puppen, Kulissen und Kostümen. Ein paar von den Künstlern wurden wegen fahrlässiger Brandstiftung festgenommen, die anderen sind dann von selbst weggezogen.«

Wir kannten die Geschichte, wir wussten auch, dass die Künstler abstritten, den Brand selbst verursacht zu haben. Die meisten aus dieser Gruppe, die sich in Thüringen am Theater kennengelernt hatten, waren nach Mecklenburg gekommen, weil sie einen Traum hatten; sie wollten gemeinsam arbeiten und gemeinsam leben, die Grenzen aufheben. Nach dem Brand haben sie Ausreiseanträge gestellt. Die wurden auch ziemlich schnell genehmigt. Aber im Westen, so wurde erzählt, haben sie sich zerstritten und zerstreut.

»Es wäre besser, wenn es hier nicht so weit käme«, sagte der Bürgermeister schließlich. »Passt ein bisschen auf. Wenn ihr das alte Ding hier kaufen wollt, die Freigabe durch die Gemeinde kriegt ihr. Noch habe ich keine andere Anweisung.«

Er ging ums Haus herum zu seinem Motorrad, wir folgten ihm. Da stand der alte Wilhelm mit wachem Blick, wie am ersten Tag. Mir fiel auf, dass der Bürgermeister ihn nicht grüßte. Dabei hatte er uns doch erzählt, dass er als Kind in Machandel gelebt hatte, er musste Wilhelm Stüwe kennen. Außerdem grüßte man auf dem Dorf jeden. Der Bürgermeister startete sein Motorrad, winkte uns zu, nur uns, und verschwand in einer Staubwolke.

Auch Wilhelm wandte sich zum Gehen.

»Warum war der denn so komisch?«, fragte Michael, als wir wieder im Haus waren, er meinte den alten Wilhelm. Über den Besuch des Bürgermeisters verloren wir erst einmal kein Wort.

Erst abends, als wir zum See gingen, sagte Michael plötzlich, mein Freund Herbert, der neulich mit seiner Frau Maria zu unserem Sommerfest gekommen sei, habe uns die Stasi an den Hals geholt, die ja wie ein Schatten an ihm klebe. Es klang vorwurfsvoll, er mochte Herbert nicht besonders. Aber Herbert war der beste Freund meines Bruders, sie hatten sich schon als Kinder gekannt.

Wir stritten ein wenig und beschlossen, dem Rat des Bürgermeisters zu folgen. Michael schlug vor, meine Eltern um das Geld zu bitten. Ich stimmte zu, weil ich nicht noch mehr Streit wollte und weil er meinte, alle Eltern würden ihren Kindern mit Geld helfen, wenn sie es hätten. Für seine Mutter wäre das selbstverständlich, aber seine Mutter sei nun einmal Schuhverkäuferin und habe kein dickes Konto.

Schon sechs Wochen später bekamen wir in Rostock einen Notartermin und konnten das Haus für viertausend Mark kaufen. Die Pacht für das dazugehörige Land kostete 250 Mark, der Vertrag war auf zehn Jahre begrenzt. Aber als die Pachtzeit noch nicht einmal zur Hälfte abgelaufen war, kündigte die Gemeinde den Pachtvertrag, und wir waren froh, das Land um unseren Katen kaufen zu können, für mehrere Tausend Mark einer anderen Währung.

Erst viel später erfuhr ich, dass Michael meinen Vater gebeten hatte, sich um den Notartermin in Rostock zu kümmern. Wir hätten sonst monatelang warten müssen. Unsere Freude an dem Haus war seit dem Besuch des Bürgermeisters gedämpft. Machandel gehörte inzwischen zu unserem Leben, wir wollten diesen Rückzugsort nie mehr verlieren, aber nun wussten wir, dass wir uns täuschten, wenn wir hier eine Idylle suchten. Die gab es nicht, auch nicht, wenn wir Morgensteine freilegten und die Lehmwände mit Pflanzenfarben strichen, die wir selbst zusammenbrauten, nach kaum noch lesbaren Rezepten, die die Pfarrerin in den alten Bauunterlagen der Pfarrkirche gefunden hatte. In Berlin hatten wir uns an den Gedanken gewöhnt, dass viele unserer Freunde, vielleicht auch wir selbst, abgehört, überwacht wurden. Wenn es in der Telefonleitung hallte und knackte, machten wir Witze. Aber hier, in diesem abgelegenen Dorf, hatten wir geglaubt, unbeobachtet zu sein.

Manchmal fuhren wir mit unserem Trabant über die Dörfer, schauten uns alte Kirchen an und besichtigten die Gutshäuser. In manchen waren Schulen oder Kindergärten untergebracht, in anderen irgendwelche Verwaltungen, aber die meisten standen leer. Auch viele frühere Läden und Kneipen waren geschlossen, mit Brettern vernagelt. Stillstand und Zerfall überall. In dieser Umgebung wirkten die optimistischen Losungen auf jedem Dorfplatz noch lächerlicher, aber das fiel keinem mehr auf. Selbst diese Losungen waren veraltet, nahmen Bezug auf längst vergangene Parteitage oder Jugendtreffen, waren mit schlechter Farbe auf schlechtem Grund gemalt, von dem der Putz abblätterte. Nur eine war mit einer scheinbar unauslöschbaren Farbe auf die Fassade einer Kaufhalle gemalt: *Es lebe der Plan – unser Kampfauftrag zum Geburtstag der Republik.* Sie war noch jahrelang zu lesen, als es diese Republik, den Plan und den Kampfauftrag nicht mehr gab. Die Losung verschwand erst, als man die Kaufhalle abriss.

Manchmal fanden wir eine Dorfkneipe, in die wir einkehren konnten, dann setzten sich fremde Männer zu uns, LPG-Bauern oder Arbeiter eines Kieswerkes, einer Futtermittelfabrik. Die fragten uns nach dem Woher und Wohin und hatten an unserer Autonummer schon gesehen, dass wir aus Berlin kamen. Bald begannen sie zu schimpfen und die Missstände aufzuzählen, die die da oben in Berlin zu verantworten hätten.

Wenigstens haben sie keine Angst, auszusprechen, was sie denken, sagte ich mir dann, und mir fiel Jans Foto der Rosa Luxemburg ein mit dem Zitat: *Jede revolutionäre Tat beginnt damit, auszusprechen, was ist.* Aber nichts schien weiter entfernt von einer Revolution als die Trostlosigkeit dieser Dorfkneipen und dieser unzufriedenen Männer, die ihren Zorn in Bier und Schnaps ertränkten.

Wenn wir von diesen Ausflügen zurückkehrten in unser schönes Haus, hatte ich es eilig, an meinen Schreibtisch zu kommen, ich versuchte, dieses Dorf, dieses Land, dieses Jahrhundert zu vergessen, tauchte ein in die mystische Welt des Märchens vom Machandelboom, deren versunkene Bedeutungen ich mühsam durch Vergleiche zu entziffern versuchte. Meine Töchter hatten sich daran gewöhnt, dass ich immerzu über Büchern saß, wir hatten ihnen erzählt, ich schriebe eine Doktorarbeit über ein Märchen, und natürlich wollten sie es hören. Immer wieder musste ich es ihnen erzählen, auf Hochdeutsch und noch lieber auf Plattdeutsch, das sie nicht verstanden. Trotzdem konnte Julia bald einige Teile auswendig: *»Ach Moder, ik hebb mynem Broder den Kopp afslagen, säd Marleenken und weend und weend. Marleenken, säd de Moder, wat hest du dahn! Awerst swyg man still, dat et keen Mensch markt, dat is nu doch nich to ännern; wy willen em in Suhr kaken.«* Wenn mein Töchterchen das mit wohligem Schaudern aufsagte und beide kicherten, weil sie das niederdeutsche Wort für kochen, nämlich kaken, als kacken verstanden, dachte ich beruhigt, sie verstünden das alles gar nicht. Doch Julia fuhr zu

Carolines Bewunderung fort: »*Da nöhm de Moder den lütt-jen Jung und hackd em in Stücken, ded de in den Putt und kakt em in Suhr.*« Über die letzten Worte wollten sie sich wieder ausschütten vor Lachen, und ich fragte sie lieber nicht, ob sie verstanden hätten, dass das von der Mutter in Stücke gehackte Brüderchen im Sauren gekocht wurde.

Wenn ich ihnen das Märchen auf Hochdeutsch erzählte, glättete und kürzte ich es, dann wurde es nichts als eine Parabel über die Macht der Liebe, über die heilsame Zauberkraft der Musik. Dann ließ ich weg, wie das Kind von der eifersüchtigen Stiefmutter getötet wurde, wie der hungrige Vater ahnungslos – oder weil er die Wahrheit nicht wissen wollte – die Mahlzeit genoss, wie Marlenchen die Knochen des Bruders einsammelte und unter den Machandelbaum legte. In meinen Erzählungen war der Bruder eben nur gestorben, aber ich hielt mich lange dabei auf, wie der Machandelbaum atmete und einen herrlichen Vogel hervorbrachte, wie der Vogel so schön sang, dass er Lohn für seinen Gesang verlangen konnte, eine goldene Kette, ein Paar rote Schuhe. Das Lied des Vogels über all seine Leiden ließ ich weg, ich glaubte, ich könne es meinen Kindern nicht zumuten, bis Julia es selbst einmal ungerührt zitierte, mit lachenden Augen: »*Meine Mutter, die mich schlacht, / mein Vater, der mich aß, / meine Schwester, das Marlenichen, / sucht alle meine Benichen, / bindt sie in ein seiden Tuch, / legt's unter den Machandelbaum.*«

»Das ist nur ein Märchen«, sagte ich töricht. Ich glaubte, mein Kind beschützen zu müssen vor der Grausamkeit dieser Geschichte, doch Julia erwiderte: »Du hast mir doch gesagt, dass alle Märchen mit der Wirklichkeit zu tun haben. Und dass es Kindermorde noch immer gibt, weiß ich ganz genau.« Michael, der aus dem Nebenzimmer unserem Gespräch zuhörte, warf ein: »Märchen bilden die Wirklichkeit verzerrt ab.«

Dann nahm er die Töchter mit in den Garten und ließ mich allein mit meiner Arbeit.

Mein Professor Simon hatte mich auf die Quellen hingewiesen, und so wusste ich, dass es unzählige Varianten des Märchens gab, in fast allen europäischen Sprachen. Und auch im Deutschen gibt es verschiedene Fassungen. Vielleicht ist die Geschichte vom Machandelbaum gar kein ursprünglich niederdeutscher Text? Clemens Brentanos Amme, von der er das Märchen gehört hatte, war Schwäbin gewesen. In Hessen wurde die Geschichte ganz ähnlich erzählt. In der Oberpfalz ist der Baum, unter dem die Knochen begraben wurden, eine Linde.

Im englischen Yorkshire wächst auf dem Grab des Kindes ein Rosenstrauch, aus dem ein weißer Vogel auffliegt. In Australien kennt man die Verse: *My mother killed me, / my father picked up my bones, / my little sister buried me / under the marble stones.*

In einem französischen Märchen, das dem vom Machandelbaum ähnelt, singt der Vogel: *Je suis encore en vie.*

Ich bin noch am Leben … Vielleicht ist das die wichtigste Botschaft des Vogels. Die das Märchen erzählten, trauerten um ihre Toten, sehnten sich nach dem Wunder, wieder mit ihnen am Tisch zu sitzen.

In einem kurdischen Märchen ist der Vogel ein Uhu, anderswo ein Kuckuck, der Baum ist manchmal eine Birke, bei den Osttscheremissen eine hohle Eiche. Aber immer geht es darum, dass ein liebender Mensch die Knochen einsammelt, die Erinnerung bewahrt und so der Vogel auferstehen und mit seinem Lied von dem Mord berichten kann. Erst danach kann der Ermordete wieder in seiner lebendigen Gestalt erscheinen.

Je länger ich mich mit dem Märchen vom Machandelbaum und den unendlich vielen Varianten dieser Geschichte beschäftigte, umso weniger schien mir der Mord das eigentliche

Thema, sondern seine Aufhebung, das Einsammeln der Knochen, die Umwandlung der Gebeine in einen singenden Vogel und die Rückkehr des Toten in menschlicher Gestalt. Im Märchen von dem Machandelboom ist der Ort von besonderer Bedeutung. Unterm Machandelbaum war auch die richtige Mutter des Knaben begraben, eine schöne, fromme Frau. Unterm Machandelbaum hatte sie um ein Kind gebeten und ihre Unfruchtbarkeit verloren. Auch in der Schwangerschaft ging sie oft unter den Machandelbaum und genoss den Duft, *das roch so schön.* Im siebenten Monat ihrer Schwangerschaft aß sie von den Früchten, *da wurde sie traurig und krank.* Hatte sie sich vergiftet? Wacholder enthält einen Stoff, der bei längerer Einnahme nierenreizend wirkt. Oder litt sie an einer Schwangerschaftsdepression?

Einmal überhörte ich sogar die Sirene vom Konsumbus, weil ich mich gerade in alte Bücher über Heilkunde vertieft hatte, um herauszufinden, ob der Wacholder, der Wach-Halter, auch bei Fruchtbarkeitsriten von Bedeutung war. Dieser Bus kam nur einmal in vierzehn Tagen. In Machandel merkten wir, wie mühsam es sein konnte, Alltagsdinge wie Toilettenpapier oder Reißzwecken zu besorgen. Der Konsumbus steckte voller Überraschungen. Nicht nur Nahrungsmittel, auch Kompottschüsseln oder Teesiebe konnte man kaufen, sogar Zeitschriften, die in Berlin schnell vergriffen waren, obwohl oder weil sie hier kaum jemand las. Meine Kinder und ich liebten es, durch den Konsumbus zu gehen und die Überraschungen einzusammeln. Anfangs wunderte ich mich, dass die alten Frauen, meine Nachbarinnen, Tüten zugesteckt bekamen. Als ich den Busfahrer danach fragte, meinte er: »Ihr könnt doch in Berlin einkaufen, ihr Berliner beschmeißt euch doch mit Apfelsinen und badet in Schlagfit, das weiß man doch.«

Die anderen Dorfbewohner bereiteten sich auf den Konsumbus vor wie früher vielleicht auf den Kirchgang. Die Frauen trugen frische Kittelschürzen, die wenigen Männer des Dorfes zogen sich, auch in der Sommerhitze, eine ordentliche Jacke an und setzten einen Hut oder wenigstens eine Mütze auf. Sie alle kamen wie auf Verabredung im selben Moment aus ihren Häusern, gingen gemessenen Schritts zur Dorfmitte, wo der Bus hielt, die Frauen trugen die Einkaufstaschen und hielten sich neben ihren Männern.

Vor dem Bus warteten sie dann, bis alle da waren, grüßten sich förmlich, als würden sie sich nicht täglich über ihre Gartenzäune hinweg sehen. Die Männer lüfteten den Hut, schnackten ein wenig, wie sie es hier nannten, die Frauen stellten sich auch zusammen. Immer zwei, höchstens drei Frauen gleichzeitig gingen in den Bus, und erst wenn sie herauskamen, stiegen die Nächsten hinein. Innen war nicht viel Platz.

Als ich diese Regeln erkannt hatte, schämte ich mich der Eile, mit der ich am Anfang eingekauft hatte, die tadelnden Blicke der Alten hatte ich nicht deuten können. Wenn an den Einkaufstagen Berliner Besucher bei uns waren, versuchte ich sie zurückzuhalten. Einmal, an einem heißen Tag, stritt ich mich mit meiner Freundin Ruth, die sich bis zum Signal vom Konsumbus im Garten gesonnt hatte und dann sofort, nur mit einem Bikinihöschen bekleidet, ein Eis kaufen wollte. Sie fand mich lächerlich prüde, als ich sie bat, sich etwas überzuziehen. Die Dorfbewohner sagten nichts, als sie sich an ihnen vorbeidrängte, die alten Männer glotzten stumm, in den Augen der Frauen lag Empörung. Mit der Zeit begriff ich, dass die älteste Einwohnerin des Dorfes, Frau Poschmann, als Erste den Bus betreten durfte, meist zusammen mit Emma und mit Anna Plän, einer Landarbeiterin, die wie Frau Poschmann als Flüchtling ins Dorf gekommen war. Danach war Auguste Stüwe an der Reihe, zusammen mit Minna Möllers, einer stillen ehemaligen Stallarbeiterin. Wir kauften nun als Letzte ein. Nach dem Einkauf blieben die Frauen mit ihren Männern noch eine Weile vor dem Bus stehen, diese halbe Stunde am Konsumbus war wie ein Dorftreffen, bei dem über die Ereignisse der vergangenen Tage, über die Neuigkeiten aus der LPG, die Kinder und die Krankheiten gesprochen wurde. Wenn wir mit unserem gefüllten Korb aus dem Bus stiegen, stellte ich mich zu der Gruppe und hörte ihren Gesprächen zu. Waren meine Töchter dabei, bekamen sie eben gekaufte Bonbons von den alten Frauen zugesteckt. Dann zog der Busfahrer die Treppe wieder ein, und langsam, wie sie gekommen waren, zerstreuten die Nachbarn sich wieder. Jetzt trugen die Männer die Taschen. Bevor sie ihre Häuser betraten, winkten sie einander zu.

Anfangs hielt ich es für Zufall, dass Wilhelm Stüwe und Auguste am Bus abseits standen. Die Männer schlossen Wilhelm nicht in ihre Gespräche ein, und keiner lüftete seinen Hut, wenn die beiden sich näherten. Sie wandten sich nicht ab, aber sie verhielten sich so, als wären die Stüwes nicht da. Wenn der alte Wilhelm neben Auguste, deren Einkaufskorb er nun trug, zum Inspektorhaus ging, winkte ihnen keiner zu.

Einmal fragte ich Frau Poschmann, die mich in ihren Garten gebeten hatte, warum die Dorfleute die Stüwes mieden. Erst tat sie, als hätte sie die Frage nicht gehört, dann seufzte sie nur und sagte in ihrer schlesischen Mundart: »Nischte asunste is schwar wies Labn.«

Als ich Emma dasselbe fragte, zuckte sie die Achseln. »Minna redet doch mit ihrer Schwester, beim Einkaufen wenigstens.«

Jetzt, da ich wusste, dass die stille Minna Möllers die Schwester der alten Auguste war, sah ich auch die Ähnlichkeit der beiden. Aber nie hatte ich Minna Möllers und ihren Mann Richard ins Inspektorhaus gehen sehen, und nie sah ich, dass der alte Wilhelm auf seinen Gängen durchs Dorf am Zaun des

Möllersschen Neubauernhauses stehen blieb. Seine Schwägerin hob nicht einmal den Kopf, wenn Wilhelm vorüberging. Wenn ich vorbeikam, streckte sie den Rücken, rief ein paar Worte und reichte mir manchmal ein paar Stängel Petersilie oder eine Gurke über den Zaun. Wir waren die Einzigen, zu denen Wilhelm kam.

Es war in Emmas Küche, ich hatte nur meine Kinder abholen wollen und war zu Kartoffelpuffern eingeladen worden. Wir saßen noch am Tisch, vergnügt und satt, ich hatte Caroline auf dem Schoß, als ich Emma wieder fragte, warum die Dorfbewohner Wilhelm und Auguste aus dem Weg gingen.

»Minna Möllers ist doch gut mit Auguste.« Als ich auf meiner Frage beharrte, blickte sie erst mich lange an, dann die Kinder und sagte zögernd, das sei wohl wegen Marleneken oder wegen der Russen, aber das sei heute nicht der rechte Moment, um diese alten Sachen hervorzukramen. Sowieso sei das ja nun so lange her und man lebe mit jedem in guter Nachbarschaft in Machandel, aber Zeit zum Klönen habe man eben nicht immer und sie habe jetzt auch keine Zeit mehr.

Als sie aufstand und das Geschirr zusammenräumte, erinnerte mich ihr plötzlich verschlossenes Gesicht an meinen Vater. Genauso hatte er ausgesehen, als ich einmal nach Thälmanns Mitarbeitern gefragt hatte, die er doch alle gekannt haben musste. In sowjetischen Lagern seien sie gestorben, vom sowjetischen Geheimdienst erschossen, hatte ich in einem Buch gelesen, das natürlich nicht in der DDR erschienen war. »Thälmann ist in Buchenwald umgebracht worden«, antwortete mein Vater, »ich selbst war in Neuengamme und in Sachsenhausen, das waren, wie du wohl weißt, deutsche Lager. Und befreit worden bin ich von der Roten Armee.« Er war aufgestanden, wie Emma aufgestanden war, mühsamer vielleicht, und war aus dem Zimmer gegangen mit diesem harten Blick.

Als ich nach dem Kartoffelpufferessen zurückging in unseren Katen und im Inspektorhaus Augustes Gesicht hinter den Gardinen bemerkte, das aber sofort verschwand, spürte ich ein Unbehagen, das ich kannte, das ich aus Berlin kannte und das unser Leben begleitete.

In unserem Haus hängte ich meine Jacke an die Balken mit den alten Kerben, und mir fiel die Weiße Frau von Mamerow ein, die hier gehockt haben soll, bis zwei Knechte sie griffen und nach Klabow zum Friedhof trugen. Sie durften auf dem Weg nicht sprechen, kein Wort durfte über ihre Lippen kommen, und auch später durften sie nicht sagen, was sie erlebt hatten. Das Schweigen über diesem Dorf war so alt, so alt wie die Sagen von der Mahrte, so alt wie das Märchen vom Machandelboom, *wohl ewe dusend Johr*. Ich kannte die Worte auswendig, mit denen die Mutter ihrer Tochter einredete, den Bruder getötet zu haben, mit denen sie das Mädchen zur schweigenden Komplizin machte. »*Marleenken, wat hest du dahn! Awerst swyg man still, dat et keen Mensch markt, dat is nu doch nich to ännern; wy willem em in Suhr kaken.*«

8

HERBERT

Kadetten

Kurz vor ihrem 35. Geburtstag rief mich Clara an, die Kleineschwester, wie Jan sie immer genannt hat, und lud mich nach
Machandel zu ihrer Feier ein. Ich sagte ihr, dass ich im August
nicht kommen könne, und fragte nach ihrem Vater und nach
den Töchtern. Sie antwortete zerstreut, dann gab es einen kleinen Moment befangener Stille. Seitdem Lena aus Machandel
fortgegangen war, stand etwas zwischen uns, vielleicht war es
auch der Gedanke an Jan, der uns manchmal mitten im Gespräch schweigen ließ. Plötzlich fragte sie mich, als wäre das
der eigentliche Grund ihres Anrufs gewesen, wie ich ihren Bruder kennengelernt habe.

   Sie wusste nur, dass es in der Kadettenschule Naumburg war.
Ich versprach ihr, bei unserem nächsten Treffen davon zu erzählen, mir lag diese Zeit so fern, bis auf ein paar Bilder und
den penetranten Geruch des Schlafsaals für fünfundzwanzig
Jungen glaubte ich alles vergessen zu haben. Merkwürdigerweise war wenige Tage vor ihrem Anruf eine Einladung gekommen, ein Rundbrief. In sentimentalem Ton forderte ein Thoralf
Spiekermann mich und andere *Kameraden* auf, an einem Treffen des ersten Zugs in Naumburg teilzunehmen, vierzig Jahre
danach. Übrigens auf dem Kopfbogen einer Immobiliengesellschaft, deren Geschäftsführer er war. An diesen Thoralf Spiekermann kann ich mich nicht erinnern, aber in meinen Stasi-

Akten habe ich seinen Namen gelesen. Als sie um 1984 einen Zersetzungsplan für mich ausarbeiteten, sie nannten den Vorgang *Kadett*, bot dieser Thoralf Spiekermann, offenbar ein hauptamtlicher Mitarbeiter der Firma, sich an. Er sei in Naumburg mein Freund gewesen, behauptete er und schlug vor, auf dieser Basis ein Vertrauensverhältnis herzustellen. Aus meinen Akten geht nicht hervor, warum es nicht dazu gekommen ist, vielleicht hat er es versucht und ich habe ihn abgewiesen. Ich kenne ihn nicht, er war nie mein Freund. Ich hatte nur einen Freund in Naumburg, eigentlich auch in den Jahren und Jahrzehnten danach, und das war Jan.

Claras Frage, vielleicht auch die unverschämte Einladung dieses Thoralf Spiekermann, stieß etwas in mir an. Immer mehr Einzelheiten tauchten aus der Erinnerung auf.

Kaum jemand weiß noch, dass es in der DDR eine Kadettenanstalt gegeben hat, Nachwuchskader für die 1956 gegründete Volksarmee sollten herangezogen werden. Eine Eliteschule, aber das sprach keiner aus. Die sowjetischen Suworow-Schulen für Kinderkadetten waren wohl das Vorbild. Unsere Kinderkaserne gab es nur vier Jahre lang, danach wurde sie nie mehr erwähnt. Das muss bitter gewesen sein für unsere Mitschüler, die Berufssoldaten geworden sind und sich nicht als ehemalige Kadetten zu erkennen geben sollten. Sie waren doch so stolz darauf gewesen.

Ich war auch stolz, als ich im Jahr 1956 da auf dem Appellplatz mit hundertneunundneunzig anderen stand und der Verteidigungsminister Stoph uns Jungen zurief, wir würden dem Frieden dienen. Die Militärattachés der Bruderstaaten waren erschienen, ordensgeschmückt. Ein paar Väter waren zu diesem Eröffnungsappell eingeladen, auch sie ordensgeschmückt, ehemalige Spanienkämpfer und Mitglieder des Nationalkomitees Freies Deutschland, die in der Roten Armee gekämpft hatten. Mein Vater war 1944 im Monat meiner Geburt gefallen, der konnte nicht dabei sein, aber er wäre wohl auch nicht eingeladen worden, er war kein Spanienkämpfer und kein Rotarmist, nur Gefreiter in der Wehrmacht und übergelaufen war er auch nicht. Dafür war er Arbeiter gewesen, das war auch was wert an der Kadette, die meisten waren Söhne von Funktionären. Die galten natürlich auch als Arbeiterkinder, aber richtige Produktionsarbeiter unter den Vätern waren die Ausnahme. Auch meine Mutter war Arbeiterin; bis zu ihrer Rente hat sie in Langewiesen in einer Gummibude mit einem simplen Mundschutz in den Dämpfen gestanden und die Giftbrühe umgerührt. Dreihundertfünfundvierzig Mark hat sie damals verdient, das weiß ich noch. Sie war als Umsiedlerin aus Schlesien mit mir und sonst nichts nach Thüringen gekommen. Nach Feierabend hat sie gestrickt, auch für die Familie des Ersten Sekretärs der SED-Kreisleitung. Als sie dem einen Skipullover anpasste, hat der ihr von der neu zu gründenden Kadettenschule in Naumburg an der Saale erzählt. Vor allem Söhne verdienter Vertreter der Arbeiterklasse sollten dort zu sozialistischen Offizierspersönlichkeiten herangebildet werden.

»Du hast doch so einen Jungen, sportlich ist er, und der Kreis Ilmenau muss sowieso einen Kandidaten stellen.«

Wir haben uns überlegt, dass ich dort das Essen umsonst habe und vielleicht die Schuhe und natürlich die Uniform, das spart. Und in Naumburg würde ich sicher zum Abitur kommen und studieren können. Vielleicht Schiffsoffizier werden, stellte ich mir vor. Oder Pilot. Vielleicht auch Militärjurist oder Arzt, träumte meine Mutter.

Zu meiner Aufnahmeprüfung nahm sie sich frei und kam mit. Vorn war ein Wachgebäude, man kam nicht einfach so rein. Die anderen Jungen waren allein oder mit ihrem Vater gekommen. Einer fuhr in einem schwarzen Wolga vor. Der Mann am Steuer war nicht sein Vater, sondern dessen Chauffeur. Als wir in einer Art Klubraum auf das Gespräch warten sollten, hängte meine Mutter ihren Mantel an einen Garderobenhaken neben einen vor Neuheit steifen Militärmantel. Am Kragen und an den Ärmeln war etwas angestrickt, und vielleicht hatte die Wolle nicht gereicht oder sie konnte beim Licht der 40-Watt-Glühbirne in unserer Stube nicht den Farbunterschied erkennen, jedenfalls war das Graubraun des angestrickten Teils am Kragen und am rechten Ärmel anders als am linken. Ich saß da und starrte auf den Garderobenständer; nie zuvor hatte ich bemerkt, wie armselig dieses Mäntelchen meiner Mutter war.

Den Unterschied zwischen mir und den anderen habe ich immer gefühlt. Schon beim ersten Urlaub sah meine Mutter mich an und fragte: »Willst du wirklich dableiben? Vielleicht passt unsereins da nicht hin. Ich bin eingeschrieben für eine Neubauwohnung auf dem Stollen, dann hättest du einen Raum für dich allein.«

Aber da wollte ich schon an der Kadette bleiben. Der naturwissenschaftliche Unterricht in Lehrkabinetten war spannend, und ich war so eine Art Klassenbester. Der Junge mit dem Chauffeur war eine Niete, der blieb nicht lange, ich hatte das Gefühl, es ginge gerecht zu. Und eine große Bibliothek gab es mit vor allem sowjetischen Büchern. *Wie der Stahl gehärtet wurde*, *Es blinkt ein einsam Segel*, *Die Junge Garde*, *Zwei Kapitäne*, *Schkid – die Republik der Strolche* – das habe ich alles dort gelesen.

Natürlich hatten wir auch militärische Fächer, Ballistik, Topographie, Sanitätsausbildung. Und Politinformation. Ich habe das alles aufgesogen. Politik interessierte mich, und dass unsere junge Armee eine Friedensarmee war, die beste überhaupt, davon war ich überzeugt. Als ein paar Wochen nach Eröffnung der Kadettenschule der Aufstand in Ungarn mit sowjetischen Panzern niedergeschlagen wurde, war das nur ein Beweis für die Notwendigkeit unserer militärischen Schlagkraft. Was die Aufständischen wollten, worum es ging, das habe ich nicht begriffen. Darüber wurde auch nicht geredet. Zum ersten Mal hatte ich richtige Fußballschuhe. In unserer Schwimmhalle legte ich die Fahrtenschwimmerprüfung ab. Eine Stunde Freizeit war im Tagesplan vorgesehen, die sollte man mit den anderen verbringen. Vielleicht habe ich auch deshalb so viel gelesen, weil ich wenigstens diese Stunde für mich allein haben wollte.

Jan war erst elf, als er 1957 nach Naumburg kam, er hatte ein Schuljahr übersprungen und fing mit der sechsten Klasse an. Ich bin zwei Jahre älter als er und war in der siebenten. Schon am Morgen hatte ich ihn mit seinen Eltern aus einem Auto steigen sehen. Er sah, dass ich es sah, und es war ihm peinlich. Sein Vater trug keine Uniform, stand aber beim Begrüßungsappell unter den Ehrengästen und seine Mutter auch. Das war nicht so eine verarbeitete, müde Mutter wie meine, das war eine tolle Frau mit rot geschminkten Lippen, kaum dreißig Jahre alt. Sie hatte am Steuer gesessen. An ihrer engen Kostümjacke trug sie das Parteiabzeichen. Und sie rauchte. Kurz nach dem Appell hatte ich beobachtet, wie sie eine längliche Zigarettenspitze hervorholte und unser Kommandeur, der Generalmajor Blechschmidt, persönlich ihr Feuer gab. Dabei waren Rauchen und Alkohol auf dem Gelände verboten. Die Selbstverständlichkeit, mit der sie sich darüber hinwegsetzte, war verblüffend. Aber vielleicht kannte sie einfach nicht die Regeln.

Die Schlafsäle waren nach Zügen getrennt, aber aus irgendeinem Grund kam Jan nach ein paar Tagen zu uns. Die anderen, denen seine Mutter auch aufgefallen war, zogen ihn auf mit ihr, aber sie hörten bald wieder auf. An Jan prallte jeder Dreck ab, er zog nur die Brauen hoch und wandte sich ab. Obwohl er jünger war als wir alle, brachten wir ihm bald Respekt entgegen. Wir, nicht die Zugführer. So hießen die uniformierten Erzieher, unseren mussten wir mit Genosse Unterleutnant ansprechen. Den störten Jans nie exakt gebauter Bettenturm, das Durcheinander in seinem Spind und vor allem seine Art, die Dinge in Frage zu stellen. Jan wollte diskutieren, aber in der Kadettenschule gab es kein Wenn und Aber, das war ein Spruch, den wir oft hörten. Hier galt das Prinzip von Befehl und Gehorsam. Manchmal zog ich morgens mit ein paar Handgriffen Jans Bettdecken gerade, half ihm, wenn er mit der Revierpflege dran war, denn bei einem Rundgang hätte es Punkteabzug für den ganzen Schlafsaal gegeben. Für gute Punkte gab es einen Sputnik, für schlechte einen Bremsheini. Wegen Jan bekamen wir oft den Bremsheini. Vielleicht deshalb mochten ihn viele nicht. Sie respektierten ihn, aber er war ihnen fremd.

Wenn ich heute daran denke, fühle ich die Trostlosigkeit dieser Jahre. Nicht einmal Wut, sondern Traurigkeit überkommt mich, wenn ich an diesen Schlafsaal denke und an die daneben; mehr als vierhundert Kadetten gab es bis zum Schluss. Vierhundert aus ihren wahrscheinlich meist kalten Nestern gefallene Jungen, die sich gegenseitig anschwärzten, heimlich Reißzwecken unters Laken legten, in die Schuhe pinkelten und morgens schon strammstanden und lernten: Das Kollektiv ist wichtiger als ich selbst.

Damals war ich wohl einer von ihnen.

Und sie haben es geschafft, uns so einen dummen Stolz einzuimpfen. Stolz auf die Uniform, auf das goldene K auf den Schulterstücken. Stolz, weil wir die Besten waren. Die Ersten. Die ersten Kadetten einer sozialistischen Armee in Naumburg. Und ich gehörte sogar zum ersten Zug.

Wenn wir Ausgang hatten am Sonntag, mussten wir mindestens zu zweit gehen. Ich weiß nicht, wie es kam, aber ich ging meistens mit Jan. Dass der jünger war, merkte man nicht, er war größer als ich und wusste vieles, worüber ich noch nie etwas gehört hatte. Außerdem fühlten wir uns in unserer Uniform ohnehin erwachsen. Jan hat damals schon fotografiert. Er hatte von zu Hause eine Exa mitgebracht, aber wir bekamen als Mitglieder der Arbeitsgemeinschaft Fotografie eine Kamera gestellt. Unter Anleitung eines Genossen Schneeweiß lernten wir, in der Dunkelkammer Filme zu entwickeln und auf das Neue, Typische bei der Motivsuche zu achten. Im Objektgelände war Fotografieren natürlich verboten, darum sollten wir manchmal in der Gruppe durch die Stadt streifen und nach Motiven suchen. Der Dom mit den steinernen Stifterfiguren Ekkehard und Uta galt zur Not als lohnendes Motiv, der Genosse Schneeweiß machte uns darauf aufmerksam, dass die schöne Uta mit dem Zipfel ihres Mantels die Hälfte ihres Gesichts bedecke, um sich von ihrem reaktionären Gefährten abzugrenzen. Aber lieber hatte er wehende Fahnen als Motiv, Verkehrspolizisten, Junge Pioniere, die alte Frauen über die Straße begleiteten, das schön gestaltete Schaufenster eines neuen HO-Geschäfts. Dick aus dem Schornstein einer Fabrik aufsteigender Rauch galt als Zeichen des Fortschritts.

Damals schon war etwas in Jans Fotografien, das den Genossen Schneeweiß ratlos machte. So positiv auch der hilfsbereite Jungpionier ins Bild gesetzt wurde, die alte Frau wirkte verhärmt und ärmlich, der Verkehrspolizist guckte unfreundlich, und neben den anmutig drapierten Kleidern im Schaufenster blätterte der Putz von der Fassade. Technisch waren Jans Bilder gut, aber sein Blick war anders; er sah, was er nicht sehen sollte. »Du fotografierst gut, aber du siehst falsch«, sagte der Zirkelleiter einmal, und Jan lächelte. Wegen dieses Lächelns hielten ihn viele, auch später noch, für überheblich.

Jan hat mir 1985, als er in den Westen ausreiste, ein paar

Schachteln mit Filmen hinterlassen, irgendwann und irgendwie wollte er sie nachholen. Als ich ein paar Jahre später selbst ging, blieben diese Kisten im Gemeindehaus der Alten Pfarrkirche von Pankow, dort hatte ich sie schon vorher deponiert. In ihnen fand ich Filme von Naumburg. Ich habe sie entwickeln lassen und mich selbst gesehen: einen dünnen, uniformierten Knaben mit misstrauischem, pickligem Gesicht. Ich habe Jan gesehen, wahrscheinlich haben wir uns damals gegenseitig fotografiert, denn nie sind wir zusammen auf den Fotos. Sein Gesicht schien mir offener, nicht so argwöhnisch, nicht so skeptisch, aber auch er war ein Kind, ein Kind in Uniform. Ich habe die Fotos aus Naumburg wieder zurückgelegt, und erst jetzt, weil Clara mich gefragt hat, wie es war, als ich ihren Bruder kennenlernte, habe ich sie wieder hervorgeholt.

Wenn wir sonntags zu zweit durch die Straßen gingen, trafen wir die anderen, die auch zu zweit oder zu dritt herumbummelten. Irgendetwas suchten sie, suchten wir, das in Naumburg nicht zu finden war. Wenn wir uns außerhalb des Objekts sahen, hatten wir uns militärisch zu grüßen, was wir, den Stolz verbergend, exakt ausführten. Vorgesetzte trafen wir bei unseren Ausgängen selten, höchstens einer Kontrollstreife aus älteren Kadetten konnten wir in die Arme laufen, die darauf achten sollten, dass wir keinen Alkohol tranken und nicht rauchten. Jan und ich hatten nichts zu befürchten, uns schmeckten damals weder Bier noch Zigaretten.

Jan war eigentlich eher schweigsam, wie ich auch. Aber wenn wir zusammen waren, redeten wir viel. Er erzählte mir seltsame Geschichten von dem Mecklenburger Dorf, aus dem er kam, von einem Schloss, in dem er gewohnt habe und einem Mädchen, von dem alle glaubten, sie sei stumm. Nur mit ihrer russischen Mutter habe diese Lena gesprochen und mit ihm. Jetzt aber gehe sie zur Schule und könne Deutsch sprechen wie alle, nicht mal einen Akzent habe sie noch. Von seinen Eltern in Berlin erzählte er kaum. Als ich ihn nach den Orden seines Vaters fragte, zuckte er nur die Achseln. Seine schöne Mutter erwähnte er gar nicht. Aber er vertraute mir an, dass er nicht Soldat werden würde, Musikinstrumentenbauer wollte er werden. Stundenlang konnte er die Eigenarten verschiedener Hölzer beschreiben. Als ein alter Pflaumenbaum vor dem Gelände abgesägt wurde, betrachtete er lange das Holz und erklärte mir, dass es wegen seines Spiralwuchses nicht für den Instrumentenbau in Frage käme. Trotzdem nahm er sich ein paar größere Klötze und verwahrte sie in seinem Spind, wo der Genosse Unterleutnant sie bei der nächsten Kontrolle verärgert auf den Boden fegte.

Jan antwortete nur mit seinem Lächeln, als er gefragt wurde, warum er solchen Mist aufhebe. Mir hatte er gesagt, das Pflaumenholz sei schön gefärbt, besonders wenn man es poliere. Das Holz, von dem er am meisten redete, aber hieß Pernambuco. Es stamme aus Brasilien und seit zweihundertfünfzig Jahren verwende man es für Geigenbögen. Vorher habe man das schwerere Schlangenholz benutzt, aber mit Schlangenholzbögen klinge die Musik gedämpfter, für Aufführungen in großen Hallen oder unter freiem Himmel brauche man Bögen aus dem rötlichen Holz des Baumes Fernambuk. Er erzählte mir von Konzerten zur Zeit der Französischen Revolution, als wäre er dabei gewesen. Natürlich hatten wir im Geschichtsunterricht auch über die Französische Revolution gesprochen, Freiheit, Gleichheit, Brüderlichkeit. Aber Jans begeisterte Erzählungen von den riesigen Volksversammlungen und seine beinahe zärtlichen Beschreibungen der schwingenden Geigenbögen ließen mich staunen und versetzten auch mich in eine eigenartige Schwingung.

Wenn wir am Wochenende Ausgang hatten, gingen wir oft

in eine kleine Eisdiele, eigentlich war es nur das Hinterzimmer eines Krämerladens in einer Nebengasse nicht weit vom Dom. In den Sommermonaten stellte der Besitzer dort italienisches Eis her. Er war ein hagerer, dunkler Mann, der wenig sprach, seine kleine rundliche Frau dafür umso mehr. Die beiden hatten eine Tochter, Monika, etwa so alt wie wir, die im Laden half. Vielleicht war es dieses Mädchen, das uns immer wieder dorthin zog, denn das wässerige Eis, obwohl angeblich italienisch, schmeckte nicht besonders. Aber der Vater war ein echter Italiener. Wie kam so einer nach Naumburg? Er sei ein Badoglio, erwähnte die Frau, und weil wir nicht wussten, was das bedeutete, erklärte sie uns, Badoglios seien Mussolini-Anhänger gewesen, die als Verbündete Hitlers gekämpft hatten. Nach dem Bruch mit Mussolini seien sie von den Deutschen als feindliche Kriegsgefangene behandelt worden.

Nie hatten wir von solchen Vorgängen gehört. Den Namen Mussolini hatte ich schon gelesen, auch von italienischen Partisanen hatte ich gehört, kannte auch das Lied über die Blume des Partisanen, *Bella ciao, Bella ciao.* Aber Badoglios? Wenn die an der Seite Hitlers gekämpft hatten, dann waren sie doch Feinde.

Jan sagte so etwas, und die Frau lachte: »Wenn alle, die für Hitler gekämpft haben, eure Feinde sind, dann habt ihr aber viele.«

»Damals waren alle deutschen Männer Hitlersoldaten«, fügte ihr Mann hinzu. Monika, die gerade die Schränke auswischte, hielt inne und sah uns gespannt an.

Wir waren solche Gespräche nicht gewohnt und schwiegen. Ich dachte an meinen Vater. Nach einer Weile sagte Jan leise: »Mein Vater hat nicht für Hitler gekämpft, mein Vater war im KZ.« Jetzt schwiegen der Italiener und seine Frau.

Zur Kadettenschule gehörte ein Chor, der sang nicht nur

Arbeiter- und Partisanenlieder, auch russische Volkslieder und Bürgerlieder von 1848 gehörten zum Repertoire, deutsche Volkslieder, *Horch, was kommt von draußen rein* oder *Am Brunnen vor dem Tore.* Ich fand es schön, wenn bei den Chorproben die Melodien über dem alten Backsteingebäude schwebten und man bis in den letzten Winkel trotz der dicken Mauern die Stimmen der Kadetten hörte, in die sich auch helle Mädchenstimmen mischten, denn zu den Proben wurden Mädchen aus dem ein paar Kilometer entfernten Internat Schulpforte angefahren. Deren Erzieherinnen ließen sie nicht aus den Augen. Angeblich soll die Beschwerde von einer der Pädagoginnen aus Schulpforte gekommen sein, es ging um das Volkslied *Zogen einst fünf wilde Schwäne,* das ich besonders gern hörte. Darin hieß es: *Wuchsen einst fünf junge Mädchen, schlank und schön am Memelstrand.* Auch Jan kannte das Lied von seiner Großmutter. Wir hatten gar nicht darüber nachgedacht, dass die Memel ein Fluss war, irgendwo in Ostpreußen, das heute Polen war oder Litauen. Wahrscheinlich hieß der Fluss gar nicht mehr Memel, wahrscheinlich war dieses Lied zu singen revanchistisch. Wahrscheinlich drückten sich darin Gebietsansprüche aus, wie sie zu Westdeutschland passten, aber doch nicht zu uns, der DDR, schon gar nicht zur ersten sozialistischen Kadettenschule. Nach der Beschwerde wurden die Chormitglieder einzeln befragt, was sie sich dabei gedacht hatten, als sie sangen: *Zogen einst fünf junge Burschen stolz und kühn zum Kampf hinaus.* Welcher Kampf? Warum am Memelstrand? Jan und mich befragte keiner, weil wir nicht im Chor waren, aber der Chorleiter verschwand. Er war auch unser Musiklehrer gewesen, einer der zivilen Fachlehrer. Darüber wurde kein Wort verloren, nur ein rothaariger Kadett, dessen Bett neben meinem stand, zitierte grinsend aus dem Lied: *Sing, sing, was geschah. Keiner ward mehr gesehn.* Jetzt, da ich mich an diesen Jungen erinnere, glaube ich, dass er Thoralf hieß, wir nannten ihn Ralfi. Ralfi Spiekermann.

Der Nachfolger des Musiklehrers war Oberleutnant, und nun wurden ganz andere Lieder gesungen. *Auf dem Wege weiter, den uns die Partei gewiesen. Vorwärts junge Streiter, vorwärts Pionier!*

Jan und mich interessierten der Chor und der Spielmannszug nicht, auch nicht die Tanzgruppe. Wir gingen an fast jedem Sonntag in die italienische Eisdiele und versuchten, die schwarzäugige Monika in Gespräche zu ziehen. Den ehemaligen Badoglio sahen wir selten, aber ihre Mutter passte auf wie die Erzieherinnen aus Schulpforte. Die Geschichte mit dem entlassenen Chorleiter war schon bis zu ihr gedrungen und sie fragte uns danach. Uns war das unbehaglich, irgendwie spürten wir, dass die Kadette hier nicht viel galt. Um die still lächelnde Monika zu beeindrucken, erzählte ich, dass ich demnächst mit dem Segelflugzeug fliegen würde, dann könnte ich ihr Haus mit dem Laden und der Eisdiele von oben sehen. »Du solltest lieber auf deine Kadettenschule achten«, meinte ihre Mutter spöttisch, »dann würdest du ein großes W erkennen, die Gebäude sind wie ein W angeordnet. Könnt ihr euch vorstellen, wer damit geehrt werden sollte?«

Als wir nur verständnislos guckten, schlug sie vor: »W wie Walter? W wie Wilhelm Pieck?«

Monika prustete los.

»Die Schule ist schon vor 1900 als preußische Kadettenanstalt errichtet worden«, erklärte uns die Frau schließlich etwas herablassend. »Wilhelm ist schon richtig, mit dem W sollte der Kaiser Wilhelm geehrt werden.«

Ich suchte Jans Blick. Wir hatten gar nicht gewusst, dass an unserer Schule schon früher Kadetten ausgebildet wurden. Waren wir nicht die Ersten, Einzigen? Natürlich war uns aufgefallen, dass der Gebäudekomplex uralt war, aber wir hatten nicht darüber nachgedacht.

»Worüber macht ihr euch überhaupt Gedanken?«, fragte die Frau und nahm uns die leeren Eisbecher weg. Dann erklärte sie uns, dass nach dem verlorenen Ersten Weltkrieg die Kadettenanstalt geschlossen werden sollte, denn Deutschland habe keine Militärs mehr ausbilden dürfen. Die Schule habe sich dann Staatliche Bildungsanstalt genannt, Stabila, aber es sei sonst alles beim Alten geblieben.

»In Deutschland bleibt immer alles beim Alten, nur die Bezeichnungen ändern sich«, warf ihr Mann ein.

Bevor wir diese Ungeheuerlichkeit recht begriffen, fuhr die Frau fort, bei den Nazis sei die Schule dann eine NAPOLA gewesen, eine vormilitärische Eliteschule. Man habe sogar Fliegen lernen können.

Monika kicherte, verstummte aber, als ihre Mutter weiter erzählte, bei Kriegsende seien die Schüler der NAPOLA zur Vernichtung feindlicher Panzer eingesetzt worden. »Von denen hat wohl keiner überlebt«, meinte sie kühl. Und fügte hinzu, wie um uns aufzumuntern: »Der Prinz Friedrich Karl von Preußen ist hier schon Kadett gewesen, auch einer der letzten Oberbefehlshaber der Wehrmacht, Walther Wenck.«

»Von dem habe ich schon gehört«, murmelte Jan. Wir hatten es jetzt eilig, die Eisdiele zu verlassen.

»Die kann uns doch nicht mit diesem Prinzen vergleichen«, meinte Jan draußen. »Oder mit dem General Wenck. Das war doch ein Nazi, der hat bis zum Schluss für Hitler gekämpft. Heute sind doch Kadetten etwas ganz anderes.«

Ich fand, dass die Frau ohnehin seltsame Ansichten habe. Und dass ihr Mann als ehemaliger Badoglio nicht nach Italien zurückgekehrt sei, mache die Leute doch ziemlich verdächtig.

Jan widersprach. »Es ist vorgekommen, dass Ausländer nach

dem Krieg in Deutschland geblieben sind. Die Mutter von Lena aus meinem Dorf in Mecklenburg ist auch Sowjetbürgerin, die war Zwangsarbeiterin, sie wollte gar nicht nach Deutschland.«

»Und warum ist sie nicht zurückgegangen, als der Krieg zu Ende war?«

Jan wusste es nicht, beharrte aber darauf, dass dies kein Grund sei, jemandem zu misstrauen. Der Italiener sei vielleicht wegen seiner Frau in Naumburg geblieben. Oder wegen Monika.

In den Ferien fuhren wir mit der ganzen Kompanie nach Prora an die Ostsee und im Februar nach Bärenstein zum Wintersport. Manchmal besuchten wir Einheiten der Volksarmee, wobei wir uns gegenüber den Soldaten fühlten wie ihre zukünftigen Kommandeure. Ich erinnere mich an Ernteeinsätze in der Lausitz und Subbotniks im Funkwerk Leipzig. Die Arbeiter dort spotteten über unsere Ungeschicklichkeit beim Feilen, ansonsten hielten sie Abstand, vielleicht lag es an den Uniformen.

Sogar in der Gummibude in Langewiesen, wo ich die Kollegen seit Jahren kannte, sagte man nun Sie zu mir, wenn ich meine Mutter abholen kam. Sie lebte jetzt auf dem Stollen, einem Ilmenauer Neubaugebiet, in einer Zweieinhalbzimmerwohnung mit Ofenheizung. Eine helle Schrankwand und rote Schalensessel sowie gepunktete Tütenlampen hatte sie sich angeschafft. Als sie diese Einrichtung endlich abgezahlt hatte, war sie schon wieder unmodern. Viele Jahre später habe ich ihr einen Fernsehapparat geschenkt und einen Teppich, aber von ihren Tütenlampen und der Schrankwand mit den gespreizt abstehenden Füßen wollte sie sich nicht mehr trennen. Sie schlief allein in einem breiten Ehebett. Wenn ich kam, kochte sie mir Klöße oder Schlesisches Himmelreich, sie tat alles für mich, aber zwischen uns gab es, seitdem ich auf der Kadette war, kaum noch wirkliche Gespräche. Immer noch hoffte sie, ich würde Militärarzt werden. Da hatten die ersten Absolventen der Kadette ihre Enttäuschung schon hinter sich, zu den Landstreitkräften wurden sie geschickt, zu den Panzertruppen, den Mot-Schützen, der Artillerie. Dazu hatte ich keine Lust und längst beschlossen, mich dem irgendwie zu entziehen.

Aber wenn ich während meiner Ferien in Ilmenau meine früheren Schulkameraden traf, spürte ich, dass ich nicht mehr zu ihnen gehörte. Es gab da ein Flüsschen, Schorte, an dem wir uns immer getroffen hatten, kleine kobaltblaue Steine lagen dort im flachen Wasser. Wenn ich jetzt zur Schorte kam, streiften die anderen ihre Hemden über und hatten es eilig zu gehen. Im Neubaugebiet meiner Mutter waren in einem flachen Mehrzweckgebäude ein paar Räume als Jugendklub eingerichtet worden. Da standen die Schüler der Goethe-Schule und Lehrlinge von Glas-Keramik, Halbstarke nannten sie die Erwachsenen. Zwei- oder dreimal bin ich dort gewesen, an der Wand hing ein Schild, *Auseinandertanzen verboten*. Aber daran hielt sich keiner, gebannt schaute ich zu, wie Jungen mit Elvistolle und engen Amihosen Mädchen durch die Luft wirbelten, die ganz anders aussahen als die braven Internatsschülerinnen aus Schulpforte, schärfer noch als Monika, aber ihr ähnlich mit den Pferdeschwänzen und Ponyfransen. Im Rhythmus der Kofferradiomusik zuckten und bogen sie sich, stampften und lachten. Die Jungen, die meisten kannte ich aus der Grundschule, waren mir ebenso unheimlich in ihrer Hingabe an die fremden amerikanischen Rhythmen, die mich gleichzeitig abstießen und anzogen, die das Blut aufpeitschten und mir Angst machten, Angst, die Kontrolle zu verlieren, Angst, etwas Verbotenes zu tun. Meistens verließ ich diesen Jugendklub nach kurzer Zeit wieder, strich verstört und allein durch die Stadt, stieg auf den Berg zur Technischen Hochschule, wo aus einer

Baracke ganz andere und doch irgendwie verwandte Musik zu hören war. Waren das nun amerikanische Negerrhythmen oder war das Jazz, wie ihn die FDJ auf einer Kulturkonferenz neulich, ebenso wie die moderne Musik von Hanns Eisler, als Gefahr für die Jugend abgelehnt hatte? Das alles war verwirrend, denn Eisler hatte doch auch die Nationalhymne komponiert. Ich wusste nicht, mit wem ich darüber reden könnte, Jan verstand es auch nicht, und in Ilmenau gab es erst recht niemanden. Einmal drängte ich mich in den Klub hinein, hockte unter den Studenten, die ein paar Jahre älter waren als ich und doch viel jünger wirkten. Hier gab es nur wenige Mädchen, aber ich fühlte mich dennoch unsicher, schwer und eingezwängt, als trüge ich die Uniform mit dem K auf dem Schulterstück, mein durch den täglichen Sport trainierter Körper, auf den ich doch sonst stolz war, fühlte sich steif und ungelenk an. Plötzlich dachte ich an unsere morgendlichen Appelle, an den Bremsheini und die Sputnikbildchen, und jäh wurde mir bewusst, wie weit entfernt vom Leben der anderen wir aufwuchsen.

Nun, nachdem wir erfahren hatten, dass wir nicht die ersten Kadetten in den alten Gemäuern waren, wurden mir die Gebäude unheimlich, und immer mehr von der Sicherheit und dem Stolz, mit dem ich als Zwölfjähriger hierhergekommen war, bröckelte. Nachts dachte ich manchmal an die Jungen, die lange vor uns in denselben Sälen unterm Dach geschlafen hatten und im selben Festsaal anderen Reden gelauscht hatten, in denen aber sicher auch von Vaterland und Pflicht und Feinden die Rede war.

Jan und ich suchten den kleinen Krämerladen manchmal auch im Winter auf, obwohl es dann kein italienisches Eis gab. Im ungeheizten Hinterzimmer froren wir weniger als auf den zugigen Gassen der alten Domstadt. Ich erinnere mich an unseren letzten Besuch dort, von dem ich auch ein Foto in Jans

Hinterlassenschaft gefunden habe. Auf der Fotografie blicke ich lachend in die Kamera, in den Händen halte ich ein Teeglas, im Hintergrund sieht man etwas verschwommen Monikas Gesicht. Den Tee hatte uns ihre Mutter serviert, sie nahm kein Geld dafür. Monika ging zu unserer Enttäuschung bald, aber die Frau setzte sich zu uns, fragte nach unserer Weihnachtsfeier und meinte lachend, dass das Heilige Fest der atheistischen Kadetten in einer alten Kirche stattgefunden habe, denn unser Festsaal sei die ehemalige Kapelle der wilhelminischen Kadettenanstalt und die Aula der NAPOLA, in der im Februar 1945 der letzte Appell stattgefunden hatte.

»Ich selbst«, berichtete Monikas Mutter, »habe im Sommer 1945 die Spruchbänder über den Eingängen gesehen: KEINE WAFFEN MEHR IN DEUTSCHE HÄNDE, NIE WIEDER KRIEG. Und nachdem die amerikanischen Truppen weg waren und die Russen in Naumburg das Sagen hatten, fanden in eurem Festsaal Estraden statt. Wisst ihr, was das ist? Russische Kulturprogramme, da mussten wir hin. Aber nur bis zum Herbst 1949, gleich nach der Gründung der DDR ist die Kadette wieder zum militärischen Sperrgebiet erklärt worden.«

Der Badoglio wiederholte den Satz, den wir schon kannten und der uns empörte, gegen den wir aber nichts zu sagen wussten.

»Deutschland gibt es nicht mehr, wir sind die DDR«, probierte Jan auf dem Rückweg ein Argument aus, das uns jedoch selbst nicht überzeugte. War nicht ein einiges Deutschland das Ziel? Und überhaupt, wir wussten immer noch nicht, was wir von dem Italiener halten sollten. Vielleicht war der ehemalige Mussolini-Kämpfer ein Agent des Imperialismus? Jan sagte, er würde beim nächsten Besuch in Berlin seinen Vater nach den Badoglios fragen, über solche Dinge wüsste der Bescheid.

Er hat es getan. Bald darauf wurde ich von meinem Zugführer gerufen und zum Büro des Kommandeurs begleitet. Aber nicht der, sondern ein mir Unbekannter in Zivil, der sich mit einem nichtssagenden Namen ohne Dienstrang vorstellte, fragte mich aus, wie oft ich mit wem in der Eisdiele gewesen sei, worüber wir dort gesprochen hätten, wer Wortführer gewesen sei und was der Inhaber der Eisdiele über seinen Einsatz in einer faschistischen Kampfeinheit erzählt habe. Das war mein erstes Verhör durch einen Mitarbeiter der Staatssicherheit, aber mir war das alles nicht klar. Instinktiv gab ich nur knapp Auskunft, an verächtliche Bemerkungen über die Kadettenschule und unseren Staat könne ich mich nicht erinnern, über seine Zeit als Badoglio habe der Italiener gar nichts erzählt. Dort gewesen sei ich nur mit dem Kadetten Jan Langner.

Der war schon vor mir vernommen worden, wie er mir später erzählte, obwohl wir verpflichtet worden waren, darüber zu schweigen. Er hatte ebenso wie ich geantwortet. Wir vermuteten, dass sein Vater sich beim Kommandanten oder sonst wem nach dem Badoglio erkundigt hatte, aber genau erfuhren wir das nie.

Sein Vater hatte Jan übrigens einen ausführlichen Vortrag über Mussolini und die zwiespältige Rolle der Italiener gehalten. Er selbst habe als Häftling mit solchen Badoglios zusammen die Trümmer der Reichshauptstadt aufräumen müssen, das sei lebensgefährlich gewesen. Die Badoglios seien als Kriegsgefangene nicht besser behandelt worden als andere Zwangsarbeiter. Und im KZ seien sie einfach Kameraden gewesen.

Als ich zum Ende meines Verhörs unsicher fragte, ob wir denn nicht mehr zu der Eisdiele gehen dürften, grinste mein Vernehmer und meinte: »Das wird kaum möglich sein. Dieses Lokal wurde dichtgemacht.«

Jan erzählte mir später, dass er dort gewesen sei, allein, bei der ersten Gelegenheit nach dem Verhör. Da war der Laden schon verschlossen, die dahinter liegende Wohnung versiegelt. Da wollte ihm keiner der Nachbarn sagen, was mit Monika und ihren Eltern war. Vielleicht waren sie in den Westen abgehauen. War man deshalb auf sie aufmerksam geworden?

Wir erfuhren es nicht, aber die letzte Aufnahme auf Jans Film aus Naumburg ist der verrammelte Krämerladen, über dem noch der Name des Besitzers stand: Mario Sanna.

Wahrscheinlich gab es mehrere, denen es nicht gut ging an der Kadette. Viele Jahre später traf ich an der Akademie einen Slawisten, der mir bekannt vorkam, er war auch in Naumburg gewesen, nicht in meinem Zug, aber in derselben Kompanie. Dieser Alexander Koch war 1944 in Moskau geboren worden. Er sagte mir, sein Vater, ein ehemaliger Spanienkämpfer, habe ihn aus der Kadette herausgeholt, weil er kurz davor gewesen sei, sich umzubringen. Die anderen in seinem Schlafsaal hätten ihn verspottet und misshandelt, weil er Jude war, beschnitten. Obwohl ich glaubte, keine Illusionen über die Kadette zu haben, meinte ich erschrocken: »Antisemitismus ist mir dort nie aufgefallen.« Alexander Koch lachte nur bitter. Der stellvertretende Kommandeur hatte seinen Vater, als der sich beschwerte, nur gefragt, warum er als Kommunist denn einen beschnittenen Sohn habe. Es gebe noch mehr Kadetten jüdischer Herkunft, denen sehe man das aber nicht an und so gebe es auch keine Probleme.

Dabei, meinte der Slawist mit schiefem Lachen, sei es seine Moskauer Großmutter gewesen, die ihn beschneiden ließ, sein Vater sei damit gar nicht einverstanden gewesen. Erst zum Ende der DDR habe der sich wieder anders besonnen und läge nun auf dem Jüdischen Friedhof in Weißensee.

Mein letztes Schuljahr an der Kadette war die neunte Klasse. Noch drei Jahre bis zum Abitur würde ich durchhalten müssen, dachte ich. Es sickerte durch, dass von den vierhundert

Kadetten schon sechzig vorzeitig ausgeschieden waren. Ich hatte längst gelernt, mich anzupassen, noch immer bot die Kadette einem wie mir viele Vorteile. Ich meldete mich zum Spielmannszug, weil ich Gitarre lernen wollte, und las in jeder freien Minute.

Die Auflösung der Schule kam für uns überraschend. Unsere Kompanie war wie in jedem Jahr auf der Ostseeinsel Rügen im Sommerlager, es war im Juli 1960. Das Meer war da, man roch es, und durch die Fenster der Speisesaalbaracke konnte ich es sehen und bis in den Schlaf hinein hören, aber es blieb mir fremd. Obwohl es ein heißer Sommer war, wehte nachts etwas Kaltes durch die Säle unserer Kaserne, die lag an einer Betonpiste in einem der wie Rohbauten wirkenden Blocks, die die Nazis nicht mehr zu Ende gebaut hatten. Wie ein Riegel standen diese monumentalen Gebäude vor dem Wasser, mir schien, sie hielten sogar den salzigen Wind von uns fern. Tagsüber schwitzten wir auf Geländemärschen, bei Schwimmwettkämpfen und Fahrstunden, aber nachts fror ich zwischen diesen unheimlichen Mauern.

Sooft es ging, zog ich mich in einen Winkel zwischen zwei Betongaragen zurück; da hockte ich und übte Gitarre fürs Kulturprogramm, als plötzlich Jan vor mir stand. »Es ist aus mit der Kadette.« Weil ich dachte, er mache einen Witz, zupfte ich weiter an den Saiten herum und hörte auch nicht auf, als er Einzelheiten berichtete. Schon im Mai habe das Politbüro beschlossen, die Kadettenschule aufzulösen. Sie sei zu elitär für die Volksarmee. Die Kommandeure wüssten es schon seit Wochen, die Zugführer erst seit gestern. Man wolle es uns nach der Rückkehr in Naumburg mitteilen, aber so lange werde er nicht warten. Jan riss mir die Gitarre weg, stieß mich gegen die Schulter, wir fielen in den Sand, jubelten, wurden plötzlich still. Jetzt fiel mir auf, dass mehrere Kadetten nach einem kurzen

Heimaturlaub nicht wieder im Sommerlager erschienen waren. Ob sie etwas gewusst haben? Ob der General etwas wusste, der heute früh überraschend seinen Sohn aus Prora abgeholt hatte? Unsere Zugführer liefen aufgescheucht herum und gaben bekannt: »Ihr werdet morgen zur Erntehilfe eingeteilt. Der militärische Teil des Sommerlagers ist ab sofort aufgehoben.« Ein Kadett lag auf seinem Bett und heulte.

Jan und ich entzogen uns der planmäßigen Abwicklung, indem wir Prora einfach verließen. Wir packten unsere Rucksäcke, meldeten uns bei unserem verstörten Zugführer ab, der von Konsequenzen redete, die unsere Disziplinlosigkeit haben würde. Aber Jan hatte mit seinem Vater telefoniert und dessen Erlaubnis erhalten, bis zum Beginn des neuen Schuljahres bei seiner Großmutter in dem Dorf Machandel zu bleiben. Es war selbstverständlich, dass ich mit ihm ging.

Nur um die Gitarre, die ich zurückließ, tat es mir leid. Bevor wir gingen, fotografierte Jan das Meer. Ich habe das Foto später gesehen, und es war das erste Mal, dass ich die Weite spürte.

Das alles werde ich Clara erzählen. Ich werde ihr Jans Fotos aus den Kisten mitnehmen, ihr die W-förmigen Gebäude der Kadettenschule zeigen und den vernagelten Laden von Mario Sanna, Monikas verschwommenes Gesicht werde ich ihr zeigen und das Meer bei Prora. Wir werden Jan und mich anschauen, wie wir als Vierzehnjährige aussahen, und es wird wehtun.

Aber auch von meinem ersten Besuch in Machandel werde ich ihr erzählen, denn dass es dazu kam, hat mit Clara zu tun, mit ihrer Geburt.

Wir fuhren von Stralsund mit dem Zug bis Stavenhagen, stiegen um in eine Kleinbahn bis Teterow und liefen von dort über die Landstraße. Unterwegs erzählte mir Jan beiläufig, seine Mutter erwarte in diesen Wochen ein Kind, es sei seinen Eltern nur recht, wenn er so lange wie möglich in Mecklenburg bleibe.

Wichtiges erzählte Jan oft so beiläufig, es war nicht zu erkennen, was er darüber dachte, dass seine Eltern noch einen Säugling haben würden. Sein Vater war im Jahr zuvor fünfzig Jahre alt geworden, das wusste ich aus der Zeitung, weil er eine Auszeichnung bekommen hatte. Jans schöne Mutter war zweiunddreißig, neun Jahre jünger als meine.

Wir waren schon sechs Kilometer gelaufen und hatten noch eine ebensolche Strecke vor uns, als uns ein Wartburg überholte. »Wilhelm Stüwe«, knurrte Jan, als der Fahrer sich aus dem haltenden Auto beugte und uns zur Eile trieb. Aber Jan verlangsamte seinen Schritt, hielt mich zurück. »Mit dem fahre ich nicht«, sagte er und winkte dem Wartburgfahrer ab. Er wollte auch nicht die Rucksäcke mitgeben, obwohl das Auto unterwegs war nach Machandel.

Natürlich fragte ich Jan, als wir mit den schwerer werdenden Rucksäcken über die staubige Straße liefen, warum er nicht mit diesem Wilhelm Stüwe fahren wollte. »Der ist ein Schwein«, beschied mir Jan kurz, wie es seine Art war. »Der ist hinter Lena her und hinter allen jungen Mädchen, und als Lenas Mutter Natalja noch Ostarbeiterin war, hat er sie schlecht behandelt.«

Natalja und Lena lernte ich noch am selben Tag kennen. Sie wohnten tatsächlich in einem etwas heruntergekommenen Schloss, zusammen mit Jans Großeltern. Seine Großmutter gefiel mir sofort. Ihren Mann nannten alle beim Vornamen, Arthur. Eigentlich war er gar nicht ihr Mann, sie waren sich erst 1945 hier im Schloss begegnet. Im Schlosspark gab es einen Neubau, aber Jans Großmutter und Arthur waren in ihrer Wohnung in der ersten Etage geblieben, und Natalja wohnte mit ihrer Tochter Lena unten neben der großen Eingangshalle.

Jan flog seiner Großmutter an den Hals, als sie uns vor dem Schloss entgegenkam, und sie nahm auch mich in den Arm. Das war mir peinlich, so etwas war nicht einmal zwischen mir und meiner Mutter üblich. Aber hier war alles anders. Abends saßen wir an einem großen Tisch in einer alten Küche – die Großmutter und Arthur, Natalja und Lena, Jan und ich. Ich merkte, dass die hier viel wussten über die Kadettenschule. Auch von mir hatte Jan ihnen erzählt, und ich fühlte mich so vertraut, als wäre ich nach Hause gekommen.

Arthur, der Bogenbauer, hatte sich über dem Kuhstall eine Werkstatt eingerichtet, in der es eigenartig roch, nach Leim und Beizen, vielleicht nach Pfeifentabak, aber auch nach etwas, was ich nicht kannte. »Das ist das Pernambucoholz, wenn man es schleift oder auch nur winzige Späne abhobelt, entsteht dieser stechende Geruch«, erklärte mir Jan und zeigte mir einen Mundschutz, mit dem der Bogenbauer oft arbeitete. Arthur, vielleicht lag das an seinem damals ungewöhnlichen Bart, schien mir wie ein alter, weiser Mann, aber er war vierundfünfzig Jahre alt, ich selbst bin heute beinahe so alt. Jans Großmutter war achtundfünfzig, die beiden gingen miteinander um wie ein Liebespaar. Wenn wir nach dem Essen noch beieinandersaßen, rückte sie wie selbstverständlich ihren Stuhl an seinen und lehnte ihren Kopf an seine Schulter. Ich hatte noch nie gesehen, dass so alte Menschen zärtlich zueinander waren.

Damals habe ich angefangen, täglich in kleine Vokabelhefte zu schreiben, was ich erlebte. Diese Tagebücher gehören zu den Papieren, die ich 1988 mitnahm nach Cambridge, Clara hat sie mir eingepackt, und wenn ich die Notizen dieses Sommers, die Zahlen und seltsamen lateinischen und spanischen Wörter heute lese, steht mir wieder Arthurs Werkstatt vor Augen, die Hobel und Spachtel, die winzigen Werkzeuge, kleine Sägen und Messer, mit denen Jan umgehen konnte, weil der Bogenbauer es ihm von klein auf beigebracht hatte. In Schachteln und Kästen säuberlich geordnet lagen Stücke des wertvollen

Pernambucoholzes. Wir saßen manchmal hier oben in Arthurs Werkstatt, blickten auf seine verfärbten Hände und hörten zu, wie er bei der Arbeit Geschichten über den Geigenbogenbaum Fernambuk erzählte, den Baum Ibirapitanga, wie ihn die brasilianischen Ureinwohner nennen; ich fühlte mich an den atlantischen Küstenwaldstreifen Brasiliens versetzt, den Schauplatz einer großen ökologischen Tragödie. Millionen Pernambucobäume seien gefällt worden, dabei sei der Pau Brasil, wie er auch genannt werde, Brasiliens Nationalbaum. Früher habe man auch Zäune und Eisenbahnschwellen aus dem kostbaren Holz hergestellt, weil es den Termiten widerstehe. Heute würde man die alten Zaunpfosten wieder abreißen und exportieren.

»Die Geige, das ist der Bogen«, erklärte uns Arthur. Aus einem verschlossenen Schrank holte er einen mit Seide ausgeschlagenen schmalen Kasten, in dem eine lederne Hülle lag. Er zeigte uns den Violinbogen, den er 1945 hier im Schloss vorgefunden hatte, eine Arbeit des berühmten Geigenbogenbauers Charles Nicolas Bazin, der den Bogen wahrscheinlich 1885 geschaffen hatte. »So leichte Bögen sind ideal für filigrane Musik. Für eine Bruckner-Sinfonie braucht man über sechzig Gramm schwere Bögen.«

Ich hatte noch nie etwas von Bruckner gehört, aber Arthur und Jans Oma besaßen einen Plattenspieler und viele Schallplatten; abends hörten sie Musik und ließen die Tür zu ihrem Wohnzimmer offen, in dem fast leeren alten Gutshaus hallte es und klang wie in einem Konzertsaal.

»Ich sitze abends oft auf der Treppe und höre zu«, erzählte mir Lena, die sie im Dorf die Stumme nannten. Lena war vierzehn, mit Jan ging sie um wie mit einem Bruder. Mich machte sie befangen, in den vier Jahren als Kadett waren mir Mädchen zu fremden Wesen geworden. Lena sprach mit ihrer Mutter Russisch, aber es war ein Dialekt, den ich nicht verstand. Warum Natalja in Deutschland geblieben war, begriff ich noch immer nicht. Ich fragte Lena danach, mit der Jan und ich abends oft auf Fahrrädern zum Düstersee hinter einem Buchenwäldchen fuhren. »Mama hatte niemanden mehr in Smolensk«, antwortete Lena in ihrer schönen, etwas fremd klingenden Sprache. »Nur mich hatte sie. Und dort wäre sie in ein Lager gekommen. Und ich vielleicht in ein Heim. Hier blieb sie frei und konnte mich aufziehen.«

»Und dein Vater?«

»Der heißt Grigori Lasarow. Ich kenne ihn nicht. Er ist Offizier der Roten Armee gewesen, er war in einem Lager bei Neubrandenburg gefangen und wurde zur Arbeit nach Machandel ausgeliehen. Doch weil es Offizieren verboten war, sich gefangen zu geben, ist er wohl in ein Straflager gekommen nach der Befreiung, in ein sowjetisches Straflager.«

Noch nie hatte ich Derartiges gehört, aber ich hörte und erlebte viel in diesem Sommer, was ich vorher nicht gekannt hatte.

Lena und Jan gingen mit großer Selbstverständlichkeit nackt ins Wasser, ich wagte kaum hinzusehen, dabei stand mir das Bild von Lenas kleinen spitzen Brüsten sogar vor Augen, wenn ich mich abwandte. Es gab viele Wasserlöcher in der Umgebung des Dorfes, am Düstersee fühlten wir uns allein. Nur selten kam jemand hierher, schwamm ein paar Runden und ging wieder. Wir aber saßen stundenlang auf den Steinen im flachen Wasser und redeten. Einmal raschelte es im Schilf, und wir sahen einen Mann mit Angelzeug, es war der, in dessen Auto Jan nicht hatte einsteigen wollen, Wilhelm Stüwe, der vielleicht schon lange dort gehockt hatte. Er tat, als beachtete er uns nicht. Vielleicht seinetwegen, vielleicht weil Lena meine verschämten Blicke bemerkt hatte, kam sie an einem der nächsten Tage in einem neuen, rot gepunkteten Badeanzug. Aber darin sah ihre nicht mehr kindliche, schmale Gestalt noch anziehender aus, ihre Brüste zeich-

neten sich unter dem nassen Stoff ab. Jan schien das nicht zu bemerken, er schubste sie ins Wasser, balgte sich mit ihr und legte
sich unbefangen neben sie auf die Decke. Ich beneidete ihn darum und beneidete ihn um seine Familie. Nicht um seine Eltern
in Berlin, dort war ich schon gewesen, sie lebten in einem Haus
am Park, es gab eine Haushälterin, die das Essen kochte und
sauber machte. Jans Mutter, die ein Fernstudium absolvierte,
schien nie Zeit zu haben und telefonierte dauernd. Jans Vater
fragte zwar manchmal etwas, aber wenn man antwortete, blickte
auch er so, als wäre er längst mit anderem beschäftigt. Nein, um
seine Eltern in Berlin beneidete ich ihn nicht, aber um das hier,
um das Dorf, den See, um die Selbstverständlichkeit, mit der er
Lena an die Hand nahm, um die ausgedehnten Mahlzeiten in
der Schlossküche, um die Schallplattenkonzerte und die Kar-
ten- und Brettspiele am Abend. Sie hörten einander zu, sie redeten wirklich miteinander. Ich glaube, in diesem Sommer 1960 in
Machandel habe ich gespürt, was da, wo ich bisher gelebt hatte,
fehlte: Man redete nicht miteinander. Meine Mutter hat mir nie
etwas über ihre Gefühle erzählt, kaum etwas über ihr Leben
vor meiner Geburt. Wir sprachen über das, was am Tag zu tun
war, über das Notwendige. In der Kadette umstellten sie uns
mit fertigen Sätzen, aber sie redeten nicht wirklich mit uns, sie
wollten auch nicht, dass wir fragten. Als wären die Worte jenseits der abgesteckten Sätze Minen, die man besser in Ruhe ließ,
als könnten unerwartete Fragen sie hochgehen lassen. Wenn etwas geschah, was aus der Norm fiel, gab es keine Worte dafür.
Es war auch die Verlockung eines Gesprächs gewesen, die uns in
Naumburg in die italienische Eisdiele gezogen hatte, nicht nur
die dunkel lächelnde Monika. Außer mit Jan habe ich in den vier
Jahren an der Kadettenschule mit keinem wirklich gesprochen.
Hier, an dem großen Holztisch in der Küche bei Natalja und
ihrer Tochter, bei Jans Großeltern war es anders. Natalja fuhr

früh mit dem Rad in ein Nachbardorf, Jans Großmutter half nebenan im Kuhstall. Sie erzählten davon, fragten den Bogenbauer nach seinen Besuchern aus, lachten viel, hörten einander zu, manchmal redeten sie durcheinander, fielen einander ins Wort, sie stritten auch, es ging um die LPG und um Werber aus der Stadt. In der Gegend von Machandel gab es keine Großbauern, hier hatte es nur die Gutsbesitzer gegeben und nach der Bodenreform kleine Neubauern und ehemalige Landarbeiter, die meisten waren freiwillig in die LPG eingetreten, weil sie sich einen pünktlichen Feierabend und Urlaub erhofften. Aber einige der Neubauern wollten ihr Land nicht mehr hergeben, die wurden von den Werbern bedrängt und bedroht, und manche waren in den Westen abgehauen, hatten den Hof und das Vieh zurückgelassen. Darüber redeten sie ohne Vorsicht und wogen ihre Worte nicht ab. Am meisten sprach Lena, aber wenn Fremde dazukamen, verstummte sie. Ich war froh, dass sie mich nicht als Fremden sah.

An einem der Abende stand plötzlich Wilhelm Stüwe in der Küche. Er sei Angestellter in der Kreisverwaltung, hatte mir Natalja kurz erklärt, als ich sie nach diesem Nachbarn gefragt hatte, der in einer schönen kleinen Villa zwischen Gutshaus und Kuhstall lebte. Wilhelm Stüwe grüßte und blieb in der Tür stehen, als warte er darauf, näher gebeten zu werden. Das Gespräch war verstummt. Der Besucher hatte eine abgegriffene Kladde bei sich, das Hausbuch, das er uns hinstreckte. »Guten Abend allerseits«, wiederholte er freundlich. »Ihr wisst doch, dass bei Übernachtungen von Nichtgemeldeten eine Eintragspflicht besteht.«

Jans Großmutter klang verärgert: »Wilhelm, was soll das? Du kennst doch Jan.«

»Er ist hier nicht gemeldet«, beharrte der Besucher auf seiner Forderung. »Und der da«, er wies auf mich, »ist hier völlig unbekannt.«

Alle schwiegen.

»Kadett wohl?«, fragte Wilhelm. »Und? Haben die Herren Kadetten Urlaub? Genehmigung für Zivilkleidung?«

»Nun reicht es.« Arthur nahm Wilhelm Stüwe mit einer beinahe herrischen Geste das Hausbuch ab. »Alles wird erledigt. Guten Abend noch, Wilhelm.«

Es dauerte eine Weile, bis wir in unser Gespräch zurückfanden, etwas lag störend im Raum.

Mehr als fünfundzwanzig Jahre später, als Jans Schwester Clara mit ihrem Mann in Machandel den alten Katen kaufte, gab es immer noch die Anmeldepflicht. Immer noch lag das Hausbuch für Machandel bei Wilhelm Stüwe, der ein alter Mann geworden war. Er erkannte mich nicht, wartete, auf seinen Stock gestützt, neben uns im Vorraum von Claras Katen, bis alle Besucher sich eingetragen hatten. »Eine Formalität, das verlangt man so«, meinte er freundlich. »Die Hausbücher werden nur selten kontrolliert, aber dann muss eben alles in Ordnung sein.« Ich blätterte in der dicken Kladde, suchte das Jahr 1960, aber dieses Buch fing erst in den 80er-Jahren an, und der Alte, plötzlich unfreundlich, nahm es mir aus der Hand.

Mein Herz klopfte, als ich mit Maria und den Kindern bei unserem ersten Besuch in Claras Katen wieder durch das Dorf ging. Natalja und Lena wohnten immer noch im Gutshaus. Natalja war gealtert, ihr Haar war grau geworden, aber dafür sah Lena aus wie früher ihre Mutter. Sie erkannten mich sofort, obwohl ich zuletzt nach dem Abitur hier gewesen war.

Wenn ich an meinen ersten Sommer in Machandel denke, höre ich wieder die Stimme von Jans Großmutter; sie sang manchmal, während sie die Küche aufwischte oder im Garten hinterm Gutshaus arbeitete, und einmal hörte ich das Lied, das an der Kadette verbotene: *Zogen einst fünf wilde Schwäne*. Der Bogenbauer liebte es, weil es aus seiner Heimat kam, an der

Memel sei er geboren, erzählte er, aber er liebte auch die anderen Lieder, die Jans Großmutter sang, und auch wenn sie nicht sang, war Freude in dem Blick, mit dem er sie ansah.

Ich weiß, dass sie in diesem Sommer, nur zwei Wochen nach unserer Abreise, plötzlich starb und dass Arthur im Jahr darauf das Dorf verließ. Dieser August 1960 war der schönste Sommer meiner zu Ende gehenden Kindheit, manchmal habe ich mich gefragt, ob ich ihn in der Erinnerung verkläre, ob es mit der Auflösung der Kadette zu tun hatte, dass ich so glücklich war, oder damit, dass ich noch nicht erfahren hatte, was ich heute weiß: Der Tod war so nahe. Noch heute spüre ich etwas von der Freude dieser Sommerwochen.

Ich war frei. Nach Naumburg würde ich nicht wieder zurückkehren. Nach Ilmenau zog es mich auch nicht. Jans Großmutter drängte mich, meine Mutter anzurufen. Das einzige Telefon des Dorfes stand in Arthurs Werkstatt, von dort aus rief ich in der Gummibude in Langewiesen an. Das war gut so, meine Mutter hatte am Vortag einen Brief von der Kadettenschule bekommen, den sie nicht verstand, ich sei wegen vorzeitigen Verlassens der Kompanie vom feierlichen Abschlussappell ausgeschlossen. Doch habe man mir einen Platz an der Goethe-Schule in Ilmenau bereitgestellt. Ich erklärte ihr, was geschehen war, und meine Mutter, für die das Telefonieren ungewohnt war, schrie in den Hörer: »Ich freue mich, dass du kommst!«

Ich legte auf und das Telefon klingelte. Weil ich dachte, es sei wieder meine Mutter, nahm ich ab. Doch es war Hans Langner, der Vater von Jan, ich reichte den Hörer an Arthur weiter. Sie sprachen nur kurz. Der Bogenbauer lachte mich an, öffnete das Dachfenster und rief mit lauter Stimme über die Straße von Machandel zum Gutshaus hinüber: »Heute, am 19. August 1960, ist Clara geboren.«

9

CLARA

Tanzende Mädchen

Meinen 27. Geburtstag werde ich nie vergessen, weil ich am Tag danach das Lied vom Vogel im Machandelbaum hörte, der mit dem Ring der Schwester davonfliegt. Professor Simon hielt es für eine Kostbarkeit, wir hatten geglaubt, alle deutschen Lieder und Verse zu kennen, die das Märchen vom Machandelboom aufnahmen und abwandelten, und nun fanden wir dieses Lied und noch dazu im Umkreis eines Ortes mit Namen Machandel. Ich sagte ihm, dass Machandel erst seit hundertfünfzig Jahren so hieß, vorher waren da nur Weiden und Hügel. »Machandelhügel«, ergänzte er und blieb begeistert davon, wie in dem Lied die Grundzüge des alten Mythos zu erkennen waren und wie die Geschichte verwoben war mit dem Symbol des Ringes. Nur aus Süddeutschland sei ihm ein ähnliches Lied bekannt, aufgezeichnet vor mehr als zweihundert Jahren. Aber er kritisierte mich, weil ich meine Feldforschung so unprofessionell ohne Tonbandgerät betrieben hätte. Ich hatte ihm das Lied erst nach Wochen gezeigt, erst einmal musste ich es für mich behalten, es war mein Lied, mein Geburtstagsgeschenk. Doch als ich mit meinem Professor und einem Tonbandgerät wiederkam, wurde es schon Herbst, und die zarte Frau, die mir das Lied vorgesungen hatte, war gestorben.

Eigentlich hatte ich gar nicht vorgehabt, mich am Geburtstag mit meiner Arbeit zu beschäftigen. Michael und ich machten mit den Töchtern Ferien im Katen, unsere Freunde hatten wir nicht eingeladen, die würden wir ja bald wieder in Berlin sehen, und mein Vater war zur Kur in einem Heim für Verfolgte des Naziregimes. Meine Mutter war auch zu einer Kur, einer Entziehungskur für Alkoholiker, aber darüber wurde nicht gesprochen.

Am Morgen lagen vor der Tür frisch geschnittene englische Rosen, wie sie in Nataljas Garten wuchsen, dazu eine Karte. Natalja und die Stumme mussten sie hingelegt haben, bevor sie früh zur Arbeit fuhren. Ich freute mich und war erstaunt, dass sie das Datum meines Geburtstags kannten. Wir saßen noch beim Frühstück, als der alte Wilhelm ein Glas Stachelbeermarmelade von Auguste brachte, das ich gleich öffnete. Über Wilhelms Glückwunsch wunderte ich mich nicht, er war ja der Hausbuchbeauftragte. Meine Eltern hatten auch so ein Buch, und meine Mutter, der äußere Korrektheit sehr wichtig war, achtete schon immer darauf, dass jeder Übernachtungsgast sich eintrug. Sie hatten nur selten Gäste, die alten Lagerkameraden meines Vaters wurden weniger und sie reisten nicht mehr viel. Meine Mutter hatte keine Freunde. Doch als ich Michael gerade kennengelernt hatte und er sich nach unserer ersten Nacht nicht früh genug aus dem Haus geschlichen hatte, erwartete meine Mutter ihn mit dem Hausbuch an der Treppe. Das war damals der Anlass für mich auszuziehen. Ich war achtzehn und hatte gerade mit dem Studium begonnen. Ich zog in Michaels Studentenbude in der Mulackstraße, aber schon drei Monate danach bekamen wir die Wohnung am Schlosspark, in der ich bis vor ein paar Jahren lebte. Die ungewöhnlich schnelle und großzügige Zuweisung verdankte ich Michael. Er hatte darauf bestanden, dass ich bei der Versorgungsstelle für Angehörige von Verfolgten des Naziregimes einen Wohnungsantrag stellte. Ich wollte das nicht, auch mein Bruder hatte so etwas nie in Anspruch genommen. Doch Michael verbündete sich mit meiner Mutter und die füllte den Antrag für mich aus. Der Vorsitzende dieser besonderen Wohnungskommission in Pankow war in Sachsenhausen und Bergen-Belsen gewesen, natürlich kannte er meinen Vater, und so ging es ganz schnell. Ich war darüber froh, aber gleichzeitig schämte ich mich, denn andere warteten jahrelang, und die ganze Angelegenheit war der Grund für meinen ersten großen Streit mit Michael. Vielleicht habe ich so schnell ein Kind bekommen, weil ich die große Wohnung rechtfertigen wollte. Bei den meisten meiner Kommilitoninnen war es so, dass sie durch die Geburt eines Kindes ihren Wohnungsantrag dringlicher machen wollten.

Als am Morgen meines 27. Geburtstags Emmas Stimme an der Tür zu hören war, stand der alte Wilhelm auf und ging wortlos. Das kannten wir, wäre er nicht gegangen, wäre wohl Emma gleich umgekehrt. Sie hatte auch Blumen aus ihrem Garten mitgebracht und eine kleine Flasche mit selbst gebranntem Wacholderschnaps. Ich fragte, woher sie denn von meinem Geburtstag wisse, und sie lachte: »Schon deinen letzten Geburtstag hast du doch in Machandel gefeiert. Da habe ich mir das Datum gemerkt. Eigentlich hätte ich es kennen müssen, denn damals, vor siebenundzwanzig Jahren, haben sie im Dorf darüber gesprochen, dass die Johanna in Berlin ein zweites Kind von Hans Langner zur Welt gebracht hat. Und den Schnaps schenke ich dir, weil du doch so hinter dem Machandel her bist. Was macht denn die Doktorarbeit? Mir ist übrigens etwas dazu eingefallen.

Hier nebenan im Katen wohnte früher noch ein Landarbeiterpaar. Der Jürgen Töpelmann ist längst gestorben, aber die Pauline lebt im Pflegeheim in Burg Schlitz, schon seit Jahren. Die hat viele Lieder gekannt, ganz alte, die in keinem Liederbuch mehr stehen. Und in einem kam auch der Machandelbaum vor. Aber ihr solltet nicht so lange warten, wenn ihr Pauline besuchen wollt, die ist noch älter als Frau Poschmann.«

So beschlossen wir, am selben Tag mit den Rädern nach Burg Schlitz zu fahren. Für die zweijährige Caroline hatten wir einen Kindersitz, die achtjährige Julia fuhr selbst. Es war kurz vor der Ernte, die Getreidefelder lagen prall und sonnensatt zwischen den Hügeln, schon verblühender roter Mohn und Kornblumen an den Rändern rahmten sie ein. Die Sandwege waren vor Jahrhunderten für Fußgänger und Pferdewagen angelegt worden, schwere Landmaschinen und Armeefahrzeuge hatten sie für Autos unbefahrbar gemacht, auch wir mussten wegen der tiefen Löcher und großen Steine vorsichtig fahren. Schlehen- und Brombeerhecken mit halbreifen großen Früchten überwucherten an manchen Stellen den schmalen Weg. Wir machten viele Pausen, pflückten Brombeeren und stiegen auf einen Hügel, von dem aus man den Malchiner See sehen konnte. Die Kleine war müde geworden und schlief eine Weile dort oben im Schatten eines Gebüschs, wir anderen lagen auf dem Rücken im Gras und blickten in den unwirklich blauen Mecklenburger Himmel, unter dem große Vögel kreisten, deren Namen wir nicht kannten. Wir lagen da so weit oben, so endlos entfernt von allem, was sonst unser Alltag war. Die Stille füllte sich allmählich an mit Geräuschen, die wir sonst kaum wahrnahmen, mit Rauschen, Summen und unserem eigenen Atem. Als mein Mann plötzlich sagte: »Am Donnerstag ist in Pankow eine Sitzung der Vorbereitungsgruppe für den Olof-Palme-Marsch«, brauchte ich einen Moment, um zu begreifen, wovon er sprach.

Julia war ein bisschen herumgelaufen und kam aufgeregt zurück, sie hatte einen Vogel gehört, der sang wie Beethoven, wie in der Sinfonie, die wir zu Hause auf der Schallplatte hatten. »Di-di-di-dah, di-di-di-dah«, machte sie uns vor.

Als wir später an einer hohen, einzeln stehenden Eiche vorbeikamen, hörten wir es auch und sahen den unscheinbaren Vogel, kaum größer als ein Spatz. Es war ein Ortolan, eine Gartenammer, und ihr Gesang klang wirklich wie der Auftakt der Fünften Sinfonie.

Wir kamen durch ein Dorf, das hieß Bartsche. In einem halb eingefallenen Gutshaus hatte jemand Schnüre gespannt, an denen Tabakpflanzen trockneten. Um das Gutshaus herum, wie in Machandel, standen ein paar Katen und ein, zwei größere Backsteinhäuser. Auch dieses Dorf lag auf einem Hügel, von dem man weit in die Landschaft blicken konnte. Aber die wenigen Bewohner saßen im Schatten ihrer Katen in den engen Vorgärten, die Männer hielten Bierflaschen in der Hand. Sie blickten uns wortlos an, mit stumpfen Augen. Wir gingen um das kreisförmige Dorf herum, wie ein Wall lag Müll hinter den Häusern. Hier gab es keine Müllabfuhr, die Einwohner warfen alles Unbrauchbare und vor allem Flaschen einfach ein paar Meter hinter das Haus, im Laufe der Jahre hatten sich lauter einzelne Halden aufgetürmt, die einander schon berührten. Noch ein paar Jahre und der Müll würde das Dorf wie ein Ring umschließen. Die Frauen arbeiteten in ihren kleinen Gemüsegärten, Kinder sah ich nicht. Nur das Gezwitscher unserer eigenen Kinder war zu hören. Unter einer uralten Buche mit weit ausladendem Geäst standen zwei oder drei ausgeschlachtete Autos. Nur die und die Bushaltestelle vor der Ruine des Gutshauses zeigten an, in welchem Jahrhundert wir lebten. Und die Fernsehantenne auf jedem Dach.

Von diesem trostlosen Dorf führte ein mit Kopfsteinen gepflasterter Weg steil hinab auf eine größere Straße, vorbei an alten Weiden. Wir fuhren aber über die Wiesen, stiegen ab, hoben die Räder über niedrige Zäune, schoben sie durch Hecken, sahen Rehe und Hasen, kamen vorbei an Hügelgräbern und einem noch älteren Großsteingrab. Vor vielleicht viertausend Jahren waren die riesigen Findlinge aufgeschichtet worden wie Bauklötzer. »Die sind doppelt so alt wie das Märchen vom Machandelbaum«, rechnete Julia aus. Schließlich lag in einer Senke ein von Eiben umstandener See, in dem wir badeten. Dann schoben wir die Räder über Ackerpfade in die Richtung, in der wir Burg Schlitz vermuteten. Die knorrigen Eichen auf den Hügelkuppen waren unser Wegzeichen. Über eine Apfelbaumallee näherten wir uns den verwilderten Parkanlagen, in denen Dutzende sonderbare Denkmäler einer holden Louise, der Freundschaft oder dem Vaterland gewidmet waren und so an den sonderbaren Grafen Hans von Schlitz erinnerten; viele Wege waren zugewachsen, und wir verliefen uns auf der Suche nach dem Schloss, kletterten mit unseren Fahrrädern steile Böschungen hoch und kamen schließlich an einen Brunnen mit der Bronzeskulptur von drei tanzenden Mädchen, die sich an den Fingerspitzen berührten, sich lachend mit fliegendem Haar drehten, schwerelos, inmitten des spritzenden Wassers, das ihnen über die Gesichter lief. Die Mädchen, obwohl unwirklich schlank und langgliedrig, wirkten wie lebendig, ihre dünnen Kleiderstoffe schienen vor Nässe an den Leibern zu kleben. Meine Töchter fassten mich sofort an den Händen und versuchten zu tanzen wie diese Brunnenmädchen, lachend drehten wir uns im Kreis, das Wasser spritzte bis zu uns herüber, und meine Töchter quietschten vor Vergnügen. Michael hat diesen Moment fotografiert, den Brunnen im Hintergrund und unseren Tanz.

Endlich standen wir am höchsten Punkt der Parkanlage vor dem dreiflügeligen Herrenhaus. »Ein Märchenschloss!«, jubelten die Kinder. Eine ältere Frau, die uns aus einem Bürofenster beobachtet hatte, sprach uns an.

Es war inzwischen spät am Nachmittag, wir waren hungrig, die Kinder wurden müde, deshalb war ich froh, dass die Leiterin des Pflegeheims, zu der wir geführt wurden, mich bat, am nächsten Tag wiederzukommen; Pauline Töpelmann, eine der ältesten Bewohnerinnen, sei zwar durchaus noch klar im Kopf, aber heute schon erschöpft.

Am Tag nach meinem Geburtstag fuhr ich mit dem grünen Trabant über die Landstraßen nach Burg Schlitz. Pauline Töpelmann erwies sich als eine hundertjährige muntere Greisin ohne Haare, die in einem Aufenthaltsraum in ihrem Rollstuhl saß und mich mit blanken blauen Augen neugierig anschaute. Als ich sie fragte, ob sie sich an Machandel erinnere, lachte sie mich aus: »Dor hebb ik milawe lääft. Ik bün doch nich blöd.«

Ich grüßte sie von Emma Peters, ihrer ehemaligen Nachbarin. »Ach, de fiene Hambürgerin«, meinte sie etwas wegwerfend, freute sich aber doch. Ich erzählte ihr von meiner Arbeit und bat sie, mir das Lied vom Machandelbaum vorzusingen. Sie fragte, von welchem Amt ich sei und ob ich nicht dafür sorgen könne, dass der Kapitän auf diesem Fahrgastschiff ausgewechselt werden könne. Im Übrigen habe sie gar keine Fahrkarte gekauft und wolle wieder an Land gehen.

Das Gespräch war etwas mühsam. Sie fragte nach dem Wochentag, es war Donnerstag. Sie meinte, dann gäbe es wieder Grießsuppe. Noch nie habe sie Grießsuppe gemocht. Aber vielleicht würde ich mich ja irren und es sei Dienstag. Dienstags gäbe es Stampfkartoffeln. Eine Weile unterhielten wir uns auf diese Art, und ich hatte die Hoffnung schon aufgegeben, von ihr das Lied zu hören, wollte mich verabschieden, als sie plötzlich sagte: »Ju will doch dat Lied hüren, denn lat doch dat Wribbeln sin. Nu man suutje.« Sie setzte sich zurecht und mit erstaunlich wohlklingender, voller Stimme begann sie hochdeutsch zu singen:

»Als wir 1870 sind nach Frankreich hin marschiert, hat die

Guste, die bewusste, mir ein Butterbrot geschmiert. Und sie sprach: Mein lieber Grenadier, dass du auch gedenkst an mir, wie du hast poussiert mit mir, hinten an der Kellertür…« Offenbar entfiel ihr der Rest des Liedes, denn sie wiederholte die Strophe.

Ich war entzückt. »Woher haben Sie denn das? Schließlich sind Sie doch 1870 noch gar nicht auf der Welt gewesen.«

Ihr Blick verriet, dass sie mich für sehr dumm hielt. »Lieder sind ümmer öller as man sülvst«, sagte sie.

»Wer hat Ihnen das beigebracht?«

»Lieder künn ju nich liern, de künn ju von sülvst, de sünn inne Luft, de otmen se inn.«

Nach einer Weile gab das Lied von dem Grenadier an der Kellertür nichts mehr her, um das Gespräch in Gang zu halten, fragte ich sie nach ihrem Mann, der als junger Landarbeiter noch mit Ochsen auf dem Feld gearbeitet hatte, was ich von Auguste Stüwe wusste. Pauline Töpelmann nickte grimmig.

»De Ossen hemm de Inspekters dre moal ann Daag utduuscht, awer de Höker wier de glieke bläven uppt Feld von Morgenrot to Abendblänk. Ohne Höker geit gonnix. Hier sünn so väle Steen upp de Feller, donn mössten se den Hoaken nemmen. Awer rik sünd de Höker nüch worn.«

Und plötzlich fing sie wieder an zu singen, eine eintönige Melodie wie ein Kinderreim: *»De Höker, de Knöker harr Hunger inne Darm. Hei mösst vor Hunger hinnern Hoaken herscharrn.«* Eine andere alte Frau, klein und zierlich wie ein ganz junges Mädchen, war herangekommen und sprach das eintönige Lied mit: *»Hei dörft nich murrn, hei dörft nich gurrn. Hei mösst still hinnern Hoaken herschurrn!«*

»Kennen Sie auch das Lied vom Machandelboom?«, wandte ich mich mit meiner Frage nun an beide. Aber Pauline fragte wieder, von welchem Amt ich käme, und forderte, man solle

157

dafür sorgen, dass es den Hökern besser ginge. »Wer soll dafür sorgen?«, fragte ich.

»Der Inspektor«, meinte sie vage. »Oder der LPG-Vorsitzende? Is hüt Moandach? Moandachs wird normiddachs sungen, nich dünnersdachs.«

Als sie den Inspektor erwähnte, fiel mir ein, dass sie das Dorf und seine verschwiegenen Geschichten kennen musste. Sie hatte doch in unserem Katen gewohnt, gleich neben Marlene.

Ich fragte sie nach dem Mädchen.

»Marleneken«, sagte sie mit plötzlich ernstem Gesicht. »De schlöppt all.«

Und sie sei jetzt auch müde, wolle auch in ihren Schlafraum gebracht werden. Ich schob den Rollstuhl über einen langen Gang. Die andere Frau kam hinterhergetrippelt, zeigte mir die Tür, hinter der ein großer Raum mit mehreren Betten lag. In einem saß eine Frau, die betete laut: »Herr, lass mich schlafen.«

»Ümmer seggt se dat«, schimpfte Pauline Töpelmann. Und, zu sich selbst: »De is noch nich dran. Marlene schlöppt. Marlene schlöppt in Sachsenbarch.«

»Warum schläft sie denn?« Ich spürte mein klopfendes Herz.

»Weil se wier dotbläwen in Schwerin, weil se ehr koltmogt häbben.«

Ich dachte an die Zeitungsartikel über den Prozess von 1946 gegen die Krankenschwestern und Pfleger der Nervenklinik Sachsenberg.

»War Marlene denn verrückt?«

»Se wier man bloot n Fiöleken. Un de Mutter wier dot un se hett for de Geswister alleen sorgt. Blöd wier de nich. Awers de Wilhelm hett dat seggt. He hätt ehr bi de Polizei schlechtmoggt, un de hebben äm glöwt. Mitm Messer hett se äm taun Lief wullt. Donn hett de Pfläger von Gehlsheim ehr fastholln un mütnommen.«

»Wieso Gehlsheim? Ist sie nicht in Schwerin gestorben?«

»Ierst is se noa Gehlsheim bi Rostock koammen. Vielleicht is et door to vull worn, wat weid ik. De hebben de Irren na Domjüch bracht un na Schwerin. Dot mogt hewen se se överall.«

Totgemacht haben sie sie überall. »Wusste man das denn?«, fragte ich.

Pauline lächelte. »Ik schon. Von mien Bruders Fru de Söhn hett Hirnhautentzündung as Gör hat. De wier n bäten döschig, hei hett sullen nach Gehlsheim kammen, de wullten em wat intrichtern, dat hei schlu ward. Awers se hett nich wullen, het dat Gör inn Stall inschlutten, as de kämen. Hett seggt, de Jung is in Ratzeburg bi de Oma. So kunnt hei wieterläven. Is awers nan Kreeg awsoppen bi t baaden. Awers wenn hei kommen wier na Gehlsheim oder na Schwerin, wier hei gliek wech wäst. Hei wier tau nix nütz, un so süllt hei ok nix äten. As Marleneken. Dei wier donn bi de Irren, dorr hett Emma se besöcht, de Afpollerte ut Hambürg.«

Die Greisin winkte mich nahe an sich heran und sagte mir ins Ohr: »De Söhn von Fritze Timm ut Lalenhagen wier doch Pfläger in Schwerin. Dor wörd sludert... Mit de Busse sin se wech kommen. Nur de Scho kömen trüch. Un väle sind inne Anstalt stuorben. Door häben se ümmers n bäten nahoelpen.«

Mir wurde schwindelig. Natürlich hatte ich über all das schon gelesen, aber da hatten diese Geschichten nichts mit mir zu tun. Marlene, deren ernste Augen mich aus dem zerfressenen Fotoalbum angeschaut hatten, aber hatte in meinem Haus gelebt, sie ist durch unsere Türen gegangen, hat den Morgenstein im Vorraum gekannt, den Blick aus dem Fenster zum Wacholderhügel. Und in dem, was Pauline Töpelmann über ihre Geschichte andeutete, kamen die Namen von Menschen vor, die in Machandel heute meine Nachbarn waren.

»Wilhelm – war das Wilhelm Stüwe?«, fragte ich.

»Wilhelm Stüwe, de Kierl von Auguste.«

»Er hat sie für verrückt erklärt? Warum?«

»Frog emm sülst«, schimpfte Pauline und kletterte plötzlich erstaunlich behende aus dem Rollstuhl, streifte die Pantoffeln ab, legte sich auf ihr Bett und wandte mir den Rücken zu. Jetzt sah ich, dass die hohe Decke des Schlafraums mit verblassenden Farben bunt ausgemalt war, Jagdszenen und Tierköpfe.

»Wilhelm is n Swin«, sagte Pauline Töpelmann vergnügt und wies auf den Kopf eines wilden Ebers. »Und will sinn de Jäger.«

Draußen auf dem Gang stand noch immer die andere kleine Frau, die das Lied vom Höker auch gekannt hatte. Sie hielt mich am Arm fest, als ich an ihr vorbeigehen wollte. »Das Lied vom Machandelbaum«, sagte sie leise.

»Kennen Sie es?«, fragte ich, noch immer aufgewühlt durch die wirren Reden der alten Pauline, die gar nicht so wirr waren.

Die Heimbewohnerin nickte, zog mich zurück in den Aufenthaltsraum, bedeutete mir, mich hinzusetzen, und begann im Stehen, während sie sich an einer Stuhllehne festhielt wie eine Kammersängerin am Flügel, mit kleiner, zittriger Stimme das bekannte Lied zu singen: »*Machangel, lieber Machangelbaum, in Trauern komm ich her; ich träumte einen bösen Traum, das Herze ist mir schwer. Mein Myrtenstock trug Blümelein, als wie das Blut so rot, ist krank der Herzgeliebte mein, oder ist er am Ende tot?*«

Ich kannte den Text von Hermann Löns, hatte sogar einmal im Seminar einen Vortrag über das Lied gehalten, das kein Volkslied war, sondern ein Kunstlied, das mehrere Volksliedmotive miteinander verflocht. Die alte Sängerin rührte mich, aber doch war ich etwas enttäuscht, bedankte mich und wollte gehen. »Ich kenne noch ein Lied vom Machandel«, meinte sie und stellte sich erneut in Positur, wartete, bis ich wieder Platz genommen hatte, und begann mit ihrer Greisinnenstimme ein langes Lied mehr zu sprechen als zu singen. Mir schien, sie verwechselte einige Strophen, andere fehlten vielleicht. Aber eine traf mich ins Herz. Ich fragte die Sängerin, woher sie käme, woher sie das Lied kannte. Sie zuckte die Achseln. »Ich bin siebenundachtzig wie das Jahrhundert, habe immer in Teterow gelebt und das Lied kennt man eben.«

Ich bat sie, die eine Strophe zu wiederholen. Wieder warf sie sich in die Pose einer Sängerin und ich schrieb mit.

Als ich Michael auf unserer Terrasse in Machandel den Liedtext vorlas, lachte er: »Solchen Kitsch sammelst du.« Gekränkt ging ich ins Haus, er kam mir nach und umarmte mich erschrocken: »Du weinst ja.« Erst jetzt merkte ich es, und ich spürte, dass ich an Jan dachte. Die alte Frau hatte gesungen:

»Ich sah mein schönstes Brüderlein, ein buntig, artig Vögelein. Es hüpfte im Machandelbaum. Ich warfs mit meinem Ringelein, es nahm ihn in sein Schnäbelein und flog zum Wald, zum fremden Ort. Mein Ringelein, mein Brüderlein sind ewig fort, adie, adie, adie.«

10

NATALJA

*Als käme ein schweres
Gewitter*

Ende September 1943 waren die Deutschen aus Smolensk vertrieben worden. Ich erfuhr es von Dunja. Mehrmals schon hatte ich Mehl aus Kuhelmies abgeholt, in Machandel buken sie das Brot selbst. Sie hatten mir gezeigt, wie man den Pferdewagen lenkte. Angst vor den Pferden hatte ich sowieso nicht, ich hatte nur Angst vor Menschen. In Kuhelmies ging Dunja mit mir an den Karpfenteich, wo wir verborgen unter den Zweigen einer Weide zusammen saßen, während die Gehilfen des Müllers die Pungen aufluden. Dunja hatte Glück, der Müller Mevius behandelte sie gut, sie konnte sogar mit den anderen Radio hören. Und einmal durfte sie ihre Zwillingsschwester Anna besuchen, die irgendwo weit weg auf einem Bauernhof arbeitete. Aber Anna hatte kein Glück, sie wurde dort geschlagen und bekam schlechteres Essen als die Hunde des Bauern.

Dunja sagte mir, dass der Krieg nun nicht mehr so lange dauern würde, sie wusste, dass die Unsrigen Smolensk wieder eingenommen hatten, und wollte, dass ich mich freute. Aber vielleicht hatte ich verlernt, Freude zu zeigen. Dunja umarmte und streichelte mich, als sei ich auch ihre Schwester. Aber das war ich ja nicht, auch wenn uns Ähnliches widerfahren war. Meine Freundinnen aus der Schulzeit hatte ich verloren, und wenn ich eine Freundin besaß, dann war es Marlene in Machandel.

Wenn die Köchin mich über die Wiesen nach Kräutern schickte, überließ Marlene ihre kleinen Geschwister dem Zweitältesten und kam mit. Mir war der gesellige Verkehr mit Deutschen verboten, aber Marlene lachte nur und sagte, ihr sei gar nichts verboten, und außerdem sei es Arbeit, wenn wir Kräuter sammelten, und keine Geselligkeit. Sie war sehr flink und kannte jede Pflanze, in kurzer Zeit war mein Korb gefüllt, wir legten uns bei den Hügelgräbern in eine Senke; wenn jemand vorbeigekommen wäre, hätte der Machandel, der hier dicht wie eine Hecke wuchs, uns vor Blicken geschützt. Aber es kam niemand vorbei, wir konnten uns alles sagen. Marlene war damals die einzige Deutsche, die mich in Machandel nach meinem Zuhause und dem Leben dort gefragt hat. Nur der Inspektor hatte einmal zu erkennen gegeben, dass er wisse, ich käme aus Smolensk. Marlene aber wollte wissen, wie es bei uns aussah. Ich erzählte ihr von meiner Mama und den Sonnenblumenfeldern und vom Dnjepr und sogar von meiner Tante und den Ikonen in der Mariä-Entschlafens-Kathedrale. Und von Kolja. Ich sang ihr die Lieder vor, die wir in der Schule gesungen hatten, und sie lachte über die ihr fremde Sprache. Aber Marlene lachte nicht so, dass es kränkte, sie lachte so, dass man mit ihr lachen musste, bis man gar nicht mehr wusste, worüber. Es war schön, Marlene zur Freundin zu haben. Sie erzählte mir auch von ihrer Mama und von ihrem Vater, dem Gutsschäfer, der als Soldat im Krieg war. An der Ostfront. Sie beschrieb ihren Vater als einen starken, großen Mann, der sehr gerecht war und nur die Brauen heben musste, damit alle ihm gehorchten. Später, als der Krieg vorbei und Marlene schon tot war, kam Paul Peters wieder ins Dorf, und ich brauchte lange, um zu begreifen, dass dieses dünne, ängstliche Männlein, das niemanden richtig anschaute, Marlenes Vater war. Vielleicht war er früher anders gewesen. Er hatte ja, als ich ihn kannte, nur noch ein Bein, und es gab Emma, die bestimmte in dem Petersschen Katen. Als Marlene mir damals in Machandel von ihrem Vater erzählte, lag er irgendwo im Lazarett. Vielleicht war er in Smolensk gewesen, vielleicht haben die Unseren ihn mitsamt seinen anderen Deutschen in die Flucht getrieben. Vielleicht war er dabei gewesen, als ich in Smolensk auf der Straße eingefangen wurde. Das musste ich manchmal denken, denn ich hatte Angst vor allen deutschen Männern. Marlene hatte nur Angst vor Wilhelm Stüwe. Manchmal weinte sie und legte ihren Kopf an meine Schulter.

Aber meistens war sie vergnügt, wenn wir zusammen waren, und jedes Mal schenkte sie mir etwas, einen dieser blau glasierten Steine, wie sie hier auf den Feldern lagen, oder eine Kranichfeder. Sie wusste auch viel. Hinter dem Wieversbarg vor Klabow lag die Flatenwiese, an einem Tag im Spätsommer standen plötzlich Hunderte großer Vögel da im flachen Wasser. Wo kamen sie her, was wollten sie hier? Marlene wusste, dass die Kraniche sich hier sammelten, um im Oktober nach Süden über die Alpen zu fliegen. Sie kamen über das Meer aus dem Baltikum und aus Skandinavien, schliefen im flachen Wasser wegen der Füchse. Marlene sagte mir, dass ein Kranichpaar sein Leben lang zusammenbleibt. Wir betrachteten die schönen Vögel und mussten uns nicht sagen, dass wir sie beneideten, weil sie bald fortfliegen würden. Wir spürten, was die andere dachte.

Und sie wusste auch, woher die kleinen blau und grün, manchmal braun glasierten Steine kamen, die an manchen Stellen der Felder zu finden waren und bei jedem Regenguss nach oben gespült wurden. Ich hatte schon einige gesammelt, wie Edelsteine lagen sie in meiner Kammer auf einem Brett, der schönste war von Marlene, ein blau glasierter herzförmiger Stein mit einem grünen, durchsichtigen Tropfen darauf, den ich manchmal in meiner Jackentasche bei mir trug und in die

Sonne hielt, damit das Licht sich darin fing. Sie erzählte mir, dass hier vor zweihundert Jahren die großen Buchenwälder nach einem Orkan verwüstet worden waren. Um das Holz der gefallenen Buchen nicht nutzlos verkommen zu lassen, wurden damals viele Glashütten eingerichtet. Die Glasöfen sahen aus wie Backöfen, sie waren innen mit einer dicken Schicht aus geschmolzenem und wieder erstarrtem Glas überzogen. Marlene zeigte mir ihre Reste im Gebüsch und auf Waldlichtungen; die Steine, aus denen sie gemauert waren, zerbröselten, und man konnte sich so ein glasiertes Stück mitnehmen.

Marlene kannte auch die uralten Namen der Wiesen und Hügel um Machandel und konnte sie mir erklären. Galgenberg und Gillandsmoor, Klinkenberge und Rospalke, Lutken Wokerde und Kretstein. An den Namen, sagte sie mir, könne man erkennen, dass lange vor den Germanen die Slawen hier gelebt hatten. Ihr Vater hatte ihr das alles erzählt und auch, dass Kuhelmies nicht Mist von Kühen bedeutete, wie die Gutsköchin behauptete, sondern Nachtigallenort. Das hatte er von seinem Vater erfahren, und der wusste es von seinem, der auch Schäfer gewesen war. Ich lernte viel von Marlene. Und endlich konnte ich die vielen deutschen Wörter gebrauchen, deren Sinn ich schon lange kannte, ich hatte ja sonst keinen, der zuhörte. So wie mir die Sprache zugewachsen war, wurde mir auch die Landschaft vertraut, und mit Marlenes Erklärungen konnte ich sie verstehen, und langsam wurde es auch meine Landschaft.

Aber manches lernte Marlene auch von mir. Sie kannte Heinrich Heine nicht. Ich sagte ihr das Gedicht auf, das ich schon als kleines Kind auswendig gewusst hatte, von dem Fichtenbaum, der *träumt von einer Palme, / die, fern im Morgenland, einsam und schweigend trauert / auf brennender Felsenwand.* Das gefiel ihr, und ich war traurig, dass ich nicht noch mehr deutsche Gedichte kannte. In Marlenes Katen gab es keine Bücher. Nur die Bibel, die Schulbücher ihrer Geschwister und ein zerlesenes Märchenbuch, das sie mir auslieh.

Darin fand ich eine Geschichte, die hieß wie das Dorf Machandel, das Märchen vom Machandelboom. Es war ein seltsames Märchen. Ich habe es so oft gelesen, auf Hochdeutsch und Plattdeutsch, in Marlenes Buch standen beide Fassungen, bis ich jedes Wort kannte. Der Tod kommt darin vor, aber auch die Geburt eines Kindes, die Lüge und der Betrug, die Verstellung und die Verwandlung. Die Trauer und die Vergeltung. Grausamkeit und Liebe. Ich wusste ja, dass die Märchen nicht Wirklichkeit sind, aber doch ist irgendwann irgendwie geschehen, was die Märchen erzählen, wenngleich nicht in dieser Art und an diesem Ort. Darüber wollte ich gern mit Marlene reden. Aber in der kalten Jahreszeit schickte mich die Köchin nicht mehr aus dem Haus. Manchmal, wenn ich wusste, ich würde ein, zwei Stunden lang frei sein, besuchte ich Marlene und ihre Geschwister in dem Katen, half ihr, die Wäsche in einem Zuber zu waschen. Aber der Inspektor sah mich einmal mit dem Wassereimer in Marlenes Tür gehen und erinnerte mich daran, dass mir der Kontakt mit den Deutschen über die Arbeit hinaus verboten war. Auch Marlene wurde zurechtgewiesen, sie erzählte es mir hastig, als sie sich wieder einmal Essensreste holen durfte. Sie bat mich, spät am Abend zu unserer Stelle bei den Hügelgräbern zu kommen. Ich hatte mich ja schon oft in der Nacht aus dem Haus geschlichen und wusste, dass es neben dem Tagleben ein Nachtleben gab mit anderen Geräuschen, anderen Gerüchen und mit Menschen, die im Dunkeln hin und her gingen, manchmal schwere Dinge trugen und nicht gesehen werden wollten. Auch ich wollte ja nicht gesehen werden, kannte aber inzwischen die Wege durch die nächtlichen Schatten, wusste, wo ich mich verstecken konnte, wenn wieder Wilhelm Stüwe auftauchte, den ich schon mehrmals nachts gesehen hatte.

Von Wilhelm Stüwe wollte Marlene mir erzählen. Dass sie sich vor ihm fürchtete, wusste ich schon lange, dass er sie bedrängte, musste sie mir nicht sagen, ich kannte ja seinen gierigen Blick und hatte ihn schon zweimal nachts aus Marlenes Katen kommen sehen. Das ginge schon lange so, erzählte mir Marlene, bald nach dem Tod ihrer Mutter habe er angefangen, sie zu begrapschen und ihr aufzulauern, wenn sie Holz aus dem Schuppen holte oder in die Pilze ging. Einmal habe sie versucht, sich bei der Hausdame im Schloss über Wilhelm zu beklagen, aber die habe sie abgewiesen und gesagt: »Anständigen Mädchen passiert so etwas gar nicht.« Als sei Marlene selbst schuld. Wahrscheinlich aber habe die Hausdame oder jemand anders doch mit Wilhelm gesprochen, denn er sei in ihren Katen gekommen, habe sie an die Wand gedrängt, grob an die Brüste gefasst und ihr gedroht, sie würde in eine Besserungsanstalt kommen und die Kinder in Waisenheime, wenn sie weiter schlecht über ihn rede. Er habe Beziehungen zu den Ämtern. Ihre kleine Schwester, die Siebenjährige, habe das gehört, zwar nicht ganz verstanden, worum es ging, aber tagelang geweint und Marlene das Versprechen abgenommen, sie würden nicht ins Heim kommen, nie, eher solle Marlene alles machen, was Wilhelm von ihr wolle.

Seitdem gehe sie nur noch in die Pilze, wenn Wilhelm nicht in Machandel sei, aber jetzt käme er schon nachts, klopfe ans Fenster, und sie müsse ihm öffnen, und im Vorraum falle er über sie her. Einmal habe sie einfach nicht geöffnet, aber ihre Geschwister hätten das Klopfen auch gehört und vor Angst gewimmert. Wilhelm drohte, die Tür einzutreten, und da habe sie schließlich doch geöffnet, und Wilhelm sei betrunken gewesen und wütend und habe sie geschlagen, und in dieser Nacht sei er auf den harten Ziegelsteinen im Vorraum in sie eingedrungen. Und nun fürchte sie, ein Kind zu bekommen und dass ihr die Geschwister weggenommen würden. Ich nahm Marlene in den Arm, und wir weinten, aber mir fiel auch nichts ein, als ihr zu raten, sich der Köchin anzuvertrauen, einen anderen guten Menschen kannte ich nicht in Machandel.

Nachts in meiner Kammer hörte ich die Mäuse und dachte an Smolensk, versuchte mir vorzustellen, dass der Krieg bald zu Ende wäre, denn dann, das hoffte, glaubte ich, würde diese Gewalt aufhören, dann würden Marlenes Vater wiederkommen und meine Eltern, vielleicht würde ich ans Pädagogische Institut gehen, Lehrerin werden wie meine Mutter. Vielleicht Deutschlehrerin wie sie, denn nun kannte ich ja die Sprache der Deutschen und verstand, dass fast jedes Wort verschiedene Bedeutungen hatte und verschiedene Worte dasselbe bedeuteten. Todesgefahr. Lebensgefahr.

Marlene hat mit der Köchin gesprochen, das erzählte sie mir wenige Tage später, als sie ins Schloss zu meiner Kammer kam, um das Märchenbuch für ihre Geschwister abzuholen. Die Köchin habe gesagt, dass sie Wacholderbeeren sammeln müsse, aber nicht von unseren Machandelbäumen, sondern vom Sadebaum, dem Stinkwacholder, der auf Friedhöfen und im Park von Burg Schlitz wachse. Diese Beeren, das habe die Köchin gesagt, seien giftig, damit könne man Schwangerschaften abtreiben. Aber Marlene sagte, sie wisse nicht, ob sie schwanger sei, sie wolle keine giftigen Beeren sammeln, sondern Ruhe haben vor Wilhelm, und sie würde ihn umbringen, wenn er wieder käme. Ich war erschrocken über den Ausdruck in ihren Augen, aber bevor ich antworten konnte, rief mich die Köchin, schloss die Küchentür hinter mir und sagte: »Du weißt doch, dass du nicht mit Deutschen privat verkehren sollst, und Marleneken ist sowieso kein guter Umgang.«

Ich habe nicht gesehen, wie sie abgeholt wurde. Aber sie haben darüber gesprochen in der Küche und beim Heumachen und im Holzschuppen und beim Säckeflicken, und sogar die Baronin habe ich mit ihrer Tochter darüber reden gehört. Sie haben erzählt, dass Marlene verrückt geworden sei, den Verstand habe sie verloren, es sei wohl zu viel für sie gewesen, die sieben Geschwister zu versorgen und monatelang keine Nachricht vom Vater. Sie habe die Kleinen vernachlässigt, ein Saustall sei das am Schluss gewesen. Keiner habe gemerkt, dass es so um sie stand, doch wunderlich sei sie ja schon immer gewesen. Genau wie ihre Mutter, die halb Polsche. Aber jemand habe die Fürsorge benachrichtigt, vielleicht der Dorflehrer aus Klabow, dem die Kleinen wohl am Herzen lagen. Vielleicht war es auch Wilhelm Stüwe oder Auguste, wer weiß.

Und dann war da noch von einem Gerücht die Rede, Marlene soll schwanger gewesen sein. Steckte sie nicht immer mit der Natalja zusammen? Vielleicht mit den Polen und Russen aus der Ausländerunterkunft? Das alles beredeten sie sogar, wenn ich dabei war, und fragten mich nach Marlene, ob sie mir nicht auch seltsam vorgekommen sei, aber ich tat, als verstünde ich sie nicht.

Es soll eine Fürsorgerin aus Teterow bei Marlene im Katen gewesen sein, kurz nur, und keiner weiß, wer sie geholt, was sie gesehen, was sie berichtet hat. Ein paar Tage später kam ein Krankenwagen der Gemeinnützigen Transportgesellschaft Rostock und zwei Männer in weißen Kitteln gingen in die mittlere Wohnung des Katens. Wilhelm stand vorm Kuhstall, als der Krankenwagen kam. Auch die Köchin war aus ihrer Küche gelaufen gekommen und mehrere Frauen. Ich war im Schlafzimmer der Baronin damit beschäftigt, das Parkett zu polieren, als ich Geschrei von draußen hörte. Aber die Fenster des Schlafzimmers zeigten in den Park und da war nichts zu sehen.

Marlene soll aus ihrem Katen gekommen sein, zwischen den beiden Männern soll sie gegangen sein, ganz ruhig, sagen die,

die es gesehen haben. Ihre Geschwister waren nicht dabei, die größeren waren in der Schule in Klabow und die drei Kleinsten haben sich wohl im hinteren Zimmer in den Betten versteckt, aber die Männer kümmerten sich nicht um sie, auf ihrem Transportschein stand nur Marlene Peters.

Als sie schon die Autotür geöffnet hatten, soll Marlene plötzlich losgerannt sein. Zum Kuhstall sei sie gerannt, sagen die, die es gesehen haben. Auf Wilhelm sei sie losgegangen, wie ein Marder an seinen Hals gesprungen und habe ihn gewürgt und dabei geschrien. Aber da hätten die Männer sie schon eingeholt und mit festem Griff zum Auto geführt und da sei sie plötzlich still gewesen. Aber ihr Gesicht sei so verzerrt gewesen, da sei jedem klar geworden, dass sie den Verstand verloren habe. Wie gut, dass die Männer mit ihr wegfuhren, sagen die, die dabei gewesen waren.

Als Marlene fort war, wurde ich krank. Es war wie im Durchgangslager bei Warschau, ich hatte Fieber und kann mich nur noch verschwommen an diese Wochen erinnern. Sie brachten Tee und Suppe in meine Kammer, gaben mir, weil es kalt wurde, sogar ein Federbett. Ich hatte Glück, dass sie mich nicht zurückbrachten nach Schwerin, wo es eine Sanitätsstation für nicht arbeitsfähige Ostarbeiter gab. Als ich wieder aufstand, war es November. Ich war schwach, aber ich fühlte mich leicht und unangreifbar. Die Haushälterin schickte mich gleich zum Putzen ins Badezimmer, da sah ich mein Gesicht im Spiegel, und es war das Gesicht meiner Mama, die gesagt hatte: »Budj silnoi.« Ich bin stark, Mama, dachte ich, ich habe keine Angst mehr, jetzt, wo ich dein Gesicht habe.

Die Hausdame ging herum und forderte alle auf, sich in der Eingangshalle um einen Radioapparat zu versammeln, der vor meiner Krankheit dort noch nicht gestanden hatte. Eine bedeutende Rede ihres Führers sollten sie hören. Eine Sekunde lang schaute sie mich an, zögerte, überlegte wohl, ob ich auch zur Betriebsgefolgschaft, so nannten sie es, oder zur Hausgemeinschaft gehöre, aber dann wandte sie sich ab. Sie waren schon alle versammelt, die Frauen aus der Küche, die Baronin, der Inspektor, nur das Fräulein fehlte, weil es verreist war. Sogar Wilhelm Stüwe stand bescheiden, die Mütze in der Hand, neben seiner Frau an der Wand. Er durfte dabei sein, er war ja Aufseher und beinahe dem Inspektor gleich. Ich schaute ihn an, aber er hielt den Blick gesenkt. Sie schickten mich, Holzvorräte für den Badeofen aus dem Wirtschaftsanbau nach oben zu bringen. Ich trug die Kiepen über die hintere Treppe, trotzdem hörte ich das Kläffen ihres Führers. Wie ein bissiger Hund, dachte ich. Aber ich hörte auch das Wiehern von Pferden, das war vorm Schloss.

Aus Kuhelmies war der Vierspänner gekommen, sie brachten Mehl nach Mamerow zum Bäcker und wollten im Vorbeifahren leere Säcke abholen. In der Eingangshalle entstand Unruhe, der Inspektor war verärgert, weil er kein Wort der wichtigen Rede versäumen wollte, schließlich befahlen sie mir hastig, die geflickten Säcke herauszusuchen. Dunja war nicht mitgekommen, aber ein Mühlengehilfe und der kleine Josef. Sie hatten dort in Kuhelmies zwei Polen, den kleinen und den großen Josef. Der große Josef kam aus Tschenstochau. Der kleine Josef – er war höchstens so alt wie ich, achtzehn Jahre – sagte mir, wo er geboren wurde, sei heute Ukraine, und ich solle mir das Datum merken, heute sei Kiew, die Hauptstadt der Ukraine, von den Deutschen aufgegeben worden. Das Datum war der 8. November 1943, ich habe es mir mein ganzes Leben lang gemerkt, weil es der Tag war, an dem ich wieder aufgestanden bin. Doch Kiew war schon am 6. November zurückerobert worden, nicht am 8., das erfuhr ich nach dem Krieg. Der kleine Josef hatte sich geirrt, aber ich konnte es ihm nicht sagen, denn ich sah ihn nie wieder. Der Aufseher von Kuhelmies hat ihn wenige Wochen danach mit einer Mistforke erschlagen, einfach so, weil er nicht verraten wollte, wo der große Josef über Nacht war. Der große Josef war im Nachbardorf Steinhagen bei einem polnischen Mädchen. Mit der ist er nach dem Krieg nach Tschenstochau gegangen. Aber vorher hat er mit den anderen Polen den Aufseher aufgehängt, am 5. Mai 1945 an der Adebareiche, dicht bei der Wassermühle.

Der kleine Josef steckte mir, als alle Säcke verstaut waren, eine Zigarette zu. Mir schmeckten keine Zigaretten und ich wollte sie zurückgeben, aber dann behielt ich sie doch. Ich legte sie in meiner Kammer zwischen das Kleiderbündel aus Smolensk.

Im November 1943 dachte ich nicht, dass der Krieg noch so lange dauern würde, denn auch in Machandel spürte man große Unruhe. Sie mussten die Reitpferde abgeben, nur einen schweren Fuchs und zwei leichte Pferde für die Landwirtschaft durften sie behalten. Jetzt las mein Betriebsführer morgens nicht mehr in Ruhe die Zeitung, jetzt ließ er sich keine Krammetsvögel mehr braten, jetzt telefonierte er dauernd in seinem Büro, brüllte Wilhelm Stüwe an, der für die Arbeitskräfte in der Schnitterkaserne zuständig war, und beriet stundenlang mit der Baronin. Sie versuchten, das Gut als kriegswichtigen Wehrbetrieb hochstufen zu lassen, dann würden sie die Pferde wiederbekommen, meinten sie. Sie hatten immer noch nicht begriffen, dass ich alles verstand, und sprachen auch in meiner Gegenwart, als wäre ich nicht da. Sie senkten nicht einmal die Stimme, wenn sie ein Zimmer betraten, in dem ich gerade putzte. Sie wedelten mich höchstens weg wie eine Fliege. Auch wegen der Benzinzuteilung machten sie sich Sorgen. Sie hatten ein Auto, das hieß Opel, den fuhr die Baronin. Mit dem hatten sie mich aus Schwerin nach Machandel geholt. Das andere Auto nannten sie Dekaweh, mit dem fuhr der Inspektor. Weil sie für den schon lange kein Benzin mehr bekamen, hatten sie eine Deichsel ansetzen lassen und ein Stück aus der Frontscheibe geschnitten für die Pferdezügel. Sie bremsten mit einer Seilzugbremse und fuhren im Leerlauf. Aber nun fehlte ihnen auch das Pferd für die Autokutsche.

Seilzugbremse. Leerlauf. Ich hörte, was sie sagten, und lernte neue Wörter. Und ich lernte, wie sie dachten, ich spürte, wie langsam ihre Angst wuchs, dass der Krieg, den sie ausgesandt hatten, zu ihnen zurückkommen könnte. Mich erinnerte das an das Märchen vom Machandelbaum, als zum Ende aus den Knochen des Bruders der Vogel wird und Marlenchen und der Vater bei Tisch sitzen und schon sein Heranfliegen spüren und der Vater sagt: *Ach, was wird mir so leicht, mir ist so recht gut zumute.* So ging es mir seit diesem Winter, trotz allem, die anderen aber waren wie die Mutter im Märchen, die auch am Tisch sitzt und sagt: *Nein, mir ist so recht angst, als wenn ein schweres Gewitter käme.*

In diesem Winter kündigte die Hausdame. Die Baronin stellte keine neue ein. Sie sagte mir, ich wüsste ja, was ich zu tun hätte, und beauftragte mich, bei der großen Wäsche und wenn Gäste kämen, die Frauen aus dem Dorf, die sie zur Hilfe holte, anzuleiten. Aber der Inspektor ging dazwischen und erinnerte sie daran, dass keine deutsche Frau auf mich hören müsse, ich, die Ostarbeiterin, sei es, die von Deutschen Weisungen zu bekommen hätte. Mir war es recht so. Aber ich arbeitete jetzt meistens selbstständig und entschied selbst, welches Zimmer ich wischte und wann ich die Fenster putzte.

Die Hausdame hatte mir einen großen Packen Kleider und Wäsche von sich zurückgelassen, auch ein Paar Winterstiefel. Sie war hagerer und größer als ich, aber die Schuhe passten. So war ich besser gekleidet als die Landarbeiterfrauen. Dem

Inspektor fiel das zum Glück nicht auf. Manchmal, vor dem Einschlafen, dachte ich daran, mit meinen neuen Stiefeln fortzulaufen, nach Osten, der Front entgegen, aber es blieb ein Halbtraum. Wenn ich wach war, dachte ich, die Front wird hierherkommen, ich muss nur warten. Und stark bleiben. Im Februar sah ich auf der Karte des Fräuleins, dass die Deutschen sich aus Rowno und Luzk zurückziehen mussten, ein paar Tage später steckte das deutsche Fähnchen nicht mehr bei Kriwoi Rog.

In Marlenes Katen bin ich damals lange nicht gegangen. Ich hörte, dass eine Frau, Emma Bekenkamp, aus der zerbombten Stadt Hamburg gekommen war, um für die Kinder zu sorgen.

Ich habe sie auf der Dorfstraße gesehen, eine Städterin, nicht so kräftig wie die Frauen hier, mit einem guten Gesicht. Ihre Hände waren mit Mull verbunden. Marlenes Bruder Heinz, der Elfjährige, sagte mir stolz, nun sei er der Älteste im Hause und würde Emma helfen. Ich fragte ihn nach Marlene, aber er sah sich erschrocken um und legte den Finger auf den Mund.

Wenn ich Wilhelm Stüwe begegnete, hielt ich den Kopf nicht mehr gesenkt. Ich sah, dass er mich mit seinen Augen abtastete, aber ich hielt seinem Blick stand, ich schaute ihm ins Gesicht, bis er es war, der wegschaute. Einmal hörte ich durch die Tür, wie er sich bei der Köchin beschwerte: »Die Russin ist so frech geworden, der sollte man mal zeigen, wer hier das Sagen hat.« Aber die Köchin verteidigte mich: »Die Natalja ist ja stumm wie ein Fisch und arbeitet für zwei. Du pass mal lieber auf deine verlausten Russen in der Schnitterkaserne auf. Die Natalja geht dich gar nichts an, die gehört zum Hauspersonal, über die hat die Baronin zu bestimmen. Die ist nicht so ohne Schutz wie Paul Peters sein Marleneken. Und weißt du eigentlich, Wilhelm, wie die in die Verrücktenanstalt gekommen ist, einer muss es doch dem Amt gesteckt haben, dass sie wegsoll.«

Ich hörte Wilhelm nicht antworten und sah ihn kurz darauf über den Vorplatz gehen. Er zog ein Bein etwas nach, als Kind soll er einen Unfall mit den Pferden gehabt haben. Deshalb war er nicht Soldat, deshalb war er in Machandel und beaufsichtigte die Kriegsgefangenen. Ich hatte mich noch nie zur Schnitterkaserne gewagt, weil er dort Aufseher war. Wenn ich das Essen für die Gutsarbeiter aufs Feld bringen musste, wartete ich im Schatten am Feldrain, bis sie den Kübel geleert hatten, ohne näher heranzutreten, obwohl einige der Männer, die mit ihnen arbeiteten, Russisch sprachen. Die bekamen ihre gedämpften Kartoffeln mit Rüben abends in der Ausländerunterkunft. »Viehfutter«, sagte die Köchin.

Im März 1944 kamen zur Frühjahrsbestellung sechs neue Männer, Russen und Ukrainer, die vorher nicht in Machandel gewesen waren. Einer war Mechaniker, den holten sie, um etwas an dem umgebauten Auto zu reparieren. Ich sah ihn durchs Fenster, als ich die Leinentücher mangelte. Er war abgemagert wie alle Kriegsgefangenen, aber seine Bewegungen waren ruhig und kräftig. Der Inspektor behandelte ihn von oben herab, dabei war der Mann größer. Seine Kopfform und seine Bewegungen erinnerten mich an meinen Vater, dessen Bild ich schon verloren geglaubt hatte. Fünf Jahre war es her, dass die Geheimdienstleute ihn aus der Wohnung geholt hatten, und auch in Smolensk hatte ich kein Foto meines Vaters besessen. Jetzt aber stand mir sein Gesicht wieder vor Augen. Ich öffnete das Fenster und lehnte mich hinaus, und in diesem Moment schaute der Mann nach oben. Er hatte natürlich ein anderes Gesicht als mein Vater, er war jung, nur wenige Jahre älter als ich, und er blickte mich an, und mein Atem stockte, und ich schlug das Fenster wieder zu und blieb doch stehen, atmete wieder und atmete seinen Anblick ein. Er war ein Gefangener, er war wegen der Läuse kahl geschoren, er sah hungrig aus, und doch wirkte der Inspektor, der hier der Mächtigste war, grau und schwach neben ihm. Der Kriegsgefangene kannte sich mit der Mechanik des Autos besser aus, er sprach Deutsch und der Inspektor kein Wort Russisch. Deshalb verstand der auch nicht, was der Mann zu mir sagte, als er später in der Leuteküche einen Teller Suppe mit Brot bekam. Aber ich verstand es, ich stand am Herd und sah ihm zu, und ich verstand ihn auch, als er nichts sagte und mich nur anschaute. Ich dachte, ich möchte ihm die Zigarette vom kleinen Josef geben, aber ich wollte die Küche nicht verlassen, solange er da am Tisch saß. Mit ihm sprechen wollte ich, ihm alles sagen und alles von ihm wissen, und hatte das Gefühl, ich weiß es schon, und auch er kennt mich, und wir brauchen keine Worte, und ich wollte ihn berühren.

Er hieß Grigori.

Später, als sie ihn schon wieder zur Schnitterkaserne gebracht hatten, ging ich zu dem Platz bei den Machandelbäumen, hockte mich in die Senke zwischen den Hügelgräbern, obwohl noch Frost in der Erde war. Ich dachte an Marlene, mit der ich mich hier oft versteckt hatte. Ich hätte ihr so gern erzählt, was mir geschehen war, aber ich wusste gar keine Worte dafür, keine russischen und keine deutschen, und mir fiel das Märchen aus ihrem Buch ein, das ich auswendig wusste: *Da fing der Machandelbaum an, sich zu bewegen, und die Zweige gingen immer so voneinander und zueinander, so recht, wie wenn sich einer von Herzen freut und die Hände zusammenschlägt. Dabei ging ein Nebel von dem Baum aus, und mitten in dem Nebel, da brannte es wie Feuer, und aus dem Feuer flog so ein schöner Vogel heraus, der sang so herrlich und flog hoch in die Luft...*

11

CLARA

Kriechwacholder

Obwohl wir den Sommer über in Machandel gewesen waren, nahmen Michael und ich im September 1987 noch einmal drei Tage Urlaub. Wir brachten die Kinder zu Michaels Mutter; als ich mich von ihnen verabschiedete, saß mir ein Kloß im Hals. Man wusste nicht, was geschehen würde. Wir waren mit unseren Freunden zum Olof-Palme-Friedensmarsch verabredet. Ich glaube, alle spürten eine eigenartige Mischung von Angst und Erwartung, wir hatten so oft darüber diskutiert, was man machen sollte, wie man ein Zeichen setzen könnte, jetzt wollten wir auf die Straße gehen. Der schwedische Politiker Olof Palme war ein Jahr zuvor in Stockholm von Unbekannten erschossen worden. Einer seiner Vorschläge war gewesen, zwischen West und Ost einen Korridor zu schaffen, frei von Atomwaffen. Friedensgruppen griffen diesen Vorschlag auf und riefen zu einem Friedensmarsch auf, quer durch Europa, auch durch unser Land. Unser Friedenskreis gehörte zu den Initiatoren. Gerade in diesen Tagen war der Staatchef Erich Honecker in Westdeutschland zu Gast, zum ersten Mal. In den Zeitungen stand, dieser Besuch diene der Abrüstung und Entspannung, das konnte man glauben, aber natürlich, jeder wusste es, ging es auch um Kredite. Die DDR brauchte Devisen. Vielleicht war es wegen dieser wirtschaftlichen Zwänge, dass man uns nicht behinderte.

Für uns war es das erste Mal, dass wir eine solche Demonstration erlebten, die unsere eigene Sache war, die nicht von oben beschlossen wurde. Wir hatten uns Schilder gebastelt, auf vielen stand: *Schwerter zu Pflugscharen*, auf meinem: *Keine Feindbilder in Schule und Kindergarten.* Michael hatte auf seines geschrieben: *Für einen sozialen Friedensdienst statt Wehrpflicht.* Auch Herbert war dabei, er trug ein Plakat mit dem Satz Kurt Tucholskys: *Soldaten sind Mörder.* Zwei Jahre später, bei der großen Demonstration vom 4. November 1989, hatten die Losungen Wortwitz, spielerische Leichtigkeit, die wagten wir in diesen Septembertagen noch nicht, wir trugen unsere Schilder mit großem Ernst, fühlten uns eher beklommen als leicht, wie eine Vorhut, hinter der viele andere, noch Schweigende standen. Dieser Friedensmarsch, wir fühlten es, war wie ein Wetterleuchten vor dem Gewitter. Doch bald sahen wir, dass auch andere sich in die Reihen gedrängt hatten, vor uns liefen Abgesandte von staatlichen Organisationen und Parteien, auch die unvermeidlichen Jungs mit den Handgelenktaschen. Eine junge Lehrerin trug die Losung: *Wehrerziehung ist Friedenserziehung.* Am ersten Tag achteten wir darauf, dass wir, die unabhängigen Friedensgruppen, uns nicht mit denen vermischten. Trotzdem war es ein wunderbares, ein nie gekanntes Gefühl, so offen mit unseren Losungen an den Polizisten vorbeizugehen, die an manchen Stellen Spalier standen. Polizeiautos begleiteten den Friedensmarsch, angeblich um den Verkehr zu regeln. Autos mussten unseretwegen halten, viele hupten, und wir wussten, das bedeutete Zustimmung. Lachend winkten wir ihnen zu. Die Polizisten behielten ihre undurchdringlichen, leeren Mienen, die wir von ihnen kannten, aber wenn man ihnen in die Augen sah, lächelten manche vorsichtig zurück, und schon am zweiten Tag ergaben sich Gespräche. Von den Wegrändern und aus Fenstern gestikulierten Menschen in unsere Richtung, manche schimpften, und wir sahen, dass andere ihnen widersprachen. »Endlich findet ein Gespräch statt«, sagte schon am ersten Tag an der Ecke Schönhauser Allee/Dimitroffstraße ein alter Mann mit einem Hund, der sich uns anschloss und eine Stunde lang neben uns lief. Ich kannte ihn, er saß oft im »Oderkahn«. Sein kleiner Hund rannte aufgeregt bellend den Demonstrationszug entlang, vor und zurück, man lachte über ihn, und die Beklommenheit wich einer großen Heiterkeit, die auch blieb, als der Mann und der Hund wieder ausscherten. Abends, an den Lagerfeuern, sangen wir *Das weiche Wasser bricht den Stein* und Kirchenlieder von Paul Gerhardt, auch Lieder von Theodorakis aus dem *Canto General*. Die staatlichen Friedensgruppen liefen nur tagsüber mit, nach Feierabend war ihr Dienst beendet, nur Einzelne, auch die Lehrerin, blieben. Ich sah sie am Lagerfeuer dicht bei Herbert und seiner Gitarre sitzen, sie hing an seinen Lippen und sang begeistert den Lobositzer Marsch mit, der doch so anders klang als ihre Losung: *Was schert uns denn Preußen?/Macht uns denn fett der Sieg?/Wir scheißen, wir scheißen/Wir scheißen auf den Krieg.*

Es fällt mir heute schwer, die große Hoffnung, die glückselige Verbundenheit mit den anderen zu erinnern, ohne dass sich Bilder aus späterer Zeit davorschieben. Nach dem zweiten Tag übernachteten wir in einem Dorf bei Oranienburg, der Pfarrer hatte uns sein Gemeindehaus zur Verfügung gestellt, Frauen aus dem Dorf Suppe gekocht und Wäschekörbe voller Stullen geschmiert. Der Pfarrer hielt eine kleine Ansprache und wies uns auf seinen Friedhof hin, in dem es neben dem Grab von Häftlingen aus dem KZ Sachsenhausen, die auf dem Todesmarsch im April 1945 umgekommen waren, auch ein Grab deutscher Soldaten gab. Obwohl es schon beinahe dunkel war, suchten Michael und ich diese Gräber auf, Herbert schloss sich uns an. Er hat seinen Vater nie kennengelernt, der war so ein gefallener Soldat. Herbert wusste, dass mein Vater im KZ Sachsenhausen gewesen war. Die Häftlinge waren auf dem Todesmarsch kurz vor der Befreiung offenbar auch durch diese Dörfer an der Strecke unseres Friedensmarsches getrieben worden. Plötzlich fielen mir die Ähnlichkeit und der Gegensatz dieser Worte auf. Todesmarsch. Friedensmarsch. Das Wort Todesmarsch kannte ich seit meiner Kindheit, es fiel oft, wenn Jan mit meinem Vater stritt, von irgendeinem tschechischen Häftling war da die Rede, aber ich habe nicht verstanden, worum es ging.

Am Grab der Häftlinge stand ein großer Stein mit einem roten Winkel, ein allgemeiner Spruch über Vorkämpfer für Frieden und Sozialismus und die Befreiung durch die Sowjetunion war zu lesen, keine Namen. »Dabei«, versicherte uns der Pfarrer, der plötzlich neben uns auftauchte, »sind einige der Häftlinge namentlich bekannt. Ich habe Listen. Die trugen gar nicht alle den roten Winkel, einer war wohl ein Zeuge Jehovas, ein anderer ein Jude aus Ungarn. Das wenige, was wir über sie wissen, wird mit der Behauptung, sie wären Vorkämpfer für Frieden und Sozialismus gewesen, weggewischt, ihr Tod wird instrumentalisiert für eine Sache, die vielleicht gar nicht ihre war.« Wir stimmten den bitteren Worten zu. Er wies uns auf das Nachbargrab hin, auf dem nur ein Holzkreuz stand. »Da liegen deutsche Soldaten. Die haben gar keinen Stein. Unsere Gemeinde hat das Kreuz erst vor wenigen Jahren aufgestellt, gegen den Widerstand der Behörden. An die deutschen Soldaten sollte nichts erinnern. Aber wir werden uns weiter für eine würdige Grabstelle einsetzen, das verspreche ich euch.«

Vier Jahre später, als es die DDR nicht mehr gab, kam ich wieder in dieses Dorf und ging auf den Friedhof. Inzwischen hatte ich die Erinnerungen meines Vaters an den Todesmarsch gelesen, hatte den Namen dieses Dorfes gefunden, durch das er tatsächlich gekommen war. Er hätte auch einer der Toten auf diesem Friedhof sein können. Der Pfarrer hatte sein Versprechen eingelöst. Den deutschen Soldaten, unter denen auch SS-Männer waren – wahrscheinlich Wachleute aus Sachsenhausen –, war jetzt eine gepflegte, große Grabstätte gewidmet mit einer Stele, auf der die Namen der Toten zu lesen waren. Und ein riesiges großes Holzkreuz bezog die Häftlinge in die Gedenkanlage ein. Der Stein mit der Inschrift über die Vorkämpfer war verschwunden. Es gab keinen Hinweis mehr auf die ermordeten Häftlinge, stattdessen stand zwischen beiden Gräbern ein Stein mit der Inschrift *Den Opfern von Krieg und Gewalt.* Nun waren sie gleich, die Häftlinge und ihre Bewacher, die Soldaten und die Todesmarschopfer. Der Pfarrer, der sich gut an unsere Begegnung beim Olof-Palme-Marsch erinnerte, der wie auch ich gern an das Gefühl der Gemeinsamkeit angeknüpft hätte, spürte mein Unbehagen angesichts seiner Gedenkstätte und verstand es nicht. Ich weiß noch, wie wir um das Holzkreuz stritten. Ich erinnerte an den ungarischen Juden, dessen Zeichen das Kreuz doch gewiss nicht gewesen sei. »Das Kreuz ist nun einmal das Zeichen der Trauer auf einem christlichen Friedhof«, entgegnete der Geistliche entschieden.

»Dieser Jude hat sich nicht ausgesucht, auf einem christlichen Friedhof bei Oranienburg zu liegen«, erwiderte ich. »Und der Spruch über die Opfer von Krieg und Gewalt verwischt Unterschiede, die man benennen sollte.«

Wir verstanden uns nicht. Die Gemeinsamkeit aus der Zeit vor der friedlichen Revolution, wie er es nannte, war verbraucht.

Ich kann nicht an den Olof-Palme-Marsch denken, ohne mich an diesen Friedhof zu erinnern, an den Pfarrer, den glücklichen Moment vermeintlicher Übereinstimmung und die spätere Ernüchterung. Die junge Lehrerin übrigens, die die Losung *Wehrerziehung ist Friedenserziehung* getragen hatte, habe ich auch wiedergesehen, zweimal sogar, und ich erkannte sie sofort. Es war der Abend des 7. oder 8. Oktober 1989 vor der Gethsemanekirche, sie schrie und klammerte sich mit aller Kraft an einen Armeelastkraftwagen, der mit seiner rot-weißen Schaufel aussah wie ein Schneeschiebefahrzeug. Die Schaufel war aber für Menschen bestimmt, Uniformierte zerrten junge Leute da hoch, die mit Kerzen in der Hand vor der Kirche gestanden hatten. Erst als der Wagen mit den Gefangenen anfuhr und die Lehrerin von anderen, zivil gekleideten Polizisten zurückgestoßen wurde, ließ sie ab und lehnte sich schluchzend an einen Baum. Ich sprach sie an, aber sie rief immer nur: »Jakob! Charlotte! Meine Schüler! Sie sind erst fünfzehn!«

Ich hatte keine Zeit, mich um sie zu kümmern, ich suchte Michael, der an diesem Abend auch irgendwo zwischen der Wilhelm-Pieck-Straße und der Gethsemanekirche verschwunden war. Erst am nächsten Nachmittag kam er wieder, übernächtigt, nachdem er mit hundert anderen Festgenommenen die Nacht in einer Polizeischule in Basdorf im Stehen verbracht hatte. Er wollte nicht reden, nur schlafen. Als er sich auszog, sah ich Blutergüsse auf seinem Rücken.

Aber das war das Ende der DDR. Zwei Jahre zuvor, beim Olof-Palme-Friedensmarsch, glaubten wir noch an eine Art Anfang und waren glücklich, dass wir mit unseren Liedern und unseren Sprüchen geduldet worden waren.

Immer denke ich WIR, wenn ich mich an diese Zeit erinnere. Das Gefühl der Gemeinsamkeit war stark, trotz der oft erbitterten Streitgespräche, trotz der unterschiedlichen Vorstellungen und Hoffnungen. Michael, obwohl er wie ich die Zusammenkünfte des Pankower Friedenskreises suchte, spürte dieses WIR nicht so stark, er zweifelte auch immer mehr am Sinn all der Diskussionen und Bittgottesdienste. Sogar über den Olof-Palme-Marsch, an dem er doch selbst teilgenommen hatte, machte er sich im Nachhinein lustig. »Deine Espressofreunde«, sagte er manchmal abfällig, wenn ich ihm von Diskussionen am Institut erzählte. Er meinte, die Veränderungen der Gesellschaft, wenn die denn veränderbar sei, würden nicht von uns Intellektuellen, sondern von den Arbeitern kommen, die längst die Schnauze voll hätten. Wenn ich in Berlin war, überließ er mir oft die Kinder und ging nach der Arbeit in die Kneipen vom Prenzlauer Berg. Nicht in Lichtenberg, wo er seine Kollegen treffen würde, wollte er sein Bier trinken, sondern im »Oderkahn« in der Oderberger Straße, bei »Mutter Fengler« in der Lychener, im »Hackepeter« in der Dimitroffstraße. Diese Orte kannte ich, im dichten Zigarettenrauch sah man kaum sein Gegenüber, es wurde viel gesoffen, und auch hier drehten sich die Gespräche im Kreis. Sie waren derber, direkter und lauter als im »Espresso« Unter den Linden, aber die traurige Ratlosigkeit, der Zynismus, die Resignation und die Wut waren gleich. Es waren nicht alles Arbeiter, die dort saßen; Studenten, Rentner, Büroangestellte, berühmte und völlig unbekannte Künstler tranken dort schon an den Vormittagen ihr Bier. Auch hier war jedem bewusst, dass unter ihnen Spitzel hockten, und es schien allen egal zu sein. Ich stahl mir selbst manchmal eine Stunde an meinen Archiv- und Bibliothekstagen und ging nachmittags, bevor ich Caroline vom Kindergarten abholte, in den »Oderkahn«. Oft saß dort ein seltsames Paar, ein alter Doktor der Mathematik und Wirtschaftskunde, der, wenn er nüchtern war, schweigsam und mürrisch blieb, aber betrunken eine überzeugende und geschliffene Redekraft entwickelte, bis er geradezu bestürzend nüchtern Wirtschaftsanalysen von scharfer Klarheit ausbreitete. Es war der Mann, der uns mit seinem Hund eine Stunde lang auf dem Olof-Palme-Marsch begleitet hatte. Seine wahrscheinlich um zwanzig Jahre ältere, aber trotz ihres zerstörten Gesichts alterslos wirkende Freundin war eine schmale, bewegliche Person, von hinten sah sie aus wie ein Mädchen. In ihrem dünnen, rot gefärbten Haar trug sie eine alte Elfenbeinspange, die ebenso von besseren Zeiten erzählte wie der abgewetzte Maßanzug ihres Gefährten. Der Mann, das wusste im »Oderkahn« jeder, hatte einst in hoher Position in der Plankommission, einem der obersten wirtschaftlichen Gremien des Landes, gearbeitet. Er war vorzeitig in Rente geschickt worden, als sein Chef, der auch sein Freund war, sich mit der Dienstwaffe erschossen hatte. Dem vorangegangen war die Weigerung, ein Wirtschaftsabkommen mit der Sowjetunion zu unterzeichnen. Seine Freundin, die er aber erst hier in dieser schäbigen Kneipe in der Oderberger Straße kennengelernt hatte, war in ihrer Jugend als Rollschuhartistin im Zirkus aufgetreten. Weil sie eine Frau liebte, war sie als Asoziale ins Lager Ravensbrück gekommen, wo ihre Lebensgefährtin umkam, sie aber als Schreiberin in einem Außenlager überlebte. »Mir haben sie einen schwarzen Winkel verpasst, keinen roten«, erzählte sie mir. »Und nach dem Krieg verweigerten die mit dem roten Winkel mir die Anerkennung als Verfolgte. Dabei habe ich länger im Widerstand gearbeitet als die von der KPD.« Sie lachte glucksend und beugte sich zu mir herüber, als sie fortfuhr: »Da bin ich gar nicht erst eingetreten, obwohl alle vernünftigen Leute damals links dachten. Doch die haben ihren Teddy zum Guru gemacht, die haben schon ›Heil Moskau‹ und ›Rot Front‹ gebrüllt, wenn der den Saal betrat. Seine Leute haben damals alle aus der Partei geschmissen, die Stalin nicht in den Arsch kriechen wollten, die sich nicht mit den Sozialdemokraten prügelten, weil sie die Nazis für schlimmer hielten. Die Rausgeschmissenen haben die KPO gegründet, die Oppositionspartei, die sind schon vor Hitlers Wahlsieg in den Widerstand gegangen. Gerade hier, im Prenzlauer Berg, hatten die ihre Zellen. Mit denen hing ich zusammen, von denen habe ich Aufträge bekommen. Mit dem Zirkus bin ich in ganz Europa herumgekommen. Mein Zirkuswagen war eine Anlaufstelle. Ich kannte die Leute nicht, die mir Pakete brachten, und ich kannte nicht die, die sie abholten. Aber danach hat mich zum Glück keiner gefragt, die GeStaPo-Abteilung für Hochverräter hat mich nicht drangekriegt, nur die für Moral und Sitte.« Sie kicherte und meine Fragen ließ sie unbeantwortet.

An einem anderen Tag erzählte sie: »Als ich vom Todesmarsch zurückgekommen war nach Berlin, bin ich mit einer ungarischen Kameradin durch die Trümmerstraßen geirrt, da stand kein Haus mehr, das ich kannte. In Moabit bin ich über die Eisenträger einer kaputten Spreebrücke in die Innenstadt balanciert, das konnte ich ja. Und ich habe sie getragen, sie war so leicht. Gepäck hatten wir ja nicht. Am zerbombten Kurfürstendamm standen wir vor einem Hotel, da brannte Licht, da funktionierte die Schwingtür, wir sind da rein, und sie haben unsere Häftlingskleidung gesehen und nicht gewagt, uns rauszuschmeißen. Wir haben dort in einem weiß bezogenen Bett geschlafen, es gab fließendes Wasser. Bezahlt haben wir nicht, womit auch, und die Hotelchefin hat sich noch bedankt für unseren Besuch. Das war das ›Hotel Am Zoo‹, gibt es wohl heute noch. Aber dann hat die Ungarin ihre Leute gesucht und ich meine. Doch von den KPO-Genossen habe ich keinen mehr getroffen. Die waren umgekommen in den Lagern oder sie waren im Exil geblieben. Nur ich bin übrig.« Sie trank ihr Glas aus und verstummte.

Staunend hörte ich den Geschichten der beiden zu; noch nie hatte ich von einem Selbstmord des Leiters der Plankommission oder von einer KPO gehört.

Hier in den Kneipen des Prenzlauer Berg saßen viele Gestrandete und Aufschneider, ein wenig logen und prahlten fast alle, man kann auch sagen, sie träumten. Aber die Rollschuhtänzerin und ihr Freund waren keine Träumer, ihre Geschichten waren nicht aus flüchtigem Stoff gewebt wie die Zigarettenrauchschwaden im »Oderkahn«, sie waren schwer von erlittenem Leben und Hoffnungslosigkeit. Trotzdem ging von diesen beiden alten Trinkern eine Kraft aus, die mich anzog.

Michael warf mir vor, dass ich in Kneipen und Cafés saß, nachdem ich gerade wochenlang in Machandel gewesen war. Dabei suchte er selbst ohne mich solche Orte auf. Er überließ mir in Berlin den Haushalt und die Kinder ganz, schließlich habe er während meiner Abwesenheit wegen Julia nichts unternehmen können, meinte er. Doch ich hatte ja Caroline bei mir gehabt. Wir stritten viel, und ich spürte, wie unsere Verbundenheit bröckelte, ganz langsam. Plötzlich fiel mir auf, die Nächte, in denen wir uns bis zum Morgen geliebt hatten, in denen unsere Körper auch im Schlaf zueinanderdrängten, waren vorbei, ohne dass wir es wirklich bemerkt hatten. In Machandel hatten wir in den ersten Jahren mit den Kindern in einem Raum geschlafen, oft waren wir nachts aufgestanden und hatten uns im hinteren, noch nicht ausgebauten Teil des Hauses, wo uns niemand hörte, auf die harten Dielen gelegt und sie nicht gespürt, erst am nächsten Tag über unsere blauen Flecken gelacht. Einmal, in der Nacht nach einem heißen Sommertag, waren wir dort auf den Dielen ineinander verschlungen in einen Tiefschlaf gefallen, nicht einmal ein Laken hatten wir über uns gebreitet und lagen noch so da, als die Kinder uns erstaunt weckten. Da schien schon die Sonne. Am Bus hatte Frau Poschmann mich einmal gefragt, ob ich nachts schlecht geträumt hätte, sie habe mich schreien hören. Jetzt hatten wir in Machandel jeder ein eigenes Zimmer, und es war selten geworden, dass einer den anderen suchte. In Berlin kam Michael oft erst nach Hause, wenn ich schon schlief. Der Geruch von Bier und Zigaretten, der mich im »Oderkahn« oder bei »Mutter Fengler« nicht störte, stieß mich ab, ich stand dann auf und legte mich im Wohnzimmer auf die Gästecouch.

Ich konnte nicht mehr unterscheiden, ob die Müdigkeit und Traurigkeit, die sich langsam in mir ausbreiteten, aus dieser Entfremdung herrührten oder aus der morgendlichen Zeitungslektüre. Seit Monaten hatte ich nichts von meinem Bruder Jan gehört. Ich wusste nicht einmal, in welchem Teil der Erde er gerade war. Einmal hatte mir eine Kollegin am Institut einen *Stern* zugesteckt, das in Hamburg erscheinende Wochenmagazin. Darin war eine Fotoreportage über Kuba von Jan Langner, aber das Magazin war schon ein Jahr alt.

In diesen Monaten sprach Michael das erste Mal davon, fortzugehen, auszureisen wie so viele andere. Ich würde doch bald fertig sein mit meiner Doktorarbeit, und ihn halte schon jetzt nichts mehr in seinem Betrieb. Er habe diese niemals funktionierende Rauchgasentschwefelungsanlage satt, im Westen gäbe es längst ganz andere Filtersysteme. Als Ingenieur würde er überall Arbeit finden. Ich erschrak, denn noch immer konnte ich mir nicht vorstellen wegzugehen. So wie es war, konnte es doch nicht bleiben. Die Männer im Politbüro waren Greise, in wenigen Jahren würden die sowieso nicht mehr da sein, die großen Umwälzungen waren doch schon zu ahnen. Michael lachte bitter. »Nach denen kommen Krenz und Schabowski und all die Zentralratssekretäre der FDJ«, sah er voraus.

»Aber das ist doch unser Land, wir können es doch nicht denen überlassen«, beschwor ich ihn und auch mich selbst. War nicht der Olof-Palme-Marsch ein Vorzeichen der Veränderung, kamen nicht immer mehr Menschen zu Lesungen und Andachten in die Pankower Kirche?

Und unser Katen in Machandel? Und meine Eltern? Seine Mutter? Unsere Freunde?

Im Land bewegte sich doch etwas. War es vor ein paar Jahren noch darum gegangen, die Vereinzelung zu durchbrechen, Gleichgesinnte zu finden, mit denen man Visionen einer anderen Gesellschaft entwarf, so drängten einige jetzt immer mehr auf Aktionen. Eine *Arbeitsgemeinschaft Staatsbürgerrecht* hatte Zulauf von Ausreisewilligen, die hofften, dass ihre Anträge unter dem Schutz der Kirche schneller genehmigt werden würden. Manche von denen wollten nur raus und dazu war ihnen jedes Mittel recht, sie fanden die endlosen Diskussionen überflüssig und jede Hoffnung auf Veränderung lächerlich. Das Wort Besonnenheit, das die Pfarrer immer wieder predigten, gefiel ihnen nicht. Auch Herbert genügten die Treffen unter dem Dach der kirchlichen Friedensbewegung nicht, er hatte bald nach Jans Ausreise mit anderen eine *Initiative für Frieden und Menschenrecht* gegründet, ich wusste nicht viel darüber. Ich ahnte nur, dass seine ständige Überwachung mit dieser Oppositionsgruppe zu tun hatte, die auch eine Zeitung herausgab. Das machte mir Angst, so weit wollte ich nicht gehen. Herbert lebte, als hätte er nichts zu verlieren. Dabei hatten sie zwei Kinder. Die Arbeit an der Akademie war er ja schon vor Jahren losgeworden, im »Siloah«, einem kirchlichen Heim für behinderte Kinder, war er Hausmeister. Seine schöne Frau Maria kaufte bei Haushaltsauflösungen alte Kleider und Blusen aus guten Stoffen, änderte und färbte sie, sie wurden ihr aus den Händen gerissen. Wenn ich irgendwo in der Stadt eine Frau mit Marias Kleidern sah, jenseits aller Moden, in meist lila und roten Schattierungen, lächelte ich sie an, und sie lächelte zurück, denn meistens trug auch ich ein Stück aus Marias Werkstatt. Aber Maria, das wusste jeder, hatte sich in einen spanischen Friedensforscher verliebt, der in Guernica ein Institut leitete und schon mehrmals Vorträge im Friedenskreis gehalten hatte. Er kam alle paar Monate, ein schöner Mann, schwermütig und dennoch von einer gelassenen Heiterkeit, die Herbert längst verloren, vielleicht nie besessen hatte. Herbert wirkte oft wie gehetzt. Über seine Konflikte mit Maria sprach er nicht.

Der Spanier war nicht der einzige Gast von jenseits der Grenzen, der in den Friedenskreis kam, wir waren wie ausgehungert nach anderen Meinungen und Informationen, tauschten Bücher, die die Besucher mitgebracht hatten, fragten sie aus und hegten den Irrtum, dass all diese grünen Umweltschützer, Pfarrer, diese Journalisten, Politikwissenschaftler und sogar ein zum Pazifisten gewandelter Bundeswehrgeneral bessere Antworten auf unsere Fragen hätten als wir selbst. Natürlich wussten wir, dass auch diese Begegnungen in den Wohnungen observiert wurden. Aber nicht deshalb, sondern wegen der Kinder und wegen meiner Doktorarbeit nahm ich immer seltener an solchen Treffen teil. Ein Ehepaar aus dem Friedenskreis, Dörte und Wolfgang, in deren großer Wohnung der ehemalige Bundeswehrgeneral Gast gewesen war, wurde vor ein paar Monaten am Arbeitsplatz festgenommen, man durchsuchte ihre Wohnung, brachte die Kinder in ein Heim. Den Eltern wurde gesagt, man würde ein Ermittlungsverfahren wegen landesverräterischer Beziehungen einleiten. Die Untersuchungen und der Prozess könnten lange dauern, danach sei eine lange Haft wahrscheinlich, § 100, Strafmaß ein bis zehn Jahre. Die Kinder müssten im Heim bleiben, denn leider böten die Großeltern, man habe das geprüft, keine Gewähr für eine fortschrittliche Erziehung. Sie könnten aber auch einen Ausreiseantrag stellen, man würde den wohlwollend prüfen. In diesem Falle dürften sie sofort nach Hause gehen und die Kinder auch. Sie könnten auch all ihr Hab und Gut mitnehmen, man würde ihnen behilflich sein. Drei Wochen später lebten Wolfgang und Dörte mit ihren Kindern in Westberlin. Wir hatten ihnen geholfen, die Bücherkisten und den Hausrat zu packen, jede Garnrolle mussten sie in eine Liste eintragen. Michael hatte das Hochbett aus ihrem Kinderzimmer abgebaut für unsere Töchter. Nun hielt er mir ihr Beispiel vor, ich erinnerte ihn daran, dass Dörte, die Kinderärztin war, uns einmal aus ihrer neuen Wohnung in Kreuzberg angerufen und gesagt hatte, sie vermisse nichts außer den Freunden, aber die würden ihr so sehr fehlen. Ich wollte bleiben. Irgendwann waren alle Argumente erschöpft, dieses Gespräch zwischen Michael und mir über Bleiben oder Gehen verebbte, bis es plötzlich in unpassenden Momenten wieder aufflackerte. Er ging nun regelmäßig zu den Treffen der Gruppe von Ausreisewilligen. Als ich ihm sagte, wie fremd mir die meist jungen Männer dort waren, die fordernd und provozierend auftraten, während die Rotweinflasche kreiste, die, so schien es, nichts als Hass und Verachtung für das Land übrig hatten, das sie verlassen wollten, verteidigte er seine neuen Mitstreiter:

»Die hatten eben nicht deine Privilegien, die leben in einer anderen Welt als eine Funktionärstochter.« Wütend erinnerte ich ihn daran, dass er es sei, der die Vorteile meiner Herkunft ständig ausnutze, wieder stritten wir bis zur Erschöpfung. Ich spürte, dass wir auseinanderdrifteten, und so stark seit dem Olof-Palme-Marsch das Gefühl eines nahen Neubeginns war, so sehr spürte ich auch, dass etwas zu Ende ging, auch mit uns beiden.

Manchmal brachen wir eine Auseinandersetzung ab, sagten, dass wir sie demnächst in Machandel fortführen würden, wo wir Zeit füreinander haben würden. Aber in Machandel rührten wir nicht an das Trennende.

Ich spürte und wusste allmählich, dass an diesem Ort, in unserem eigenen Haus, etwas geschehen war, das nicht vergessen war, das sich jederzeit plötzlich zeigen konnte, als ein Schmerz in Nataljas Gesicht, als ein Verstummen im Gespräch der Frauen am Bus, in der Geste, mit der sie sich kaum merklich von Wilhelm abwandten. Dieses Ungesagte verwob sich für mich mit dem Märchen vom Machandelboom, es machte mich traurig. Dennoch fuhren wir so oft wie möglich nach Machandel, als würden wir nur an diesem Ort festhalten können, was uns allmählich verloren ging.

An einem Sonnabend im Herbst gingen wir zu meinen Eltern, weil Michael die Fernsehantenne auf ihrem Hausboden richten sollte. Schon als wir am Gartentor klingelten, sah ich, dass sie neue Ziergewächse gepflanzt hatten, niedrige Sträucher, deren dunkelgrüne Nadelzweige fast auf dem Boden lagen. Sie wirkten wie auf einem Friedhof, und als ich sie näher betrachtete, erinnerten sie mich an etwas, ich roch an den Zweigen. »Repanda, Kriechwacholder«, sagte meine Mutter. »Pflegeleicht und immergrün.«

Ich blickte auf die wächsernen, zwerghaften Pflanzen und spürte Sehnsucht nach den dichten, duftenden Hecken an den Hügelgräbern. Plötzlich schienen mir diese verkümmerten, kriechenden Pflanzen wie ein Sinnbild für das Leben meiner Mutter; ich wollte weg und war doch noch gar nicht angekommen. So ging es mir oft, wenn ich meine Eltern besuchte.

Wir aßen zusammen zu Mittag, meine Mutter hatte aufgewärmt, was ihre Haushälterin vorgekocht hatte. So war es, seitdem ich denken konnte, meinem Vater war gleichgültig, was er aß, und meine Mutter arbeitete nicht gern in der Küche, obwohl sie nun Zeit hatte, denn sie war vor Kurzem sechzig Jahre alt geworden und Rentnerin. Eigentlich war sie schon in den letzten Jahren kaum noch in ihr Büro gegangen, denn sie war oft krank, aber keiner nannte diese Krankheit mit Namen. Erst zwei Wochen zuvor war sie von einem mehrmonatigen Aufenthalt in Herzberge zurückgekommen, sie hatte zugenommen und war stiller geworden. Ich schaute sie an und merkte plötzlich, dass ich sie seit Jahren nicht wirklich gesehen hatte. Sie musste einmal schön gewesen sein, aber die Dauerwelle machte das rötlich gefärbte Haar stumpf, ihr Gesicht und ihr Körper waren aufgedunsen, ihre Augen unstet. Nach dem Essen ging sie mit Michael auf den Boden, die Kinder spielten im Garten, mein Vater und ich saßen noch am Tisch, als ich etwas über die Zwerggewächse im Garten sagte. Er zuckte die Achseln. Sie waren ihm noch gar nicht aufgefallen. Unvermittelt fragte ich ihn, ob es wahr sei, dass nach dem Krieg die ehemaligen Häftlinge mit dem roten Winkel denen mit dem schwarzen, grünen oder lila Winkel die Anerkennung als Opfer des Faschismus verweigert hätten.

»Natürlich haben wir die nicht anerkannt«, antwortete er überrascht. »Die Grünen waren doch Verbrecher.«

»Und was war mit den sogenannten Asozialen? Und mit den Homosexuellen?«

»Die Homosexuellen hatten einen rosa Winkel«, belehrte er mich. »Unter denen gab es auch gute Kameraden. Ich kannte mehrere, die waren sogar Genossen.«

»Musste man denn Genosse sein, um von euch als Opfer der Nazis anerkannt zu werden? Und wie war es mit lesbischen Frauen, galten die nicht bei den Nazis als asozial?«

»Solche Frauen haben wir doch anerkannt. Glaube ich«, sagte er zögernd. »Wenn sie nicht wirklich asozial waren.«

»Was ist denn asozial?«, fragte ich meinen Vater gereizt und in sein Schweigen hinein nach der Kommunistischen Partei Opposition und nach den Widerstandsgruppen, von denen die Rollschuhfrau erzählt hatte. »Ist es wahr, dass die sich schon auf den illegalen Kampf vorbereitet hatten, als die Kommunisten um Thälmann noch die Sozialdemokraten als Hauptfeind bekämpften?«

»Ach, die KaPeNull«, meinte mein Vater mit einer abfälligen Handbewegung. »Woher hast du denn dein Wissen über die?«

Ich sagte es ihm und erwartete, dass er über die Kneipengespräche spotten würde, aber er hörte aufmerksam zu. »Den ›Oderkahn‹ kenne ich, den gab es schon vor dem Krieg. In dieser Gegend war an jeder Ecke eine Kneipe, aber man ging nicht in jede, man wusste, wo die eigenen Leute saßen. Am Helmholtzplatz waren unsere, am Falkplatz die Reichsbannerleute, und die SA trieb sich am Wörther Platz rum. Auch Thälmann ist gern in die Arbeiterkneipen gegangen, aber das war meistens im Berliner Westen, in der Nähe seines Quartiers. Ich bin als junger Genosse oft dabei gewesen.«

Unwillig hörte ich meinem Vater zu. Ich war mit Kinderbüchern über Ernst Thälmann aufgewachsen, und dass mein Vater bis zu Thälmanns Verhaftung so eine Art Begleitschutz und Kurier bei ihm gewesen war, wusste ich schon lange. »Aber wie war das mit den Sozialdemokraten?«, fragte ich. »Weshalb nennst du die Kommunistische Partei Opposition KaPeNull? Warum haben die sich überhaupt abgespalten oder warum sind sie ausgeschlossen worden?«

Ich sah, dass mein Vater sich Mühe gab zu antworten. Er holte weit aus und erzählte etwas von linken Abweichlern, Versöhnlern, Trotzkisten, von Feinden in den eigenen Reihen. Außerdem habe die Kommunistische Partei auf ihrer Brüsseler Konferenz 1935, die nicht in Brüssel stattfand, sondern bei Moskau, alle Fehler zurückgenommen und wieder die Einheitsfront mit der KPO hergestellt.

»Mit der KaPeNull«, warf ich ein, aber er schien die Ironie nicht zu bemerken. »Also war es doch ein Fehler gewesen, die Opposition auszuschließen?«

»Wieso Fehler?«, fragte er irritiert.

»Na, wenn die Partei 1935 die Fehler zurückgenommen hat, muss es doch welche gegeben haben.«

»Das siehst du zu einfach«, meinte er. Plötzlich saß meine Mutter auf dem Ledersofa. Ihr Gesicht war leicht gerötet, ihre Augen glitzerten seltsam, dabei war sie doch erst seit zwei Wochen zurück.

»Na, sag ihr doch, wie es war 1928«, forderte sie ihn auf.

»Sie ist doch kein Kind mehr. Sag ihr doch, dass Thälmann gern mit seinem Schwager und Freund, hieß er nicht Wittorf, gesoffen hat und den deckte, als der in Hamburg mit Parteigeld seine Spielschulden bezahlte. Sag ihr doch, dass Thälmann deshalb schon abgesetzt war, der Parteiführer, abgesetzt von seiner eigenen Mannschaft. Und dass dann ein Telegramm von seinem Ziehvater Stalin kam und alle kuschten. Und die nicht kuschten, wurden rausgeschmissen, das waren dann die Abweichler.«

»Ich war 1928 erst neunzehn und auf dieser ZK-Sitzung nicht dabei«, wehrte mein Vater die schrille Stimme meiner Mutter ab. »Und so einfach war das alles nicht. Aber du solltest dich jetzt vielleicht ein bisschen hinlegen, Johanna, ich glaube, es geht dir nicht gut.«

»Mir geht es sehr gut«, kicherte meine Mutter. »Besser jedenfalls als den Abweichlern von der KaPeNull. Ulbricht hat sie nicht vergessen. Die sind nichts geworden. Denk doch an deinen Freund Rudi Wunderlich, den Lagerläufer aus Sachsenhausen. Oder an den Gewerkschaftler Jacob Walcher. Der wäre besser in der Emigration geblieben, schließlich war er in Amerika und nicht in Moskau. Die Moskauer haben ja sowieso nicht überlebt.«

»Johanna, hör auf!« Mein Vater schrie beinahe. Bisher hatte ich ihn nur mit meinem Bruder schreien hören. Meine Mutter hatte damals immer geschwiegen, sie war meist aus dem

Zimmer gegangen. Nun aber ließ sie sich nicht beeindrucken und redete mit glitzernden Augen weiter: »Und erzähl ihr doch mal, was aus Thälmanns engsten Mitarbeitern geworden ist. Seinen Sekretär Kattner hat ja dein Freund Hans Schwarz in seinem eigenen Bett abgeknallt, weil er Verräter geworden sein soll. Aber was ist dann aus Hans Schwarz aus der Kopenhagener Straße geworden? Wo ist er geblieben? Und was ist aus Hirsch geworden, was haben eure sowjetischen Genossen mit Remmele gemacht, mit Neumann, Willy Leow? Die Namen kennt deine Tochter doch gar nicht. Die stehen nicht in den Geschichtsbüchern. Und du hast gedacht, die haben das große Los gezogen, weil sie emigrieren durften. Wenn die Nazis sie behalten hätten, wäre das ihr Glück gewesen, dann wären sie vielleicht am Leben geblieben wie du.«

Stille.

Die Röte war aus dem Gesicht meiner Mutter gewichen, sie saß blass da, zusammengesunken, und ihre Hände zitterten leicht. Unwillkürlich trat ich zu ihr und nahm sie in den Arm. Das hatte ich schon seit Jahren nicht getan.

»Die Antenne ist in Ordnung.« Michael stand im Raum und blickte erstaunt von einem zum anderen. Mein Vater saß starr da.

»Ich glaube, wir müssen jetzt gehen«, sagte mein Mann. »Wir wollen heute Abend zum Friedenskreis, und Julchen muss noch ihre Schulsachen packen.« Er ging in den Garten zu den Kindern.

Ich folgte ihm. Als wir alle zusammen wieder ins Haus kamen, war meine Mutter nach oben gegangen; ihr sei ein wenig übel, entschuldigte mein Vater sie, sie habe sich etwas hinlegen müssen. Er brachte uns zur Tür, aber obwohl er lächelte und die Kinder küsste, schien mir, seine ohnehin schmalen Lippen blieben zusammengepresst, als sollte nie mehr ein Wort daraus entweichen.

12

EMMA

Das achte Kind

Jetzt bin ich schon lange nicht mehr in Machandel, aber als das Schloss noch kein Hotel war, glaubte Clara mich manchmal im Schatten der Parkbäume zu sehen. Sie holte Rhabarber aus meinem Garten, denn Rhabarber vermehrt sich noch, wenn keiner die Beete pflegt; noch heute drängen sich Rhabarberpflanzen zwischen die Blumenrabatten hinterm Hotel.

Ich war dreiunddreißig Jahre alt, als ich aus Hamburg in diese Gegend kam. Bis zum Kriegsende wollte ich bleiben, keinen Tag länger. Fünfunddreißig war ich, als der Krieg zu Ende war. Da konnte ich die Kinder nicht alleinlassen. Zwei Jahre später kam Paul Peters zurück, der konnte meine Kinder nicht allein großziehen. So bin ich geblieben. Als ich vierzig war, kam mein älterer Bruder aus der Gefangenschaft, der jüngere war gefallen. Er wollte mich holen, aber da hatte ich noch ein kleines Kind von Paul Peters und war seine Frau. Nach Pauls Tod bin ich dann in den Neubau im Schlosspark gezogen, wo ich Wasser hatte und einen elektrischen Herd.

Unser Katen stand leer, die Nachbarn waren auch fort. Gras wuchs schon zwischen den Dielenbrettern. Als ich fünfundsiebzig war, kam diese Clara mit ihrem Mann und den Mädchen. Von dem Mann hat sie sich später getrennt, aber die Mädchen habe ich heranwachsen sehen wie die Kinder meiner Kinder. Man muss nicht in einer großen Stadt leben. Alles, was geschehen kann, ist auch in Machandel geschehen. Clara hat immer viel gefragt, aber so sind wir hier im Norden nicht, wir reden nicht viel. Man sieht doch alles.

Als ich nach Machandel kam, hatte ich schon ein Leben hinter mir, ein ganz anderes Leben, sonntags besuchten wir Hauskonzerte oder gingen Kaffee trinken in der Mönckebergstraße. Mein Vater war Studienrat, aber der starb schon früh. Mit zwanzig heiratete ich Walter, der war Schiffsarzt, zehn Jahre älter als ich. Mit neunundzwanzig wurde ich Witwe. Walter ist keinen Seemannstod gestorben, auch keinen Soldatentod, obwohl schon Krieg war. Er starb an einem Herzinfarkt. Ich blieb in unserer schönen Wohnung und suchte mir eine Arbeit in der Hafenverwaltung. Schreibmaschine und Stenographie hatte ich gelernt und etwas Englisch und Französisch. Sonntags ging ich nun auf den Ohlsdorfer Friedhof.

Als ich nach Machandel kam, war ich noch wie betäubt. Vielleicht war ich noch jahrelang wie betäubt. Erst als mein Bruder bei seinem Besuch im Jahr 50 mich fragte, wie es gewesen war in Hamburg am 25. Juli 1943, habe ich plötzlich geschrien und konnte erst aufhören, als er mich schüttelte. Vorher hatte mich ja keiner gefragt. Schon vor dem großen Angriff hatte mir mein anderer Bruder, der auch Arzt war, aus seinem Lazarett in Wilna über das winzige Dorf in der Mecklenburger Schweiz geschrieben. Dort zwischen den Hügeln und Seen würde man den Krieg nicht spüren. Auf dem Lande gäbe es immer genug zu essen, und er habe im Lazarett einen Witwer von dort, dessen acht Kinder seien allein in ihrem Haus. Dort fehle eine Hausfrau, dort solle ich das Kriegsende abwarten.

Aber erst nach dem großen Angriff schrieb ich meinem Bruder, er solle mir den Namen des Dorfes und des Mannes schicken, am besten an die Adresse von Walters Tante, die auf der anderen Seite der Elbbrücken wohnte, wo die meisten Häuser noch standen. Bis seine Antwort kam, half ich, die von der Hitze geschrumpften Toten aus den Trümmern zu bergen. Von unserem Haus war nichts übrig, ich besaß nur noch den Rucksack, mit dem ich im Turmbunker am Berliner Tor gewesen bin. Ich weiß nicht mehr, wie ich in der Bombennacht über den Fluss gekommen bin. Ich weiß nur noch, dass der Phosphor durch die Häuser und über die Straße rann und dass auch der Fluss brannte. Dann waren die Kanäle und Fleete ausgetrocknet. Alle hatten Brandwunden an den Beinen, ich auch. Am Tag danach wurde es nicht hell und über allem lag Stille, keiner weinte. An die Fliegen und Ratten in den Wochen danach erinnere ich mich und daran, dass meine Hände sich von dem Leichengift zu schälen begannen.

Ich weiß, dass ich irgendwann auf den Ohlsdorfer Friedhof ging, der mir immer wie ein Park vorgekommen war, in dem die Toten die Lebenden zu Besuch empfangen. Auch dort war das Grün verdorrt, aber Walters Grab war unversehrt. Ein paar Meter weiter hoben Häftlinge in gestreiften Anzügen eine riesige Grube aus, ein Massengrab. Sie sahen selbst aus wie Skelette, Uniformierte mit Hunden bewachten sie. Ich sah einem der Gefangenen ins Gesicht und sah, dass er ein Muttermal hatte neben dem rechten Mundwinkel, wie Walter. Ich starrte ihn an, er merkte es und trat auf mich zu, er sagte etwas und einer der Bewacher brüllte und richtete das Gewehr auf ihn. Ich floh vom Friedhof in die von Asche bedeckte Stadt zurück.

Aber schon nach zwei Wochen begannen die Bäume wieder auszuschlagen, als wäre es Frühling, aus den verbrannten Ästen drängte frisches Grün. Man roch die Verwesung, aber über den verschütteten Eingängen blühten Weidenröschen. Trümmerblumen nannten wir sie.

Bis in den Oktober, November hinein blieb ich in Hamburg, ich schlief bei Walters Tante, aber nicht immer. Ich weiß noch, dass ich dauernd unterwegs war, in den notdürftig hergerichteten Hafenkneipen wurde wieder getanzt, und ich erinnere mich an fremde Körper, an die Gier, die die Betäubung nicht aufhob, sondern selbst Betäubung war. Ich erinnere mich an die Begegnung mit einem ganz jungen Soldaten in einer Wohnküche in Farmsen, der mich ungeschickt umarmte, während nebenan seine Mutter hustete, und er wusste, er würde morgen wieder zurück in den Krieg fahren. Aber der Krieg war überall, auch in seiner Umarmung.

Als die Nachricht von meinem Bruder kam, hatte ich die Hoffnung schon aufgegeben, es könnte einen Ort für mich geben. Die Schälblasen schmerzten. Die Ratten in den Trümmern waren fett vom Fleisch der Toten. Das Dorf, das mein Bruder nannte, hieß Machandel, es war so klein, dass man es auf den Karten nicht fand.

Ich erschrak, als ich in Machandel die Wohnung sah, in der ich leben sollte. Aber eine andere hatte ich nicht. Die Holzpantinen der Kinder lagen im Vorraum durcheinander, und es war nichts da, um eine Suppe zu kochen. Die Kinder lagen dicht aneinandergedrängt unter unbezogenen Federbetten in dem großen Ehebett und in den Bettladen davor, es waren sieben Geschwister.

Die achte, die Älteste, hatten sie abgeholt. Ich wusste, wenn einer abgeholt wurde in diesen Zeiten, fragte man nicht viel.

Es waren schöne Kinder, scheu und ängstlich am Anfang, bald schon zutraulich und anschmiegsam. Doch bei den Mahlzeiten saßen sie wach und sprungbereit um den Tisch, knurrten wie kleine Hunde, wenn sie glaubten, einer bekäme mehr. Die Dreijährige hieß Gisela, die Zwillinge Klaus und Günter waren fünf, Christine sechs, Helga war sieben, Marianne neun, Heinz fast zwölf. Heinz und zwei seiner Schwestern gingen im Nachbardorf zur Schule, die hatten nicht einmal feste Schuhe und liefen bis zum ersten Frost in Holzpantinen. Die Siebenjährige sagte mir einmal, sie würde ihre nackten Füße auf der Weide in den frischen Kuhfladen wärmen, während sie ihre kalten Hände an das Euter halte.

So eine Armut hatte ich noch nie gesehen. In der Gegend von Machandel schien sie normal unter den Landarbeitern. Ich schrieb an die Ämter, und es stellte sich heraus, dass auf irgendeiner Bank die Unterstützung der Halbwaisen lag und dass ihnen ein Teil vom Sold des Vaters zustand. Marlene, die älteste Schwester, war gerade erst sechzehn gewesen, als ihre Mutter starb. Paul Peters war da schon eingezogen. Ihr hatte wohl keiner gesagt, was für Anträge zu stellen waren. Ich ließ mich als Betreuerin der Kinder eintragen.

Als man mir die Akten über die Familie zeigte, las ich, dass Marlene durch aggressives Verhalten auffällig geworden sei. Ihr bedrohliches Benehmen und unflätige Reden, vor allem gegenüber den Nachbarsleuten Auguste und Wilhelm Stüwe, hätten auf eine Geistesschwachheit schließen lassen, die sie zur Gefahr für den gesunden Volkskörper mache. Sie sei nun Patientin in der Heil- und Pflegeanstalt Gehlsheim bei Rostock. Ich erfuhr, dass die der Universitätsklinik angegliedert sei, und war beruhigt. Vielleicht, dachte ich, war alles zu viel gewesen für das geistesschwache Mädchen, das neben den anderen Geschwistern noch die damals neugeborene Gisela aufziehen musste, ohne Wasser in dem Katen, ohne Geld. Die anderen Kinder waren Gott sei Dank nicht zurückgeblieben. Die Kleinste wuchs mir bald besonders ans Herz, aber auch die Größeren brauchten mich, wie mich noch nie ein Mensch gebraucht hatte. Ich tat, was zu tun war, und in meiner Betäubung fragte und sagte ich nichts über den Tag hinaus.

Die Kinder kannten viele Lieder. Außer der Bibel gab es im Katen ein Märchenbuch, aus dem Marlene ihnen so oft vorgelesen hatte, dass sie die Geschichten auswendig konnten. Sie erzählten mir etwas von einer Springwurzel, die alle Türen öffne. Die Wacholderdrossel würde sie besitzen. Man müsse die Nester der Wacholderdrossel verschließen, wie, das eben sei das Rätsel. Aber wenn die Wacholderdrossel ihr Nest verschlossen vorfinden würde, müsste sie die Springwurzel holen und man könnte sie ihr abnehmen. Sie glaubten aber auch, dass die Wacholderdrossel etwas mit den Seelen der Verstorbenen zu tun habe, und wenn der Vogel vom Waldrand her an den Fenstern vorbeiflog, freuten sie sich und hörten in den rasselnden Tönen eine Botschaft ihrer Mutter. Ich war mir nicht sicher, ob ich ihnen diese abergläubischen Phantasien nehmen sollte, und beschränkte mich darauf, sie zum Lernen anzuhalten. Das Wissen würde ihnen später auch die Türen öffnen, sagte ich und erzählte ihnen von den Pyramiden und von Expeditionen zum Nordpol. Als meine Hände verheilt waren, kochte ich für sie, tröstete sie, besserte ihre Kleider aus und nähte, es gab eine Nähmaschine in einer der beiden kargen Stuben. Ich machte mit den Größeren Schularbeiten und kümmerte mich um die Gemüsebeete im Garten, kochte mit den Kindern Marmelade und weckte Obst ein. Manches konnten die Kinder besser als ich. Oft ging ich mit zweien oder dreien von ihnen über die Weiden, sie kannten jeden Stein. Ich war früher oft verreist, am Bodensee war ich mit meinen Eltern gewesen, mit meinen Brüdern in Garmisch-Partenkirchen zum Skifahren, die Lüneburger Heide kannte ich, die Nordseeküste war mir ohnehin vertraut und meinen Mann habe ich nach unserer Hochzeit bei einer Schiffsreise über den Ozean begleitet. Doch noch nie hatte ich eine Landschaft als so vertraut und gleichzeitig geheimnisvoll empfunden. Es war, als wäre ich vor langer Zeit schon einmal hier gewesen und jetzt nach Hause gekommen. An all den Rotbuchen und einzeln stehenden uralten

Eichen, an den Hecken aus Schlehen und Wacholder, den sie hier Machandel nannten, an den wie hingeworfen in der Landschaft verstreuten Findlingen und Steinkreisen und Hügelgräbern, an den kleinen Seen, die wie Augen – so wurden sie auch genannt – zwischen den Hügeln hervorschauten, an den Mooren und Wiesen hingen uralte Geschichten, die die Kinder mir erzählten, als wären sie wahr.

Sie träumten von einem Tellertuch, das die Weiße Frau aus Mamerow ihnen besorgen könnte, wenn sie sie denn träfen. Das Tellertuch, über einen Tisch gebreitet, würde Schüsseln mit Speisen hervorbringen, jeder könne dann essen, so viel er wolle. Ich nahm mir vor, für diese sieben Kinder, solange ich in Machandel war, so zu sorgen, dass sie nicht mehr von Tellertüchern und Springwurzeln träumen müssten, sie sollten satt zu essen haben, jeden Tag, auch wenn es kein Tischtuch gab in ihrem Katen. Doch es gab in einer der Schubladen ein anscheinend unbenutztes Tuch aus dickem weißem Leinen, das nahm ich und nähte ein Nachthemd daraus, denn manchmal dachte ich an das Mädchen Marlene und hatte vor, sie in ihrer Universitätsklinik zu besuchen und ihr das Nachthemd zu bringen. Das würde nicht leicht sein, wegen der Bombenangriffe fuhren die Züge unregelmäßig, über die Weihnachtsfeiertage 1943 war jeder private Reiseverkehr schon verboten worden.

Von Machandel aus war es schwer für mich, zu Marlene zu reisen. Doch das Mädchen ging mir nicht aus dem Kopf. Ihre jüngeren Geschwister, die anfangs ängstlich den Finger auf den Mund gelegt hatten, wenn ihr Name fiel, sprachen jetzt oft von ihr. Ich sah Marlenes Spuren überall im Haus, sah ihre zurückgelassenen Kleidungsstücke, neben geflickten Lumpen erstaunlich schöne Blusen und einen schottischen Faltenrock aus gutem Wollstoff. Ich dachte an sie, wenn ich Wasser herbeitrug und im Garten arbeitete. Ich betrachtete ihr Konfirmationsfoto, das auf der Kommode im Zimmer stand, neben dem Hochzeitsfoto ihrer Eltern, und ich begann daran zu zweifeln, dass sie verrückt gewesen war. Die Kinder jedenfalls hatten nichts davon gemerkt, aber Christine erzählte mir, dass nachts ein schwarzer Mann, wohl der Galgenmann, gekommen sei, er habe an die Fenster geklopft, und Marlene sei aufgestanden und zitternd zu ihm gegangen. »Das war kein Galgenmann, das war Wilhelm Stüwe«, meinte der älteste Bruder überlegen, und alle schwiegen erschrocken.

Mit der Zeit lernte ich die Leute im Dorf kennen. Wilhelm Stüwe war ein kräftiger Mann Mitte dreißig, ein Bein zog er nach. Seine Wohnung lag über dem Kuhstall, er schlief aber oft in der Ausländerunterkunft außerhalb des Dorfes, da war er so eine Art Befehlshaber. Wichtigtuerisch stapfte er herum. Später hörte ich, er würde seine Kinder und seine Frau, eine verhärmte Stallfrau, die manchmal auch im Schloss arbeitete, schlagen, und ich glaubte es. Wilhelm Stüwe schien es zu gefallen, wenn man Angst vor ihm hatte. Die Kinder und die meisten Leute in Machandel fürchteten ihn. Den Schlossleuten und dem Inspektor gegenüber trat er unterwürfig und bescheiden auf. Bei mir war er sich nicht sicher, sein Ton, wenn er mit mir sprach, war verächtlich und grob, aber als ich ihn deshalb ruhig zurechtwies, schwieg er verblüfft und begegnete mir fortan mit der gleichen hinterhältigen Höflichkeit wie der Familie der Baronin. Ich ging ihm aus dem Weg, ich wollte ihn auch nicht nach Marlene fragen, obwohl sein Name in den amtlichen Papieren stand.

Anfangs ging ich allen Dorfbewohnern aus dem Weg, ich kümmerte mich um die Kinder und den Katen und das genügte mir. Wenn ich nachts, bevor ich mir das Strohsacklager in der vorderen Stube zurechtmachte, mit einer Kerze in die hintere

Stube ging und sie zusammengedrängt liegen sah, drei im Ehebett und jeweils zwei auf Strohsäcken rechts und links, noch im Schlaf einander festhaltend, wurde mir warm. Ich hatte sie lieb. Die Trauer um Walter, meine verlorene Wohnung in Hamburg, der Bombenangriff, der Geruch der Leichen, das alles war zusammengeballt zu einem großen, harten Knäuel, das schmerzte, wenn man daran rührte. Ich rührte nicht daran. Hier hatte jeder Tag seine Aufgaben, so war es gut.

Ich war schon einige Wochen in Machandel, als die junge Russin kam, die im Gutshaus arbeitete. Die Frau Baronin bäte mich, zu ihr zu kommen. Das Mädchen sprach gut Deutsch, mit einem fremden Klang. Während ich mir das Kopftuch und die Schürze abstreifte, blieb die Russin scheu vor der Tür stehen. Die kleineren Kinder kamen angerannt, umarmten sie. »Natalja ist Marlenekens Freundin«, erklärten sie mir stolz. Die war aber schon wieder unterwegs zum Schloss, wie sie das Gutshaus hier nannten.

Die Baronin, eine Frau in mittleren Jahren, hatte ich schon mehrmals von Weitem gesehen; einmal war sie mir auf dem Sandweg nach Klabow begegnet und hatte ihr Pferd zur Seite genommen. Seit Kurzem trug sie Schwarz, ihr jüngerer Sohn, hatte mir eine Nachbarin aus dem Katen im Garten erzählt, sei im Februar gefallen, er war Adjutant des Generalfeldmarschalls Manstein gewesen, dessen Truppen sich mit hohen Verlusten aus dem Kessel in Südrussland befreit hatten. Der Baron sei schon vor dem Krieg gestorben. Die Baronin musterte mich aufmerksam mit kummervollem Blick, ließ mich Platz nehmen und fragte, ob ich ein Glas Tee wünschte. Natalja servierte echten schwarzen Tee, solchen hatte ich schon seit zwei Jahren nicht getrunken.

Dann fragte sie nach den Kindern, sprach mir Anerkennung aus für meinen Einsatz, wie sie es nannte. Sie habe sich erkundigt und wisse, dass ich aus Hamburg sei, aus guter Familie und Witwe eines Arztes. Eigentlich sei ich zu schade, um in dem Landarbeiterkaten Paul Peters' Kindern den Haushalt zu führen. Ich widersprach, aber sie fuhr fort: »Können Sie sich nicht vorstellen, in meinem Haushalt regelmäßig nach dem Rechten zu sehen? Die Köchin hat gekündigt, meine Haushälterin ist auch nicht mehr da, die kleine Russin ist zwar ganz anstellig, kann inzwischen sogar halbwegs kochen, aber der kann ich doch die Verantwortung für den Haushalt nicht überlassen. Das würde auch der Inspektor nicht dulden. Demnächst kommen noch zwei Arbeitsmaiden, aber so jungen Dingern traue ich nichts zu. Selbstverständlich würde ich Sie gut bezahlen, wenn Sie meinem Haushalt täglich ein paar Stunden zur Verfügung stünden. Überlegen Sie es sich doch bitte.«

Ich zögerte, mein Leben kam mir mit den sieben Kindern ausgefüllt vor, und ich hatte kein Bedürfnis, mich anderen Regeln zu fügen. Aber ich brauchte auch Geld, ich besaß ja nur die Kleider, die ich am Leibe trug, auf Bezugsscheine gab es längst nichts mehr, und Walters Tante hatte mir aus Hamburg geschrieben, es gäbe alles auf dem Schwarzmarkt, nur sei es teuer. Ich blickte auf die Bücherschränke der Baronin und dachte, vielleicht wäre es gut, wenn ich aus der Enge des kargen Katens täglich für ein paar Stunden in das Gutshaus wechselte. »Ich nehme Ihr Angebot an«, sagte ich.

Der Haushalt der Baronin war nicht mehr so, wie er vielleicht einmal gewesen war, die Teppiche im oberen Stockwerk waren eingerollt, die Polstermöbel im Musiksalon mit weißen Tüchern verhüllt, es gab keine großen Gesellschaften mehr. Die blasse Tochter der Baronin saß stundenlang in ihrem Zimmer und spielte Geige, immer dieselben Stücke, wie mir schien. Doch es gab hier Schinken und hausgemachte Wurst, Butter und Sahne, eingekochte Marmelade und selbst gebackenes

Brot, sogar Kuchen. Ohne Skrupel gewöhnte ich mir an, unter meiner Schürze kleine Pakete mit zu den Kindern zu nehmen. Das machten hier alle so, die Zugang zur Küche hatten, obwohl der Inspektor misstrauisch gegen jeden war. Mich zu kontrollieren wagte er nicht, aber einmal sah ich, wie er die Tür zu der Kammer öffnete, in der die Russin hauste, und sich sogar hinkniete, um unter ihr Bettgestell zu schauen. Was er suchte, fand er nicht, in der Futterküche unter den leeren Mehlsäcken hielt Natalja eine Blechbüchse versteckt. Ich hatte schon bemerkt, dass sie darin Vorräte sammelte, und wenn sie mit einem Auftrag zur Schnitterkaserne geschickt wurde, wo die anderen Russen untergebracht wurden, steckte die Büchse im Handwagen unter Heu. Einer der Russen dort, er hieß Grigori, war Nataljas Liebster. Er war Offizier gewesen, ein schöner Mann trotz der eingefallenen Wangen und der zerlumpten Kleidung. Er sprach gut Deutsch und wurde oft von der Baronin geholt, wenn ihr altes Auto repariert werden musste, er verstand etwas davon. An seinen Blicken, an Nataljas Verhalten konnte jeder sehen, wie es um die beiden stand, obwohl sie kaum ein Wort miteinander redeten, wenn andere dabei waren. Aber sie trafen sich heimlich, ich habe sie gesehen am hellen Tag an der Wegscheide zwischen den Machandelhecken, ich habe Nataljas Lachen gehört, und einmal, als ich mit den Zwillingen aus dem Wald kam, sah ich sie in der Senke am Hügelgrab liegen, da war es aber schon fast dunkel.

Am nächsten Tag fragte mich Wilhelm Stüwe: »Hamburgerin, hast du was gemerkt zwischen dem Grigori und der Natalja? Da ist doch was im Busch. Die sind zum Arbeiten hier und nicht zum Schweinigeln. Dieser Russe ist sowieso ein ganz Gefährlicher, Kommissar ist der gewesen, der wird uns allen die Ohren abschneiden, da können wir Lumpen kotzen, wenn es mal anders kommt und der das Sagen hat.«

Ich entgegnete ihm kühl: »Natalja macht ihre Arbeit, und der Russe kommt ja nur ins Dorf, wenn er gerufen wird, mehr weiß ich nicht. Aber wieso kannst du denken, Wilhelm, dass es mal anders kommt? Unsere Luftwaffe hatte doch neulich erst in London Erfolg.« Und plötzlich, obwohl ich mir vorgenommen hatte, nicht nach der Vergangenheit zu fragen, erinnerte ich ihn an Marlene. »Weißt du eigentlich, wer damals für ihre Abholung gesorgt hat? Du solltest es dir schon einmal überlegen, denn wenn der Vater wiederkommt nach dem Sieg, wird er wohl danach fragen.« Wilhelm Stüwe starrte mich an, sein Adamsapfel hüpfte, er öffnete den Mund, als wollte er etwas sagen, aber dann wandte er sich wortlos ab.

Sie schwiegen alle, sobald man Marlene erwähnte.

Auch die Baronin, die ich nach dem Mädchen fragte.

Auch Natalja.

Ich hatte das Nachthemd für Marlene fertig genäht, umsäumt und gebügelt lag es in der Schublade, und ich überlegte immer öfter, wie ich es ihr zukommen lassen könnte. Vielleicht könnte ich sie doch einmal besuchen oder ein Paket mit der Post schicken. Da bekam ich selbst mit der Post drei große Kartons aus Hamburg von Walters Tante, deren Wohnung beim großen Bombenangriff unversehrt geblieben war. Sie schickte mir Unterwäsche und Strümpfe, auch damastene Tischtücher und leinene Servietten, Bettlaken und Handtücher mit ihrem Monogramm. Ich musste lachen, als ich die Kostbarkeiten auspackte, so wenig passte diese feine Wäsche in mein neues Leben. Ich hatte sie um ein Nachthemd für mich gebeten und bekam ein spitzenbesetztes Gewand aus eierschalfarbenem Charmeuse, an dem die kleinen Mädchen sich nicht sattsehen konnten, das sie aber kaum zu berühren wagten. Für eine Prinzessin sei das, meinten sie andächtig, oder für eine Hochzeiterin, und Marianne schlug vor, dieses Nachthemd für Marlene aufzuheben, die ja sicher bald heiraten würde, denn sie sei ja schon fast neunzehn Jahre alt.

Da beschloss ich, die große Schwester der Kinder in ihrer Universitätsklinik aufzusuchen, ihr das Nachthemd zu schenken und das aus dem Leinentuch genähte weiße Hemd selbst anzuziehen.

Aus einem Gespräch zwischen der Baronin und dem Inspektor hatte ich erfahren, dass sie mit dem Opel nach Rostock fahren wollten zu einer Pferdemusterungsstelle der Wehrmacht, weil nun auch ihr schwerer Fuchs beschlagnahmt werden sollte, obwohl das Gut als besonders kriegswichtiger Wehrbetrieb eingestuft worden war. Zwar waren die Blinklichter kaputt, aber seit Kurzem durften zugelassene Zivilautos auch so fahren, es gab keine Ersatzteile. Ich fragte die Baronin, ob ich mitkommen könne, Marlene Peters im Krankenhaus zu besuchen.

Sie gab ausweichend zur Antwort, da müsse sie mit dem Inspektor reden, eventuell sei noch etwas zu transportieren. Außerdem sei gar nicht sicher, dass die Benzinzuteilung für die Fahrt ausreiche.

Aber am nächsten Sonntag schickte sie Natalja zu mir, ich solle mich am Montag bereithalten für die Fahrt nach Rostock. Das war der 3. Juli, ich werde das Datum nie vergessen, weil ich am Vortag einen Feldpostbrief meines jüngeren Bruders bekommen hatte, dass es der letzte war, wusste ich ja noch nicht, und später, viel später erst erfuhr ich, dass an diesem 3. Juli 1944 die Kesselschlacht in Minsk in Weißrussland stattgefunden hat, in der er fiel.

Als Natalja kam, knisterte der Brief in meiner Schürzentasche, ich nahm ihn bei der Hausarbeit immer wieder heraus und las ihn, ich war so froh über dieses Lebenszeichen, und dazu kam die Botschaft der Russin, ich dürfe mitfahren nach Rostock im Auto der Baronin.

Natalja aber blieb unschlüssig stehen, nachdem sie mir das gesagt hatte. Ich mochte das stille Mädchen, sie hatte ihre Scheu mir gegenüber verloren, manchmal lachten wir sogar bei der Arbeit. Sie erzählte nie etwas über sich, über ihr Zuhause oder ihren Grigori, und das war mir recht so. Auch ich erzählte nichts über Walter, über Hamburg; manchmal dachte ich an mein früheres Leben und es kam mir selbst unwirklich vor. »Werden Sie in Rostock Marlene besuchen?«, fragte sie mich nun. Die Kleinen drängten sich um uns und zogen Natalja ins Zimmer, sie baten mich, das schöne Nachthemd aus der Kommode zu holen, das Marleneken gehören sollte. Aber die Russin schaute es nur flüchtig an. »Ich bin Marlenes Freundin«, sagte sie zu mir leise, fast flüsternd, »ich möchte sie so gern wiedersehen. Darf ich bitte mitkommen, wenn die Frau Baronin es erlaubt? Oder…«, sie warf mir einen flehentlichen Blick zu, »an Ihrer Stelle fahren?«

Aber das war unmöglich, die Baronin wollte nichts davon wissen, und der Inspektor, der mit uns fuhr, meinte nur: »Diese Ostarbeiterin wird immer unverschämter.«

Ich war lange nicht in einem Auto durch die Sommerlandschaft gefahren, meine Augen konnten die Weite kaum erfassen, die Dörfer schienen mir so schön, so harmonisch in der Sonne zu liegen, ich selbst kam mir so unglaublich elegant vor in meiner weißen Bluse aus dem Paket meiner Tante und mit meinem welligen Haar, das glänzte, weil ich es mit Brennnesselsud gewaschen hatte. In einem Korb hatte ich Kirschen für Marlene und einen Napfkuchen, abgedeckt mit einer Leinenserviette. Das Nachthemd war in ein Handtuch eingeschlagen. Auch Marlenes karierten Rock und zwei Blusen hatte ich eingepackt. Und Natalja hatte mir im letzten Moment einen besonders schönen blau-grün glasierten Stein für Marlene gegeben, der die Form eines etwas schiefen Herzens hatte.

Ich saß auf dem Beifahrersitz, die Baronin fuhr, der Inspektor hatte sich hinten in irgendwelche Papiere vertieft. »Haben Sie Marlene eigentlich selbst gekannt?«, fragte ich die Baronin.

»Ja, natürlich«, seufzte sie. »Die Familie gehört doch zum Gut, schon Paul Peters' Vater hat sich um die Schafe gekümmert. Ich war sogar auf der Beerdigung der Frau. Das Mädchen war zu jung für all das. Sie kam auch oft ins Gutshaus. Ich habe ihr Essen und Kleider geben lassen.«

»Gebettelt hat sie«, knurrte der Inspektor von hinten, »geschnorrt haben die Petersgören wie die Juden. Wurde Zeit, dass da eine vernünftige Hand mal durchgreift.«

Kurz vor Rostock wechselten sie ein paar Sätze über einen Behördentermin, den sie am Nachmittag haben würden, es ging um den Einsatz der Kriegsgefangenen. Der Name Wilhelm Stüwe fiel.

»Ich habe Wilhelm Stüwes Namen in Marlenes Einweisungspapieren gelesen«, mischte ich mich in ihr Gespräch ein. »Er hat angegeben, dass sie schwachsinnig und gewalttätig sei. Was hatte Wilhelm denn mit ihr zu tun?«

Es war still im Auto, nur der Motor tuckerte. Die Fahrerin sah angestrengt nach vorn.

»Stüwe gehört nicht zum Gut«, ließ sich der Inspektor vernehmen. »Er wird bezahlt vom STALAG in Fünfeichen. Wir haben genau genommen nichts zu tun mit ihm. Da müssen Sie ihn schon selbst fragen, was da mit dem Mädel war.«

Aber Auguste Stüwe arbeitet doch im Schloss und sie wohnen auf dem Gutsgelände, dachte ich. Und Wilhelm hatte sich mir gegenüber einmal als Sicherheitsbeauftragter für Machandel bezeichnet, was immer das war. Doch ich sagte nichts mehr.

Wir waren in Rostock. Durch die geschlossenen Fenster glaubte ich die Nähe des Meeres zu riechen, Sehnsucht nach zu Hause wehte mich für einen Moment an.

Die Klinik lag jenseits der Warnow, weitab vom Stadtzentrum. Sie setzten mich davor ab, in etwa vier Stunden würden sie mich hier abholen.

Die Baronin kramte fünf Mark aus ihrer Tasche. »Geben Sie das bitte Marlene.«

Auf den Bänken vor den Häusern und im Park saßen Männer mit Kopfverbänden, Einbeinige, das hier war ein Lazarett. Ich fragte mich zur Klinikleitung durch und saß schließlich einer alten Krankenschwester gegenüber, die den Betreuungsausweis für die Petersschen Kinder aufmerksam betrachtete. Als ich ihr erzählte, dass mein Mann Arzt gewesen sei, wurde sie gesprächig. Während sie mich über die Flure und Verbindungsgänge zu Marlene führte, erzählte sie mir, dass sie seit achtundvierzig Jahren, seit Bestehen dieser Klinik, hier arbeite. »Damals war das noch die Großherzögliche Irrenanstalt. Der Herr Professor Ernst Braun, übrigens Dekan der Medizinischen Fakultät, ist der fünfte Direktor, den ich erlebe. Ein leichtes Arbeiten war das hier nie, viel zu viele Patienten, für zweihundert ist die Anstalt eingerichtet, vierhundert hatten wir noch bis vor Kurzem. Manchmal sogar fünfhundert. Das war nicht mehr schön, können Sie mir glauben. Noch dazu unter Kriegsbedingungen. Keine Bettwäsche, keine Medikamente, zu wenige Pfleger. Und Sie sehen ja, ein Teil der Gebäude ist bei Bombenangriffen zerstört worden. Zum Glück haben wir jetzt die meisten Patienten abgeben können an Schwerin-Sachsenberg und an Neustrelitz. Die meisten Therapien mussten ja kriegsbedingt schon eingestellt werden. Vor allem das Insulin kommt zu teuer, wo unsere Männer an der Front sterben. Aber das wissen Sie ja alles als Witwe eines Arztes. Jetzt beansprucht die Militärverwaltung die meisten Betten für den Lazarettbetrieb. Nur noch ein paar Dutzend Nervenkranke haben wir zurückgehalten, die meisten werden bei der Gartenarbeit oder in der Küche gebraucht.

Marlene Peters ist mir bekannt. Eine angenehme Patientin, schade um sie.«

Ich fragte nach Marlenes Krankheit.

»Wir haben hier alles«, sagte die alte Schwester achselzuckend. »Paralytische Seelenstörungen, Epilepsie, Idiotie, auch Chorea und Tabes dorsalis. Bei Marlene Peters wird es wohl angeborener Schwachsinn sein, erblich. Das kommt hier auf den Dörfern leider oft vor. Aber da müssen Sie den Doktor fragen. Der ist nach Anmeldung für Angehörige zu sprechen. Doch angemeldet sind Sie ja nicht und verwandt wohl leider auch nicht. Es ist eine Ausnahme, dass ich Sie zu der Patientin bringe, weil Sie so einen weiten Weg gehabt haben und weil man in diesen schweren Zeiten zusammenhalten muss.«

Marlene arbeitete in einem Küchenpavillon. Ich erkannte sie sofort, ich hatte ja ihr Konfirmationsfoto auf der Kommode jeden Tag vor Augen, und mit ihrem runden Gesicht, ihren blauen Augen, dem hellen Haar erinnerte sie mich sofort an ihre Geschwister. Aber in Marlenes Gesicht lag wie erstarrt ein Ausdruck von Verlorenheit. Mit zwei, drei älteren Frauen saß sie an einem Tisch und putzte Kohlrüben. Als wir vor ihr standen, sah sie gar nicht auf, ihr Blick blieb leer, mechanisch bewegte sie ihre Hände.

Auf die Worte der Schwester, die mich vorstellte, reagierte sie nicht.

»Marlene«, sagte ich, »ich soll dich grüßen von deinen Geschwistern.« Ich nannte ihre Namen: »Helga, Marianne, Heinz, Gisela, Klaus, Günter, Christine.« Da sah sie auf. Ihre hellen Augen verdunkelten sich. »Und von deiner Freundin Natalja soll ich dich grüßen.«

Da ging ein Zittern durch ihren Körper, sie warf das Messer hin und bedeckte mit ihren Händen das Gesicht.

Wir bekamen die Erlaubnis, in den Park zu gehen, und ich

sah, dass sie etwas hinkte. Ich war mir nicht sicher, ob dieses Mädchen wirklich geisteskrank war, und beschloss, mit ihr umzugehen wie mit einer normalen jungen Frau. Wir suchten eine abseits gelegene Parkbank und ich erzählte ihr von mir und wie ich nach Machandel gekommen war. Ich war selbst erstaunt, so viel hatte ich noch nie von mir erzählt, seitdem ich Hamburg verlassen hatte. Sie hörte zu, ich sah an ihrem Gesicht, dass sie ganz genau zuhörte, aber sie sagte lange kein Wort. Sie wird es verlernt haben, zu sprechen, dachte ich, wer weiß, ob hier irgendwer mit ihr redet. Ich sprach weiter, von ihrer Wohnung erzählte ich ihr, von den Gartenbeeten, von der Stallkatze Minka, die Junge bekommen hatte, und von jedem ihrer Geschwister erzählte ich ihr kleine Geschichten. Einmal sah es aus, als würde sie lachen. Ich packte den Korb aus, gab ihr die Kirschen, den Kuchen, die Handtücher, das Nachthemd. Auch ein Stück Seife aus dem Paket der Hamburger Tante hatte ich ihr mitgebracht, eine Kostbarkeit im fünften Kriegsjahr. Ein wenig enttäuscht war ich, wie wenig sie das alles beachtete. Nur den Stein, das schiefe blau-grün glasierte Herz von Natalja, nahm sie mit einem kleinen Freudenruf und legte ihn an ihre Wange. »Machandelstein«, sagte sie. Es war das erste Wort, das ich von ihr hörte.

Später fragte ich sie, warum sie hinke. Da brach es aus ihr heraus, ich hatte Mühe, alles zu verstehen, weil sie so schnell sprach und weil ihre Stimme rau war, ungeübt.

Sie schob ihr Becken vor, ihre Hände waren im Schoß vergraben, der nur durch den dünnen Stoff der Anstaltskleidung geschützt schien. »Hier haben sie mich operiert«, flüsterte, krächzte sie. »Alles herausgeschnitten. Ich werde keine Kinder haben, niemand wird mich heiraten, wenn ich hier rauskomme.« Ich erfuhr, dass alle jüngeren Frauen in ihrem Saal sterilisiert worden waren, bei manchen, auch bei ihr, habe es

Komplikationen gegeben, alles sei entzündet, sie habe Schmerzen beim Gehen. Aber schlimmer noch sei, sie rückte an mich heran und umarmte mich mit ihren dünnen Armen, klammerte sich an mich, am schlimmsten sei, dass die Frauen aus ihrem Saal verlegt worden seien auf den Sachsenberg. »Dort in Schwerin werden sie totgemacht«, flüsterte Marlene. »Schwester Gudrun, mit der ich mich immer gezankt habe am Anfang, hat das gesagt. Gedroht hat sie mir. ›Du kannst froh sein, wenn wir dich hierbehalten‹, hat sie gesagt, ›auf dem Sachsenberg wärst du längst tot.‹ Ein Soldat aus dem Lazarett hat mir eine Blumenkarte geschenkt, die ich den Lütten nach Machandel schicken wollte. Doch Marie aus dem Bett neben meinem, die die Fallsucht hatte, aber sonst nichts weiter, haben sie vor zwei Monaten verlegt, zusammen mit neun anderen Frauen aus dem Saal wurde sie abtransportiert. Da habe ich die Postkarte der Marie gegeben, und die hat mir versprochen, gleich zu schreiben, wenn sie angekommen sind. Die Briefmarke war ja schon drauf. Ganz fest versprochen hat sie mir das. Und es ist keine Postkarte gekommen, nichts. Aber eine der verlegten Frauen, die schiefe Agnes, ist wiedergekommen aus Schwerin, der Professor hat sie zurückgeholt, er zeigt sie immer den Studenten, weil sie eine seltene Krankheit hat. Vorhin in der Küche hat die schiefe Agnes mit am Tisch gesessen. Die hat mir gesagt …«, Marlene flüsterte jetzt in mein Ohr, »wer nicht von allein stirbt auf dem Sachsenberg, wird totgespritzt. Marie lebt schon nicht mehr.«

Ich wusste nichts zu sagen und zu tun, als sie zu streicheln. Wir weinten beide. Ich glaubte ihr jedes Wort und hielt sie auch nicht für verrückt. Später zeigte sie mir ihren Schlafsaal, in dem es nach Kot roch. Man konnte die Fenster nicht öffnen. In manchen der fünfundzwanzig verschmutzten Betten lagen teilnahmslose, sabbernde Frauen. Plötzlich schien mir das spitzenbesetzte Nachthemd für Marlene so unpassend, aber nun breitete sie es auf ihrem Bett aus und wollte es nicht wieder hergeben, obwohl eine stämmige Pflegerin erschien und kopfschüttelnd meinte, so etwas könne hier niemand gebrauchen. Marlene schob das Nachthemd schnell unter ihre fleckige Matratze. Die fünf Mark der Baronin aber wies sie zurück. Die brauche sie nicht. Ich solle sie unter den Lütten aufteilen, jeder bekäme siebzig Pfennig zum Sparen, rechnete sie, die zehn übrigen solle der Große, Heinz, bekommen, obwohl der nicht sparsam sei. Oder besser Marianne, die käme immer zu kurz. Ihre Stimme war plötzlich ganz weich, nicht so rau und krächzend wie vor ein paar Stunden. Die Pflegerin drängte mich, den Besuch zu beenden, Marlene müsse jetzt zum Mangeln in die Wäschekammer, das sei Arbeitstherapie, sie selbst würde mich zum Ausgang begleiten. Als ich sie umarmen wollte, hatte Marlene wieder ihr leeres, abweisendes Gesicht. Ihr Körper blieb steif, in der zusammengepressten Faust hielt sie das steinerne Herz von Natalja. Meine gestammelten Abschiedsworte erwiderte sie nicht. Sie war zurückgekehrt in ihr Schweigen.

Während die Pflegerin Türen auf- und zuschloss, mich durch das Labyrinth der Gänge begleitete, fragte ich: »Ist Marlene sterilisiert worden?«

Die Frau schaute mich erstaunt von der Seite an und sagte: »Wenn, dann war das eine medizinische Maßnahme nach dem Gesetz zur Verhütung erbkranken Nachwuchses, angeordnet vom Professor und von der erbbiologischen Abteilung. Das ist alles geregelt, der Beschluss wird den Betroffenen immer vorgelegt. Aber machen Sie sich mal keine Gedanken, für die Patientin ist es das Beste, und dass es ihr so weit gut geht, haben Sie ja gesehen.«

Draußen wartete schon das Auto der Baronin. Diesmal fuhr

der Inspektor. Ich saß hinten. Sie fragten mich nicht, wie es bei Marlene gewesen war. Die ganze Fahrt über schwieg ich, aber sie merkten es nicht, weil sie über die Pferde sprachen, über ein Gutachten einer Behörde namens Reichsnährstand und über die bevorstehende Ernte.

13

CLARA

Auch deine Wunde, Rosa

Seit meiner Abiturzeit ignorierte ich die Demonstration im Januar für Karl und Rosa, wie meine Eltern sie nannten, die sich auch bei klirrender Kälte in jedem Jahr auf den Weg machten. Als Kind war ich auch mitgegangen, ich erinnere mich an das warme Gesicht meines Vaters, der mich vor der Tribüne auf den Arm nahm, damit ich die Männer dort oben besser sehen konnte oder sie mein Winken. Einmal wurden wir tatsächlich von da oben erkannt, und ein kleiner, am Rand stehender Mann mit Pelzmütze winkte meinem Vater zu, der auch solch eine Pelzmütze trug. Ich war sehr stolz und legte meine Wange an seine. Meine kalte Hand wurde in seiner warm, aber er ließ sie oft los, denn er traf immerzu Männer, die er begrüßte. Das waren die, mit denen er in der Illegalität gewesen war, im Zuchthaus Brandenburg, in Neuengamme oder Sachsenhausen. Diese Worte waren mir so selbstverständlich, ich kannte sie schon, bevor ich wusste, was sie bedeuteten.

Hinter der Tribüne, wenn die Demonstration sich verlief, ging mein Vater mit mir auf den Friedhof der Sozialisten, wo auch Karl und Rosa lagen. Er zog mich von einem kahlen Grab zum anderen, in manchen Jahren waren sie schneebedeckt, nannte Namen und unverständliche Abkürzungen, RGO, ZK, Komintern, MA. Ich fror, meine Zehenspitzen taten weh, die Arbeiterlieder von der Demonstration klangen hier scheppernd, und ich wünschte mich in die Gaststätte am Strausberger Platz, wo wir immer nach der Demonstration zu Mittag aßen, Kartoffelbrei und Schnitzel. Ich bekam heißen Kakao.

In späteren Jahren musste ich mit meiner Schulklasse zu Karl und Rosa gehen, da wurde am Treffpunkt eine Anwesenheitsliste geführt, doch viele meiner Mitschüler waren schon ein paar Minuten danach nicht mehr dabei, behaupteten später, die Menschenmassen hätten sie abgedrängt. Als ich etwa dreizehn Jahre alt war, sprach ich in der Schule über diese Heuchelei und schlug vor, es solle doch nur der zu Karl und Rosa gehen, der es wolle, da schauten mich die Lehrerin und meine Mitschüler sonderbar an, taten dann, als hätte ich gar nichts gesagt.

Schon als ich ein Kind war, hatte mir mein Vater Rosa Luxemburgs Briefe aus dem Gefängnis geschenkt, eine kleine Ausgabe im grauen Pappband, die ich noch immer besitze. Ich musste weinen wie der geschundene Büffel, über den sie schrieb, und als Jugendliche las ich in den Briefausgaben, die im Schrank meines Vaters standen. Die politischen Traktate interessierten mich nicht, den Aufsatz *Zur russischen Revolution*, den mein Bruder Jan mir empfahl, als ich vierzehn war, verstand ich überhaupt nicht, obwohl ich darin auf das Zitat stieß, das über seinem Arbeitstisch hing und heute über meinem. Mehr interessierten mich ihre hingebungsvollen Liebesbriefe an Leo Jogiches und das, was nach der Trennung zwischen den Zeilen stand, Schmerz, Enttäuschung und Vorwurf. Und doch blieben Rosa Luxemburg und ihr *schöner Dziodziu*, ihr *Goldchen*, ihre *Stütze in der Not*, einander nahe bis zum Schluss, auch als sie keine Anrede mehr für ihn hatte. Mich begeisterten die Kühnheit und die Empfindsamkeit dieser kleinen, hinkenden Frau in einer Männerwelt, von der sie sich nicht verhärten ließ. Die Lieben ihres Lebens musste sie verstecken. Kostja Zetkin war viel jünger als sie, ein Skandal. Darüber konnte ich mit meinen

Eltern nicht reden, meine Mutter war zu beschäftigt und meinem Vater waren diese, wie er fand, nebensächlichen Privatangelegenheiten unangenehm. Lieber sprach er von der Zeitung *Rote Fahne* und den Kriegskrediten, über das historische Versagen der Sozialdemokratie. Mein Bruder lachte über mein Interesse an Rosas Liebesleben und gab mir ein geheimnisvoll schönes Gedicht von Paul Celan: *Auch deine / Wunde, Rosa. / Und das Hörnerlicht deiner / rumänischen Büffel …* Aber er sagte auch, Rosa Luxemburg hätte in vielen politischen Fragen geirrt.

Dadurch kam sie mir noch näher, eine Frau, zerrissen von Widersprüchen. Doch wenn ich Mitte Januar mit meinen Mitschülern an der Tribüne vorbeikam und die Reden über die Lautsprecher hörte, die winkenden alten Männer da oben stehen sah, fragte ich mich, was das mit Rosa zu tun hatte, und ich verspürte keine Lust, den grauen Gestalten zuzuwinken, die die Huldigungen entgegennahmen. Immer noch kam ich mir bei politischen Diskussionen in der Schule vor wie das Kind im Märchen von des Kaisers Kleidern, dem niemand antwortete, wenn es behauptete, der Kaiser sei nackt. Alle wandten sich nur ab, und manche grinsten überlegen. Auch mein Vater redete immer seltener mit mir, blickte an mir vorbei, wenn ich etwas fragte, und murmelte nur, die Dinge seien kompliziert.

Irgendwann ging ich einfach nicht mehr zu den Demonstrationen.

Auch im Januar 1988 blieb ich zu Hause. Wir hatten erfahren, dass einige etwas vorhatten, sie wollten vor der Tribüne Transparente hervorziehen und ausbreiten, zusammengenähte Bettlaken, auf die sie Zitate von Rosa Luxemburg geschrieben hatten, vor allem das berühmte *Freiheit ist immer die Freiheit des Andersdenkenden*. Die Menschenrechtsgruppe, zu der Herbert gehörte, hatte das schon seit Wochen vorbereitet, auch aus dem Friedenskreis wollten einige sich beteiligen und ebenfalls die mit den Ausreiseanträgen von der *Arbeitsgemeinschaft Staatsbürgerrecht*. Wir diskutierten darüber, im Friedenskreis und zu Hause. Ich weiß noch, wie ich mit Michael am Frühstückstisch saß, ohne die Kinder, eine selten gewordene Zweisamkeit, die wir zerredeten. »Bei denen mit den Ausreiseanträgen bin ich skeptisch«, hatte ich gesagt. »Ihnen ist alles recht, wenn sie auf sich aufmerksam machen können. Die wollen sich an die Aktion nur anhängen, denen geht es doch nicht um Rosa Luxemburg.« »Aber um Freiheit geht es ihnen«, meinte Michael, »doch ich werde auch nicht mitmachen, nicht, wenn es von Herbert kommt. Was der und seine Leute unternehmen, ist der Stasi längst bekannt. Es wimmelt doch von Spitzeln in dieser Gruppe, man braucht ja nur hinzusehen. Ich werde nicht freiwillig in die Falle laufen.«

Herberts *Initiative* wollte keine konspirative Gruppe sein, sie suchte nicht das schützende Dach der Kirche und verhielt sich, als wäre sie legal. Heute ist bekannt, wie tief die Stasi nicht nur in diese Gruppe eingedrungen war, wie sie den Streit schürte, gezielt Gerüchte verbreitete. Und ihr war tatsächlich seit Wochen bekannt, was sie vorhatten. Vielleicht hat Herbert es geahnt, spätestens als er am Vortag unter Hausarrest gestellt wurde, wusste er es. Sein Telefon war tot, er konnte niemanden warnen. Manche wurden morgens auf dem Weg zur Demonstration festgenommen, bevor sie ihre Transparente unter den Parkas und Anoraks hervorholen konnten. Etwa dreißig Leuten gelang es, einzeln bis fast zur Tribüne vorzudringen. Aber als sie sich dort trafen, wurden sie umzingelt, und eine Einsatzgruppe mit mächtigen roten Fahnen schirmte sie vor den Blicken anderer ab, bis die Transparente ihnen abgenommen und sie selbst abgeführt worden waren.

Das war am 17. Januar. Für kurze Zeit lag die Stadt unter der kalten Wintersonne wie erstarrt. Aber dann begann sie zu brodeln. Michael erzählte, dass seine Kollegen im Kraftwerk, die sich sonst nicht für Politik zu interessieren schienen, über eine Protestresolution gegen die Verhaftungen diskutierten. Auch im »Oderkahn«, im »Espresso«, im Kasino der Staatsbibliothek hörte ich die Leute erregt über die Verhaftungen reden. Sogar in der Straßenbahn und in der Kaufhalle, in der Elternversammlung. Das Westfernsehen hatte darüber berichtet. *Freiheit ist immer die Freiheit des Andersdenkenden,* viele hörten den Satz zum ersten Mal, und er schreckte sie auf.

Herbert stand noch immer unter Hausarrest. Sie wohnten ja nicht weit von uns, ihr älterer Sohn ging mit Julia in dieselbe Schule, manchmal saß er beim Abendbrot an unserem Tisch, ein struppiges, frühreifes Kerlchen, das meinen staunenden Töchtern von den vor der Wohnungstür lauernden Männern erzählte wie von gefährlichen Drachen, vor denen er sich nicht fürchte.

Herbert durfte die Wohnung nicht verlassen, aber Maria kam eines Abends zu uns, um ihren Sohn abzuholen. »Zwei Männer, die mit einem Dritten im Lada vor unserem Haus gewartet haben, sind mir zu Fuß nachgekommen«, sagte sie. »Die stehen nun unten vor der Haustür.« Michael ging auf den Balkon, um sich das anzusehen, blass kam er zurück ins Zimmer. Ich wusste, dass ihm Marias Besuch nicht passte. Sie sah schlecht aus, ihr sonst so gepflegtes Haar hing strähnig ins Gesicht. Wir sprachen nur wenig, sie wollte schnell zurück in ihre Wohnung, in der Herbert mit dem Dreijährigen allein war. Aus ihrem lila Gewand, zu dünn für die Jahreszeit, nestelte sie ein Schreiben hervor, das Herbert und sie unterzeichnet hatten. Es ging um ihre Kinder. Sie sollten nicht wie Dörtes und Wolfgangs Mädchen ins Heim gebracht werden. Herbert und Maria hatten sich gedacht, dass wir ihre Söhne nehmen sollten, falls ihnen selbst etwas zustoßen würde.

»Wisst ihr«, sagte Maria in unser Schweigen hinein, »Herberts Mutter in Ilmenau ist zu alt. Und meine Eltern mögen Herbert nicht, sie verstehen nicht, was wir wollen, und haben nur Angst. Sie würden die Kinder gegen uns aufbringen. Euch kennen die Jungs, außerdem, dein Vater, Clara, versteh es nicht falsch, aber euch werden sie nichts tun.«

Sie gab mir das Papier, auf dem Herbert und sie mir das Sorgerecht übertrugen, falls sie es eines Tages nicht selbst ausüben könnten. Bevor ich es lesen konnte, griff Michael danach. Ich suchte seinen Blick, er wich aus.

»Ja«, sagte ich zu Maria. »Du kannst dich auf mich verlassen.« Wir umarmten uns. »Wenn wirklich etwas ist«, sagte Maria noch, »benachrichtige Carlos.«

Sie gab mir die Adresse des spanischen Friedensforschers und das Schlüsselbund für ihre Wohnung, nahm ihren Sohn an die Hand und ging. Über ihrem Kleid trug sie einen altmodischen Kaninchenpelz und einen Muff, kein Mensch außer ihr zog heute so etwas an, es gab ihrer Erscheinung etwas eigenartig Zeitloses. Ich blickte ihr durchs Fenster nach und sah, wie sich zwei Gestalten, die im Schatten eines Hauseingangs gefroren hatten, an ihre Fersen hefteten, sie gaben sich keine Mühe, ungesehen zu bleiben, wozu auch. Die Männer wirkten bedrohlich groß, wie sie hinter der zierlichen Frau und dem Kind herliefen.

Ich habe Maria nie wiedergesehen.

Am nächsten oder übernächsten Morgen, es war ein Montag Ende Januar, hörte ich in den Sechsuhrnachrichten von neuen Verhaftungen. Herberts Name fiel.

Ich stürzte zu Michael ins Bad, er war nicht überrascht. In der Vollmacht, die Maria uns gegeben hatte, stand nur mein Name. Aber er war einverstanden mit allem, was zu tun war, und ich war ihm dankbar. Die Ereignisse schufen eine Nähe zwischen uns, die wir in den vergangenen Monaten kaum noch gespürt hatten.

In Marias Wohnung nahm niemand den Telefonhörer ab. Kaum hatte ich aufgelegt, riefen Freunde an, um uns zu fragen, ob wir mehr wüssten. Ich wählte die Nummer der Pfarrerin von Pankow, ihr Anschluss war gestört. Michael musste zur Arbeit, ich brachte Caroline in den Kindergarten und die etwas widerstrebende Julia zur Schule, die Kinder merkten, dass etwas Beunruhigendes geschah. Dann klingelte ich bei meiner Freundin Ruth, die am Rathaus wohnte. Sie hatte schon versucht, bei uns anzurufen, weil sie auch von Herberts Verhaftung gehört hatte. Wir beschlossen, in die Wohnung von Herbert und Maria zu gehen.

Unterwegs sahen wir uns um, niemand schien uns zu folgen. Trotzdem musterten wir jeden parkenden Lieferwagen. Maria hatte von dem Auto vor ihrem Haus erzählt, die Männer darin wurden alle paar Stunden abgelöst. Wir sahen kein solches Auto. Auch im Hausflur, wo ständig zwei Kerle herumgestanden hatten, war niemand. Hinter einer Wohnungstür kläffte ein Hund. Die Tür zu Herberts und Marias Wohnung war nicht versiegelt, wie ich befürchtet hatte. Mit klammen Fingern holte ich Marias Schlüssel hervor, wir traten ein. Die Kinder waren nirgends zu sehen. Im dämmerigen Schlafzimmer sahen die Betten aus wie gerade erst verlassen, im Wohnzimmer lagen Stoffballen und aufgetrennte alte Kleider verstreut um die Nähmaschine herum, zwei halbvolle Teegläser standen auf einem Tischchen, ein voller Aschenbecher. Dazwischen lagen Zeitungen, Broschüren, beschriebenes Papier. Bücherstapel auch auf dem Fußboden. In der Küche war der Frühstückstisch gedeckt, Schulbrote für den Größeren lagen bereit. Es war kalt. Die Wohnung war zwar groß und hatte einen wunderbaren Parkettboden, sie wurde aber mit alten Kachelöfen geheizt, die schon lange nicht mehr recht funktionierten. Von den Fenstern her zog es. Ich war lange nicht hier gewesen, jetzt fiel mir auf, wie ärmlich alles war. Auch Herbert hatte in den letzten Monaten so trostlos und ungelüftet gewirkt wie diese Wohnung, die kein Zuhause mehr war, seitdem vor der Tür die Männer jeden Schritt belauerten. Sie hatten wenig Geld, er verdiente als Hausmeister 380 Mark, und Maria nähte ihre schönen Kleider fast nur für Bekannte, von denen sie kaum etwas nahm. Sie müssen Geldsorgen gehabt haben, ging mir plötzlich durch den Kopf, und ich schämte mich, nie danach gefragt zu haben.

Wo waren die Kinder? Ruth und ich hatten kein Wort gesprochen, während wir durch die ganze Wohnung gegangen waren. Plötzlich waren wir umringt von sechs oder sieben Männern. Wir hatten doch die Eingangstür hinter uns zugezogen, wo waren die so lautlos hergekommen? Einer, älter als die anderen, mit der ausdruckslosen und doch herrischen Miene eines Vorgesetzten, verlangte in barschem Ton meinen Ausweis. Ruth war abgedrängt worden ins Nebenzimmer, und trotz meiner Verwirrtheit sah ich doch, dass die übrigen Männer sich strategisch vor jeder Tür und sogar vor dem Balkon postiert hatten. Ich weiß nicht, woher ich die Geistesgegenwart nahm, in wütendem Ton fragte ich den Mann, wer er überhaupt sei und was er in der Wohnung meiner Freunde zu suchen habe. Er hielt mir tatsächlich einen Ausweis unter die Nase, gab eine knappe Erklärung, in der die Worte »Unterbindung von feindlicher Wühl- und Zersetzungsarbeit« vorkamen. Ich zeigte ihm meinen Ausweis, den er nur flüchtig anschaute, bevor er ihn an einen jungen Mann weitergab, der damit aus dem Zimmer ging. »Was wollen Sie hier?«, fragte er.

»Ich habe von Maria und Herbert Ahrens die Vollmacht, mich um ihre Kinder zu kümmern, wenn sie verhindert sein sollten«, antwortete ich scheinbar gelassen. Obwohl ich das Papier bei mir trug, holte ich es nicht hervor. Er hätte es mir wegnehmen können. Aber er verlangte nicht danach.

»Wo sind die Kinder?«

Meine Frage schien ihn zu überraschen. »Die Eltern sind der Klärung eines Sachverhalts zugeführt worden, und da das länger dauern kann, wurden die Kinder staatlicherseits untergebracht, so ist es üblich.«

»So entspricht es nicht dem Gesetz«, entgegnete ich scharf. Ruth, die ehrenamtlich in der Jugendhilfe arbeitete – sie kümmerte sich um den Sohn einer Alkoholikerin in ihrem Haus und besaß einen Ausweis für Erziehungshelfer –, hatte mir auf dem Weg die Gesetze erklärt. Eine Heimeinweisung dürfe ohne Einwilligung der Eltern nur bei Gefahr für die Kinder erfolgen oder auf Beschluss einer Jugendhilfekommission. Sogar in Untersuchungshaft oder während einer Haftstrafe stünde den Eltern das Aufenthaltsbestimmungsrecht für ihre Kinder zu. Es sei denn, man habe ihnen das Sorgerecht entzogen, was so einfach nicht sei.

Ich hörte auch Ruth im Nebenzimmer auf die Männer einreden. Die Worte Sorgerecht und Jugendhilfe fielen. Energisch wiederholte ich meine Frage nach den Kindern. Ich erklärte dem Mann die Gesetze, einen Moment lang schien er etwas verunsichert. »Die Kinder sind gut untergebracht«, wiederholte er.

»Aber nicht mit dem Einverständnis der Eltern.« Jetzt war ich es, die barsch sprach, sein Ton war beschwichtigend und höflich. Einer der Kerle reichte ihm Ruths Ausweis für Erziehungshelfer, den er unschlüssig studierte.

»Sagen Sie uns, wo die Kinder sind, ich hole sie ab«, schlug ich vor. Ausweichend sagte er etwas vom Referat Jugendhilfe.

»Gut, dann gehen wir jetzt dorthin. Geben Sie mir bitte meinen Ausweis wieder?«

Wortlos reichte einer der Männer mir meinen Ausweis, auch Ruth bekam ihren zurück. Als sie von mir den Wohnungsschlüssel verlangten, weigerte ich mich. »Alle Kindersachen sind hier in der Wohnung.«

Erstaunlicherweise ließ er uns ziehen, vorbei an den jungen Männern, die sich auf dem Korridor aufgestellt hatten. Wir gingen wie durch ein Spalier.

Erst auf der Straße musste ich kotzen.

14

HANS

Verraten

Gestern war meine Tochter Clara hier bei mir in der Wilhelmstraße, sie kommt immer dienstags und manchmal am Wochenende. Sie ist fülliger geworden, kein Mädchen mehr. Geht auf
die fünfzig zu. Und ich auf die hundert. Ihre eigenen Töchter sind schon groß, die kommen selten. Meine Enkelinnen.
Caroline, die Jüngere, die noch studiert, sieht Else ähnlich.
Aber das kann ja nicht sein, Clara ist Johannas Tochter und
Else ist tot. Johanna ist auch tot. Ich hätte sie nicht nach Berlin
holen sollen damals, ich hätte sie nicht in mein Leben ziehen
sollen. Sie war ja noch fast ein Kind. Sie war auch zu jung, als
sie Mutter wurde. Achtzehn Jahre. Aber sie war auch eine reife,
weiche Frau damals, sie hatte die Flucht aus diesem ostpreußischen Dorf hinter sich und sie wollte das Schlimme vergessen. Das wollte ich auch. Johanna hatte so eine Sehnsucht nach
Schönheit, die hatte Else auch. Else zog sich gern schön an, sie
besaß so ein Ding, Brennschere hieß das, damit machte sie sich
Wellen ins Haar. Wenn ich an sie denke, sehe ich sie immer ganz
hell in einem dunklen Raum. Am Ende war es umgekehrt. In
der Prinz-Albrecht-Straße, bei der Gegenüberstellung, stand
sie mit schwarz zerschlagenem Gesicht zusammengekrümmt
in einem grellen kalten Licht.

Johanna war auch hell am Anfang. Und am Schluss war sie
ein Wrack, verloren, verwirrt. Eine Alkoholikerin. Ich hätte sie

nicht zu mir holen sollen. Doch sie wollte raus aus diesem Dorf Machandel, in dem sie nicht zu Hause war. Neu anfangen, alles hinter sich lassen, so haben wir damals gedacht. Bau auf, bau auf, haben die jungen Leute gesungen. Ich war nicht mehr jung. Ich war eigentlich nie jung. Mit elf habe ich schon Zeitungen ausgetragen in der Schönhauser Allee, das war Mutters Arbeit, aber sie hatte Tuberkulose. Hat Blut gespuckt und ist ja dann auch früh gestorben. Mit vierzehn die Lehre als Metaller, mitten in der Inflation. Aber bei Siemens traf ich auf die Genossen. Vater war ja nur in der Gewerkschaft, aber ich war mit sechzehn im Jungsturm vom Roten Frontkämpferbund. Da wurde ich bald Gruppenführer, dann Zugführer und ins Schulungslager nach Tambach-Dietharz delegiert. Das war meine erste Reise und dort habe ich Thälmann zum ersten Mal gesehen. Beim Reichstreffen von 1927, ich war siebzehn, hat er mich als Fahnenträger zur Tribüne geholt. Das war im Schillerpark in Berlin Reinickendorf, ein Mädchensprechchor ist auch aufgetreten. So habe ich Else getroffen, die war Rezitatorin und sang im Arbeiterchor. Im Roten Sprachrohr war sie auch. Sie war vier Jahre älter als ich, Verkäuferin bei Hertie und hatte eine eigene Kochstube in der Stargarder Straße. Ich zog zu ihr. 1929 wurde der Rote Frontkämpferbund mitsamt dem Jungsturm verboten, aber meinen Schwur habe ich nie vergessen: *Ich gelobe, stets und immer meine revolutionäre Pflicht gegenüber der Arbeiterklasse und dem Sozialismus zu erfüllen. Ich gelobe, stets und immer ein Soldat der Revolution zu bleiben.*

Diesen Schwur habe ich gehalten und ich halte ihn noch immer.

Als der Rote Frontkämpferbund verboten wurde, hatte ich schon Sonderaufgaben. Rudi Schwarz, der Leiter der Roten Jungfront, hat mich mit dem Reichstagsabgeordneten Kippenberger zusammengebracht, der den militärischen Abwehrapparat der Partei aufbaute. Nun war ich Parteisoldat an einer ganz heißen Front. Das hieß Disziplin, die Klappe halten, vorsichtig sein, mit allem rechnen. Das wird man nicht los, das prägt den Charakter. Else war anders, die lachte so laut, die ging nackt baden im Motzener See, die hatte so einen leichten Sinn. Die war so hungrig nach Leben. Wie Johanna am Anfang.

Johanna ist mir 1947 hinterhergekommen nach Berlin, den Jungen hat sie auf dem Dorf gelassen. Das war ein Fehler, ich hätte es nicht zulassen dürfen. Aber ich hatte ja keine Zeit, Vater zu sein, so etwas wie Familienleben gab es erst viele Jahre später bei uns. Doch dass wir den Jungen dann auf die Kadettenschule geschickt haben, war kein Fehler. Da hat er Disziplin gelernt, da war er unter anderen Jungen, alles Söhne von guten Genossen. Der Herbert Grünstein hatte seinen Jungen dort und der Heiner Rau, glaube ich, das waren Spanienkämpfer, und der Horst Brasch, der im englischen Exil, oder war es schon vorher im tschechischen, die FDJ mitgegründet hat. Dessen Sohn ist ja auch so ein Künstler geworden, ein Dichter, der ist auch in den Westen gegangen und vor ein paar Jahren ist er gestorben, soll rauschgiftsüchtig geworden sein. *Vor den Vätern sterben die Söhne* hieß ein Buch von ihm. Seltsamer Titel. Ich habe es nicht gelesen. Der Grünstein-Sohn, Peter hieß er wohl, ist auch schon tot. Der ist verrückt geworden, in Moskau während des Studiums ist er durchgedreht. Tragisch, aber so etwas gibt es eben. Ein Sohn vom Dahlem, der in der Sowjetunion im Exil war, soll bei uns auch in der Psychiatrie gelandet sein. Und die Frau von Ernst Busch, Irene. Ich habe viele gekannt, die den Verstand verloren haben. Jan ist wenigstens nicht verrückt geworden und nicht süchtig wie seine Mutter, nur halsstarrig und uneinsichtig. Aber wo er ist, weiß ich nicht. Manchmal frage ich mich, ob er noch lebt. Manchmal hoffe ich, er arbeitet für unsere Leute irgendwo, wo er sich nicht melden kann bei seiner Familie, mit einer anderen Identität, wie ich damals nach 33. Aber Jan hat nichts am Hut gehabt mit unseren Diensten und der Partei, der war ein Einzelgänger, ein verdammter Individualist, so wie sein Freund, dieser Herbert Ahrens, um den sie 88 solch ein Gewese gemacht haben, weil Mielkes Leute ihn mal drei Wochen lang eingesperrt haben. Wo gehobelt wird, fallen Späne. Unsere Leute haben dauernd gesessen, der Rudi Schwarz war schon 1930 acht Monate im Zuchthaus. Als er rauskam, schlotterten seine Hosen, und er hatte diesen Tick mit dem Augenlid. Eigentlich hätte man ihn aus dem Apparat rausnehmen müssen. Doch er wurde nach Kippenberger Abwehrchef, mit ihm habe ich in den Monaten nach Thälmanns Verhaftung am engsten zusammengearbeitet. Im Januar 34 haben die Nazis ihn gegriffen und im Februar am Schäferberg auf der Flucht erschossen, zusammen mit drei anderen. Ich habe mich noch bis 35 gehalten, dann hatten sie mich auch. Und davor Else. Die drei Wochen Untersuchungshaft für Herbert Ahrens Anfang 88 waren doch harmlos. Aber für meine Tochter und ihre Freunde war das schon der Gipfel der Unmenschlichkeit. Da haben wir bei den Nazis ganz andere Gefängnisse kennengelernt. Oder in den 50er-Jahren… Nee, mein Sohn arbeitet nicht für unsere Leute und unsere Leute gibt es nicht mehr.

Meine Gedanken umkreisen immer dasselbe, wenn Clara bei mir war und nach der Vergangenheit bohrte, was sie seit ein paar Jahren bei jedem Besuch tut. Aber was soll ich ihr antworten? Das ist alles so verschlungen, so schwierig, und es ist lange her und doch nicht vorbei. Verschlungen. Doppeldeutiges Wort. Es ist alles so miteinander verwoben, aber es ist auch verschlungen von der Zeit. Jetzt sitze ich hier und warte auf die Pflegekräfte, die mir das Abendbrot bringen und mich waschen werden und den Urinbeutel wechseln. Meine Waschfrauen nenne ich sie, und sie lachen darüber. Sie wissen nicht, dass meine Mutter Waschfrau war. Diese Frauen sind die Einzigen, die mich noch berühren. Und Clara, wenn sie mich zur Begrüßung und beim Abschied umarmt. Das hat sie früher nicht getan. Auch Johanna zog sich schon lange vor ihrem Tod von mir zurück. In den ersten Jahren hat sie an mir gehangen, mich bewundert vielleicht. Und ich fand sie schön, ihre Haut war so sanft, so glatt, sie war wie Else. Wenn ich sie im Schlaf betrachtete, habe ich sie geliebt. Aber als Karel Hunzek, von dem sie wusste, dass er mich zusammen mit Otto von Sachsenhausen bis Machandel geschleppt hatte, als der im Dezember 1952 in Prag hingerichtet wurde, als es in den Zeitungen plötzlich hieß, Hunzek sei ein Feind des Sozialismus, ein Verbrecher, da schaute sie mich manchmal so an, als wäre ich einer von seinen Henkern.

Im Januar 53 stand in unseren Zeitungen die Sondermeldung über die in Moskau verhafteten Mörderärzte. »Glaubst du das?«, hat Johanna mich gefragt. Ich habe nicht geantwortet. »Oder ist es wie mit Karel?«, hat sie weitergebohrt. Ich habe ihr gesagt, sie soll den Mund halten. Das hat sie getan. Ein paar Monate später, nach Stalins Tod, wurden die Ärzte rehabilitiert, ihre Aussagen, das stand in den Zeitungen, waren durch Folter erzwungen worden. Folter. In sowjetischen Gefängnissen. Chruschtschows Geheimrede wurde ja erst drei Jahre später gehalten, aber seit diesem Jahr 1953 konnte es jeder wissen. Und wir wussten es ja auch. Mein Sohn hat mir später ins Gesicht gesagt, dass ich mich auf die Seite von Karels Mördern gestellt hätte. Was hätte ich tun sollen? Aus der Partei austreten? Es hat doch gereicht, dass sie schon lange vor dem Slánský-Prozess in Prag auch bei uns so viele der besten Genossen ausgeschlossen haben. Paul Merker, Leo Bauer. Lex Ende und Paul Bertz haben sich erschossen. Rudolf Feistmann hatte sich umgebracht. Kreikemeyer war verschwunden, keiner weiß bis heute, was

Mielke mit dem gemacht hat. Wehner war im Westen bei den Sozialdemokraten, der war gar nicht erst zu uns zurückgekommen. Und alle meine Genossen aus der Illegalität tot: Kippenberger, Rudi Schwarz, Hans Schwarz, Thälmann, Birkenhauer. Und die aus den Lagern: Ernst Schneller, Bruno. Die fehlten doch, und wenn ich ausgetreten wäre, hätte noch einer mehr gefehlt. Ich habe meinen Schwur gehalten. Und ich wusste, dass die Genossen in Prag eines Tages Karel rehabilitieren würden, und so war es ja dann auch. Das konnte man in unseren Zeitungen lesen, 1968 im Frühjahr. Aber im August standen die Panzer in Prag und im September haben sie Jan eingesperrt wegen der Fotos. Er war in diesem Jahr 1968 dauernd dort, er war ganz besessen davon zu fotografieren. Schon im Oktober davor war er zufällig dort, zum 50. Jahrestag der Oktoberrevolution, im Sommer hatte er eine tschechische Studentin kennengelernt, wegen der er damals hinfuhr. Er war selbst Student an der Humboldt-Universität, Anfang zwanzig, die Haare trug er bis auf die Schultern, sah aus wie ein Mädchen. Und die Kamera hatte er stets dabei. Am letzten Oktobertag 67, während des Festakts auf dem Hradschin, zogen die Studenten mit brennenden Kerzen an der Burg vorbei. Das hat Jan fotografiert und danach noch den ziemlich brutalen Polizeieinsatz.

Die Bilder hat er mir gezeigt, er kam oft zu mir damals und wollte reden. Es war eine gute Zeit für uns beide. Unsere beste. Zum ersten Mal redeten wir von Mann zu Mann, von Vater zu Sohn, wie ich es mir immer gewünscht hatte. Ich fand den Polizeieinsatz auch falsch, schon weil ein paar Monate zuvor in Westberlin die Polizei ebenso gegen die Studenten geknüppelt hatte und einer, hieß er nicht Ohnesorg, sogar erschossen worden war.

Die Prager Studenten übrigens, das hat mein Sohn mir zu den Fotos erzählt, haben gerufen: »Wir wollen Licht!« Die meinten das ganz konkret, weil ihre Studentenheime so verrottet waren und immer der Strom abgeschaltet wurde.

Ich habe Jan geraten, die Fotos von den zusammengeknüppelten Studenten keinem zu zeigen. Wem nützt das, muss man sich immer fragen, habe ich ihm gesagt, und damals hat er noch auf mich gehört. Die Tschechen begannen doch danach selbst schon bei sich aufzuräumen. Novotný wurde durch Dubček abgelöst. Und Josef Smrkovský, Minister für Forstwirtschaft, ein alter Kommunist, hat Anfang 68 auf dem ZK-Plenum selbst den Prager Frühling eingeleitet. Smrkovský, den die Nazis nicht gekriegt haben, der illegal gegen Hitler gekämpft hat wie ich auch, war 1951 von seinen eigenen Leuten zu lebenslänglichem Zuchthaus verurteilt worden. Ein paar Jahre später haben sie ihn wieder freigelassen, aber erst im Frühling 68 erzählte er öffentlich von der Todeszelle. Ich habe seine Berichte gelesen, Wort für Wort. *Die Herrschaft unkontrollierter, totalitärer Macht muss für immer gebannt werden durch die Umwandlung der Partei.* Das hat Smrkovský gesagt, und mein Sohn war dabei, am 13. März 1968, vor dem Slawischen Haus am Graben zwischen Wenzelsplatz und Pulverturm.

Mein Sohn hat fotografiert, wie die Menschen zu Tausenden zum Graben geströmt sind am Nachmittag des 13. März. Kein Auto konnte mehr fahren, die Straßen waren voller Menschen. Ich habe mir die Fotos genau angesehen, oft, ich kenne sie auswendig. Da waren auch Arbeiter, man sah es an den Gesichtern und der Kleidung. Da waren Studenten, die aussahen wie mein Sohn, Mädchen in kurzen Röcken mit offenen, schönen Gesichtern, ältere bürgerliche Damen mit Perlenketten, sie hörten zu, sie lachten, sie wirkten so heiter, so befreit und doch ernst, und manche weinten. Jan hat fotografiert, wie Smrkovský zu ihnen geredet hat, auf einem Bürotisch stand er auf der Straße wie im Juni 53 in Berlin der Erich Selbmann.

Innerhalb von zwei Tagen traten fünfzig Politiker zurück, ein paar Geheimdienstler und der stellvertretende Verteidigungsminister erschossen sich. Am 5. April verabschiedete die tschechische Kommunistische Partei ein neues Programm.

Eine neue Ära hatte begonnen, schien es, und mein Sohn hat diesen Anfang fotografiert. Ich habe seine Prager Bilder aus diesen Tagen angeschaut und ich habe die Übersetzung von Smrkovskýs Rede gelesen. *Was wir hier tun, hat noch nie jemand versucht: Demokratie und Sozialismus zu verbinden. Wir bleiben Kommunisten, aber die Verhältnisse müssen sich so ändern, dass die Leute uns aus freiem Willen wählen.* Jan und ich saßen in meinem Arbeitszimmer am Heinrich-Mann-Platz und ich habe auch geweint und ich war meinem Sohn so nah wie nie zuvor und wie danach auch nie mehr. Am Graben, neben dem Slawischen Haus, hat bis zu seiner Verhaftung 1952 auch Karel gewohnt. Er wurde rehabilitiert in diesem Frühling 1968, alle aus dem Slánský-Prozess wurden rehabilitiert. Ich habe meinem Sohn nicht gesagt, warum ich weinte, er kannte Karels Namen nicht, damals noch nicht. Er hat auch nicht gefragt, er dachte, ich bin so glücklich über die Erneuerung, die Wiedergeburt der Partei. Das war ja auch so. Josef Smrkovský wurde Parlamentspräsident der Tschechischen Republik. Aber ich habe auch geweint, weil das alles für Karel zu spät kam. Seine Asche war im Winter nach seinem Tod dem Splitt beigemischt und über die vereisten Straßen vor Prag gestreut worden. Und seine Frau Alena war nicht mehr am Leben, als der Slánský-Prozess in den tschechischen Zeitungen und dann auch in unseren als das bezeichnet wurde, was er war: eine gewaltige Lüge. Ein Versuch Stalins, die Kommunistischen Parteien der Bruderländer kleinzukriegen. Aber es war keiner mehr da, mit dem ich das Ende dieser Lüge feiern konnte. Mit meinen deutschen Genossen habe ich kaum über das alles geredet. Auch mein Lagerkamerad Otto Svobod war längst gestorben. Ihn hatten sie nicht umgebracht, nur abgesetzt und in den Wald als Forstarbeiter geschickt, obwohl er durch Sachsenhausen ein kaputtes Herz hatte. Doch die Partei war am Leben und darauf kam es schließlich an. Das hat Jan nicht verstanden. Und Johanna auch nicht.

Am 27. Juni erschien in Prag das Manifest der 2000 Worte, verfasst von so einem Schriftsteller, siebzig Prominente haben es unterzeichnet. Da ging es schon nicht mehr um die erneuerte Partei. Sie forderten Bürgerkomitees, Demonstrationen, Streiks. Die wollten eine andere Gesellschaft, sofort. Smrkovský nannte das Manifest tragisch, die Unterzeichner wären keine Realisten.

Jan war auch so ein Romantiker. Der hat seine Fotos im Studentenklub in der Linienstraße ausgestellt, ich habe ihm abgeraten. Es war noch zu früh. Heute weiß man, dass die Bruderstaaten schon am 15. Juli in Warschau geschlossen für den Einmarsch gestimmt haben, den sie in Moskau schon im März erwogen haben.

Mein Sohn war Mitte August wieder in Prag. Er hat fotografiert, das Jan-Hus-Denkmal auf dem Altstädter Ring, an dem die Menschen mit Fahnen und Transparenten hochgeklettert waren, das zu einer Säule aus lebenden Körpern wurde. Tage vor dem Einmarsch hat er den müden, ausgebrannt wirkenden Smrkovský bei einer Kundgebung fotografiert, den erschöpften Dubček am Abend vor dem Einmarsch. Die sowjetischen Panzersoldaten fotografierte er, verwirrte, verstörte, ganz junge Gesichter. Die wussten gar nicht, was sie da taten. Und die Prager, die vor dem Rundfunkgebäude die Panzer mit ihren Leibern aufhalten wollten, mit Baufahrzeugen und Bulldozern. Junge Mädchen stopften Tücher in die Sehschlitze der Panzer. Immer sind Hände auf Jans Bildern zu sehen, nackte, bloße Hände. Mehr hatten die Prager nicht.

Sie haben ihm die Kamera und alle Filme abgenommen, im Zug zwischen Dresden und Berlin Anfang September. Sie haben ihn verhaftet, wir haben es erst zwei Wochen später erfahren. Jan hat seine Fotos vom Sommer in Prag nicht wiedergesehen, nur seine früheren, die von der Kerzendemonstration im Oktober und die vom hoffnungsvollen Frühling hat er behalten, die haben sie nicht gefunden bei der Hausdurchsuchung. Ich aber habe die Fotos mit den Panzern gesehen, sie wurden mir vorgelegt in der Normannenstraße, als sie mich auch vernommen haben. Stundenlang haben sie mich mit diesen Fotos allein gelassen, ich habe sie angeschaut und war stolz auf meinen Sohn. Ich habe keines der Bilder vergessen. Aus Jan hätte ein guter Fotograf werden können, wenn er nicht so von uns abgerückt wäre. Aber ich hätte ihm sagen sollen, dass ich seine Bilder gut fand. Stattdessen habe ich ihn einmal, das war schon Jahre später, kurz vor seiner Ausreise, gefragt: »Glaubst du, mit deinen Lichtbildern änderst du die Verhältnisse?« »Nein«, hat er geantwortet, »aber so kann ich überleben.« Wenn er doch wirklich überlebt hätte.

Die Vernehmer hatten solche Büttelgesichter, wahrscheinlich ehemalige Hitlerjungs oder in der Kriegsgefangenschaft umgedrehte Wehrmachtssoldaten. Von den Vorgesetzten ließ sich keiner blicken, auch nicht Rosenthal, der in Sachsenhausen in der Lagerapotheke gewesen war, oder Radtke, den ich 1937 im Zuchthaus Brandenburg getroffen hatte. Aber das war 1952 auch so gewesen, da galten plötzlich die alten Verbindungen nicht, da war sich jeder selbst der Nächste. Nur mein Nachbar, der Ernst Busch, hat im Herbst 68 bitter zu mir gesagt: »Die Zeit dreht sich wieder rückwärts wie die Turmuhr in der Prager Altstadt.« Sie haben einen Prozess gegen Jan durchgezogen, nachrichtendienstliche Tätigkeit wollten sie ihm anhängen. Angeblich hatten westliche Dienste die Fotos bei ihm bestellt.

Blödsinn. Ist ja auch fallen gelassen worden, nach ein paar Monaten war er wieder frei. Johanna ist ein Jahr lang mit verheulten Augen herumgelaufen. Dabei haben sie ihm am Ende nur den Studienplatz weggenommen und ihn für zwei Jahre zur Bewährung ins Glühlampenwerk geschickt. Als ob Arbeit Strafe wäre, ich hatte nichts dagegen, dass mein Sohn in einer Fabrik arbeitete, und er selbst hat sich auch nicht beschwert. Er saß mit einem Prüfstab am Fließband und in den Pausen hat er fotografiert. Die Arbeiterinnen, wie sie da auf ihren Hochstühlen am Fließband saßen in dünnen Schürzen, weil im Saal dreißig Grad Hitze herrschten. Die Arbeit selbst hat er fotografiert, die Kantine, den Dreck, die herumfliegenden Glassplitter. Hat aber keiner haben wollen, diese Fotos. Später hat er Aufträge von der Zeitung *Sibylle* angenommen, Modefotografien, albernes Zeug. Schade.

Damals hat Jan angefangen, nach Karel zu fragen. Er hatte sich Bücher über den Slánský-Prozess besorgt und gelesen, dass da einer aus Sachsenhausen dabei war. Ich habe Jan nichts erzählt, denn inzwischen war der Traum in Prag zu Ende geträumt, und ich wollte ihn nicht noch mehr in Schwierigkeiten bringen. Aber er hat selbst recherchiert, hat meinen Bericht über den Todesmarsch gefunden und mir vorgeworfen, ich hätte Karel verraten. Verraten. Ich. Mit Jan konnte man nicht reden, er hat nichts mehr gefragt, die Antworten glaubte er bereits zu wissen, herumgebrüllt hat er bei uns, bis ich ihn rausschmeißen musste.

Damals hat Johanna mit dem Trinken angefangen. Wenn sie nicht mehr nüchtern war, hat sie mir vorgehalten: »Deine Genossen gehen über Leichen.« »Ja«, habe ich gesagt, »aber nicht nur auf den Straßen vor Prag liegt die Asche unserer Toten, sondern auch an den Wegrändern von Brandenburg und Mecklenburg, schon länger.«

»Am Frischen Haff, wo ich herkomme, gibt es auch Massengräber, und am Grund der Ostsee liegt unser halbes Dorf«, erwiderte Johanna, und ich sagte: »Komm du mir jetzt nicht als armes Vertriebenenmädchen, ich werde nicht zulassen, dass meine ermordeten Kameraden mit den Volksgenossen aus den Ostgebieten gleichgesetzt werden.« So haben wir uns gestritten und uns tat beiden das Herz weh. »Außerdem bist du doch selbst in unserer Partei«, sagte ich ihr, und dann schwieg Johanna und ging in ihr Zimmer. Manchmal aber hielt sie mir vor, ich sei doch auch beinahe von meinen eigenen Genossen geopfert worden. »Die sind doch alle noch da«, sagte sie und zählte auf: »Ulbricht und Anton Joos und Karl Laufer und Herta Geffke und die anderen von der Parteikontrollkommission.«

Das waren die, die mich nach dem Slánský-Prozess vorgeladen hatten, die mir misstrauten, denen ich immer wieder schildern musste, woher ich Karel Hunzek kannte, worüber wir geredet hatten, was ich über seine politischen Ziele wusste. Wie einen Angeklagten haben sie mich behandelt. Vielleicht war es ein Glück, dass 1953 die alte Tuberkulose wieder ausbrach und ich für fast zwei Jahre nach Sülzhayn im Südharz kam, ins Sanatorium. Johanna saß allein in Berlin in dem Haus am Heinrich-Mann-Platz, das sie uns noch im Vorjahr gegeben hatten. Sie saß da mit dem Jungen, der vor Kurzem vom Dorf gekommen war, und sie musste ihn fast jeden Abend allein lassen, weil sie gerade angefangen hatte, in diesem Frauenverband zu arbeiten, die hatten abends Veranstaltungen. Zu Versammlungen musste sie auch dauernd und sich rechtfertigen, weil sie Karel gekannt hatte. Dabei war Karel schon ein Parteisoldat, als Johanna noch Windeln trug. Und als sie elf Jahre alt war und in der Schule an ihrem Frischen Haff oder wie das hieß bunte Bildchen für Hitlers Geburtstag malte, ist Karel von der GeStaPo in Prag verhaftet und nach Sachsenhausen gebracht worden.

Nach 1945 war er dann Mitglied des tschechischen Zentralkomitees, wie hätte Johanna ihn entlarven können, selbst wenn
es da etwas zu entlarven gegeben hätte?

Nach dem 17. Juni war ich in Sülzhayn aus der Schuss-
linie und die Zentrale Parteikontrollkommission hatte andere
Feinde zu überführen, mich ließen sie dann in Ruhe. Den Franz
Dahlem hatten sie auch verhaftet, wegen seiner Kontakte zu
Noel Field. Dieser amerikanische Quäker, der von der Schweiz
aus so vielen geholfen hat, auch unseren Leuten, Spanienkämp-
fern, Emigranten, war der Vorwand für all die Schauprozesse
in Prag, Budapest und für den geplanten Prozess in Berlin. Im
Grunde ging es nach Jugoslawiens Abfall darum, die Kommunistischen Parteien auf die führende Rolle der Sowjetunion
einzuschwören. Das waren Säuberungen wie nach 1936 in der
Sowjetunion. Davon haben wir in der Illegalität nichts gewusst,
und wenn mir einer davon erzählt hätte, als ich wegen Hochverrat im Zuchthaus saß, hätte ich es nicht geglaubt. Im Lager
hatten wir welche, die nach 38 aus der Sowjetunion gekommen
waren, deutsche Emigranten, die an der Grenze der GeStaPo
ausgeliefert wurden. Wir Politischen dachten, die haben sich in
der Sowjetunion was zuschulden kommen lassen, und haben sie
gemieden. Dabei hatten die noch Glück. In Moskau hätte ich
auch nicht überlebt, da hatte Johanna recht. Ich war der Letzte
aus Thälmanns und Kippenbergers Umfeld und hätte wohl als
Parteischädling gegolten. Aber das habe ich erst begriffen, als
alles vorbei war. Ach, vorbei war es nie. Das Misstrauen, diese
Machtkämpfe in der Partei gingen weiter. Und manche saßen
noch jahrelang ohne Urteil. Ich hatte Glück, dass ich nie in der
Emigration war, ich bin diesem Noel Field nicht begegnet, aber
die ihn kannten, konnten einpacken.

Als ich zurückkam nach Berlin, war ich kein Minister mehr.
Zum Konsum haben sie mich geschickt, ich war Vorstandsmit-

glied im Verband der Konsumgenossenschaften, das sollte wohl eine Art Strafe sein, aber man kann überall was tun. Später bin ich dann ins Antifa-Komitee berufen worden und in die Volkskammer. Johanna hat es besser gefallen, Ministergattin zu sein. Aber sie wollte auch selbst was werden, sie war ehrgeizig, hat sich durch die Doktorarbeit gequält und viel runtergeschluckt. Runtergeschluckt. Was mir für Wörter einfallen. Ja, geschluckt hat sie.

Das alles werde ich meiner Tochter Clara nicht erzählen, sie ist so naiv, hat ja noch gar nichts erlebt. Ihre Doktorarbeit handelt von einem Märchen der Brüder Grimm. Vor der Wende ist sie in die Pankower Kirche gerannt, in diesen Evangelischen Friedenskreis. Meine Tochter, zu den Pfaffen! Aber ich habe nicht mit ihr diskutiert, ich wollte sie nicht auch noch verlieren. Wenigstens ist sie nicht so voller Groll wie unser Sohn. Der hat uns sogar vorgehalten, dass er als Kind eine Uniform anziehen musste. Ich war stolz damals im Roten Jungsturm, dass ich unsere Uniform tragen durfte, das Koppel war mein wertvollster Besitz. Aber Jan hat so geredet, als ob wir ihm Gewalt angetan hätten mit der Kadettenanstalt. Es war doch eine Auszeichnung für einen Jungen von elf, zwölf Jahren, da angenommen zu werden, und am Anfang ist er ja wohl auch stolz gewesen. Aber in den Ferien fuhr er immer zu Johannas Mutter und diesem Geigenbogenbauer, die haben ihm sonst was eingeredet. »Ich bin gegen alle Waffen«, hat Arthur mir mal gesagt, »Soldaten sind Mörder.« Er hat sich auf Tucholsky und Laotse und Bertha von Suttner berufen. Lenin kannte der nicht. Ich hätte nicht zulassen dürfen, dass mein Sohn von diesem Sonderling so beeinflusst wird. Seine Geigenbögen waren zwar berühmt, die haben sie sogar aus dem Ausland angefordert. Ich habe mich für seine Lizenz eingesetzt. Aber für Jan war der Umgang nicht gut. Ich hätte das unterbinden müssen. Vielleicht hätte ich meinen Sohn nicht verloren, wenn… Ach Hans, hör auf, im Kreis zu denken. Ich werde aufstehen und in die Küche gehen, mit dem Rollator geht das, ganz langsam. Ich werde mir ein Glas aus dem Schrank nehmen und Wasser eingießen. Meine Hände zittern, ich bin alt. Keiner aus meiner Familie ist so alt geworden. Auch keiner von meinen Kameraden.

Schon wieder bin ich in Gedanken bei den Toten.

Bald auch in Wirklichkeit. Wenn ich gehe, gibt es keinen mehr, der sich an Else erinnert, an Bruno; keinen, der weiß, wie das damals mit meinem Sonderauftrag war. Sie werden weiter Bücher über Thälmanns Verhaftung schreiben und Filme im Fernsehen zeigen und doch nicht wissen, wie es war. Ich werde neben Johanna liegen, mein Name steht schon auf dem Stein. Mir ist das Grab gleichgültig, so viele meiner Kameraden haben kein Grab. Doch irgendwo muss man ja hin, und neben Else kann ich nicht liegen, Elses Körper hat die Anatomie der Humboldt-Universität zu Forschungszwecken bekommen, das habe ich nach dem Krieg herausgefunden. Der Professor dort hieß Stieve, der war auch bei uns in der DDR noch Professor an der Charité. Für den waren die in der Haft umgekommenen Frauen Material, das er auswertete. Eine wissenschaftliche Arbeit hat er verfasst über den Einfluss der Haft auf die weiblichen Geschlechtsorgane. Aber er war nicht in der NSDAP, wir brauchten Ärzte, da hat man ihn behalten. Ich bin ihm begegnet, einmal bei einer Ordensverleihung und dann 1951 beim Neujahrsempfang im Ministerrat. Ich habe ihm nicht die Hand gegeben. Ich habe gedacht, der hat vielleicht Elses schönen, jungen Körper zerschnitten. Der hat das Muttermal auf ihrer Brust als Letzter gesehen. Aber Elses Körper war nicht mehr schön, als ich sie bei der GeStaPo gesehen habe. Er war aufgedunsen, fleckig, voller aufgeplatzter Wunden. Und ihr Gesicht war schwarz von Blutergüssen.

Ich habe gegen die Regeln verstoßen, indem ich immer wieder zu Else in ihre Kochstube ging und nicht in meine illegalen Quartiere. Ich habe gegen die Regeln verstoßen, weil Else wusste, dass ich einen Sonderauftrag hatte. Keiner durfte den Kurier kennen, der regelmäßig aus Prag und später aus Paris zu Rosa Thälmann und den Anwälten kam, keiner. Nur Rosa und ich. Ich hatte die Treffen zu observieren, ich hatte die Quartiere zu besorgen. Nur ich. Keiner durfte meinen Auftrag kennen. Nur meine Vorgesetzten, der Rudi Schwarz am Anfang, als er Abwehrchef war, der Wehner, als er Landesleiter für die illegale Arbeit in Deutschland war, auch Dahlem, bis er 1935 mit Ulbricht die Auslandsleitung übernahm. Nur die durften Adressen und Namen wissen. Else kannte keine Einzelheiten. Aber sie hatte mal einen falschen Pass bei mir gesehen und einen Zettel mit einer Adresse, die ich nicht hätte aufschreiben dürfen. Und sie hat mitbekommen, dass wir in der Belle-Alliance-Straße eine Anlaufstelle hatten. Und in einer Rechtsanwaltspraxis. Dass ein Arzt am Königstor zu uns gehörte, wusste sie auch. Den haben sie dann leicht gefunden. Aber aus dem haben sie nichts rausgekriegt, der hat sogar überlebt. Nur seine Frau nicht, die war Jüdin und kam weg, als ihr Mann verhaftet war.

Ich habe Else nichts direkt erzählt, aber wir waren so eng zusammen, da bekam sie vieles mit. Ich hätte sie abhängen müssen, schon lange, aber ich kam nicht von ihr los, und das war mein Versagen. Und ihr Verderben. Sie haben in der Prinz-Albrecht-Straße aus Else herausgeholt, was sie wusste. Und was sie nicht wusste, haben sie in sie hineingeschlagen. Im Prozess war sie nicht. Nicht mal als Zeugin. Da war sie vielleicht schon tot, ich kenne das Datum nicht. Aufgehängt hat sie sich wohl in ihrer Zelle. Und ich war schuld. Man kann sich nur selbst vertrauen. Der Herbert Wehner war so, wie man in der Illegalität sein muss. Der war eisern diszipliniert, aber argwöhnisch. Eine Zeitlang habe ich für Iduna gearbeitet, die Quartiermacher. Da bekam ich mit, dass er gar nicht zu den von uns vorbereiteten Adressen gegangen ist. Der hatte seine eigenen Wege und keiner außer ihm kannte sie. Er war aus Sicherheitsgründen sogar gegen die Tagung des Zentralkomitees in Ziegenhals am 7. Februar 33 gewesen. Damals war er Technischer Sekretär des Politbüros und für die illegalen Strukturen zuständig. Seit Anfang Februar schon mied er, wohl aus Vorsicht, den direkten Kontakt zu Thälmann, während die anderen in seinem Quartier ein und aus gingen. Die Wohnung der Kluczynskis in der Lützower Straße 9 war ein paar Tage lang die Parteizentrale und da ging es zu wie in einem Taubenschlag. Natürlich war das ein Fehler, den muss ich mir anrechnen. Als Thälmann am 3. März 33 nachmittags dort verhaftet wurde, war er beim Packen und sollte eigentlich längst weg sein. Sechs sichere Quartiere standen bereit. Er hatte sich fürs Jagdhaus Horrido in Märkisch Buchholz entschieden, da war alles vorbereitet. Heute sagen die sogenannten Historiker und Journalisten, diese Schmeißfliegen, Thälmann sei nach dem Reichstagsbrand wie gelähmt gewesen und habe bloß bei Martha Kluczynski bleiben wollen, im warmen Nest unter ihre Röcke kriechen. Aber das ist nicht die Wahrheit. Am 1. März war ein Bote aus Moskau gekommen, der hatte heiße Papiere bei sich und wollte die Stellungnahme der Partei mit zurücknehmen. Das war Sepp Schwab, der war als Emissär vom EKKI geschickt worden. EKKI war das Exekutivkomitee der Kommunistischen Internationale, das wird meine Tochter auch nicht wissen. Schwab war da Referent für deutsche Fragen im Mitteleuropäischen Sekretariat, auch Erich Mielke war bei denen eingebaut. Aber Mielke war damals ein kleines Licht, den kannte ich noch als Lokalreporter der *Roten Fahne*. 1931 musste er abtauchen wegen der unsinnigen Sache auf dem Bülowplatz. Das dicke Ding, das Sepp Schwab für Thälmann mitgebracht hatte, war ein Einheitsfrontangebot des EKKI an die SAI, die Sozialdemokratische Arbeiter-Internationale. Es war ja schon nach dem Reichstagsbrand und höchste Zeit, eigentlich zu spät. Außerdem sollte in ein paar Tagen Wahl sein, damals hofften wir noch, die Partei legal zu erhalten. Das EKKI erwartete eine Antwort des Politbüros, die neue Linie – das Zusammengehen mit den Sozialdemokraten – musste auch noch mit Dimitroff abgestimmt werden, dem Residenten des Westeuropäischen Büros der Komintern, der war ja noch frei und wurde noch nicht mit dem Reichstagsbrand in Verbindung gebracht.

Thälmann konnte einfach noch nicht verschwinden, bevor das klar war, in Kluczynskis Wohnung liefen die Fäden zusammen, er konnte nicht weg, saß wie auf Kohlen. Bevor er verhaftet wurde, saßen Sepp Schwab und Herbert Wehner mit Thälmanns Sekretär Erich Birkenhauer in einem Café am Wittenbergplatz und besprachen das alles. Birkenhauer und Wehner sollten in Thälmanns Auftrag die Stellungnahme der KPD ausarbeiten. Deshalb hielt Thälmann sich in Charlottenburg bei Martha fest, er wartete auf die Stellungnahme und auf den Boten. Er glaubte sich auch sicher, weil der *Völkische Beobachter* schon am 2. März gemeldet hatte, Thälmann sei längst im Ausland.

Ich habe die drei, Birkenhauer, Schwab und Wehner, da am Wittenbergplatz gesichert, aber Wehner wollte weg aus diesem Café, war ihm zu viel Publikum, obwohl sie im Seitenzimmer saßen. Ohne Schwab zogen Birkenhauer und Wehner in eine andere Kneipe, mich schickte Wehner als Kurier zu einem Treff mit Hans Kippenberger in die Oderberger Straße. Im »Oderkahn« haben wir gesessen, die Kneipe gibt es noch, meine Tochter hat sie mal erwähnt.

Birkenhauer brachte das fertige Papier dann zu Thälmann in

die Lützower Straße und lief der Polizei in die Arme. Marthas Mann, der immer in die Laubenkolonie ziehen musste, wenn Thälmann kam, hatte den Skatfreunden dort angedeutet, wer in seiner Wohnung saß. Außerdem soll Marthas Sohn in der Schule was gesagt haben. Thälmann wurde ja schon gesucht, und es war in der Gegend bekannt, dass er sich immer wieder bei Martha Kluczynski aufhielt. Aber wäre die Antwort ans EKKI ein paar Stunden eher fertig gewesen, wäre Thälmann weg gewesen und die Polizei hätte ein leeres Nest vorgefunden. Hätte Wehner mich nicht zu Kippenberger geschickt, hätte ich Kluczynskis Wohnung observieren können und Birkenhauer wäre nicht in die Falle gelaufen. Hätte, wäre. »Hätt der Hase nicht geschissen, hätt er 'n Fuchs gefangen«, hat meine Mutter immer gesagt.

Hans, das ist alles ein Menschenleben her. Hör auf, immer im Kreis zu denken. Alle sind tot. Die Martha Kluczynski habe ich mal im Pankower Bürgerpark auf der Bank sitzen sehen in den 60er-Jahren, eine alte, verhärmte Frau. Sie ist aufgesprungen und mir nachgelaufen. »Stefan!«, hat sie gerufen. »Stefan.« Das war mein Parteiname damals. Dass die mich erkannt hat. Ich habe ein paar Sätze mit ihr geredet. Ihr Sohn ist noch Soldat geworden und zum Kriegsende gefallen. Die Genossen haben ihr den Mund verboten, sie durfte keinem sagen, wie das mit Thälmanns Verhaftung war, überhaupt nichts von Thälmann. Hat sich aber nicht dran gehalten, die hätte mich gar nicht ansprechen dürfen. Jetzt wird sie auch tot sein. Für die ist das wahrscheinlich auch nie vorbei gewesen. Die hat Thälmann geliebt, seit 1924 kannten sie sich schon.

Für mich war es ja auch nie vorbei. Jetzt bin ich als Letzter übrig und denke immer wieder an dasselbe.

Hätten wir damals Anfang 33 verhindern können, dass die ganze Parteiführung aufgerollt wird? Hätte ich es verhindern können? Für den Moment vielleicht. Aber ich habe ja noch nicht einmal meine eigene Frau schützen können. Der Sepp Schwab hat den Beschluss über das Einheitsfrontangebot dann mit Thälmanns Nachfolger John Schehr abgestimmt. Ich habe sie zusammengebracht. Schwab war ein guter Mann. Der hat mir fünfundzwanzig Jahre später geholfen, diese Natalja aus Machandel und ihre Tochter bei uns einzubürgern, da war er stellvertretender Außenminister. 52/53 konnte er mir nicht helfen, da war er selbst kaltgestellt beim Filmwesen. Ein Glück, dass der überlebt hat. Der Birkenhauer hat nicht überlebt, den haben die Nazis bald wieder freigelassen, er konnte nach Moskau emigrieren, aber 1941 ist er dort umgekommen. Kippenberger ist schon 1937 bei Moskau erschossen worden, als angeblicher Reichswehragent. Der war doch kein Agent, die Verbindung zur Reichswehr gehörte zu seinem Auftrag. Kippenbergers Apparat ist 1935 aufgelöst worden. Mit dem neuen Abwehrapparat hatte ich nichts zu tun, ich wurde ja dann verhaftet. Nicht wegen meinem Sonderauftrag, worin der bestand, hat die GeStaPo nie erfahren. Wegen Else bin ich verhaftet worden, die diese dumme Sache mit den Flugblättern bei Hertie gemacht hat. Davon wusste ich nichts, Else hatte noch eigene Kontakte aus ihrer Zeit beim Roten Sprachrohr, das war so eine versprengte kleine Gruppe, die haben die Flugblätter selbst hergestellt und unter die Leute gebracht. Das hätte Else nicht tun dürfen, weil es die GeStaPo auf meine Spur brachte. Bei mir stand mehr auf dem Spiel. Ich musste mich von Else lossagen vor der GeStaPo, sie bei der Gegenüberstellung als Lügnerin, als geltungssüchtig bezeichnen.

Ich habe ja nichts am Hut mit der Bibel, aber ich erinnere mich an den Religionsunterricht und an Simon Petrus, den treuesten von Jesus' Jüngern. »Noch heute Nacht, ehe der Hahn zweimal kräht, wirst du mich dreimal verleugnen«, hatte

Jesus ihm vorausgesagt. »Eher will ich sterben, als dich zu verraten«, hatte Petrus geantwortet.

Else hat das auch zu mir gesagt, ich erinnere mich an einen Sonntagmorgen in ihrer Bettnische, ihr Kopf lag in meiner Achselhöhle und sie sagte, ich würde sie verleugnen, bald schon, ehe der Hahn zweimal kräht. Sie hat ja auch Religionsunterricht gehabt, wir lachten, und ich habe ihr geantwortet wie Petrus seinem Herrn: »Eher werde ich sterben.« Von mir verlassen zu werden, war Elses Angst, vielleicht weil sie ein bisschen älter war als ich oder weil ich immer so verschlossen war. Sie wusste ja auch nie, wohin ich ging und wann ich wiederkommen würde. Else konnte sich nicht vorstellen, was sie für mich war. Vielleicht habe ich es ihr auch nicht gezeigt, ich hatte gelernt, mich zu beherrschen. Und als sie dann vor mir saß bei der GeStaPo – nein, sie saß nicht, sie konnte nicht sitzen mit diesem zerschlagenen Leib, sie konnte auch nicht stehen, sie haben sie festhalten müssen –, als ich sie so sah, zitternd und halb tot, hat sie hören müssen, dass ich gesprochen habe wie Petrus zu den Häschern: »Ich kenne diesen Menschen nicht.« Dabei war es zu spät, Else hatte alles gesagt.

Ich habe sie umsonst verleugnet. So wie es sinnlos war zu hoffen, die Genossen würden nichts von meiner Freundschaft zu Karel erfahren. Die wussten alles, die haben mich gezwungen, mich von ihm loszusagen. Das ist, was mein Sohn mir vorgeworfen hat. Karel hat mein Leben gerettet, und ich habe zugelassen, dass er noch als Toter zum Verräter gebrandmarkt wurde. Mein Sohn wusste ja nicht, wie ich mich vor der Parteikontrollkommission, vor Joos und Laufer und dieser Geffke, beinahe um Kopf und Kragen geredet habe. Aber Karel war tot, es hatte keinen Sinn mehr. Wenn ich im Bunker verschwunden wäre wie Kreikemeyer, was wäre dann aus Johanna geworden, was aus Jan?

Von Else habe ich Jan nie etwas gesagt. Auch Johanna wusste kaum was über sie. Ich war nie ein Schwätzer und nach alledem bin ich noch vorsichtiger geworden. Telefonnummern und Adressen konnte ich auch nach 45 nie aufschreiben, ich habe sie mir gemerkt. Ich vergesse so vieles, aber Telefonanschlüsse von Toten und Adressen, die es längst nicht mehr gibt, werde ich nicht los. Sie gehen mir im Kopf herum, verfolgen mich in den Schlaf.

Johanna hat unter meiner Schweigsamkeit gelitten, sie hat geheult manchmal und ist in mich gedrungen: »Sag mir doch, was du denkst, was du fühlst.« Blödsinn. Else war stark und ist zugrunde gegangen, weil sie sie zerbrochen haben. Johanna war nicht so stark. Ich hatte nicht das Recht, sie mit meinen Gedanken, mit meiner Vergangenheit, mit unserer Geschichte zu belasten.

Der Doktor in Herzberge hat mal zu mir gesagt: »Ihre Frau erstickt an dem Ungesagten.«

Aber was wusste denn der.

In Brandenburg saß ich mit einem Juden in der Zelle, der hat mehrmals am Tag gebetet. Der sagte mir: »Ich glaube an den Gott Israels, auch wenn er alles getan hat, damit ich nicht an ihn glaube. Ich glaube an seine Gesetze, und ich werde sie immer einhalten, auch wenn ich seine Taten nicht rechtfertige.«

Mein Zellenkamerad Kozower war für mich ein Spinner, aber heute denke ich, ich war auch so ein Spinner. Und bin es noch. Ich habe meinen Schwur gehalten, ich habe die Partei nicht verlassen, auch nicht, als ich längst wusste, dass meine Leute Verbrechen begingen.

Wo bleibt denn die Waschfrau heute? Es kommen immer andere, manche denken, ich sei dement, und reden mit mir wie mit einem Idioten, während sie mich abseifen wie einen Säugling.

Sollen sie. Wenn ich keine Lust habe zum Sprechen, schalte ich auf Durchzug.

Das habe ich aber auch früher schon gemacht. Vielleicht habe ich Johanna doch alleingelassen in ihrer Not. Mit Johanna konnte ich nicht schweigen. Sie wollte mich immerzu zum Reden bringen, aber ich kann nur denen vertrauen, mit denen ich schweigen kann. Wo das Schweigen gemeinsames Wissen bedeutet. So war es mit meinen Lagerkameraden. Aber die gibt es kaum noch. Zu mir kommen manchmal Historiker, Journalisten, Leute, die irgendwelche Akten gelesen haben und von mir etwas dazu wissen wollen. Die reden zu viel von Dingen, über die man besser schweigt. Auch meine Tochter versteht mein Schweigen nicht. Und Johanna hat sich verlassen gefühlt. Wir dachten so verschieden über unser Leben. Sie hat damals den Jungen zur Kadettenschule angemeldet. Ich habe mich gewundert, weil wir darüber gar nicht gesprochen hatten. Und begeistert war ich auch nicht, ich wollte, als ich aus Sülzhayn zurückkam, endlich eine richtige Familie haben. Der Junge hatte Heimweh nach dem Dorf und redete nur von Geigenbögen. Aber als die Kadettenschule in Naumburg eröffnet wurde, haben sie vertrauenswürdige Genossen angesprochen wegen ihrer Söhne. Und Johanna sorgte dafür, dass wir angesprochen wurden. Sie sagte später, sie habe es für mich getan. Weil 1957 über den Slánský-Prozess schon ein bisschen Gras gewachsen war und weil auch der Franz Dahlem wieder ins Zentralkomitee der Partei gewählt wurde und Paul Merker auch schon aus der Haft entlassen war. Da wollte sie wohl sehen, ob wir vertrauenswürdig waren, sie dachte vielleicht auch, wenn unser Junge an dieser Kadettenschule wäre, gehörten wir wieder dazu. Für sich hat sie das getan, sie wollte was werden da in ihrem internationalen Frauenverein.

Ach, Johanna. Aber ich habe ihr nicht widersprochen. Ich

dachte an den Roten Jungsturm und glaubte, der Junge sei gut aufgehoben bei den Kadetten. Später hat er immer wieder wissen wollen, warum wir ihn da hingebracht haben.

Wie ein Untersuchungsrichter hat er herumgeschnüffelt in unserem Leben und nach seinem Prozess wegen der Prager Fotos ist er ja dann auch auf Karel Hunzek gestoßen und auf meinen Bericht über den Todesmarsch. Da hat er sich alles Mögliche zusammengereimt und warf mir vor, er sei das Bauernopfer gewesen, damit ich zurückkehren könne in den Schoß der Partei. Wir hätten ihn nach Naumburg geschickt, um selber gut dazustehen. Das hat er mir vorgeworfen, als wäre sein Vater ein kleiner Emporkömmling, als wäre die Partei eine Firma, bei der man Karriere macht. Da habe ich ihn aus dem Haus gewiesen.

Es klingelt unten. Gleich wird die Wohnungstür geöffnet werden, das ist die Pflegekraft und für eine halbe Stunde werde ich abgelenkt sein von meinen Gedanken. Es wird die junge Polin sein, nicht die Große mit den harten Händen. Die Polin klingelt immer vorher, die Große steht plötzlich im Zimmer und kommandiert. Die Polin hat ein gutes Gesicht. Ich schäme mich nicht, wenn sie mir den Urinbeutel leert. Ihrem Vater, sagt sie, gehe es ebenso. Ich werde versuchen, aufzustehen und ihr entgegenzugehen.

15

CLARA

Ins Exil

Wenn ich mich an den Januar und den Februar 1988 erinnere, kann ich die Abläufe nicht mehr lückenlos den Bildern und Gefühlen zuordnen.

Wir haben kaum geschlafen in diesen Wochen, alles war wie ein seltsamer, manchmal überscharfer, manchmal verschwommener Film, dessen Handlung kaum zu verstehen war, der unerwartete Wendungen nahm und dessen Regisseur unsichtbar blieb.

Ich erinnere mich an Frau Müller vom Referat Jugendhilfe im Rathaus Pankow, eine vergrämt wirkende Frau. Ruth kannte sie und sagte, immer habe sie von ihr den Eindruck einer angepassten Bürokratin gehabt. Aber es war diese Frau, die Herberts und Marias Kinder sofort freigab, weil sie tatsächlich ohne Wissen ihres Amtes in ein Heim gebracht worden waren. Ihr blasses Gesicht wurde noch bleicher, als ich ihr von den Geschehnissen berichtete, sofort telefonierte sie herum und setzte sich mit mir in ihren eigenen Trabant, um die Kinder abzuholen. Einige Tage später sagte man mir im Rathaus, Frau Müller sei krank und würde wohl nicht mehr in die Dienststelle zurückkehren. Später erfuhr ich, dass sie ein Parteiverfahren haben sollte wegen ihrer eigenmächtigen Vereitelung politisch notwendiger Maßnahmen, aber sie trat vorher aus der Partei aus.

Beide Kinder bekamen sofort Fieber, als wir sie bei uns zu Hause hatten. Der dreijährige Benjamin ließ seinen Bruder nicht los, und Paul mit seinen elf Jahren fühlte sich als Beschützer des Kleinen, zeigte sich von einer bestürzenden Sachlichkeit. Ich glaube, er begriff am besten von uns allen, was geschah. Sie waren nur eine Nacht in dem Lichtenberger Kinderheim gewesen, dort wurden sie nicht schlecht behandelt, aber sie hatten erlebt, wie ihre Eltern aus den Betten heraus verhaftet worden waren, sie hatten ihre eigene Ohnmacht gespürt, als sie strampelnd und brüllend zum Auto geschleppt wurden. Allmählich wurde mir auch klar, was die Kinder in den letzten Monaten erfahren hatten. Von der ständigen Belagerung ihrer Wohnung hatten wir gewusst, ohne sie uns wirklich vorstellen zu können. Sie müssen die Männer als eine Bedrohung ihrer Existenz empfunden haben. Dazu kamen die wachsende Hoffnungslosigkeit ihrer Eltern, Streit, Geldmangel. Trotz der Bewacher und obwohl die Wohnung sicherlich verwanzt war, hatten ständig Zusammenkünfte in Herberts und Marias Wohnung stattgefunden, die Kinder waren erschöpft und immer auf der Hut.

Nun wurde unsere Wohnung zu einem Treffpunkt, immerzu kam jemand, um nach unseren Freunden zu fragen, dabei wussten wir auch nicht viel. Inzwischen war von Dutzenden Verhafteten die Rede. Ein Rechtsanwalt erschien, der Herbert und Maria vertrat, ein Sympathisant oder Mitglied der Menschenrechtsgruppe. Der schwitzende, nervöse Mann erging sich in unverständlichen Andeutungen, manchmal lachte er unvermittelt, dann brach er beinahe in Tränen aus. Wenn er kam, verlangte er sofort nach einem Cognac. Er vermittle, sagte er, zwischen den Inhaftierten und der Staatsanwaltschaft sowie der Kirchenleitung, alle Seiten suchten nach einem Kompromiss. Manche der Verhafteten wollten das Land verlassen, nichts lieber als das, andere aber wollten bleiben. Auch Herbert und

Maria, glaubten wir. Aber würden sie den Knast jahrelang aushalten, würde es überhaupt zum Prozess kommen, könnte der Staat sich das leisten? Die ersten Verfahren wurden schon wieder eingestellt, einige Verhaftete freigelassen. Dies sei Ergebnis seiner Diplomatie, beteuerte der Rechtsanwalt immer wieder. Aber gegen andere der schon am 17. Januar Verhafteten lief hinter verschlossenen Türen ein Prozess wegen Zusammenrottung und Rowdytum. Acht Monate Haft forderte der Staatsanwalt, das stand in der Zeitung. Herbert würde nicht so billig davonkommen, machte uns der Rechtsanwalt klar, er würde wegen Landesverrats angeklagt werden, § 100 oder sogar § 99, 2 bis 12 Jahre.

Ich erinnere mich an Fürbitteandachten und Benefizkonzerte in der überfüllten Gethsemanekirche, in die ich mit Paul und dem kleinen Benjamin fuhr. Michael blieb zu Hause bei unseren Töchtern. Auch den Dreijährigen hatte ich nicht mitnehmen wollen, aber sein Bruder protestierte, und so schlief Benjamin auf meinem Schoß, während ich inmitten von dreitausend anderen eingezwängt saß und mir alles vorkam wie ein Film. Auch in unserer Alten Pankower Pfarrkirche, in anderen Berliner Gemeinden, im ganzen Land, so hörten wir, gab es Andachten für die Verhafteten; Leute, die sonst nie eine Kirche betreten hatten, strömten in die Gottesdienste. Kontaktbüros wurden in verschiedenen Städten eingerichtet, Pfarrer solidarisierten sich. Die meist jungen Leute aus der *Kirche von Unten* wollten Mahnwachen einrichten, die Kirchenoberen waren dagegen. »Besonnenheit! Ruhe!«, flehten ihre Vertreter, forderten zum gemeinsamen Gebet auf und versuchten, den Geist wieder in die Flasche zu bekommen, aus der er für immer entwichen war. Die Ausreisewilligen wollten nichts hören von Besonnenheit, wollten keine Ruhe, wollten raus, raus, raus. Heute weiß man, wie der Generalsuperintendent, die Bischöfe und der

Konsistorialpräsident taktierten, mit dem Staatssekretariat für Kirchenfragen um Lösungen zumindest für ihre eigenen Leute rangen, wie einige der Kirchenoberen im Hintergrund der Stasi berichteten und Anweisungen entgegennahmen. Der unglücklich dreinblickende Rechtsanwalt, der in der Gethsemanekirche vor den Altar getreten war und unter dem Applaus der Massen mit leiser Stimme von seinem hartnäckigen Kampf um die Freiheit der Inhaftierten berichtete, vertrat nicht nur Herbert und Maria, sondern auch mehrere andere. Viele Jahre später hat Herbert mir die Berichte gezeigt, die dieser Mann nach den Besuchen in der Zelle schrieb, er hatte ihn getäuscht, und er täuschte Maria, schürte geschickt Konflikte zwischen den beiden, die nicht selbst miteinander reden durften. Er unterschlug Briefe, berichtete ihnen nichts von den Solidaritätsbezeugungen draußen, sagte, zwanzig, höchstens fünfzig Leute wären an ihnen interessiert. Dass Zehntausende im ganzen Land protestierten, erfuhren sie erst, als sie hinter der Grenze waren.

Ich hatte ja immer geglaubt, ich würde die Spitzel erkennen, doch ich weiß nicht mehr, ob ich dem Rechtsanwalt vertraute. Paul jedoch gab ihm nicht die Hand, er wandte sich ab, wenn der Mann in unsere Wohnung kam, verließ aber nicht den Raum, sondern kauerte sich in eine Ecke, wo ihm kein Wort entging. Ich wollte nicht, dass die Kinder unseren Gesprächen zuhörten, ich hätte Paul gern abgelenkt und so weit wie möglich aus allem herausgehalten. Aber dieses Kind hatte schon zu viel erfahren, um sich einfach ins Spielzimmer abschieben zu lassen. Er wusste, dass es auch um sein Leben, um seine Familie ging. Dass er den Rechtsanwalt so deutlich ablehnte, schob ich auf seine Verwirrtheit in diesen Tagen, ich glaube, ich maß dem keine Bedeutung bei.

Übrigens erzählte mir Herbert später, viel später, als die Mauer schon gefallen war und er ohne Maria und die Söhne wieder in Berlin wohnte, dass der Rechtsanwalt, mit dem wir nie darüber gesprochen hatten, auch die Spannungen zwischen Michael und mir erfasst hätte und sowohl Maria als auch ihm von Streit und unserer angeblich zerrütteten Ehe berichtete, ihnen vor Augen hielt, wie sehr die Kinder in diesem Milieu leiden würden. Sein Auftrag war, die beiden zu einem Ausreiseantrag zu bewegen. Herbert erzählte er, seine Frau habe sich längst entschlossen, außer Landes zu gehen, er nahm den Verzweifelten in den Arm und tröstete ihn, dann suchte er Maria auf, der er berichtete, ihr Mann würde nicht länger bleiben wollen, notfalls auch ohne sie und die Kinder ausreisen, dann würde sie allein verurteilt werden. Uns gegenüber deutete er an, unsere Freunde wären in sehr schlechter nervlicher Verfassung. Eines Abends Anfang Februar fragte er Michael und mich unumwunden, ob wir unter Umständen die Kinder auch für Jahre nehmen würden. »Das müssen wir erst einmal unter uns besprechen«, sagte Michael, bevor ich antworten konnte.

Wir waren erst spät in der Nacht allein und gingen in die Küche, weil unser Schlafzimmer mit den dünnen Wänden an das Zimmer grenzte, in dem die Jungen schliefen. Aber dann wurden wir doch so laut, dass Julia irgendwann verschlafen im Schlafanzug in der Tür stand. »Mama, du weinst ja«, sagte sie und umklammerte mich.

Michael hatte mich wissen lassen, dass er nicht daran denke, seine Familie von Herbert und Maria kaputt machen zu lassen, sie hätten sich früher überlegen sollen, was ihre schwachsinnigen Aktionen für ihre Kinder bedeuteten. Er würde selbst am liebsten das Land verlassen, jawohl, wenn er noch mit dem Ausreiseantrag zögere, dann, weil er hoffe, ich würde mit ihm kommen. Aber hierbleiben und die Kinder dieses Spinners aufziehen, das könne ich dann allein. Aber ohne seine Töchter, die würde er mitnehmen. Und diese Aufregung um dreißig oder vierzig hauptstädtische Dissidenten, von denen die Hälfte sowieso in den Westen wolle, komme ihm längst übertrieben vor. Dahinter stünden doch ganz andere Interessen, die der Kirche, die mehr Einfluss wolle, die der Stasi, die ein Exempel statuieren wolle, die der profilierungssüchtigen Rechtsanwälte … Wer in der Provinz lebe, keinen Namen habe, der würde in solchen Fällen eingesperrt und kein Hahn krähe nach dem, kein Konsistorialpräsident würde sich seinetwegen um den Schlaf bringen.

Er meinte, Herbert und Maria sollten froh sein, dass man sie gehen lassen wollte, sie sollten nicht die Märtyrer spielen, außerdem gäbe es doch noch diesen feurigen Spanier, solle der doch Paul und Benjamin zu sich nehmen. Ich weiß nicht mehr, was ich antwortete, ich weiß nur, dass ich ihn anschrie, dass er zurückbrüllte, dass wir dann beide erschöpft weinten. Schließlich gingen wir ins Bett, unsere Tochter lag zwischen uns, lag mit dem Rücken eng an mich geschmiegt, hielt aber ihren Vater umklammert.

Nur wenigen Freunden hatten wir gesagt, dass Paul und Benjamin bei uns waren, dennoch riefen fremde Menschen an, erklärten ihre Solidarität mit den verhafteten Eltern. Wir waren der vielen Besucher überdrüssig, und ich merkte, dass ich einen Argwohn entwickelte, den ich bis dahin nicht gekannt hatte. Auch Michael wimmelte solche Telefongespräche und Besucher ab. Aber als ich einmal den Anruf einer Journalistin entgegennahm, die für den *Stern* zu schreiben vorgab, uns von Westberliner Bekannten grüßte und uns treffen wollte, reagierte er mit ärgerlichen Gesten auf meine Abwehr, wollte mir am liebsten den Hörer wegnehmen und selbst einen Termin verabreden. Aber ich hatte schon aufgelegt.

»Ich will nicht, dass die Kinder noch mehr in die Öffentlichkeit gezogen werden«, erklärte ich.

»Das ist doch klar, aber auf so einen Kontakt kann man nicht verzichten. Du weißt doch gar nicht, was noch geschieht, vielleicht brauchen wir bald selbst die Öffentlichkeit. Der Name deines Vaters wird dich nicht immer schützen können.«

Ich war verwirrt. Michael brachte immer Dinge zusammen, die nicht zusammengehörten. Ich brauchte keinen Schutz. Und was hatte der Name meines Vaters mit alldem zu tun? Aber ich wollte nicht wieder mit ihm streiten. Unsere Gespräche über die Zukunft hatten wir abgebrochen, sie waren sinnlos. Ich konnte mir selbst nicht vorstellen, die beiden Jungen zusammen mit Julia und Caroline jahrelang aufzuziehen, ich konnte mir aber auch nicht vorstellen, dass man ihre Eltern so lange einsperren würde. Mein Bruder war damals nach ein paar Monaten wieder entlassen worden, aber das war zwanzig Jahre her. Ich dachte in diesen Wochen oft an Jan, ich hätte gern mit ihm gesprochen. Aber ich wusste ja gar nicht, wo er war. Plötzlich fiel mir ein, dass die *Stern*-Journalistin mir vielleicht hätte helfen können, vielleicht hätte sie gewusst, wo Jan sich aufhielt, im *Stern* hatten sie doch seine Fotos gedruckt.

Eines Vormittags stand meine Mutter plötzlich vor der Tür, es muss ein Wochenende gewesen sein, denn wir waren alle zu Hause. Ich begrüßte sie unwillig, denn ich hatte keine Lust auf ihre Fragen, sie wunderte sich aber nicht über die Anwesenheit der Jungen. Vielleicht wusste sie Bescheid, meine Eltern hatten viele Informanten. Natürlich wusste sie auch, was mit Herbert geschehen war, das stand ja in den Zeitungen. Auch Michael war nicht begeistert über den Besuch und zog sich zurück. Caroline freute sich, aber Julia begrüßte ihre Oma verhalten, sie spürte die Stimmung.

Benjamin hielt in der Kammer neben der Küche Mittagsschlaf und Paul gab meiner Mutter kaum die Hand, er hatte die vielen Besucher satt. Er ging wieder zu den Mädchen, die an

Faschingskostümen bastelten, und meine Mutter bat um eine Tasse Kaffee. »Wie weit bist du eigentlich mit deiner Dissertation? Es ist wichtig, dass du dich bei alledem nicht von deinem eigenen Weg abbringen lässt.« Ich wusste nicht, was sie unter alledem verstand, und fragte nach meinem Vater. »Der liest und schweigt wie immer«, antwortete sie.

Benjamin kam verschlafen in die Küche getrippelt. Während ich ihm beim Anziehen half, sah meine Mutter zu. Ihr Gesicht hatte etwas von seiner teigigen Blässe verloren, sie war gut frisiert und wie immer elegant gekleidet. Am westlichen Ende der Leipziger Straße gab es in einem alten Haus von verblichener Pracht eine Schneiderwerkstatt. Dort oben lagen westliche Modemagazine und auch die Stoffe waren Importware. Dieser Modesalon gehörte zur Sonderversorgung für Angehörige des Ministerrats und meine Mutter hatte sich eine Berechtigung beschafft. Als Kind hatte ich sie manchmal dorthin begleitet und war mit dem Paternoster auf und ab gefahren, bis sie mit der Anprobe fertig war. Als ich sechzehn oder siebzehn Jahre alt war und meinen Eltern ihre Privilegien vorhielt, hatte meine Mutter entschieden ihr Recht verteidigt, in diesem Salon nähen zu lassen. Er sei für Frauen da, die an Staatsempfängen teilnehmen oder selbst offiziell ins Ausland fahren müssten. Daran dachte ich, als ich meine Mutter da sitzen sah in ihrem beigefarbenen Wollkostüm und der braunen Seidenbluse, zu der sie einen Silberschmuck trug, den ein griechischer Lagerkamerad meines Vaters ihr vor Jahren mitgebracht hatte. »Lässt du noch immer in der Leipziger Straße nähen wie Margot Honecker?«, platzte es aus mir heraus.

Meine Mutter zog die Augenbrauen hoch und antwortete leicht amüsiert: »Ob die da arbeiten lässt, weiß ich nicht. Aber meine Versorgungsberechtigung läuft ab, schließlich bin ich jetzt Rentnerin und habe keine Delegationen mehr zu begrüßen. Aber findest du es nicht kleinlich, dich darüber aufzuregen? Hast du keine anderen Sorgen?«

Sie sah nicht nur gut aus, sie klang auch gut. Vielleicht hat die letzte Entziehung doch etwas genützt, dachte ich und bat sie, auf dem Balkon zu rauchen, der Kleine bekäme ohnehin schlecht Luft. Sofort drückte sie ihre Zigarette aus. »Wie wird es weitergehen?«, fragte sie, als Benjamin zu seinem Bruder gegangen war. »Wirst du jetzt vier Kinder aufziehen?«

»Vielleicht«, antwortete ich und wartete auf ihre Einwände. Aber sie schwieg.

»Deine Genossen haben Herbert und seine Frau eingesperrt, von denen wird abhängen, wie lange ich die Kinder behalte«, fuhr ich fort. Plötzlich stand Michael in der Küche, holte ein Bier aus dem Kühlschrank und blieb gespannt stehen. »Wenn es sein muss, behalte ich die Jungen, bis sie erwachsen sind«, hörte ich mich sagen und erschrak selbst über das Gewicht dieser Worte. Ich wusste, dass ich es für Michael sagte, nicht für meine Mutter.

Die bemerkte nüchtern: »Es ist aber etwas eng hier für sechs.« Ich zuckte die Achseln. »Ihr könnt unser Haus haben«, sagte meine Mutter und zündete sich eine neue Zigarette an, drückte sie aber sofort wieder aus, schaute mich an und wiederholte: »Ihr könnt das Haus haben, ich habe mich erkundigt, unser Mietvertrag gilt auch für Angehörige ersten Grades.«

»Und wo wollt ihr wohnen?«, fragte Michael.

Meine Mutter machte eine vage Handbewegung. »Vielleicht hier. Ich will da sowieso raus.« Den letzten Satz wiederholte sie, er stand im Raum. »Überlegt es euch«, sagte meine Mutter und stand auf, ihre Tasse war noch voll. »Braucht ihr Geld?«, fragte sie und hielt mir ein paar Scheine entgegen. Ich schüttelte den Kopf. Wir brauchten wirklich kein Geld, in den Kirchen war für die Kinder der Inhaftierten gesammelt worden, und fast jeder Besucher fragte, ob wir Geld benötigten, sogar mein Professor Simon hatte Hilfe angeboten. Michael half meiner Mutter in ihren Mantel, ich sah, dass er das Geldbündel nahm.

Ich weiß nicht, wie, aber immer noch fand ich im Wirbel dieser Tage Stunden, in denen ich am Schreibtisch saß und mich in meine Dissertation versenkte, in das Märchen vom Machandelboom, das ich inzwischen in so vielen Varianten kannte. In einer norddeutschen Version des Vogelliedes heißt es: *Mien Mudder hett mi haut / Mien Vadder hett mi kaut. / Mien Swester Ann-Maleen / sammelt all mien Arm un Been, / knütt se in'n root Siedendook, / hangt se in'n hogen Machandelboom. / Kiwitt-kiwitt-kiwitt! / So'n lütten Vagel bün ik – bün ik, bün ik!*

Aus Marleneken war hier Ann-Maleen geworden, die die Arm und Been des Brüderchens einsammelt, sie in ihrem kostbarsten Besitz, dem roten Seidentuch, aufbewahrt. Sie hängt das Bündel in den Machandelbaum, in anderen Varianten begräbt sie die Knochen darunter, aber immer ist es die Erinnerung, symbolisiert durch das Einsammeln der Arme und Beine, die es dem getöteten Bruder ermöglicht, als schöner Vogel mit seinem Lied in die Welt zurückzukehren.

In diesem Jahr 1988, dem 50. Jahr nach dem Novemberpogrom von 1938, gab es plötzlich viele Gedenkveranstaltungen. *Erinnerung ist das Geheimnis der Erlösung*, war oft zu lesen. Selten stand dabei, dass ein jüdischer Gelehrter aus dem 18. Jahrhundert, der Rabbi Israel ben Elieser, auch Baal Schem Tow genannt, diesen Satz geprägt hatte. Professor Simon hielt ihn für ein versöhnliches Klischee. »Für manche Erinnerung gibt es keine Erlösung«, meinte er. »Außerdem lautet der Satz vollständig: Das Vergessenwollen verlängert das Exil und das Geheimnis der Erlösung heißt Erinnerung.«

Dies sei auch die Aussage des Märchens vom Machandelbaum, hatte er mir in einem unserer vielen Gespräche zugestimmt. Exil bedeute Leid, vergessen sein und vergessen wollen, ausgeschlossen sein aus dem, was bisher die eigene Welt war. Der Vater findet sich ab mit der Abwesenheit des geliebten Sohnes, er verzehrt sein Kind, ohne zu wissen, was er tut. Der Mörderin liegt ohnehin nichts an der Erinnerung. Doch die Schwester will nicht vergessen, sie überwindet den Tod durch die Erinnerung, durch das Bewahren der Knochen. Darin liegt die Erlösung für ihren Bruder.

Während ich mich an die Tage im Januar und Februar 1988 erinnere, mehr als zwei Jahrzehnte danach, spüre ich, dass meine Erinnerungsbilder auch Teile eines Ganzen sind, die man bewahren, aneinanderreihen muss, auch wenn die Knöchelchen abgenagt und einige für immer verloren scheinen.

Als das Schwesterchen die Knochen einsammelte, spürte es nichts als Trauer, Scham und Angst. Die Mutter hatte ihr ja gesagt, sie habe den Bruder geköpft, und so schwieg sie schuldbewusst, und ihre Tränen fielen in den Kochtopf wie Salz.

Inmitten der absurden und widersprüchlichen Ereignisse um uns herum vertiefte ich mich in die mythologische und linguistische Vieldeutigkeit des Märchens, in der ich jedoch die Beschreibung ebenjener Ereignisse fand, denen ich für Stunden zu entkommen versucht hatte, und ich fand die Motive des Märchens in der Realität, wenn ich aus meiner Arbeit wieder auftauchte. Offene Briefe, angeblich aus der *Kirche von Unten*, kursierten, in denen Herbert und seiner Gruppe die Schuld an den Verhaftungen gegeben wurde, sie hätten provoziert und es sei ihnen nur um ihren eigenen Auftritt gegangen. Gerade jetzt, wo der Staat sich in konstruktiver Weise der Kirche anzunähern beginne, wären solche Alleingänge kontraproduktiv. In einem anderen Flugzettel ohne Absender stand, dieser Herbert Ahrens sei ein Absolvent der ehemaligen Kadettenschule der NVA, einer Kaderschmiede des Ministeriums für Staatssicherheit. Man müsse nach seinen Auftraggebern fragen, womöglich sei es seine Absicht gewesen, Vorwände für eine Zerschlagung der oppositionellen Strukturen in der Kirche zu liefern.

Ich brachte das Flugblatt selbst in den Müll, aber am nächsten Morgen fand ich ein Exemplar zusammengeknüllt unter Pauls Bett. Dabei hatte er die Wohnung seit Tagen nicht verlassen, Ruth, die Kinderärztin, hatte beide Jungen krankgeschrieben. Ich nahm Paul in den Arm und fragte ihn, wie dieser Dreck zu ihm gekommen sei. Der Rechtsanwalt war es. Der hatte am Abend zuvor das Blatt auf dem Garderobentisch im Flur abgelegt, als Paul danebenstand. Wir hatten es nicht bemerkt.

Als ich ihm bei seinem nächsten Besuch verärgert seine Gedankenlosigkeit vorwarf, bat er zerknirscht um Entschuldigung. Er sei völlig übernächtigt. Und die Staatsanwältin würde ihm wegen seiner Nähe zu den Klienten misstrauen und seine Arbeit behindern. Das stimmte sogar, wie Herbert Jahre später aus den Akten erfuhr. Die Staatsanwältin wusste nicht, dass sie für dieselbe Firma arbeiteten. Und übernächtigt war er, weil er sich wie in einem Agentenfilm fast jede Nacht um ein Uhr mit seinem Führungsoffizier auf dem menschenleeren Bahnhof von Bernau traf. Dieser Mann war im Herbst 89 eine wichtige Stimme in der Oppositionsbewegung, er wurde einer der Wortführer. Da hatten Herbert und viele andere seine Doppelrolle schon erkannt, aber es dauerte noch ein paar Monate, bis man ihnen, den ewigen Querulanten, glaubte und nicht dem gewandten Anwalt, der schon neue, einflussreiche Freunde hatte. Natürlich leugnete er, aber die Beweise waren so erdrückend, dass diese gefährliche Unglücksfigur schließlich aus der Öffentlichkeit verschwand. Ich habe Herbert nie mit Zorn über diesen Mann reden hören, der so viele betrogen und verraten hatte.

Einmal sagte ich ihm, dass ich mich immer über seine Gelassenheit gewundert habe, das war zwölf Jahre später, auf einem Neujahrsspaziergang in Machandel, der nun auch schon wieder Vergangenheit ist. Wir hatten den Beginn des neuen Jahrtausends zusammen mit ein paar Freunden gefeiert, Michael war nicht mehr dabei. Die zwanzigjährige Julia war zu ihm gefahren, sie kam ohnehin nicht mehr gern nach Machandel, seitdem das Dorf so anders geworden war. Aber Caroline war bei uns. Auch Lena saß mit am Tisch. Seitdem sie vor Jahren das Dorf verlassen hatte, war sie noch nicht wieder hier gewesen. Blass und still war sie aus dem Auto gestiegen und hatte sich umgesehen, als wäre sie zum ersten Mal hier. Obwohl es schon dunkel wurde, wollte sie allein zum Waldfriedhof vor Klabow gehen, als wir ihr besorgt Begleitung anboten, lachte sie nur. Sie kenne hier jeden Stein, ihre Füße würden auch im Dunkeln den Weg finden, außerdem würde es in Machandel nie ganz dunkel, sagte sie.

Das war der längste Satz, den ich von Lena an diesem Silvestertag hörte, sie stand den ganzen Abend am Fenster und sah uns zu. Ich weiß noch, dass ich dachte, es sei doch ein Fehler gewesen, sie eingeladen zu haben, aber Herbert wäre ohne sie nicht gekommen. Ich hätte mich gern mit ihr unterhalten, über meinen Bruder, meine Großmutter, über ihre Eltern und ihre eigene seltsame Kindheit im Schloss, über Marlenes Schicksal und Wilhelm, auch über Lenas neues Leben in Berlin, aber an diesem Silvestertag kam es nicht dazu. Sie blieb die Stumme. Aber als sie mit Caroline in der Küche Salate machte, hörte ich sie miteinander lachen.

Wir waren zwölf oder dreizehn Leute, die meisten aus dem Friedenskreis, zu dessen Treffen ich aber nur noch selten ging, seitdem ich nicht mehr in Pankow wohnte.

Ruth war mit ihrem Freund gekommen, einem Archäologen und Kunstwissenschaftler aus Bochum, der alles spannend fand. Er verteilte bunte Papierhütchen, weil doch Silvester war, doch blieb er der Einzige, der so ein Ding aufsetzte. Es wollte einfach keine Leichtigkeit aufkommen, obwohl Ruth und ich energisch forderten, die immer wieder aufflackernde Diskussion über die Stasi-Akten, über die politischen Karrieren ehemaliger Mitstreiter abzubrechen, wir wussten, sie würde endlos sein.

Vielleicht lag es auch an dieser unbegreiflichen Vorstellung, ein Jahrtausend ginge zu Ende, unsere Stimmung blieb verhalten. Irgendwann vor Mitternacht, als wir darüber debattierten, ob das neue Jahrtausend wirklich mit dem Jahr 2000 begänne oder ein Jahr später mit dem Jahre 1, sagte Caroline: »Ihr seid richtige Ossis. Immer müsst ihr über irgendetwas diskutieren. Stundenlang redet ihr über Dinge, die für andere Leute gar nicht wichtig sind. Feiert doch einfach, tanzt! Und in einem Jahr feiert ihr eben noch einmal das Millennium.«

In das betroffene Schweigen hinein begann jemand zu lachen, Herbert griff meine Tochter und tanzte mit ihr.

Ich sah ihr zu, wie sie sich mit der Leichtigkeit und Anmut ihrer fünfzehn Jahre bewegte, ich dachte an die tanzenden Brunnenmädchen im Park von Burg Schlitz und an meinen siebenundzwanzigsten Geburtstag. In diesem Jahr 2000 würde ich vierzig werden, wurde mir plötzlich bewusst. Lena in ein paar Tagen vierundfünfzig, fast so alt, wie ihre Mutter gewesen war, als ich ihr in Machandel begegnete. So alt, wie auch Jan heute wäre, dachte ich und merkte, ich hatte an meinen Bruder zum ersten Mal in der Vergangenheit gedacht.

Am nächsten Vormittag schlug ich vor, nach Burg Schlitz zu wandern, aber außer Herbert und mir hatte keiner Lust. Wir verabredeten, dass die anderen über die Landstraße zum »Goldenen Frieden« fahren würden, wo wir uns treffen wollten. Herbert und ich liefen über die Äcker und Weiden, mehrmals sprangen Hasen vor uns auf, die wir für aus der dünnen Schneedecke ragende Grasbüschel gehalten hatten. Die alten Eichen standen noch knorriger als sonst gegen den bleichen Himmel, über den Schwärme von Krähen zogen. Ihr heiseres Rufen begleitete uns auf dem Weg, der immer wieder von abgerissenen Ästen und umgestürzten Bäumen versperrt war, vor ein paar Tagen hatte ein Orkan über Norddeutschland getobt, seine Ausläufer waren bis hierher gekommen. Als wir uns auf dem Tabacksberg umwandten, sahen wir das winzige Dorf Machandel in seiner Senke liegen, die Häuser hockten geduckt wie die reglosen Winterhasen am Rande der Straße zum unbewohnten Schloss. Von hier oben sah man nicht die Löcher im Dach, man sah die riesigen Eichen im Park und die Bäume, die das Dorf umstanden wie Wächter. Wie ein uraltes Bild sah das aus, so friedlich, so idyllisch, als wäre in diesen Häusern nie etwas Böses geschehen. Aus unserem Schornstein stieg Rauch.

Wir liefen über gefrorenen Schlamm, Herbert wusste, dass man dieses Gelände Schlechtes Moor nannte, er wusste überhaupt viel über die Gegend. Er war schon hier gewesen, bevor ich geboren wurde, mit meinem Bruder zusammen. Aber nicht darüber sprachen wir an diesem Neujahrsmorgen, sondern über das untergegangene Land, über Herberts und Marias infamen Rechtsanwalt, dessen Verhalten mir noch immer rätselhaft war. Herbert zuckte nur die Achseln. »Der war ein Heimkind. Der wollte geliebt werden, und zwar immer von dem, der gerade vor ihm saß. Den haben sie schon als Kind gebrochen.«

»Aber er hat in dein Leben eingegriffen, er hat euch die Ausreise eingeredet, die ihr damals, 1988, gar nicht wolltet.«

Herbert lachte sein kurzes, manchmal bitteres Lachen. »Dafür bin ich ihm dankbar. Ich habe in Ruhe in Cambridge arbeiten können, während ihr bis zum Schluss mit Leuten wie ihm zu tun hattet.«

»Aber Maria«, insistierte ich weiter, »vielleicht hättest du Maria nicht verloren, wenn man euch nicht aus dem Land getrieben hätte.«

Maria war bald nach der Ausreise mit den Kindern zu Carlos nach Spanien gegangen und lebte noch immer mit ihm.

»Ich habe Maria nicht verloren«, sagte Herbert zärtlich. »Alles ist gut, so wie es ist.«

Noch nie hatten wir in Ruhe über diesen Februar 1988 gesprochen, in dem für Herbert und seine Familie die DDR versunken war, zwei Jahre früher als für uns alle. Ich erzählte ihm von Paul und Benjamin, von der dunklen, kalten Wohnung in der Wollankstraße, die Herbert und Maria nie wieder gesehen haben, denn sie wurden direkt vom Gefängnis aus an die Grenze gebracht. Ich schilderte, wie der gehetzte Rechtsanwalt eines Abends in unsere Wohnung am Schlosspark gekommen war und uns stammelnd mitteilte, die Entscheidung sei gefallen, das Ehepaar Ahrens wünsche auszureisen, er habe sich vergeblich bemüht, sie davon abzubringen, er habe ihnen die starke Solidaritätsbewegung vor Augen gehalten, die verheerende Wirkung, die ihr Beispiel auf die Basisgruppen haben würde, aber sie wären nicht bereit, die Strapazen und Unwägbarkeiten eines Prozesses auf sich zu nehmen, schon ihrer Kinder wegen nicht. Sofort bekam ich ein schlechtes Gewissen. Zwar war ich bereit gewesen, die Kinder auch für lange Zeit, für Jahre, zu mir zu nehmen, aber dem Rechtsanwalt war die Halbherzigkeit meiner Erklärung nicht entgangen und auch nicht Michaels Schweigen. Ich fühlte mich schuldig wie Marleneken im Märchen vom Machandelboom, der die Mutter einredete, sie sei es gewesen, die den Kopf des Bruders abgetrennt hätte.

Als ich Herbert von meinem damaligen Gefühl erzählte,

lächelte er über den Vergleich und nahm meine kalte Hand. »Mir war in meiner Zelle klar geworden, dass es nicht mehr Jahre dauern könnte. Ich wollte nicht in den Westen, weil wir ja alle glaubten, hier würden wir gebraucht. Aber mir wurde auch klar, dass ich dieses Leben Maria und den Kindern nicht länger zumuten konnte. Als ich später meine Akten las, all diese Maßnahmepläne, die Spitzelberichte vermeintlicher Freunde und des Rechtsanwalts, verstand ich selbst nicht mehr, warum ich mich nicht schon längst aus dieser Umzingelung befreit hatte. Wir waren ja schon beinahe krank. Dass der Rechtsanwalt so ein kaltblütiges Doppelspiel trieb, habe ich nicht für möglich gehalten, Unaufrichtigkeit schon eher. Er kam mir schwach und ängstlich vor. Doch als der mir berichtete, Maria sei am Ende ihrer Kräfte, sie wolle gehen, notfalls auch ohne mich, als ich hörte, kein Mensch da draußen würde sich für uns einsetzen, glaubte ich das.«

Wir waren bei dem Hügel angelangt, von dem aus man den Malchiner See sehen konnte, und anstatt die Anhöhe zu umgehen, stiegen wir hoch. Dort oben pfiff der Wind, ein feiner Schneeregen hatte eingesetzt und löste die Konturen der Landschaft auf. Wir konnten nicht weit sehen. Das Gebüsch, unter dem an meinem Geburtstagsausflug zwölf Jahre zuvor die kleine Caroline geschlafen hatte, stand kahl und zerzaust. Heute ist der erste Tag eines neuen Jahrtausends, dachte ich, aber es stellte sich kein feierliches Gefühl ein. Noch nie habe ich Jahrestagen und Jubiläen Bedeutung beigemessen. Die Wendepunkte in meinem Leben sind nicht die Kalenderdaten. Wenn irgendwo das Ende der DDR erwähnt wurde, dachten die meisten an die Demonstrationen in Leipzig oder an den Jubel vor der geöffneten Mauer, vor meinen Augen stand die Wohnung von Herbert und Maria im Februar 1988.

Hier, auf dem Hügel zwischen Machandel und Burg Schlitz,

erzählte ich Herbert davon und wusste nicht, war es der Schneeregen an diesem Neujahrstag oder war es die Kälte von damals, die ich bis unter die Haut spürte. Der Rechtsanwalt hatte mir Listen gebracht, nach denen ich in der Wollankstraße zusammenpacken sollte, was Maria und Herbert mitnehmen wollten, Kleider und Wäsche, Spielzeug der Kinder, Herberts Manuskripte, Briefe, Fotos. Paul war bei mir, als ich packte. In der Wohnung gab es nur schwache Glühlampen, wir froren, obwohl ich die Kachelöfen schon am Morgen geheizt hatte. Paul hatte sich gewünscht, die letzte Nacht dort zu verbringen, wo er mit seinen Eltern gelebt hatte, und so hatten wir verabredet, dass der Rechtsanwalt frühmorgens die Kinder und das Gepäck in der Wollankstraße abholen würde. Benjamin war immer noch etwas fiebrig und verschnupft, Michael wollte ihn später bringen, Ruth wollte auch noch kommen. Es fiel mir schwer, in der fremden Wohnung das Richtige auszuwählen für ein Leben hinter den Grenzen, das ich mir gar nicht vorstellen konnte. Paul war mir keine Hilfe, er hatte sich auf den Boden gehockt und sah mit steinerner Miene zu. Ich durchblätterte Herberts Mappen, und plötzlich hielt ich Papiere meines Bruders Jan in der Hand, zwanzig Jahre alte Briefe aus dem Gefängnis, vom Herbst 1968. Ich hatte seine Schrift erkannt und wollte diese Briefe lesen, aber das ging jetzt nicht, einen Moment lang überlegte ich, sie einfach zu behalten, aber sie gehörten Herbert, sie lagen in einem grünen Schnellhefter, den ich einpacken sollte. Ich hatte keine Zeit, mich damit zu beschäftigen; da lagen noch Papiere über Herberts Entlassung aus der Akademie, Beurteilungen, Protokolle, die konnte ich auch nicht lesen, aus Bergen von Manuskripten musste ich die von Herbert geforderten heraussuchen, seine und Marias Zeugnisse finden. Aufgewühlt vom Anblick der Schrift meines Bruders, kramte ich in den Papieren, gleichzeitig sprach ich mit Paul, bat ihn, endlich seine Sachen zusammenzusuchen. Dann ging ich in die Küche, wollte ein Abendessen zubereiten. Die Kinder sollten den letzten Abend in dieser Wohnung nicht wie in einer ungeheizten Wartehalle verbringen, ich wollte es ihnen schön machen. Aber ich spürte, dass mir das nicht gelingen könnte. Marias Kühlschrank war leer, ich hatte vergessen einzukaufen und die Kälte wich nicht aus den Räumen, sie saß auch in mir. Ich nahm Paul in den Arm und hielt ihn fest, der Junge war ganz steif. Ich ließ ihn erst los, als Ruth klingelte. Gleich darauf stand Michael mit Benjamin und unseren Töchtern vor der Tür, danach erschien der Rechtsanwalt für fünf Minuten. Nachbarn aus dem Haus klopften und wollten in einer Mischung aus Neugier und Anteilnahme wissen, was nun mit Herbert und Maria sei. Es war ein Kommen und Gehen. Auch ein Schulfreund von Paul kam mit seiner Mutter, aus Pauls Gesicht wich die Starre, er kletterte mit seinem Freund aufs Hochbett, wo sie herumalberten und von oben Schaumstoffstückchen auf uns warfen, die sie aus einer Matratze zupften. Ruth hatte einen großen Korb mitgebracht, aus dem sie einen Topf mit Suppe hervorholte, Bouletten, selbst gebackenen Kuchen, Salate und Benjamins Lieblingspudding. Maria und Herbert sollten nicht nach Westdeutschland, sondern nach Großbritannien entlassen werden, die Universität in Cambridge hatte ihm eine Forschungsstelle angeboten. Wir wussten nicht, ob sie gleich weiterreisen würden, und Ruth hatte Lunchpakete für mehrere Tage vorbereitet.

Irgendwann waren die Rucksäcke der Kinder gepackt, irgendwann war die ausgiebige Mahlzeit beendet und Benjamin schlief in seinem eigenen Bett, zum letzten Mal. Pauls Freund war mit seiner Mutter gegangen, die Jungen hatten sich nicht umarmt, nur geknufft und verlegen gelacht. »Hey, Alter, mach's gut.« Doch der Mutter standen Tränen in den Augen.

Paul kniete vor seinem Regal, verschenkte seine Lieblings-
bücher und Platten an Julia, Caroline bekam Benjamins Bilder-
bücher, während Ruth und Michael mir halfen, die Koffer und
Taschen zu packen. Dann verließen auch sie die Wohnung, die
Mädchen verabschiedeten Paul, als ginge er auf eine lange Ur-
laubsreise, um die sie ihn ein wenig beneideten. Julia kicherte
aufgekratzt und trug ihm auf, Postkarten zu schicken. Michael
klopfte ihm nur auf die Schulter und wandte sich schnell ab.
Wir alle hatten schon Übung im Abschiednehmen, aber dieser Abschied war so ungewöhnlich, so unwirklich in dieser seit
Wochen verlassenen Wohnung. Bevor er ging, sagte Michael
mir noch, mein Professor habe angerufen, er wolle mir irgendein Buch vorbeibringen, bevor er morgen wegen einer Augen-
operation ins Krankenhaus gehe. Als er erfuhr, dass ich hier sei,
in der Wollankstraße, habe er gesagt, er könne das Buch auch
hierher bringen.

Nun zog wieder Stille in die Wohnung ein. Ich hatte die
Kette vorgelegt, damit wir nicht wieder wie neulich von Ein-
dringlingen überrascht werden könnten. Mit Paul räumte ich
das Geschirr zusammen, abwaschen wollte ich später. Ich hatte
vor, den nächsten Tag in dieser Wohnung zu verbringen, die wir
bis zum Monatsende leer räumen sollten. Paul war nicht müde,
ich auch nicht, er schlug vor, Schach zu spielen, und holte ein
altes Schachspiel herbei. Es klingelte. Paul erstarrte. Durch das
Guckloch sah ich Professor Simon in seinem langen schwarzen Mantel mit dem Pelzkragen stehen und ließ ihn ein. Er
setzte sich schwer atmend in einen abgewetzten Ledersessel,
den Mantel wollte er nicht ausziehen, auch ihm war kalt. Aus
seiner Manteltasche holte er ein Buch, eine in Zürich erschienene Abhandlung des Theologen Heinrich Bartholomäus über
das grimmsche Märchen vom Machandelboom, eine Deutung
aus christlicher Sicht, nach der das Märchen den Beginn des

Christentums widerspiegele, Tod und Auferstehung des heiligen Sohnes. Er stand diesen Deutungen kritisch gegenüber, meinte aber, ich müsse sie für meine Arbeit kennen.

»Das hätte doch Zeit gehabt«, sagte ich und nahm das Büchlein entgegen.

Er lächelte. »In meinem Alter schiebt man nicht auf, was zu erledigen ist, schon gar nicht vor einer Operation.«

Er musterte mich forschend und rezitierte: »*Clara starret, Tod im Antlitz, / Kaltumflirret, nachtumwoben; / Ohnmacht hat das lichte Bildnis / in ihr dunkles Reich gezogen.*«

Wahrscheinlich guckte ich verständnislos, denn er erläuterte lächelnd: »Heine, *Don Ramiro*. Mir scheint, Heine passt zu dem Abend heute.«

Paul beobachtete aufmerksam den Gast. »Kaltumflirret, nachtumwoben«, wiederholte der, sich in der halbdunklen Wohnung umsehend. Sein Blick blieb lange auf dem Jungen ruhen, er fragte nach seinem Namen, seufzte. »Spielst du Schach?«, fragte Paul, er war es gewöhnt, die Freunde seiner Eltern und deren Freunde zu duzen. Wahrscheinlich hielt er meinen Professor für einen Freund.

Der verlangte ein Glas Tee und beugte sich über das Schachbrett. »Ich nehme aber Weiß.« Ich war froh, dass er blieb und sich mit Paul beschäftigte. Sie redeten nicht viel, ich ging hin und her, legte Wäsche für Benjamin zurecht, nähte einen Knopf an Pauls Jacke. Noch einmal ging ich Herberts Liste durch, ich hatte ein kleines Holzkästchen vergessen, das in seiner Schreibtischschublade sein sollte. Ich fand es und guckte hinein. Da lagen ein paar Muscheln, ein Hühnergott, winzige blaue Steine und zwei etwas größere, blau und grün glasierte, wie sie in unserem Mecklenburger Katen auf den Fensterbrettern liegen. Machandelsteine nannten meine Töchter sie. Das Kästchen passte gerade noch in eine Reisetasche, ich setzte mich zu den

Schachspielern. Die beiden wirkten im Schein der Stehlampe vertraut, als gehörten sie zusammen, der alte jüdische Mann und das Kind. Eine seltsame Szene, dachte ich, aber alles war seltsam.

Die weißen Bauern waren über das Brett gestürmt, begleitet von den Springern. Paul opferte seine Dame. Der Professor schnaubte verächtlich, er schien dem Kind nichts zu schenken, die Bauern fielen, nur noch die Könige und die Türme waren im Spiel. »Du wanderst morgen aus?«, fragte der Professor den Jungen.

»Wir wandern nicht, wir fahren wohl mit dem Zug. Oder mit einem Auto, ich weiß nicht.« Paul sah mich fragend an, aber ich wusste es ja auch nicht.

»Auswandern«, wiederholte Martin Simon bedächtig das Wort. »Das war ein Dauerthema, als ich Kind war. Ich habe oft in solchen Wohnungen gesessen.« Sein Blick ging über die geöffneten Schränke, die Wäschestapel. »Aber das Wort auswandern ist schon älter. Kennst du Heinrich Heine, er wusste viel über solche Abschiede. Übrigens kann es ein Glück sein, auswandern zu müssen. ›*Es gibt zwei Sorten Ratten: / Die hungrigen und die satten. / Die satten bleiben vergnügt zu Haus, / Die hungrigen aber wandern aus.*‹ Pass auf das Spiel auf, Paul.«

Der lachte. »Weißt du noch mehr solcher Gedichte?«

»Ach, viel zu viele.«

Sie schoben die Figuren hin und her, nur ab und zu fiel ein Wort. Paul griff unerwartet an. Sein Turm ging zurück auf die Grundlinie. »Du spielst gut«, knurrte der Professor. Wahrscheinlich hatte Paul das Schachspiel von seinem Vater gelernt, auch mein Bruder hat oft mit Herbert vor dem Brett gesessen.

»Mein Vater hatte Hausarrest«, sagte Paul unvermittelt.

»Hausarrest ist besser als Lager«, murmelte sein Gegenüber.

»Warst du mal im Lager?«, wollte Paul wissen.

»Ich war in Shanghai im Ghetto, das war eher wie Hausarrest. Aber bevor wir nach China auswanderten, war mein Vater im Lager, in Sachsenhausen.«

»Mein Vater war auch in Sachsenhausen«, mischte ich mich überrascht ein.

Martin Simon zuckte die Achseln: »Deutsches Schicksal.«

»Wir gehen vielleicht nach England«, sagte Paul. Er tat einen Zug und der weiße König fiel.

Der Professor betrachtete seine Niederlage mit gerunzelter Stirn. Dann lachte er Paul an: »Gut so.« Während der Junge zufrieden das Spiel zusammenräumte, ging er an die Bücherwand von Pauls Eltern und suchte, bis er eine handliche Heine-Ausgabe gefunden hatte. »Nimm das mit, man sollte immer ein Buch von zu Hause mitnehmen, wenn man fortgeht. Und dieses wird dir helfen, deine Sprache nicht zu vergessen. Und«, er lächelte, »deine Federbetten.« Er blätterte und las: »*Man ruht in deutschen Betten so weich, / Denn das sind Federbetten. / Wie sehnt ich mich oft nach der Süßigkeit / Des vaterländischen Pfühles, / Wenn ich auf harten Matratzen lag / in der schlaflosen Nacht des Exiles!*«

Ich erkannte die Verse aus der *Winterreise*, aber was sollte Paul damit anfangen? Doch der lachte und sagte, er wolle jetzt in seine weichen Federbetten gehen, zum letzten Mal.

»Nicht zum letzten Mal.« Professor Simon schüttelte den Kopf. »Du kommst wieder. Ich bin auch wiedergekommen, nach neun Jahren. Bei dir wird es nicht so lange dauern.«

Mich schaute er an und zitierte ironisch: »*Du bleib bei uns; / Hier herrschen noch Zucht und Sitte, / Und manches stille Vergnügen blüht / Auch hier, in unserer Mitte.*«

Später kam Paul mit seinem Federbett zu mir auf die Couch und noch später der verschlafene Benjamin. Da lag ich zwischen Herberts Kindern und fühlte mich, als müsste ich selbst mit ihnen ins Exil gehen. Der Kleine schlief bald wieder ein, eng an mich gekuschelt, aber Paul wälzte sich unruhig hin und her. Ich war hellwach und überlegte, ob ich aufstehen sollte, um die Briefe meines Bruders zu lesen. Aber sie waren schon verpackt und die Kinder wären aufgeschreckt. Ich schlief erst ein, als draußen schon der Verkehr anschwoll, und gleich darauf klingelte der Rechtsanwalt.

Das alles erzählte ich Herbert am Neujahrsmorgen 2000 auf dem Weg nach Burg Schlitz und er hörte zu.

Paul habe ihm nie so genau von diesen Tagen erzählt, meinte er. Vielleicht hätten Maria und er ihn fragen sollen, sie seien wohl zu sehr mit sich beschäftigt gewesen, mit ihrem neuen Leben, ihrer Zukunft, ihrer Trennung und auch mit dem, was in dem Land, das sie verlassen hatten, geschah. Aber das *Buch der Lieder* von Heine habe er bei Paul gesehen und sich gewundert, dass der Elfjährige gerade das mitgenommen habe. Demnächst würde er Paul in Barcelona in seiner Studentenbude besuchen, dann wolle er ihn auch nach dem Buch fragen.

Wir waren bis zu den Parkanlagen von Burg Schlitz gekommen. Herbert kannte sich hier nicht aus, und ich hatte wie immer den richtigen Weg verfehlt, wir mussten über den gefrorenen Boden eine steile Böschung hochklettern, hielten uns an kahlen Sträuchern und aneinander fest. Als wir oben ankamen, standen wir wenige Meter entfernt von dem Brunnen mit den tanzenden Mädchen, und da waren unsere Freunde, und auf dem Brunnenrand standen leere Sektflaschen, vielleicht noch von der Silvesterfeier der Hotelgäste. Meine Tochter Caroline schwenkte eine Wunderkerze. »Da kommen sie, da kommen sie!« Sie lief uns entgegen, sah uns an und stellte fest: »Die haben wieder über die Vergangenheit geredet. Den ganzen Weg über, an diesem ersten Tag im neuen Jahrtausend,

haben die bestimmt wieder über ihre komische DDR diskutiert.«

Sie warf das verglühende Wunder weg, griff nach unseren
klammen Händen, zog uns zu den anderen und wir tanzten mit
ihnen stampfend und hüpfend um den Brunnen. Die bronze-
nen Mädchen in ihren dünnen Kleidern schienen zu frieren, wie
kleine Häubchen lag Schnee auf ihren Köpfen, uns aber wurde
warm, und ich versuchte lachend, mich aus dem Kreis zu lösen,
aber die anderen hielten mich fest, drehten sich immer weiter
und zogen mich mit.

16

NATALJA

Budj silnoi

Im Frühjahr 1945 kamen Wehrmachtssoldaten in die Gegend von Machandel, in Kuhelmies und Görzke waren die Gutshäuser schon von Uniformierten belegt, aber unser Schloss war wohl zu klein und zu abgelegen, nur im Buchenwald am Großen Bark, schon auf Burg Schlitz zu, lagerten deutsche Militäreinheiten, es wurde erzählt, dass sie den Wald und die Wege verminten und große Munitionsdepots einrichteten. Ich hatte es ja gewusst, dachte ich: Wenn ich nur warte, kommt der Krieg zu den Deutschen zurück. Bald wird er vorbei sein.

Die Baronin saß nur noch in ihren schwarzen Kleidern im Salon, auch ihr zweiter Sohn war gefallen. Um den Haushalt kümmerte sie sich kaum noch. Ihre Tochter hatte Kopfschmerzen und ließ sich nicht sehen. Der Inspektor bedrängte die Frauen, einen Entschluss zu fassen.

In diesem Frühjahr kamen täglich Flüchtlingswagen mit abgekämpften Gäulen, die Gästezimmer des Schlosses waren längst belegt, aber auch das Gemeindehaus in Klabow und die Schule in Lalenhagen wurden Unterkünfte für Flüchtlinge, von denen manche schon monatelang unterwegs gewesen waren. Die kamen aus Schlesien und von der Ostseeküste, es waren Deutsche, manche hatten schon immer dort gelebt, andere waren erst von Hitlers Leuten dorthin geschickt worden, um deutsche Musterdörfer aufzubauen. Eine Gruppe kam aus Wolhynien, sie verstanden Russisch und Polnisch. Erst vor ein paar Jahren waren sie aus ihrer Heimat nach Polen ausgesiedelt worden, und nun waren sie von dort vertrieben worden. Noch vor der Frühjahrssaat waren die Männer aus der Schnitterkaserne zurückgebracht worden ins STALAG Fünfeichen, noch am selben Tag zog die Gruppe Wolhynier dort ein. Wilhelm Stüwe und zwei andere Wachleute haben die Kriegsgefangenen nach Fünfeichen begleitet.

Grigori ist nicht mit ihnen gegangen.

Beschworen habe ich ihn, in Machandel zu bleiben, ich würde ihn verstecken. In dem Kellerloch in der Petersschen Kate unter Emmas Küche hat er gehockt, erst an dem Tag, als die drei KZ-Häftlinge aus dem Eiskeller ins Gutshaus übersiedelten, ist auch Grigori frei gewesen.

Wir haben uns an unserem Platz bei den Machandelbäumen getroffen, die blühten gelb, es duftete, nie wieder gab es einen Frühling. Vor den Deutschen musste Grigori keine Angst mehr haben, der Inspektor war verschwunden, von den Soldaten aus den Wäldern waren nur die Toten zurückgeblieben, auch die Baronin war mit ihrer Tochter im letzten Moment abgereist. Wilhelm Stüwe und die anderen Bewacher waren nicht zurückgekommen, doch Grigori musste jetzt unsere eigenen Leute fürchten, Stalins Befehl Nr. 270. Er erklärte mir, was das für ein Befehl war, der ihn zu einem Verräter und Deserteur erklärte. Stalin hatte angeordnet, dass es für Offiziere der Roten Armee keinen Rückzug geben dürfe und keine Kapitulation. Die Strafe sei sofortige Erschießung, auch die Verhaftung der Familien der Offiziere. Grigori hatte keine Familie mehr, er war allein wie ich, wir hatten uns gefunden, um zusammenzubleiben, doch wir wussten, als er mich an den Machandelhügeln umarmte, dass das nicht möglich war. Er würde sich nicht immer verstecken können und er wollte es auch nicht. In den

Stunden, Tagen, Wochen, die uns blieben, erfuhren wir alles voneinander, was Menschen einander mitteilen können. Wir sprachen Russisch, aber auch meine Hände und Füße, die Finger und Zehen, mein Bauch, meine Arme, meine Brüste, meine Beine, meine Schenkel und Lippen sprachen mit ihm, meine verborgensten Stellen antworteten auf seine Berührungen, wir lachten und schrien, und manchmal waren wir ganz still, und ich dachte, warum kann es nicht so bleiben, warum können wir nicht einfach so liegen bleiben und ein Teil dieser Landschaft werden wie die Steine und Hecken, warum können wir nicht unsichtbar werden und doch da sein, wie der Duft dieser gelben Blüten.

Niemand suchte mich, meine Kammer neben der Küche machte mir niemand streitig, obwohl das Schloss voller Flüchtlinge war. Die Arbeitsdienstmädchen waren längst verschwunden, in der Gutsküche standen fremde Frauen, ins Inspektorhaus war eine Komendatura gezogen. Russische Rufe waren bis zum Waldrand zu hören, Panjewagen mit kleinen Pferden hielten auf der Dorfstraße vorm Schloss. In den Schnitterkasernen brach Typhus aus. Viele Flüchtlinge starben. Als ein paar alte Männer und halbwüchsige Jungen aus der Gruppe der Wolhynier am Waldrand ein Massengrab für ihre Toten aushoben, ging eine Mine hoch und zerfetzte sie alle. Da wurde am Bahnhof von Lalenhagen eine Grube gegraben, und die Typhustoten und die zerfetzten Totengräber und die Soldaten, die man noch in den Wäldern fand, wurden ohne Särge hineingelegt. Auch im Schloss hausten Kranke und Alte, manche starben. Die ausgemergelten Männer aus dem Konzentrationslager waren ins Schlafzimmer der Baronin umgezogen, die beiden Tschechen hatten dem Kommandanten gesagt, wer ihr im Sterben liegender deutscher Gefährte war. Da hatte der Kommandant Semjon Baranowitsch, ein Mann von etwa vierzig Jahren mit einem Schnurrbart wie Stalin, angeordnet, ihm das große Schlafzimmer zu lassen. Die beiden Tschechen zogen Mitte Mai weiter, Hans Langner starb nicht, Emma und ich haben ihn gefüttert und gewaschen, bis Johanna uns ablöste. Der russische Arzt sagte, es sei Lungenentzündung, kein Typhus. Trotzdem ließ er alles desinfizieren und Emma und ein paar Flüchtlingsfrauen wischten im Schloss täglich die Böden. In der Futterküche wurde die Wäsche in großen Kesseln ausgekocht, viele Flüchtlinge waren verlaust und voller Flöhe. Ich half bei der Wäsche und beim Saubermachen, ich bekam wie die anderen einen Teller Suppe, ich war wie sie, keiner kümmerte sich um mich. Ich war gewöhnt, nicht unnötig zu sprechen, und selbst der Kommandant und seine Leute beachteten mich nicht, ich gab mich nicht als eine von ihnen zu erkennen. Der Kommandant war Russe, wohl ein Jude, einige seiner Männer aber waren Georgier, manche kamen aus Kirgisien oder Aserbaidschan, sie sahen auch für mich fremd aus. Keiner konnte Grigori und mir helfen, auch nicht der Kommunist Hans Langner, der hatte ihn nie gesehen, der lag einfach da und langsam wurde er gesund.

Nachts stieg aus allen Winkeln des Gutshauses das Schluchzen und Seufzen der Flüchtlinge auf, unterdrückte Schreie und das Wimmern der schlafenden Kinder, manchmal, wenn ich zu Grigori ging, begleiteten mich diese Geräusche durch die Nacht, vermischten sich mit den unheimlichen Rufen der Eulenvögel, bis im Morgengrauen für einen Moment Stille über dem Dorf lag, eine lauernde, böse Stille, die ich kannte, in der die Angst sich ausbreitete, wie es hier immer gewesen war.

Auch ich hätte mich melden müssen, in der Stadt Barth an der Ostsee war schon Anfang Mai eine Repatriierungsstelle eingerichtet worden, da wurden all die Mädchen hingebracht, die als Ostarbeiterinnen auf den Mecklenburger Gütern und in den Fabriken gearbeitet hatten. Dunja aus Kuhelmies war schon dort.

»Tu es nicht«, bat Grigori mich, »melde dich nirgends.«

Im Herbst war er schon längst fort, ich hatte die Nähte meines Kleids schon ausgelassen und meinen gewölbten Bauch unter der Schürze versteckt, als eine russische Sergeantin aus dem Inspektorhaus, der ich die Haare schneiden sollte, mir erzählte, aus dem Repatriierungslager in der Stadt Barth würden die Ostarbeiterinnen, die in Deutschland Kinder geboren hatten, alleine nach Hause geschickt. Man würde diese Kinder nicht als Sowjetbürger anerkennen, womöglich seien ihre Väter Deutsche. Die Kinder kämen in ein Heim am Vogelsang in Barth, früher war da ein STALAG gewesen, aber in dem Kinderheim sei eine Seuche ausgebrochen, die Kinder würden sterben, schon über hundert lägen auf dem Friedhof dort begraben.

Sie erzählte auch, dass die Ostarbeiterinnen zu Hause in Straflager kämen, denn viele hätten sich freiwillig nach Deutschland gemeldet, aber da hörte ich schon gar nicht mehr zu, da hatte ich schon beschlossen, mich niemals in diesem Repatriierungslager zu melden und weiter so zu leben, als wäre ich eines der vielen Flüchtlingsmädchen, als wäre ich wie Johanna, die inzwischen allein die Aufgabe übernommen hatte, Hans Langner in seinem Baroninnenbett zu versorgen. Johanna war zwei, drei Jahre jünger als ich, siebzehn vielleicht, aber während ich hoffte, keiner würde mich beachten, hielt sie sich sehr gerade und bewegte sich stolz, als wollte sie, dass man zu ihr hinsah. Ich hielt oft die Hand vor den Mund, weil meine Zähne damals so schlecht waren, Johanna lächelte mit ganz weißen, ebenmäßigen Zähnen, nur ihre Augen lächelten selten, in ihrem Blick lag etwas wie eine Starre, ein Entsetzen über das, was sie gesehen haben mochte auf ihrer Flucht. Sie nahm einfach die Bücher der Baronin aus den Schränken, deren Scheiben ich vor kurzer Zeit noch täglich blank geputzt hatte, sie las darin, während sie bei Hans Langner Wache hielt, sie suchte sogar im Schlafzimmerschrank der Baronin, ob sie etwas für sich und ihre Mutter fände, denn sie hatten nichts mitgenommen auf die Flucht oder es unterwegs verloren. Aber da war nichts mehr, gleich die ersten Flüchtlinge hatten die Kleiderschränke ausgeräumt, und ich sah fremde Frauen mit den Röcken und Blusen der Baronin und ihrer Tochter herumgehen, auch die Leute aus dem Dorf hatten Dinge aus dem Schloss in ihre Wohnungen getragen, als die Türen immer offen waren. Johannas Mutter war über vierzig, aber sie kam mir jung vor, sie war groß und erinnerte mich an eine meiner Lehrerinnen aus meinem früheren Leben in Smolensk. Als das Schloss eine Flüchtlingsunterkunft wurde, war sie die Verantwortliche, ich weiß nicht, ob jemand sie dazu ernannt hat. Aber sie tat, was zu tun war, hielt die Frauen dazu an, die Schlafsäle zu säubern, gab den Kindern und den Kranken die besseren Plätze, schlichtete die nicht enden wollenden Streitigkeiten. Mit ihr stritt sich niemand, auch der Kommandant wandte sich an sie, wenn er einen Befehl für die Flüchtlinge hatte, und sie wandte sich an den Kommandanten, wenn es nötig war. Sie war es, die dafür sorgte, dass in der Leuteküche und in der Waschküche täglich Essen gekocht wurde.

Anfangs versteckte ich Grigori in meiner Kammer neben der Küche, wir brachten von innen einen Riegel an, aber ich hatte immer Angst, dass die Soldaten ihn finden würden. Dann baten Johanna und ihre Mutter mich, mit mir die Kammer teilen zu dürfen, weil das Haus so überfüllt war. Erst später, als die meisten Flüchtlinge schon weitergeschickt worden waren, zogen sie in die erste Etage. Es war noch Mai, als sie ihre Strohsäcke vor mein Bettgestell legten, der Platz reichte, aber sie merkten, dass ich mich nachts aus der Kammer schlich. Sie fragten nichts. Grigori war nun auf dem Heuboden versteckt, doch bald musste auch der geräumt werden für neu angekommene Flüchtlinge aus einem Lager namens Lambinowice, die waren alle krank, einige starben bald nach der Ankunft. Auf dem Friedhof in Klabow liegen sie, dicht an der Mauer, dicht neben dem kleinen Josef. Die Neuankömmlinge erzählten von einem zwanzigjährigen Lagerleiter in Lambinowice, einem Polen, der jeden Tag Erschießungen angeordnet hatte, neben den Baracken, auf den Latrinen, auf dem Lagerplatz ließ er töten, auch Frauen, auch Kinder.

Als ich das Grigori erzählte, der nun in einem Verschlag hinter dem Holzschuppen hauste, wusste ich schon, dass unser Kind in mir wuchs. Grigori streichelte mich und sagte: »Solche Lagerleiter gibt es überall. Du musst versuchen, hier zu bleiben, in diesem Dorf Machandel. Wir haben keinen anderen Ort.« Ich hielt ihn fest, mich selbst hielt ich fest an ihm, nicht einmal laut weinen durfte ich, nicht einmal laut lachen, in seinen Umarmungen wurden Lachen und Weinen, Schreien und Flüstern zu einem, unsere Körper wurden zu einem, die Holzscheite unter meinem Rücken scheuerten mich blutig, das merkte ich erst später. Wie sollte es weitergehen?

Ich wollte Hans Langner von Grigori erzählen und ihn um Rat fragen, wen sonst. Aber er war ein Deutscher, und obwohl Semjon Baranowitsch ihn achtete und oft lange Gespräche mit ihm führte, wusste ich doch, er konnte Grigori nicht beschützen. Sie waren zwar beide Gefangene der Deutschen gewesen, aber Grigori war Sowjetbürger, dazu Armeeangehöriger. Für ihn galten die Soldatengesetze und nicht die menschlichen.

Wilhelm Stüwe war fort, Auguste arbeitete im Kuhstall, aber eines Tages wurden die Kühe weggebracht, auf große Lastwagen wurden sie getrieben, *dawai dawai*, die jungen Rotarmisten von der Komendatura halfen nach mit Tritten und

Schlägen ihrer Seitengewehre, die Kühe brüllten, stemmten sich gegen den Stallboden, Auguste stand dabei und hielt sich die Schürze vors Gesicht. Am nächsten Tag wurden drei Kühe zurückgebracht, für die Versorgung der inzwischen fast zweihundert Flüchtlinge im Schloss. Der Kommandant stand neben Johannas Mutter am Stalltor, winkte Auguste zu sich: »Du, Stallarbeiterin, bist nun verantwortlich. Die Milch gehört den Kindern.«

Aber das muss später gewesen sein, da war Lena schon geboren, Grigori war schon seit Monaten fort. Die Bilder dieser Monate gehen in meinem Kopf durcheinander, ich kann sie nur ordnen, wenn ich die Zeit einteile in die mit Grigori und die, als er schon weg war. Ich war nicht dabei, als sie ihn verhafteten, es war im Sommer, im Juli, er ist nach Teterow gegangen, um sich selbst zu stellen. Es hieß, dass die Militärpolizei Streifen ausschickte, um Landsleute, die sich nicht zurückgemeldet hatten, einzufangen. Es hieß, entlaufene russische Soldaten würden in den Dörfern stehlen und morden, auch die Frauen in Machandel hatten Angst vor ihnen, und außer Emma hätte wohl jede Grigori angezeigt, wenn sie ihn gesehen hätte. Vor den Leuten in der Komendatura hatten sie nur am Anfang Angst, aber denen war verboten, auch nur ein Huhn zu stehlen. Semjon Baranowitsch soll Tierarzt gewesen sein. Mit den kleinen Pferden, die sie mitgebracht hatten, sprach er beinahe zärtlich, ich machte mir manchmal in der Nähe zu schaffen, um ihm zuzuhören. *Maljutka, Malyschka, Kroschka*, so hatte meine Mutter mit mir gesprochen, als ich noch ein kleines Kind war. Sonst ging ich ihm aus dem Weg. Aus anderen Dörfern wurde Schlimmes erzählt, die Flüchtlingsfrauen flüsterten über das, was ihnen widerfahren war. In Rostock, hieß es, waren die Rotarmisten über die Frauen im Krankenhaus hergefallen, auch über die ganz alten, über die frisch operierten und die schwangeren. In Güstrow, sagten sie, wurde die Stadt noch nach der Übergabe geplündert, Frauen wurden vergewaltigt, Männer erschossen. Jemand wusste, dass Hunderte sich das Leben genommen hatten. In Machandel geschah so etwas nicht, hier waren die Soldaten schon müde vom Krieg, die Gewalt, die in ihnen war, die sie vor sich hergetrieben hatte, brach nur hervor, wenn sie betrunken waren, dann gingen sie auch aufeinander los, und einer soll den Briefträger Timm erschossen haben, weil der eine Uniform trug. Aber das war auch später, denn der Briefträger Timm und zwei Frauen aus Lalenhagen haben gesehen, wie Grigori verhaftet worden ist, seine Fänger sollen betrunken gewesen sein, sie hielten mit ihrem Lastwagen an auf der Straße zwischen Lalenhagen und Teterow, sie müssen erkannt haben, dass da einer der Ihren ging, auf die Tragfläche haben sie ihn geprügelt, dabei wollte er doch freiwillig mit ihnen gehen. Er hat sich nicht von mir verabschiedet, er war einfach fort. Er hatte in der Nacht zuvor meinen Bauch geküsst, der sich noch gar nicht wölbte, in dem die winzige Lena sich aber schon auf ihr Leben vorbereitete, er hatte mir das Versprechen abgenommen, für unser Kind zu sorgen, es zu schützen und aufzuziehen, bis wir wieder zusammen sein könnten. Für uns ist er gegangen, für das Kind und mich, er wusste, dass es uns schaden würde, wenn er in unserer Nähe bliebe. Ohne ihn würden wir durchkommen unter all den Flüchtlingen, glaubte er.

Johannas Mutter hieß Waltraut, Walja habe ich sie genannt. Walja hat mein Vater zu meiner Mutter gesagt, sie hieß Walentina, aber das wusste keiner, nur Grigori hatte ich es gesagt.

Einmal kam mit einem Auto ein Kamerad von Hans Langner, der hieß Bernhard Quandt und war wie er im Lager Sachsenhausen gewesen. Bernhard Quandt war der neue Landrat in Güstrow, später gehörte er zur Regierung in Schwerin, sogar der Kommandant behandelte ihn respektvoll wie einen teuren Gast und ließ Speisen auftragen, bot Wodka an. Als Hans Langner schon aufstehen konnte, ließ Bernhard Quandt ihn abholen nach Basedow, einem Gut in der Nähe, wo sie auf dem Hof des dortigen Schlosses die Landarbeiter zu einer Bodenreform aufriefen. Das erfuhr ich von Walja, ihre Tochter Johanna war mitgefahren mit Hans Langner, den sie nicht aus den Augen ließ, den sie zwar nicht mehr füttern und waschen musste und doch kaum eine Stunde allein ließ. Manchmal aber fuhr er ohne sie weg, blieb über Nacht in Güstrow bei seinen kommunistischen Genossen oder in Schwerin, wo die Überlebenden aus den Konzentrationslagern ein Büro hatten. Wenn er unterwegs war, schlief Johanna nicht bei uns in der Kammer, sondern in seinem Bett, und bald auch dann, wenn er da war. Das ehemalige Schlafzimmer der Baronin wurde zu seinem Büro, Leute kamen und brachten Hans Langner Broschüren und Aktenordner, ein Feldtelefon wurde verlegt und eine Schreibmaschine gebracht, Johanna tippte, was er ihr diktierte, er arbeitete für die Bodenreform, obwohl er sich zwischendurch immer wieder auf das Bett legen musste, weil er erschöpft war oder weil Johanna auch dort lag.

Ich weiß nicht, wohin sie Grigori gebracht haben. Fünfeichen war nun kein Lager für Kriegsgefangene mehr, Fünfeichen war das Sonderlager Nummer neun, Deutsche haben sie da eingesperrt, von da, hieß es, kam keiner lebendig heraus.

Vielleicht haben sie Wilhelm Stüwe, der die Kriegsgefangenen aus der Schnitterkaserne im Frühjahr nach Fünfeichen gebracht hatte, gleich dort behalten, dachte ich manchmal. Aber Auguste deutete einmal an, ihr Mann sei am Leben, sie habe Nachricht von ihm. Auguste nahm ihre neue Aufgabe als Milchverteilerin sehr wichtig und ließ sich von manchen Flüchtlingsfrauen lange bitten, bis sie ihnen ihre Zuteilung aushändigte. Mir gab sie auch dann nichts, als mein Bauch sich schon wölbte, die Milch sei für die Kinder, nicht für die Erwachsenen, sagte sie, obwohl sie auch ihrer Schwester Minna die Kanne füllte. Aber ich litt keine Not. Hans Langners Verpflegung kam vom Kommandanten, manchmal brachte er von seinen Fahrten über Land auch Pajoks mit, Pakete mit Lebensmitteln. Zehn Jahre lang war er im Zuchthaus und in Lagern gewesen, davor hatte er in Berlin gelebt und wollte zurück in diese Stadt, aber ich hörte, wie Johanna und ihre Mutter darüber sprachen, dass sein Lagerkamerad Bernhard Quandt ihn nicht gehen lassen wollt. Hans Langner wurde Leiter des Ernährungsamtes in Güstrow. Das Schlafzimmer der Baronin im Schloss blieb seine Wohnung, in die er nur noch kam, weil Johanna darin auf ihn wartete. Sie gab die Pajoks ihrer Mutter und die teilte alles mit mir.

Lena wurde im Januar geboren. Kurz zuvor war das Musikzimmer leer geworden, die Frauen, die mit ihren Kindern darin gehaust hatten, waren weitergezogen; sie hatten Nachricht von Verwandten, deren Flucht im Oderbruch geendet hatte, und dorthin wollten sie, näher an ihre alte Heimat. Walja wies mir das Musikzimmer zu, es war heizbar, noch immer standen darin die Notenschränke, den Flügel Bechstein hatte Semjon Baranowitsch ins Inspektorhaus schaffen lassen, manchmal spielte er darauf, Grieg und Chopin. Mein Tantchen hatte diese Stücke auch gespielt. Johanna und ihre Mutter schleppten die Hälfte des Doppelbettes aus dem Schlafzimmer der Baronin ins Musikzimmer, dabei war Johanna selbst schwanger, wie mir Walja bekümmert erzählte. »Hans und ich brauchen nicht so ein breites Bett«, meinte Johanna lachend. »Außerdem wird er bald nach Berlin abberufen, und ich werde mit ihm gehen, Abitur machen, studieren.«

Sie war glücklich mit ihm, man sah es, sie war zu einer schönen jungen Frau aufgeblüht, und als ihr Bauch wuchs, versuchte sie nicht, ihn zu verbergen, wie ich es getan hatte, sie trug ihn stolz wie eine schwangere Königin. Zu dieser Zeit war der Geigenbogenbauer schon im Schloss, er sprach viel mit Walja. Sie kamen aus derselben Stadt, aus Königsberg, sie kannte sogar die Straße, in der er seine Werkstatt gehabt hatte, die Knochengasse, ihr Vater war dort Bernsteinsortierer gewesen. Später war sie mit ihrem Mann aufs Land gezogen, lange schon war sie Witwe. Johanna war ohne Vater aufgewachsen, vielleicht fühlte sie sich deshalb so zu dem achtzehn Jahre älteren Hans Langner hingezogen, hörte ich Walja einmal zu Arthur sagen. Es dauerte nicht lange und der Geigenbogenbauer und sie wurden ein Paar und blieben es bis zu Waljas Tod beim Kirschenpflücken im Sommer 1960. Ich war auch nicht allein, ich hatte Lena, und als ich sie im Arm hielt, dieses warme, pulsierende Leben, wusste ich, dass die Zeit der Einsamkeit für immer vorbei war.

Ich hielt Lena auch im Arm, als Wilhelm Stüwe zurückkam. Nicht abgemagert und grau wie die anderen Heimkehrer, sondern gut genährt und gekleidet; er stieg aus einem Auto, das zur Komendatura wollte, wie das Inspektorhaus noch immer genannt wurde, obwohl Semjon Baranowitsch mit seinem Stab über Nacht abgezogen worden war und seit Kurzem hier eine Dienststelle des NKWD war. Den Bechstein hatte der Geigenbogenbauer mit anderen Männern zurück ins Schloss getragen, die neuen Herren brauchten ihn nicht.

Die Russen, mit denen Wilhelm gekommen war, trugen Zivil, ich dachte an Smolensk, an die letzten Momente mit meinen Eltern. Wilhelm war nicht als Gefangener gekommen, es sah aus, als wäre er einer von ihnen, obwohl die Männer ihn nicht beachteten und Wilhelm ihnen beflissen die Autotür aufhielt. Ich verbarg mein Gesicht an Lenas Köpfchen, aber ich war ja nicht unsichtbar, Wilhelm Stüwe hatte uns schon gesehen, fortzulaufen war unsinnig. Die NKWD-Männer gingen ins Inspektorhaus, ich sah zu, wie Auguste ihren Mann begrüßte, vor Freude hatte sie rote Flecken im Gesicht, sie nahm ihm sein Bündel ab und trug es in ihre Wohnung über dem Kuhstall. Jetzt verstand ich, was sie gemeint hatte, als sie einmal zu Emma gesagt hatte, ihr Wilhelm sei zuverlässig und korrekt, solche würden immer gebraucht. Vielleicht war er in Fünfeichen gewesen. Vielleicht sogar als Gefangener, ich habe es nie erfahren. Aber als er nach Machandel zurückkam, war er kein Gefangener, er trug gute Stiefel aus Leder, bessere als vorher. Grigoris Stiefel waren zerlöchert gewesen, er hatte sie mit Stroh ausgelegt. Grigori, wo war Grigori? Wilhelm ging im Inspektorhaus ein und aus, er muss vertrauenswürdig gewesen sein in den Augen der NKWD-Leute, heizte die Öfen, putzte ihre Autos, sprach plötzlich sogar ein paar Brocken Russisch, und als die Dienststelle verlegt wurde und ebenso plötzlich über Nacht abzog, wie Semjon Baranowitsch und seine Leute verschwunden waren, zogen Auguste und er ins Inspektorhaus, sie hatten eine Zuweisung, abgestempelt vom Leiter der Dienststelle, und niemand machte sie ihnen je streitig. Er ließ mich in Ruhe, nur fragte er manchmal so seltsam nach dem Vater meiner Tochter. Dass der Vater von Johannas Sohn Hans Langner war, wusste er, und er hütete sich, Johanna oder ihrer Mutter unfreundlich zu begegnen. Im August 1946 kam Jan im Schloss zur Welt, Hans Langner hatte Johanna nach den ersten Wehen ins Krankenhaus nach Güstrow bringen wollen, aber da schrie Johanna schon und eine der Flüchtlingsfrauen schob Hans Langner beiseite und hielt ihm wenige Minuten später seinen Sohn entgegen.

Auguste brachte der Wöchnerin am selben Tag ein gebratenes Huhn, aber das gaben sie Emma für die Kinder.

Jan gehörte immer zu Machandel, er kam ja auch hierher,

um sich zu verabschieden, bevor er in den Westen ging. Er war mehrmals in jedem Jahr zu uns gekommen, auch als seine Großmutter nicht mehr lebte und Arthur fortgegangen war. Johanna war nur noch selten gekommen und nach dem Tod ihrer Mutter gar nicht mehr. Hans Langner habe ich seit Jans Geburt nicht mehr gesehen, nur sein Bild in der Zeitung habe ich erkannt. Als er mir und Lena helfen sollte, die deutschen Papiere zu bekommen, habe ich ihm einen Brief geschrieben, die Adresse wusste ich von Walja. Er hat mir einen Mitarbeiter nach Machandel geschickt, der, so nannte er es, ein Protokoll aufsetzte.

Jans Schwester Clara hatten wir nie zuvor gesehen, als er sie 1985 mitbrachte. Clara sah dem Flüchtlingsmädchen, das ihre Mutter Johanna gewesen war, so ähnlich, ich erschrak über diese Ähnlichkeit. Dann sah ich meine Tochter Lena an, suchte das Mädchen, das ich einmal gewesen bin, und fand das Gesicht meiner Mutter. Sie war neununddreißig Jahre alt gewesen, als ich sie zum letzten Mal gesehen hatte. Neununddreißig war auch Lena in diesem Sommer 1985. Ich habe ja kein Foto von meinen Eltern und jetzt blickte ich manchmal meiner Tochter nach und fand in ihrer Kopfhaltung, ihrem Gang, in ihrer Stimme meine Mutter. Von Lena habe ich viele Fotografien. Schon als sie ein Säugling war, bin ich mit ihr nach Teterow gefahren und habe sie und mich im Atelier am Markt ablichten lassen. Das Geld dafür hatte ich verdient, weil ich Salben mit zermahlener Birkenrinde nach den Rezepten der früheren Gutsköchin verkaufte, in den Flüchtlingsunterkünften hatten alle die Krätze. Später kaufte Arthur einen Apparat und fotografierte uns. Auf vielen ihrer Kinderfotos ist Lena mit Jan zusammen, sie wuchsen ja gemeinsam auf, bis Johanna ihn nach Berlin holte. Lena sollte nicht so ohne Fotos sein wie ich, sie sollte wissen, woher sie kommt. Ich habe Lena auch immer von

Grigori erzählt. Von ihm besaß ich ein einziges, zerknittertes Passfoto. Später habe ich es vergrößern lassen und Lena hat es oft angeschaut.

Clara wusste nichts von den alten Geschichten, gar nichts, sie war ja gerade erst geboren worden, als ihre Großmutter starb. Dass es den Geigenbogenbauer gab, hatte ihr niemand gesagt. Sie haben wohl nicht viel miteinander gesprochen, der Hans Langner und seine Frau Johanna in Berlin mit ihren Kindern. Aber wir in Machandel redeten ja auch nicht über die Vergangenheit, sie war da und jeder spürte sie. Clara wusste nichts von Marlene, sie ist im Dorf herumgegangen und hat das Fotoalbum hergezeigt, das sie auf dem Boden des Katens gefunden hatte. Mir hat das Herz wehgetan, als ich Marlene gesehen habe und ihre kleinen Geschwister. Diese Fotos sind aufgenommen worden, als ihre Mutter noch lebte. Aus den letzten Jahren Marlenes gibt es keine Fotos. Doch, in Marlenes Krankenakte, die Hans Langner nach dem Krieg besorgte, weil Emma und ich ihn darum gebeten hatten, war ein Foto. Aber auf diesem Foto habe ich Marlene kaum erkannt, ihr langes Haar war abgeschnitten, ihr Gesicht verschwollen. Diese Krankenakte sollte eines der Beweismittel sein für den Sachsenberg-Prozess im August 1946 in Schwerin. Da arbeitete Hans Langner schon wieder in Berlin, aber in diesem Monat August war er oft in Machandel, weil Johannas Niederkunft bevorstand. Er war nicht mehr Leiter des Mecklenburger Ernährungsamtes, sondern irgendetwas Wichtiges in Berlin, manchmal aber hatte er bei der Landesregierung in Schwerin zu tun, von dort brachte er uns Marlenes Akte mit. Sie wurde im Prozess dann doch nicht gebraucht, weil es vor allem um die Patienten ging, die von Schwerin nach Bernburg in die Gaskammer gebracht wurden. Marlene wurde nicht vergast, sie wurde nicht in dieser Mordaktion getötet, die sie T4 nannten, Marlene ist wohl wie viele andere Patienten in Schwerin einfach verhungert, vielleicht haben sie ihr auch ein Schlafmittel gegeben, das ihren geschwächten Körper sterben ließ. Zehn Veronaltabletten, hieß es im Prozess, hätten die Schwestern den Patienten gegeben, die nicht mehr leben sollten, zwei hätten gereicht bei den meisten.

Von ihrem Tod haben wir im Herbst 1944 erfahren, da war ein Brief für Paul Peters in Machandel angekommen. Emma Bekenkamp hat den Brief geöffnet und ihn mir ins Schloss gebracht, weil sie wusste, dass Marlene meine Freundin gewesen war. Auch der Baronin hat sie den Brief gezeigt. Ein Medizinalrat Dr. Alfred Leu hat diesen Brief unterzeichnet, der war Leiter der Kinderfachabteilung der Schweriner Nervenheilanstalt auf dem Sachsenberg: *Leider war es mir nicht möglich, Sie rechtzeitig von der Erkrankung der Patientin Marlene Peters zu unterrichten, die Patientin klagte einige Tage lang über leichte Beschwerden, die auf einen Katarrh der Lungenwege zurückgeführt werden mussten. Am Abend vor ihrem Ableben trat plötzlich hohes Fieber auf, eine Lungenembolie veranlasste den schnellen Tod der Patientin, der angesichts ihres Gesamtzustandes eine Erlösung für sie und ihre Familie bedeuten dürfte. Heil Hitler!*

Wir hatten gar nicht gewusst, dass Marlene nach Schwerin gebracht worden war. Emma sagte: »In Rostock hatte Marlene große Angst davor. Sie meinte, dort würde man sie töten.« Die Baronin nahm den Brief des Medizinalrats und sagte: »Ich werde mich erkundigen. Es ist schon seltsam, dass der Leiter einer Kinderabteilung diesen Brief unterschrieben hat. Schließlich war Marlene Peters fast neunzehn.«

Ein paar Tage später kam sie in die Küche, in der Emma und ich gerade Silber putzten. Mich übersah sie wie meist und wandte sich an Emma, der sie das Schreiben des Medizinalrats zurückgab. »Ich habe mit dem Anstaltsgeistlichen telefoniert, einem Pastor Peschke, der sagte, ihm sei der Kontakt zu den Patienten verboten. Er sehe nur die Toten im Leichenhaus, die er beerdigen müsse. Aber unsere Marlene kannte er zufällig, sogar ihren Familiennamen Peters, und er wusste sogar, dass sie aus Machandel bei Güstrow kam. Sie war wohl als eine Art Hilfsschwester auf der Kinderstation eingesetzt, dort auch untergebracht. Dem Pastor war sie aufgefallen, weil einmal vierzehn kleine Kinder am selben Tag gestorben sind. Eine Infektion vielleicht, meinte der Pastor. Diese Kinder hat er beerdigt, und weil keine Angehörigen benachrichtigt werden konnten, durfte Marlene an der Aussegnung teilnehmen. Sie war ihm übrigens nicht geisteskrank vorgekommen. Aber das fand er nicht ungewöhnlich, er sagte, bei vielen Patienten treten die Symptome in Schüben auf, dazwischen wirken die Patienten ganz normal.«

»Marlene war nicht krank«, rief ich dazwischen und erschrak, denn der Betriebsführer hatte mir gesagt, ich dürfe die Herrschaften nicht von mir aus ansprechen. Und nun hatte ich sogar die Rede der Baronin unterbrochen. Sie nickte aber nur und meinte: »Ich habe demnächst in Schwerin zu tun, dann werde ich mich in der Klinik Sachsenberg umsehen.«

Das hat sie getan, Emma hat es mir gesagt. Eine Schwester Elisabeth war dort die Leiterin der Kinderstation, sie wusste über Marlene nichts zu berichten, als dass sie anstellig und fleißig gewesen sei, nur eben blöde, gesprochen habe sie nur mit den Kindern. Der Durchbruch der Gallenblase sei plötzlich gekommen, man habe nichts machen können.

»Wieso Gallenblase«, fragte Emma, »in dem Schreiben war doch von Lungenembolie die Rede.« Das war der Baronin auch aufgefallen. Sie hat sich deshalb das Sterbebuch der Anstalt Schwerin-Sachsenberg vorlegen lassen und Marlenes Namen gesucht. Sie war dort die Nummer 32 des Jahres 1944. Hinter ihrem Todesdatum stand: Influenza. »Es ist eben unmöglich«, meinte die Baronin, »Genaues zu erfahren. Schließlich sind wir im Krieg, alle müssen Opfer bringen, mein eigener Sohn ist auch gefallen. Beten Sie für das Mädchen, Emma. Ich habe dem Gärtner schon Anweisung gegeben, ein Gebinde auf das Grab der Mutter nach Klabow zu bringen, denn in Schwerin ist die Ruhestätte des Mädchens nicht bekannt, auch der Anstaltspfarrer weiß nichts. Aber der persönliche Nachlass Marlenes lag in einem Pappkarton mit ihrem Namen, die Schwester Elisabeth hat mir angeboten, ihn mitzunehmen. Ich habe in den Karton geschaut, darin waren nur Lumpen, eine Haarbürste und ein gewöhnlicher Feldstein. Merkwürdigerweise auch ein hübsches Nachthemd mit Spitze, aber ich habe das Zeug nicht mitgenommen, am Ende holt man noch den Tod nach Machandel.«

Aus Machandel ist der Tod ja gekommen, dachte ich, als Emma mir Wort für Wort erzählte, was die Baronin ihr berichtet hatte. Doch Emma war selbst in Schwerin, im Frühjahr 1946, mit Hans Langner ist sie mitgefahren, da war die Schwester Elisabeth schon verhaftet, aber der Karton mit Marlenes Namen war immer noch da; Emma hat sich alles angesehen, und es waren, wie die Baronin gesagt hatte, nur der Stein, Lumpen und das Nachthemd darin. Ob sie das Nachthemd mitgenommen hat, weiß ich nicht, den Stein hat sie mitgebracht, es war ja der, den Marlene mir geschenkt hatte und den Emma ihr ins Krankenhaus gebracht hatte, sie gab ihn mir nun zurück, und er lag jahrelang auf meinem Fensterbrett. Lena hat das steinerne Herz mit dem Glastropfen geliebt und irgendwann an sich genommen.

Diese Stationsschwester Elisabeth Köhler wurde im August 1946 im Sachsenberg-Prozess verurteilt, sie hatte zugegeben, etwa dreißig kranke Kinder durch Spritzen getötet zu haben, unheilbare Kinder, wie sie aussagte, deren Tod für alle eine

Erleichterung gewesen sei. Und angeordnet habe das ihr Vorgesetzter Dr. Leu. Das stand in den Zeitungen, ich habe es gelesen. Dieser Alfred Leu, der Marlenes Todesnachricht unterschrieben hatte, war in Schwerin beim Prozess nicht dabei, er war in die amerikanische Zone geflüchtet. Erst 1951 wurde er in Köln vor ein Gericht gestellt und freigesprochen, weil er ja nur auf höhere Anordnung getötet hatte, etwa hundert Kinder, wie er zugab, aber nur, damit nicht ein überzeugter Nazi noch mehr Kinder morden könnte. Er selbst sei eigentlich dagegen gewesen. Die Schwester Elisabeth war zum Tode verurteilt, aber später zu einer lebenslänglichen Zuchthausstrafe begnadigt worden, weil sie auch Kinder vor der Spritze bewahrt hatte. Dafür gab es Zeugen, das stand auch in den Zeitungen, die 1946 über den Sachsenberg-Prozess berichteten. Hans Langner hat sie uns mitgebracht. Aber Marlene wurde von dieser Krankenschwester nicht vor dem Tod bewahrt, von Marlene war im Prozess gar keine Rede. Marlenes Name stand im Sterbebuch und in ihrer Krankenakte, in der nichts von Lungenembolie und nichts von der Gallenblase, auch nichts von Influenza zu lesen war, nur unverständliche Kürzel.

Diese Krankenakte war ein Original, 1946 gab es nicht die Möglichkeit zum Kopieren. Hans Langner hätte sie uns gar nicht geben dürfen, aber ein Mann, den er aus dem Lager Sachsenhausen kannte, ich weiß noch seinen Namen, weil er so russisch klang, Schliwski, war in Schwerin Landesleiter der Verfolgten des Naziregimes, und der kam an die Akten heran. Ich habe Hans Langner zwei Mal um etwas gebeten, er hat mir beide Bitten erfüllt. Marlenes Krankenakte hat er mir gebracht. Und meine zweite Bitte an ihn war, uns deutsche Ausweise zu besorgen. Da war Lena schon acht und hätte längst zur Schule gehen müssen. Hans Langner saß in Berlin, er war inzwischen Minister oder so etwas.

Die dünne Mappe mit Marlenes Krankenakte hat er bald wieder abgeholt, weil sie in einem anderen Prozess gebraucht wurde, der dann vor dem Landgericht Schwerin stattfand. Auch darüber haben die Zeitungen berichtet. Da ging es gegen den Professor, der bis zum Mai 1945 die Universitätsklinik Rostock-Gehlsheim geleitet hatte. Auch dieser Professor wurde freigesprochen, er habe, hieß es, niemanden getötet und vielen Patienten das Leben gerettet. Marlene hat er nicht das Leben gerettet. Marlene wurde in seiner Klinik sterilisiert, das stand auch in ihrer Krankenakte. Und Marlene wurde noch 1944 nach Schwerin überstellt, obwohl er ahnte, wie er zugab, dass Patienten dort getötet wurden. Aber der Schweriner Professor Leu sei mit dem Gauleiter eng befreundet gewesen, da habe er nichts machen können.

So war das. Aber in Marlenes Krankenakte ganz vorn lag ein Brief, ein mit krakeliger Schrift beschriebener Papierbogen, mit dem hatte alles angefangen. Wir haben ihn herausgenommen aus der Akte, schon im August 1946 haben wir das getan, und als wir Hans Langner die Mappe zurückgaben, lag Wilhelm Stüwes Brief nicht mehr darin, den er aus Sorge um die Volksgesundheit an die Erbgesundheitsbehörde geschrieben hatte. Er hatte angegeben, Marlene sei schwachsinnig wie schon ihre Mutter, benehme sich wie eine läufige Hündin, außerdem habe sie Gesichte, höre Stimmen und sei verrückt. Sie verkehre mit den Ostarbeitern, sei gemeingefährlich, habe ihn und seine Frau Auguste schon mehrmals tätlich angegriffen, die Behörde solle doch für Ordnung sorgen und die Geisteskranke dahin bringen, wohin sie gehöre.

Ich weiß nicht, ob Hans Langner die Akte so genau gelesen hat, aber Emma und ich haben sie immer wieder angeschaut, und Wilhelms Schreiben vom Spätsommer 1943 habe ich so oft gelesen, dass ich es auswendig kannte. Wir haben überlegt, ob

wir Wilhelm anzeigen sollten, auch Paul Peters hat das überlegt, nachdem er 1947 aus der Gefangenschaft gekommen war
und vom Tod seiner Tochter Marlene erfuhr. Aber dann dachten wir, wenn selbst die großen Professoren nicht bestraft wurden für ihre Morde, wenn die Schwestern und Pfleger sich auf
etwas beriefen, was sie Befehlsnotstand nannten, dann war
doch Wilhelm Stüwe ein kleiner Wicht. Er hat ja nicht Marlenes
Tod verlangt, nur aus Machandel sollte sie verschwinden, und
glauben sollte man ihr nicht, was sie vielleicht über ihn erzählen könnte.

Wenn wir Wilhelm Stüwe angezeigt hätten, wäre er vielleicht abgeholt worden. Mit dem NKWD hatte er wohl nichts
mehr zu tun, er arbeitete bei der MAS, der Maschinen-Ausleih-
Station in Lalenhagen, und später bei der Kreisverwaltung in
Teterow. Einmal, in den 60er-Jahren, kam ein Erntehelfer aus
einem Ort bei Neubrandenburg nach Machandel, der betrank
sich und erzählte im Dorf, 1945 habe der NKWD seinen Vater
abgeholt, der Ortsbauernführer gewesen sei. Die Russen hätten
seinen Vater ins Sonderlager Nummer 9 gebracht, aber Wilhelm
war ihr Gehilfe, der, der die Leute abholte. Er selbst sei damals
ein Kind gewesen, aber er habe Wilhelm Stüwe sofort erkannt,
diesen hinkenden Teufel.

Wir haben Wilhelm nicht angezeigt. Auch Paul Peters wollte
es nicht. »Wilhelm und Auguste gehören zu Machandel«,
meinte er, »man muss mit ihnen leben.« Doch ich habe den
Brief behalten und nie mehr hergegeben.

Wilhelm wusste ja, dass ich nicht zu den Flüchtlingen im
Schloss gehörte, dass ich Ostarbeiterin gewesen und dem Re-
patriierungsbefehl nicht gefolgt war. Er kannte Grigori und
wusste, dass ich kein Recht hatte, in Machandel zu bleiben.
Aber er wusste auch, wir haben es ihm gesagt, dass Emma und
Paul Peters ihn anzeigen würden, wenn mir oder Lena etwas

geschähe. Auch mit Hans Langner in Berlin haben wir ihm gedroht, obwohl der nichts davon wusste. Ich habe Wilhelm einmal seinen eigenen Brief gezeigt, in dem noch die Löcher waren, weil er ja eigentlich zu einer Akte gehörte. Wilhelm hat stillgehalten. Bis zum Tod.

Das alles habe ich Clara nicht sofort erzählt, als sie mit dem Fotoalbum bei mir war. Aber Clara ist immer wieder gekommen, sie hat auch Emma nach Marlene gefragt und Auguste, sogar Wilhelm hat sie das Album gezeigt. Sie wollte wissen, wer Marlene war, die in den Räumen geatmet hatte, in denen sie jetzt lebte. Schließlich dachte ich, warum schweigen wir, warum sprechen wir nie über Marlene? Und ich habe ihr meine Erinnerungen an Marlene gegeben, wie etwas Kostbares, was mir allein gehörte. Vorher hatte ich nur mit meiner Tochter Lena über Marlene gesprochen. Mit Emma und den anderen nie mehr. Es war wie eine Verabredung, wie ein Schmerz, an den man nicht rühren wollte, wie eine Scham, eine Schuld. Doch Lena wusste, dass sie Marlenes Namen trug, sie wusste, wer Marlene gewesen war, meine Freundin, mein einziger Mensch. Bis Grigori kam. Lena und ich haben auch oft von Grigori gesprochen. Wir haben uns oft vorgestellt, dass er kommen würde, ich hatte einmal im Radio gehört, dass die ehemaligen Kriegsgefangenen nach Stalins Tod, spätestens aber nach zehn, fünfzehn Jahren in Straflagern wieder entlassen wurden. Diese Zeit war ja schon vergangen und manchmal kamen sowjetische Reisegruppen nach Deutschland. Da könnte er doch dabei sein, da könnte er doch nach Machandel kommen, das dachten wir. In unserem Zimmer sprachen wir russisch miteinander, aber ich habe Lena auch die deutsche Sprache für draußen beigebracht, ich habe ihr die Lieder vorgesungen, an die ich mich aus meiner Kindheit erinnerte, und ich habe ihr deutsche Märchen erzählt. Doch Grigori ist nicht wiedergekommen.

Die Flüchtlinge hatten mit sich zu tun und haben nichts gefragt. Ich war ja schon vor ihnen da und gehörte für sie zu Machandel. Nach und nach zogen fast alle aus dem Schloss in eigene Wohnungen, manche bauten Häuser, die Wolhynier als Erste, sie warteten nicht auf Baumaterial, sondern holten sich Holz aus dem Wald, machten aus alten Forstzäunen Nägel, deckten die Holzhäuser mit Schilf. Ein paar Dörfer weiter entstand eine wolhynische Siedlung, die mich an die Dörfer um Smolensk erinnerte. Johannas Mutter Walja und der Geigenbogenbauer blieben in Machandel, sie wurden meine Freunde, meine Familie. Später hat Arthur Lena Schuhe gekauft und Winterkleider, er hat auch mir Geld gegeben. Johanna ging zwei Monate nach Jans Geburt ohne ihr Kind nach Berlin, Lena war ein Dreivierteljahr alt und Jan war wie ihr Bruder, so ist es geblieben. Mit Fremden hat sie nicht gesprochen, vielleicht weil sie in den ersten Jahren besser Russisch als Deutsch verstand. Auch Arthur hat Russisch mit ihr gesprochen, er konnte auch Polnisch und Italienisch, als ich mich darüber wunderte, sagte er nur: »Ich bin doch aus Königsberg.« Gegenüber Fremden hat Lena getan, als verstünde sie nichts, als könnte sie gar nicht reden. Die Stumme haben sie sie genannt und uns war es recht so.

Wir waren nirgends gemeldet, aber wir waren da. Wir lebten, wir hatten es gut. Im Sommer gingen wir im Krevtsee und im Düstersee baden, auch noch im Herbst, wenn die Spinnweben durch die Luft flogen. Wir hörten Musik, wir lasen Bücher, die Arthur aus der Stadt mitbrachte. Walja sang viel, und von ihr lernte ich ein Lied, das Lenas und mein Lieblingslied wurde: *Über den Berg ist mein Falke geflogen, über das Meer ist mein Liebster gezogen. Wenn er gedächte der heimlichen Nächte, kehrte er zurück, dann kehrte er zurück.*

Nur nach innen, nie laut sang ich die letzte Strophe: *Ach, ich vergehe vor Kummer und Schmerzen, möchte mit tausend Armen ihn herzen. Doch er gedenkt nicht der heimlichen Nächte. Er kehrt nicht zurück, er kehrt nicht zurück.*

Als Jan sieben Jahre alt wurde, hat Johanna ihn nach Berlin geholt, damit er in eine gute Schule kommt. Ich konnte Lena nicht zur Schule anmelden, ich wagte mich auf kein Amt. Die Repatriierungskommissionen streiften längst nicht mehr durch die Dörfer, es gab keine Ostarbeiter mehr in Deutschland. Es schien, nur wir waren zurückgeblieben. In einem Dorf westlich von Güstrow lebte ein polnischer Petja, der bei der verwitweten Bäuerin auf dem Hof geblieben war, bei der Feldarbeit sprachen die Leute darüber. Und in einem Dorf bei Malchin gab es einen Franzosen, einen Kriegsgefangenen, der 1945 in seine Heimat zurückgekehrt war, aber ein Jahr später wiedergekommen war, auch wegen der Bäuerin, bei der er gearbeitet hatte. Der Fahrer vom Konsumbus erzählte es. Aber für Franzosen und Polen galten ganz andere Regeln, sogar für ihre Kinder, in Kuhelmies soll im April 45 ein deutsches Mädchen ein Kind von dem französischen Kriegsgefangenen, dem Müllergehilfen, geboren haben, der Säugling soll im Juli von einer französischen Kommission abgeholt worden sein, weil Kinder französischer Väter nach Frankreich gehörten. Ich weiß nicht, ob die aus Kuhelmies ihr Kind freiwillig hergegeben hat, ich weiß nur, dass für Franzosen und Polen der NKWD nicht zuständig war, für mich jedoch schon, mich würden sie abholen, wie sie meine Eltern abgeholt und Koljas Vater und Grigori verhaftet hatten. Aber von Smolensk habe ich Lena so oft erzählt, dass sie manchmal glaubte, selbst vor langer Zeit dort gewesen zu sein. Ich wollte, dass ihr auch Grigori so vertraut wird. Einmal, als sie schon zur Schule ging, rechnete sie erstaunt nach, dass ich ihren Vater nur ein Jahr und vier Monate lang gekannt habe.

Im März 1944 kam er nach Machandel, im Juli nach dem Sieg haben sie ihn verhaftet.

»Sechzehn Monate seid ihr ja nur zusammen gewesen«, rechnete Lena aus.

Aber mir ist, als ob ich ihn schon immer gekannt habe, und auch nachdem er fort war, war er an jedem Tag, den ich lebte, bei mir.

Das habe ich Lena nicht erklären können. Sie blickte auf das zerknitterte Passfoto, und plötzlich wollte ich es ihr wegnehmen und spürte, dass es Dinge gab, die nur Grigoris und meine waren, nicht die eines anderen, nicht einmal die unserer Tochter.

17

CLARA

Eiserne Ringe

In Machandel lag das alte Fotoalbum vom Dachboden wie
eine Kostbarkeit auf einem Tischchen unter einem Glassturz.
Die Kinder auf den fleckigen Fotos kannte ich längst mit Namen, wusste, dass der größere Junge, Heinz, nach dem Krieg im
Krevtsee ertrunken war. Emma wandte sich ab, wenn sie davon
sprach. An den Wochenenden suchte ich die runden, offenen
Kindergesichter in den verschlossenen Mienen der schweren
Männer und Frauen, die Emma besuchten. Ich hatte die Fotos
so oft und so lange angeschaut, dass ich von jedem sagen
konnte, an welcher Stelle des Gartens es aufgenommen worden war, wo der Tisch mit der bauchigen gepunkteten Kaffee-
kanne gestanden hatte, deren Scherben Michael irgendwann
beim Umgraben im Garten fand. Ich konnte die Stelle an der
Hauswand zeigen, vor die sich Marlene mit ihrem Konfirmationskleid zum Fotografieren aufgestellt hatte. Ihre Geschichte
kannte ich nun, keiner hat sie mir richtig erzählt, ich habe sie
mir zusammengesetzt aus Emmas Seufzern und Nataljas Liedern. Aus Wilhelms Abwinken und Augustes verächtlichem
Schnauben, aus Andeutungen und hingeworfenen Sätzen habe
ich Marlenes Geschichte zusammengesetzt wie das Schwesterchen aus dem Märchen vom Machandelboom die Knochen
des Bruders. Aus den Wänden unseres Lehmkatens habe ich
Marlenes Geschichte gekratzt, vor allem aber habe ich sie in

dem Schweigen gefunden, in den verschluckten Wörtern, in den Gesprächen, die verstummten, wenn ich dazukam, in der Stille, die in Machandel niemals lautlos ist.

Jahre später, nach der Öffnung der Archive, bin ich nach Schwerin gefahren, um mir Marlenes Krankenakte anzusehen, und als Natalja schon nicht mehr lebte, als auch Wilhelm gestorben war, zeigte mir Emma ein Blatt Papier, das einmal zu dieser Akte gehört hatte, die Lochung ging durch manche der krakeligen Buchstaben, ich konnte trotzdem lesen, was da stand, und nach einiger Zeit konnte ich es auch begreifen.

Emma nahm Wilhelms Brief schnell wieder an sich; wo er nach ihrem Tod geblieben ist, weiß ich nicht.

Als ich verstanden hatte, was in diesem Katen, was in diesem Dorf geschehen ist, dass die Lüge, der Verrat, die Hoffnungslosigkeit, der wir doch entfliehen wollten, hier in den Mauern steckten wie anderswo, als der Traum von den Tschechowschen Sommern vergangen war, blieben doch der Katen und unsere Sorge für ihn wie für ein lebendes Wesen. Ich liebte den Wechsel zwischen Berlin und Machandel, obwohl ich im Katen oft an Marlene denken musste, an Emma, die hier die Kinder aufgezogen hatte. Ich liebte das Licht, das morgens in meine Schlafkammer fiel, den Wind, der sich in den Hohlräumen der Wände verfing, den Geruch des alten Hauses. Und doch war mir oft, als ob etwas Schweres in den Stuben läge, und es trieb mich hinaus in diese Landschaft, die seit Ewigkeiten unverändert schien und doch immer andere Seiten offenbarte. Ich fuhr hierher, sooft ich konnte, mit den Töchtern und Michael, dann nur noch mit den Töchtern und schließlich allein oder mit Freunden. Aber das Leben hat seinen Rhythmus verändert, niemals mehr gab es so lange Sommer, so endlose Gespräche, niemals mehr hatten wir so viel Zeit wie bis zum Ende der 80er-Jahre. Nachdem ich meine Dissertation abgegeben hatte, gab es niemals mehr solche Wochen und Monate, in denen ich nur lesen und schreiben musste, in denen ich stundenlang über die Weiden streifen konnte, den Tieren nachschauen, den Vögeln, die aus den Schatten der hohen Espen und Wacholdersäulen aufflogen. Oft kam ich gerade dann ins Dorf zurück, wenn die Sonne unterging, und für Minuten war alles in ein gleißendes Licht getaucht, man sah nicht, wie fleckig und abgeblättert die Schlossfassade schon war. Das mit Gold belegte Wappen über dem Eingang warf das Licht zurück, in den Fensterscheiben spiegelte sich das Abendlicht, so dass es aussah, als wäre dort Licht in allen Sälen, als würde dort ein Fest gefeiert, und dabei wusste ich doch, dass nur Natalja und Lena dort lebten.

Meiner Mutter in Berlin ging es bald wieder schlecht, doch neu war, dass sie es nicht verbarg. Wenn wir zu meinen Eltern kamen, holte sie die Flasche und goss uns trotz unseres Protests ein Glas Cognac ein, den Rest trank sie allein. Mein Vater schaute bekümmert und schweigend zu. Alles schien nach Herberts Ausreise in die alten Gleise zurückzukehren, aber das Land hatte sich verändert. Aus dieser Veränderung schöpften wir unsere Hoffnung, meiner Mutter machte sie wohl Angst. Im Februar 89 stellte die Helsinki-Gruppe als erste Oppositionsgruppe einen Antrag auf Zulassung. Sie wurden nicht verhaftet, das sahen wir schon als Erfolg an. Aber im Sommer, in diesem heißen Sommer 89, als das Getreide auf den Feldern verdorrte und in der Spree tote Fische trieben, saß auch ich heulend vor dem Fernseher, sah zu, wie junge Menschen zu Hunderten in Ungarn über die Grenzen flohen, wie sie in Prag über Botschaftszäune kletterten, mit kleinen Kindern im Arm nur eines wollten: weg, fort aus dem Land, in dem das Volk für so dumm gehalten wurde, dass man sich gar keine Mühe mehr gab, den Wahlbetrug zu verschleiern; fort aus dem Land, das Verständnis für das Massaker am Platz des Himmlischen

Friedens gezeigt hatte, in dem noch im Februar ein Zwanzig-
jähriger an der Berliner Mauer erschossen worden war. Michael
redete angesichts dieser Massenfluchten nicht mehr von unserer eigenen Ausreise, ratlos sahen wir zu, wohin das alles trieb.
Nun stand auch vor unserem Haus tagelang ein beigefarbener
Volvo mit drei Männern, die demonstrativ zu unseren Fenstern
hochblickten. Vielleicht aber blickten sie auch zu den Fenstern
eines nebenan wohnenden Dokumentarregisseurs, der über
Skinheads und junge Neonazis recherchiert hatte. Sein Film
wurde nie gedreht, aber in einer Kirchenzeitung hatte er darüber geschrieben.

Der Gründungsaufruf vom NEUEN FORUM hieß *Aufbruch
89 – Die Zeit ist reif.*

Michael und ich zögerten nicht zu unterschreiben. Ich ließ
mir im Friedenskreis eine der Listen geben und nahm sie mit in
die Universität. Martin Simon las sich alles genau durch, blickte
skeptisch, aber unterschrieb. Auch zwei Doktoranden legte ich
die Liste vor. Einer sagte mir, nach seiner Verteidigung könne
ich gern wiederkommen, der andere unterschrieb. Auch eine
ältere Dozentin fragte ich, die mir vor Kurzem das Du angeboten hatte. Isolde besaß durch ihre vor Jahren erschienene mittelhochdeutsche Grammatik einen guten Ruf in der Fachwelt,
sie war parteilos, und mir schien immer, sie wahre Distanz zu
jeder Ideologie. Sie fragte nicht viel, doch während sie unterschrieb, ging ihr Atem so schnell, als wäre sie eine Treppe hochgestiegen. Auch eine von Carolines Kindergärtnerinnen unterschrieb, drei, vier Schulfreunde, nach zwei Tagen war meine
Liste voll. Aber am Morgen des dritten Tages klingelte es morgens um halb acht, vor der Tür stand Isolde, wieder schwer
atmend. Sie habe nach ihrer Unterschrift nicht mehr schlafen
können, flüsterte sie noch in der Tür. Unglücklich kauerte sie
dann auf unserem Sofa, zerknüllte ein Taschentuch und schil-

derte, dass sie keine ruhige Minute mehr gehabt habe seit ihrer so vorschnellen Unterschrift. Ja, die Zeit sei reif, aber mit solchen ominösen Listen würde man sich ja selbst ans Messer liefern, ihr gehe es darum, in Ruhe forschen und an der Universität lehren zu können, damit könne sie der Menschheit am besten dienen, sie wolle ihren Namen von diesem Gründungsaufruf, dessen Verfasser sie ja gar nicht kenne, zurückziehen. In ihren Augen standen Tränen, sie wrang ihr Taschentuch, ich genierte mich für sie. Als ich die Liste holte, griff sie danach, aber ich konnte sie ihr nicht ausliefern. Was würde dann aus den vielen anderen Unterschriften? Mit einem Filzstift meiner Tochter strich ich Isoldes Namen und ihre Adresse durch, doch wenn man den Papierbogen gegen das Licht hielt, konnte man die übermalten Buchstaben erkennen. Isolde versuchte es selbst, schließlich nahm die grauhaarige Dozentin eine Nagelschere und schnitt die ganze Zeile aus. Danach blieb sie sitzen und versuchte, mir in Halbsätzen und Andeutungen klarzumachen, dass sie schon mehrmals etwas Ähnliches erlebt habe, in den 50er-Jahren und 1968 und 1976 nach der Biermann-Ausweisung, und wenn sie sich nicht so diplomatisch verhalten hätte, wäre ihre wissenschaftliche Arbeit nicht möglich gewesen. Sie stammelte, schwitzte, und ich war froh, als meine kleine Tochter drängelte, sie wolle endlich in den Kindergarten gebracht werden. Auf der Treppe bekam Isolde einen Asthmaanfall. Noch am Vormittag gab ich die Liste mit dem Loch im Friedenskreis ab.

Ende September wurde die Zulassung vom NEUEN FORUM abgelehnt, das Vorhaben sei verfassungswidrig und staatsfeindlich. In Leipzig hatten die Montagsdemos begonnen, von Woche zu Woche wagten sich mehr Menschen auf die Straße, forderten Reformen und die Zulassung vom NEUEN FORUM.

Am 8. Oktober war Michael unter den Hunderten, die vor

der Gethsemanekirche von Volkspolizisten auf Lastwagen gezerrt wurden, ein letztes sinnloses Aufbäumen der Staatsmacht,
die schon verloren hatte. 70 000 demonstrierten am nächsten
Tag in Leipzig, eine Woche später waren es 120 000. Sie riefen:
Wir sind das Volk, noch nicht: *Wir sind ein Volk*.

Als ich meinem Vater von Michaels Verhaftung in der Stargarder Straße berichtete, wurde er blass, und seine Kiefer mahl-
ten. Ich wusste, dort hatte er in der Zeit der Illegalität gelebt,
im Eckhaus zur Greifenhagener war die Kochstube einer Genossin gewesen, von der er einmal erzählt hatte, Else, sie hat
die Nazizeit nicht überlebt. Sie war schon verhaftet, als mein
Vater auf dem Weg zu ihr vor der Gethsemanekirche von der
GeStaPo in ein Auto gezerrt wurde. Mein Vater kam erst nach
zehn Jahren wieder frei, noch auf dem Hochzeitsfoto mit meiner Mutter, das ich als Kind oft angeschaut habe, sieht er aus
wie ein Häftling.

Michael und die anderen waren am nächsten Tag wieder frei,
aber schon nach dieser kurzen Zeit hatte sich für ihn die Welt
verändert, hatte er in Abgründe gesehen, die er bis dahin nur
aus fremden Erzählungen kannte. Er war geschlagen worden,
er hatte stundenlang stehen müssen, ohne pinkeln zu dürfen,
neben ihm hatte jemand einen epileptischen Anfall bekommen,
und es hatte ihm keiner helfen dürfen. Die Bewacher hatten
gelacht über den zuckenden Jungen.

Bald darauf gehörte Michael zu denen, die eine Pressekonfe-
renz über die Übergriffe vorbereiteten, Hunderte Gedächt-
nisprotokolle stellten sie zusammen, forderten eine Untersu-
chungskommission. Es begann die Zeit der Kommissionen und
Arbeitsgruppen, der Runden Tische, der Resolutionen und
atemlosen Enthüllungen. Die einzelnen Gruppen trafen sich zu
Koordinierungsgesprächen, Gegensätze traten hervor, manchmal schien mir, sie hörten einander nicht zu, alle wollten selbst

gehört werden. War es schon in diesen Tagen oder war es später, dass der *Unabhängige Frauenverband* in der Volksbühne gegründet wurde? Ich war dabei, ein so bunter, fröhlicher Aufbruch, ein Rausch. *Demokratischer Aufbruch* nannte sich eine andere Gruppe, die sich in diesen Wochen zusammenfand, Michael gehörte zu den Gründern.

Abends ließen wir die Kinder oft allein, gingen in unsere Versammlungen und Beratungen, fast nie zusammen. Für eine kurze Zeit, ein paar Wochen, die mir im Nachhinein wie Jahre vorkommen, war alles in Bewegung, schien alles möglich. Wie nach einer langen Bewegungslosigkeit, die die Glieder steif gemacht hat, probierten wir das Aufstehen und Gehen, ungewohnte Bewegungen. Nicht ohne Schmerz, nicht ohne Angst, aber erstaunt, dann erfreut und schließlich wie in einem Glücksrausch begriffen wir, dass wir das Volk waren, wir selbst, und dass wir uns bewegen konnten. Ich erinnere mich an Nächte im November und Dezember 1989, die wir mit Dutzenden anderen vor der rumänischen Botschaft in der Parkstraße standen, um gegen Ceauşescu zu protestieren. Die Zeit schien zu tanzen, war es nur Wochen oder schon Monate her, dass der Diktator aus dem Bruderland zu Besuch bei Honecker gewesen war und auf dem Weg zum Schloss Niederschönhausen von einem Spalier winkender Menschen begrüßt worden war? Auch Carolines Kindergarten war zum Winken beordert worden, das Fähnchen, mit dem sie dem lieben Onkel aus Rumänien zujubelte, lag noch immer im Kinderzimmer. Michael und ich hatten uns beschwert, wir waren nicht die einzigen empörten Eltern, das war neu gewesen. Nun, in einer anderen Zeit, standen wir hier in der Parkstraße vor der Botschaft mit Kerzen in der Hand. Die verunsicherten Volkspolizisten hielten Abstand, Anwohner brachten uns Tee auf die Straße.

Doch schon in den nächtlichen Gesprächen mit den anderen vor der Botschaft brachen Gegensätze auf. So wie es war, konnte es nicht bleiben, darin waren sich alle einig, aber die Vorstellungen von dem, was werden sollte, waren sehr verschieden.

Bei meinem Vater saß in diesen Wochen, als ich ihn kurz besuchte, ein alter Mann, einer der wenigen seiner Genossen aus der Illegalität und den Lagern, die noch übrig waren; diesen hier hatte ich noch nie gesehen, er war aus Hamburg nach Berlin gereist, um die Revolution oder was er dafür hielt nicht zu verpassen. Mein Vater und dieser Mann, erfuhr ich, hatten zusammen im KZ Neuengamme gesessen, der andere hatte den Untergang der Cap Arcona überlebt, eines Schiffs, auf das die Häftlinge im letzten Moment getrieben worden waren, das dann aber von den Engländern bombardiert worden war. Nun saß er auf dem Kunstledersofa meiner Eltern, Tränen liefen über sein altes Gesicht, er weinte vor Glück, denn er glaubte, das wiederholte er immer wieder, nun endlich würde der Sozialismus aufgebaut, hier in der DDR, wo die Grundlagen dafür schon lange geschaffen worden waren, als Geschenk der Roten Armee, aber die Parteibürokraten hätten dieses Geschenk veruntreut. Nun aber würde das Volk endlich die Macht übernehmen.

Mein Vater teilte die Freude seines alten Lagerkameraden nicht, er saß da mit steinernem Gesicht und schien nicht an das Volk zu glauben, das auf die Straße gegangen war. Auch der Basis seiner Partei schien er nicht zu vertrauen, die lautstark eine Erneuerung forderte. Viele, vielleicht die meisten Mitglieder dieser Partei aber hatten im Herbst 89 das sinkende Schiff verlassen. Als ich einmal im Sekretariat des Instituts zu tun hatte, sah ich dort die Parteisekretärin der Sektion fassungslos vor einem Stapel roter Ausweise sitzen, zu denen die Institutssekretärin still ihren eigenen legte. Das hatte ich meinem Vater erzählen wollen, aber ich ließ die beiden alten Männer allein, ging zu meiner Mutter, die sich mit, wie sie sagte, Migräne hingelegt hatte. Auf einem Hocker vor ihrem Bett lief ein kleiner Fernseher und zeigte Arbeiter des VEB Bergmann-Borsig, die aufgebracht über Missstände in ihrem Betrieb berichteten. Bevor ich ging, fragte meine Mutter mich: »Hast du etwas von Jan gehört?« Nie erwähnte sie ihn sonst. »Vielleicht kommt er ja jetzt wieder«, meinte sie und wies auf den Fernseher.

Ich weiß nicht mehr, war es noch im Oktober oder schon im November, als ich bei meinem Vater wieder einen seiner alten Genossen traf, diesmal war es ein ehemaliger Sachsenhausen-Häftling, vor dem Haus wartete sein Chauffeur. Diesen Bernhard Quandt hatte mein Vater damals angerufen, als es um den Kauf unseres Katens gegangen war. Quandt war früher Ministerpräsident von Mecklenburg-Vorpommern gewesen und immer noch Mitglied des Staatsrats und der Volkskammer. Die beiden alten Männer stritten, sie überschrien sich gegenseitig und verstummten, als ich eintrat. Mein Vater sah nicht so starr und müde aus wie sonst, in seinem Gesicht stand heller Zorn. Ich wurde gleich weitergeschickt zu meiner Mutter, die wieder im Schlafzimmer fernsah, diesmal war sie angezogen. Sie sagte, Quandt und mein Vater hätten sich am Vormittag bei der Tagung der Volkskammer getroffen. »Den schon zurückgetretenen Erich Honecker haben sie offiziell als Staatsratsvorsitzenden abberufen. Statt seiner wurde Egon Krenz gewählt, mit Gegenstimmen. Mit Gegenstimmen«, wiederholte sie vergnügt. »Aber der Volkskammerpräsident Horst Sindermann, übrigens ein Lagerkamerad deines Vaters, soll den verabschiedeten Erich Honecker mit Lob überschüttet haben, als ginge es darum, ihm einen Orden zu verleihen. Da sind dein Vater, Quandt und Jendretzky nach der Tagung zu uns gekommen und sich einig geworden, dass Sindermann unmöglich Präsident bleiben kann. Ihren eigenen Rücktritt haben sie nicht in Erwägung gezogen.« Der letzte Satz klang, wie meine Mutter ihn sagte, beinahe belustigt. Hans Jendretzky war der Alterspräsident der Volkskammer, auch er ein ehemaliger Sachsenhausen-Häftling.

»Und warum schreien sie sich an?«, fragte ich.

»Angefangen hat der Krach, weil Quandt meinte, man müsse die Konterrevolution endlich mit Waffengewalt ersticken. Jendretzky hat sich daraufhin nach Hause fahren lassen, er wohnt ja gleich nebenan in Niederschönhausen. Quandt aber versucht immer noch, deinen Vater zu überzeugen, es ginge hier um alles, und da könne man nicht auf Waffen verzichten, wozu denn hätten wir eine Volksarmee, er selbst mit seinen sechsundachtzig Jahren würde sich nicht scheuen, mit der Waffe in der Hand die Macht zu verteidigen.«

Als ich durch die Seitentür das Haus verließ, hörte ich den alten Quandt erregt rufen: »Das sind wir den Toten schuldig.« »Den Lebenden sind wir auch etwas schuldig«, antwortete mein Vater leiser, aber deutlich.

Quandt hat auch anderswo nach Waffen gerufen, später las ich es in irgendwelchen Protokollen. Auf der letzten Tagung der SED forderte er gar, seine eigenen Genossen standrechtlich zu erschießen, »Verbrecherbande« nannte er die alten Politbüromitglieder, die die Partei in »diese Schmach« getrieben hätten.

Keiner wurde erschossen, der neunzigjährige Jendretzky verkündete am 13. November den Rücktritt des gesamten Präsidiums der Volkskammer. Sindermann wurde aus der Partei ausgeschlossen, er kam wegen Korruption und Machtmissbrauch in Untersuchungshaft, wurde aber wieder entlassen. Bald darauf starb er. Am 1. Dezember 1989 beschloss die Volkskammer, den Führungsanspruch der SED aus der Verfassung zu streichen.

Damit war mein Vater nicht einverstanden, er ließ sein Mandat ruhen und war seit diesem Tag nur noch Rentner. Es war übrigens sein 80. Geburtstag, den er aber nicht feiern wollte. Sein Lagerkamerad Quandt gab sein Volkskammermandat nicht auf; es erlosch erst, als im März 1990 eine neue Volkskammer gewählt wurde, die aber ein halbes Jahr später mit der DDR endgültig unterging.

In diesem Herbst 89 hatten wir kaum Zeit, nach Machandel zu fahren, die Ereignisse überschlugen sich, waren wir die, die sie vorantrieben, oder waren wir Getriebene? Mir schien, alle unsere Freunde waren irgendwo unterwegs, gründeten etwas, gaben Presseerklärungen, überall fing etwas an oder ging etwas zu Ende. Herbert rief aus Cambridge an, er wollte am liebsten sofort nach Berlin kommen, sie ließen ihn aber nicht ins Land. Seiner *Initiative für Frieden und Menschenrechte* liefen täglich neue Mitglieder zu. Würde sie etwas wie eine neue Partei werden? Jemand lud uns ein, zu der Gründungsversammlung zu kommen, aber am selben Tag fand in der Erlöserkirche in Rummelsburg eine Veranstaltung Berliner Künstler statt, in der es um die polizeilichen Übergriffe vom 7. Oktober gehen sollte.

Michael hatte für den *Demokratischen Aufbruch* zu tun, der sich am nächsten Tag, am 29. Oktober, im Königin-Elisabeth-Krankenhaus offiziell gründete.

Ich war wie in einem Glückstaumel. Und dann wieder befiel mich ein dumpfes, der Angst ähnliches Gefühl. Hatte der Freund meines Vaters nicht von Konterrevolution geredet? »Es kann doch nicht sein«, sagte ich zu Michael, »dass sie so tatenlos zusehen, wie ihnen die Felle wegschwimmen.« »Sie können nicht schießen«, antwortete Michael, »wir sind zu viele.« »Aber sie werden sich etwas ausdenken, um das Rad zurückzudrehen, *sie* sind doch die Konterrevolution«, sagte ich und meinte den ganzen alten Apparat, der begonnen hatte, um seine

Existenz zu kämpfen. In Dresden hatten sich die Funktionäre dem öffentlichen Gespräch gestellt, hunderttausend Menschen waren gekommen. »Es ist doch gut, wenn sie reden«, meinte Michael. Ich traute dem Frieden nicht.

Als ich am 28. Oktober aus der S-Bahn stieg, ging ich unter Dutzenden, Hunderten. Ein ungekanntes Gefühl der Gemeinsamkeit erfasste mich, es war eine merkwürdige Stimmung, gespannt und heiter zugleich. Vielleicht tausend Menschen standen schon vor der überfüllten Erlöserkirche, mit Lautsprechern wurde übertragen, was drinnen geredet wurde. Es war ein milder Oktobertag gewesen, aber zum Abend hin wurde es kühl, man konnte sich nicht einfach auf die feuchte Erde setzen, wir standen dicht an dicht unter alten Bäumen, langsam wurde es dunkel, Blätter fielen, wenn man sich bewegte, raschelte es unter den Füßen. Ich sah bekannte Gesichter, aber wollte mich auf die Stimmen konzentrieren. Wie die meisten hörte ich stundenlang den Worten zu, die aus den Lautsprechern fielen. Neben den Schriftstellern kamen auch Menschen zu Wort, die wie mein Mann im Oktober die Polizeigewalt erlebt hatten, andere, die schon früher und länger verhaftet gewesen waren. Ich sah sie ja nicht, ich hörte nur ihre Stimmen, aber ich fühlte mich ihnen und denen neben mir verbunden; wir alle, von diesem Gefühl wurde ich immer stärker ergriffen, standen am Beginn eines gemeinsamen Weges, eines neuen Zeitalters.

Eine ältere Frau war wie ich allein gekommen und suchte keine Bekannten, sie stand an einen Baum gelehnt und hörte einfach zu, ich lehnte an einem anderen Baum ihr gegenüber und sah sie deshalb an, bis die Dunkelheit ihr Gesicht verschluckte. Als jemand sie ansprach, erfuhr ich, es war die Opernregisseurin Ruth Berghaus, deren wenige Arbeiten, die ich kannte, mich aufgewühlt hatten, weil sie Unterströme unseres Lebens beleuchteten, in Schluchten hinabstiegen und in Tiefen leuchteten, wie Bertolt Brecht oder Heiner Müller.

Wenn ich an den Herbst 89 denke, an die Unruhe und die grellen, wechselnden Bilder dieser paar Wochen, denke ich nicht zuerst an die lauten Töne, ich denke an die aufmerksame Gespanntheit, die wache Erwartung, nein, Bereitschaft, mit der diese Frau, mit der wir alle vor der Erlöserkirche standen. Die Veranstaltung hieß: *Wider den Schlaf der Vernunft.*

Noch einen solchen Abend gab es, an den ich mich erinnere wie an einen Traum, wie an die Ahnung einer Möglichkeit, einen abgebrochenen Versuch. Abgebrochen wurde dieser Abend tatsächlich, es war der 9. November 1989.

In den Zeitungen hatte beschwichtigend gestanden, die Ablehnung des NEUEN FORUM würde von den verantwortlichen Stellen noch einmal überprüft, über dieses Zugeständnis lachten wir nur, längst hatten sich unter dem Namen NEUES FORUM Arbeitsgruppen gebildet, die die Umgestaltung unseres Lebens vorbereiteten.

Wie im Märchen vom eisernen Heinrich sprangen Verkrustungen vom Leib der Gesellschaft ab; sie atmete anders, Starres löste sich, alles floss. Ein Thema, das fast alle beschäftigte, war der Zustand der Schulen. Margot Honecker, die Volksbildungsministerin, war seit dem Tag des Rücktritts ihres Mannes nicht mehr in ihrem Ministerium erschienen, die Staatssekretäre und Abteilungsleiter liefen aufgescheucht herum, sie wollten keinen Fehler machen, wussten aber nicht, dass gerade das der Fehler war. Das NEUE FORUM versuchte vergeblich, unter diesen alten Kadern Mitstreiter zu finden, und beschloss, Lehrer und Erzieher, Eltern und jeden, der zum Bildungswesen etwas zu sagen hatte, in die Kongresshalle am Alexanderplatz einzuladen.

Ich weiß nicht mehr, wie man von dieser Einladung erfuhr,

die Kongresshalle war schon voll, als wir eintrafen. Diesmal war Michael mitgekommen, auch meine Freundin Ruth war dabei. Im Saal war kein Platz mehr frei, irgendwer begann, Stühle auf das Podium zu schleppen, hinter dem Tisch des Präsidiums hatten noch viele Besucher Platz. So kam es, dass wir vorn saßen, in den Saal blickten, in die Gesichter der mehr als tausend Menschen.

Im Präsidium saßen Leute vom NEUEN FORUM und auch ein oder zwei farblose Mitarbeiter des Volksbildungsministeriums, die mitschrieben, was gesagt wurde. Die Redezeit musste auf vier Minuten begrenzt werden, denn bei den meisten, die sich zu Wort meldeten, war es, als ob Schleusen aufbrächen. Manche weinten. Viele ältere und alte Lehrer waren da, die ihren Beruf liebten, sich aber dafür schämten, einem Bildungssystem gedient zu haben, das junge Menschen verbogen, zu Opportunismus erzogen, das Feigheit belohnt und Aufrichtigkeit ausgegrenzt hatte. Mütter standen auf und berichteten, was ihren Kindern in den Schulen widerfahren war. Andere warnten davor, das System für jedes Unrecht verantwortlich zu machen. Eine alte Frau erzählte von ihrer in Auschwitz ermordeten Freundin Clara Grunwald, die eine Montessori-Pädagogin gewesen war. Ein Mann forderte Waldschulen, in denen Kinder im Freien unterrichtet würden, jemand schlug eine Arbeitsgruppe vor, die die von den Nazis erstickten Ansätze der Reformpädagogik auf ihre Tauglichkeit für uns heute überprüfen sollte. Eine Frau sprach über Elternbeiräte, über Muttis, die in den Hortstunden die Löcher stopfen sollten, denn »Löcher stopfen, das haben wir Frauen gelernt«. Alle lachten. Gebannt schaute ich auf die Gesichter der Sprechenden, auf die der Zuhörenden, ich war ergriffen von der heiteren Ernsthaftigkeit im Saal. Ein schwarzhaariger Mann, dem das Sprechen sichtbar schwerfiel, erzählte, er sei ein Sinto. Fünf Kinder habe er und drei Geschwister. Sein ältester Bruder sei noch im KZ geboren. Die Familie halte fest zusammen. Abends habe sie sich oft in seiner Wohnung an der Prenzlauer Allee getroffen, gekocht, Musik gemacht, vielleicht manchmal zu laut, ja, vielleicht. Nachbarn hätten sich beschwert. Sein zehnjähriger Sohn Joschko sei von der Jugendhilfe aus der Schule geholt und in ein Kinderheim nach Johanngeorgenstadt gebracht worden, weil die Sinti-Familie angeblich erziehungsunfähig und asozial sei, jeden Abend würden sie Partys feiern. Eine Lehrerin habe das in einem Gutachten behauptet. Er habe eine Eingabe geschrieben, erklärt, seine Brüder hätten mit Joschko, der sehr begabt sei, Musik gemacht. Man habe ihm gesagt, seine Eingabe sei voller Rechtschreibfehler, das beweise doch seine Erziehungsuntüchtigkeit. Und Joschko sei gar nicht musikalisch, im Pionierblasorchester in Johanngeorgenstadt habe er versagt, und man werde auch seine Geschwister in Heime einweisen, wenn die Familie ihre Lebensweise nicht ändere. Er könne Joschko in diesem Johanngeorgenstadt nicht besuchen, weil er im Schlachthof im Dreischichtdienst arbeite, und seine Frau sei krank geworden von alledem. Nun wage es die Familie nicht mehr, in der eigenen Wohnung laut zu lachen oder zu singen. Seine Brüder schlichen über die Hintertreppe, um nicht gesehen zu werden. Könnte das sehr geehrte NEUE FORUM nicht seinen Sohn zurückholen?

Der Mann sprach länger als vier Minuten, niemand unterbrach ihn. Eine junge Lehrerin stand auf und sagte mit brüchiger Stimme, sie habe von diesem Fall an ihrer Schule gehört, aber nicht gewusst, dass es sich um Zigeuner handle, um Opfer des Faschismus. Sie schäme sich.

Eine ältere Frau rief dazwischen, sie sei kein Opfer des Faschismus, aber ihre Tochter sitze aus politischen Gründen im Gefängnis und die Enkel seien gegen ihren Willen im Heim. In diesen Jugendhilfebehörden säßen Verbrecher.

Auch die junge Lehrerin, die beim Olof-Palme-Marsch mit ihrem Schild für Wehrerziehung dabei gewesen war, sah ich in der Kongresshalle, sie saß in der ersten Reihe. Ich blickte in ihr verstörtes, erschüttertes Gesicht und nahm mir vor, sie in der Pause nach ihren fünfzehnjährigen Schülern zu fragen, die sie – war es wirklich erst vier Wochen her? – vor der Gethsemane-kirche gesucht hatte. Aber noch vor der Pause kam Unruhe im Saal auf. Es waren einige Besucher später gekommen, sie beugten sich zu den anderen, flüsterten, die guckten ungläubig, sagten etwas zu den Nachbarn.

Das Präsidium rief die Pause aus. Schnell machte das Gerücht die Runde, die Mauer sei auf, jeder könne über die Böse-Brücke an der Bornholmer in den Westen. Damals hatte noch keiner ein Mobiltelefon, einige verließen die Kongresshalle, um zu telefonieren, andere lachten nur über die Vorstellung, man könne einfach so über die Grenze gehen. Es gab viele Gerüchte in diesen Tagen, dieses war absurd. Uns war etwas ganz anderes wichtig an diesem Abend des 9. November, diese Veranstaltung hatte so viel angerissen, es war, als käme unter einem dicken Fell die Haut zum Vorschein, eine verletzliche, menschliche Haut, deren Wunden gerade sichtbar wurden. Ich fand die Lehrerin vom Olof-Palme-Marsch nicht, Michael glaubte, sie sei schon gegangen. Ruth hatte sich auch für einen Beitrag angemeldet, sie wollte etwas sagen über den Zusammenhang zwischen Krankheiten und Schulunterricht und hoffte, dass man ihr das Wort erteilen würde. Aber nach der Pause war der Saal nicht mehr so voll, wir hätten unsere Plätze hinter dem Präsidium aufgeben und uns zu den anderen setzen können, aber ich wollte in die Gesichter blicken. Einer der Mitarbeiter des Volksbildungsministeriums war nach der Pause nicht auf seinen Platz im Präsidium zurückgekehrt, wo er die ganze Zeit über zusammengesunken gehockt hatte, jetzt betrat der graue Mann wichtigen Schrittes den Saal, eilte nach vorn, nahm einer Frau das Mikrofon aus der Hand und rief in halb verstörtem, halb triumphierendem Ton in den Saal: »Kollegen und Kolleginnen, wir sollten unsere, äh, Willenskundgebung auf einen anderen Termin verschieben. Die Staatsgrenze der DDR scheint, äh, durchlässig zu sein. Jeder wird jetzt an seinem Platz gebraucht. Die Veranstaltung kann zum gegebenen Zeitpunkt fortgesetzt werden. Das Ministerium für Volksbildung ist zu einer vertrauensvollen Zusammenarbeit mit den, äh, Freunden vom NEUEN FORUM bereit …«

Seine letzten Worte gingen schon im anschwellenden Gemurmel des Publikums unter, einige verlangten zwar lautstark die Fortsetzung der Veranstaltung, auch im Präsidium war man verärgert über den Vorstoß des Mannes, schlug noch die Gründung einer Volksinitiative Bildung vor, aber immer mehr Leute strebten schon zu den Ausgängen.

Als wir mit unserem grünen Trabant durch die Schönhauser Allee fuhren, schwang in mir noch das heute Gehörte und Gesehene nach, dieses abrupte Ende war ein Missklang, dessen Bedeutung sich nicht gleich erschloss. Da bemerkten wir, wie viele Autos auf der Schönhauser unterwegs waren, sahen die Fußgänger, die sich wie in einer Prozession zur Bornholmer Straße bewegten, sich dort an der Kreuzung mit anderen, von Pankow und der Wisbyer Straße herkommenden Menschengruppen verbanden. Schließlich schien die Bornholmer so voll, wie der Alexanderplatz vor fünf Tagen, am 4. November, gewesen war.

»Die glauben auch, dass man in den Westen kann«, lachte Ruth unsicher. Sie kam mit in unsere Wohnung, wir schalteten den Fernseher ein. Da sahen wir sie, unsere Leute, in Wedding, Sektflaschen schwingend, heulend, überwältigt. Die meisten brachten kaum einen Satz heraus, »Wahnsinn«, stießen sie immer wieder hervor. »Waahnsinn.« Sie waren in Westberlin. Die Mauer war auf. Plötzlich hörten wir auch auf der Straße vor unserem Haus laute Rufe, Autos fuhren an, irgendwo knallte ein Feuerwerkskörper. Das Telefon klingelte.

Unsere Töchter standen im Schlafanzug im Wohnzimmer. »Was ist denn los?«, fragte Julia verschlafen. Dann starrten sie mit aufgerissenen Augen auf den Fernsehapparat. »Kommt jetzt Krieg?«, fragte Caroline.

Ich beruhigte die beiden und brachte sie wieder ins Bett. Michael hatte den Telefonhörer abgenommen, nun schaltete er den Ton laut, und ich hörte, wie seine Mutter gleichzeitig lachte und heulte. Sie wohnte in Weißensee, war aber schon an der Böse-Brücke gewesen, hatte sich in den Westen schieben lassen und wieder zurück. »Wahnsinn«, rief sie immer wieder. Als Michael auflegte, war es lange still. »Deine Mutter klang ja wie betrunken«, sagte ich in diese Stille, und Michael fuhr mich an: »Was eine betrunkene Mutter angeht, weißt du ja gut Bescheid.« Ruth achtete nicht auf unseren giftigen Dialog, der Ton des Fernsehers war abgedreht, aber sie starrte auf die Bilder. »Das ist es«, sagte Ruth leise, »das ist, was sie sich gegen uns ausgedacht haben, Schabowski, Krenz. Sie haben das Ventil geöffnet, damit der Druck sie nicht fortreißt. Jetzt werden die Leute den Westen wollen und keine andere DDR.«

»Du spinnst«, sagte Michael. »Jetzt fahren wir erst einmal zur Bornholmer, Mensch, das ist doch toll, wenn das stimmt. Kommt, wir gehen Westberlin angucken.« Mit fahrigen Fingern, ohne den Blick vom Bildschirm zu lassen, wählte er die Nummer von jemandem, der anscheinend nicht zu Hause war.

»Ich bin müde.« Ruth nahm ihre Tasche.

»Ich bleibe bei den Kindern«, sagte ich.

18

EMMA

Trauben und Salz

Wenn ich später an das Frühjahr 45 zurückdachte, habe ich mich gewundert über meinen Mut. Aber vielleicht war es gar nicht mehr so mutig, einen Russen zu verstecken, die Rote Armee kam ja immer näher. Und im Schloss kümmerten sie sich kaum noch um das, was im Dorf geschah. Die Baronin und ihre Tochter wollten im letzten Moment mit ihrem Opel nach Süddeutschland fahren. Ich habe ihr geholfen, das feine Porzellan mit dem Familienwappen und etwas Silber in Kisten zu packen, die sie mitnehmen wollte. Aber wann war der letzte Moment? Eigentlich wollte sie bleiben, mit den Russen, erzählte sie, während wir durchsichtige Mokkatässchen in Zeitungspapier einwickelten, sei man in ihrer Familie immer gut ausgekommen. Ihre Urgroßmutter habe in Moskau gelebt, ihr Großvater sei Besitzer einer großen Streichholzfabrik in Pinsk gewesen. »Ja, bis er enteignet und von den Bolschewiki beinahe totgeschlagen wurde«, wandte ihre Tochter wütend ein, die sonst in meiner Gegenwart kaum sprach. Sie wiederholte schon seit Wochen, der Inspektor würde doch bleiben und sich um alles kümmern, vielleicht käme man ja auch bald schon zurück. Aber einmal sah ich die Baronin allein am Fenster sitzen, der Tee vor ihr – guter schwarzer Tee – war schon kalt geworden, sie blickte auf ihren Schlossteich und sagte wie zu sich selbst: »Wenn wir gehen, kommen wir nie zurück.«

Der Inspektor kümmerte sich schon jetzt um nichts mehr, er saß mit irgendwelchen Besuchern in seinem Büro und trank die Weinvorräte aus. Auch die letzten Landarbeiter waren zum Volkssturm eingezogen worden, schon seit März hatte er nur noch Frauen als Arbeitskräfte. Flüchtlingstrecks kamen an, erschöpfte Frauen mit Kindern, manche waren zu Fuß mit Handwagen unterwegs, nur wenige alte Männer bei ihnen, mit denen konnte man die Saat auch nicht einbringen. Und ihre Pferde waren alte Klepper. Den Flüchtlingen wurden die Schnitterkaserne zugewiesen, auch die Arbeitsdienstbaracken vor Krakow am See, das Schloss Grubenhagen und Burg Schlitz. Doch die nächsten, meinte irgendein Kreisverwalter, müsste man auch im Gutshaus von Machandel einquartieren. Eines Nachts verschwand der Inspektor mit dem Opel der Baronin. Minna Möllers, die es gesehen hatte, sagte, der Wagen sei bis unters Dach vollgepackt gewesen. Und die Baronin vermisste ihre Silberkiste.

Sie hatte noch den zu einem Deichselwagen umgebauten DKW, aber der russische Kriegsgefangene, Grigori, der sich auf Autoreparaturen verstand, war verschwunden, außerdem hatte der Inspektor alle Benzinvorräte mitgenommen. So ließ sie eine Kutsche fertig machen und verhandelte mit einem alten Mann aus einem der Flüchtlingstrecks um einen Wallach. Ihre Abfahrt verzögerte sich jedoch, weil sie noch Mehl mitnehmen wollte und dies und das.

Grigori war nicht wirklich verschwunden. An dem Morgen, als Wilhelm und die anderen Bewacher mit den Kriegsgefangenen aus der Schnitterkaserne zum Bahnhof nach Teterow marschierten, von dem aus die Männer ins STALAG gebracht werden sollten, kam er ins Dorf. Es war noch nicht ganz hell, aber im Kuhstall arbeiteten sie schon, auch waren in der Nacht zuvor wieder Flüchtlinge gekommen, ihre Pferdewagen standen vorm Inspektorhaus. Grigori hatte sich wohl zu Natalja schleichen wollen, aber dann ging er von hinten durch die Gemüsegärten an unseren Katen und klopfte an das Fenster der Schlafstube. Die Kinder erschraken und weinten, immer weinten die Mädchen, wenn jemand ans Fenster klopfte, aber als sie Grigori sahen, wurden sie still und beobachteten mit großen Augen, wie ich ihn durchs Fenster einsteigen ließ. Ich hatte ihn einmal in der Schlossküche gesehen und mehrmals von Weitem mit Natalja. Noch nie hatte ich mit ihm gesprochen.

Nun war er bei uns, die Kinder hatten keine Angst vor dem Russki, aber die Kleinste war noch keine fünf, ich fürchtete, sie könnte sich verplappern.

Ich habe nicht gewusst, dass Grigori für die Russen ein Verräter sein würde, dass seine eigenen Leute solche Kriegsgefangenen wie ihn wieder in Lager schicken würden. Ich habe gedacht, wenn einer von ihnen in unserer Stube sitzt, wird uns kein Russe etwas tun. Später habe ich mich gefragt, ob ich Grigori auch geholfen hätte, wenn ich die Wahrheit gekannt hätte; ich weiß es nicht.

Der Große ging Natalja aus der Leuteküche holen, die konnte nicht gleich kommen, und so sprach ich mit Grigori und fragte, als gäbe es nichts Wichtigeres, nach seinem guten Deutsch. Er antwortete, nach draußen lauschend, dass er in der Stadt Charkow in einem Traktorenwerk gearbeitet hatte, dem größten der Welt. Sergej Ordshonikidse hieß es. Diesen Namen habe ich nie vergessen, denn beinahe genauso, Morshonikidse, hieß mein schöner Georgier. Von dem wusste ich noch nichts, als Grigori in unserem Katen über sein Traktorenwerk in Charkow erzählte, über die amerikanischen und deutschen Spezialisten, mit denen er bei der Entwicklung von Panzermotoren zusammengearbeitet hatte, denn das Traktorenwerk war auch eine Panzerfabrik. Von diesen Spezialisten hatte er etwas Deutsch und auch Englisch gelernt. Weil ich so lange nicht Englisch gesprochen hatte und wegen der Kinder, die uns mit offenen Mündern und Ohren umstanden, sprach ich Englisch mit ihm und fragte ihn, was er vorhatte. Ich weiß nicht, ob er überrascht war, in diesem Landarbeiterkaten mit einer Frau Englisch zu sprechen, die mit ungekämmtem Haar inmitten einer Kinderschar im Nachthemd vor ihm saß, denn ich hatte noch keine Zeit gehabt, mich anzuziehen. Er habe keine Wahl, erklärte mir Grigori auf Englisch. Überall draußen sei er als gefangener Rotarmist erkennbar und würde nicht lange frei sein. Und in den Wäldern hätten sich deutsche Soldaten festgesetzt. Er müsse auf das Kriegsende warten. Nur hier in Machandel könne er bis dahin Hilfe finden, bei Natalja und, er sah mir fest in die Augen, bei mir.

Als Natalja kam, als sie Grigori umarmte, hatte ich schon einen Plan. Es konnte ja nicht mehr lange dauern bis zur Ankunft der Russen. Im Vorraum gab es eine Holztür, die in eine kleine stallartige Kammer führte, wo wir Feuerholz stapelten, damit wir im Winter nicht immer in den Schuppen gehen mussten; auch zwei Kaninchen wurden da gefüttert und Einweckgläser aufbewahrt, Vorräte an Rüben und Kartoffeln. Die Kinder sollten die Kammer nicht betreten, der Vorräte wegen und weil es da eine morsche Klappe gab, unter der eine Leiter in ein Kellerloch führte. Eigentlich war es nur eine zwei Meter tiefe Grube mit gestampftem Lehmboden, die Wände waren mit Holzplanken abgestützt, ein kleines vergittertes Fenster, das man vom Garten aus sehen konnte, aber nur, wenn man in den Holunderbüschen herumstocherte, gab tagsüber gerade so viel Licht, dass man die Nische erkennen konnte, in der ein leeres Sauerkrautfass stand. Früher wurde die Grube auch als Kartoffelkeller benutzt, aber so viele Kartoffeln waren nicht mehr übrig im Frühjahr 45; außerdem ekelte ich mich vor Käfern und

Asseln, deshalb stieg ich nie in diesen Keller, hatte es auch den Kindern wegen der morschen Leiter verboten.

Hier in diesem Loch hockte Grigori, bis die Baronin und all ihre Gäste Machandel verlassen hatten, bis die Flüchtlinge sich im Schloss ausbreiteten, bis so viele Fremde im Dorf waren, dass keiner mehr auf den anderen achtete.

Natalja hat ihm da unten ein Lager aus Decken und Schaffellen bereitet, zum Glück lagerten im Anbau des Schlosses Dutzende solcher Felle, die der Inspektor irgendwo abliefern wollte, aber der Inspektor war weg, und die Felle verschwanden auch so eines nach dem anderen. Während Natalja ihren Grigori im Kellerloch einquartierte, bin ich mit den Kindern über die Wiesen gegangen, jungen Löwenzahn sammeln, bei unserer Rückkehr war der Russki eben nicht mehr da, sie fragten nichts. Jahre später haben sie mir erzählt, dass sie sehr wohl wussten, dass Grigori da unten im Kartoffelkeller saß, sie hörten ihn, wenn er nachts nach oben kam, und sie hörten unsere Stimmen. Aber diese Kinder hatten schon so viel erlebt, der Katen war ihr Zuhause, ihre einzige Sicherheit. Marianne hatte einmal gesagt: »Worte, die man nicht festhält, können sich in böse Vögel verwandeln, die über dem Dach kreisen.« Als Helga sich den Fuß gebrochen hatte, weil sie vom Heuboden gefallen war, haben ihre Geschwister sie einen ganzen Tag lang überredet, den Schmerz nicht zu zeigen. Sie fürchteten, mir könnte das alles zu viel werden und ich würde weggehen. Ihre größte Angst war, ich würde eines Tages nicht mehr da sein wie ihre Mutter, wie ihr Vater, wie Marlene. Sie versuchten, mir alles recht zu machen. Deshalb fragten sie nicht nach Grigori.

Drei oder vier Wochen hockte er in diesem feuchtkalten Loch, nachts kam er nach oben und streckte die Glieder, manchmal kam Natalja, und die beiden hielten sich im Vorraum umarmt, während ich schlafen ging. Manchmal auch blieben wir allein, er fragte mich nach Hamburg, und ich merkte, wie weit entfernt mir meine Stadt war, die es ja auch gar nicht mehr gab. Lieber hörte ich ihm zu, wenn er von der Stadt Charkow erzählte und von dem Ort im Gebirge Altai, an den das Traktorenwerk im Sommer 1941 evakuiert worden war, an den Fluss Alei. Seltsam, dass ich mir diese Namen ein Leben lang gemerkt habe. Der Fluss dort sei breiter als die Müritz, sagte Grigori, man sehe am anderen Ufer die Spitzen der rosa leuchtenden Berge und hinter den Baracken des Traktorenwerks blühe die Steppe. Von einem Schneeleoparden erzählte er mir, während er auf das ferne Grollen achtete. Ein paar Monate hatte er dort in dieser sibirischen Landschaft gelebt, bevor er als Panzerfahrer an die Front geschickt wurde.

Vom Krieg sprach er nicht. Der Krieg war da und wir hörten ihn näher kommen. Die Rote Armee war schon seit Januar in Stettin, das hatten die Flüchtlinge berichtet, aber kein Kanonendonner, sondern die Rotschwänze lärmten gegen drei Uhr früh, sie waren zurück aus ihren Winterquartieren, auch die Wacholderdrosseln hatte ich tagsüber schon gehört und den Kuckuck, die Vögel waren schneller als der Krieg in Machandel angekommen. Es war Ende April oder Anfang Mai, als Grigori unseren Katen verließ, die Apfelbäume standen in voller Blüte.

An diesem Tag kamen auch die KZ-Häftlinge ins Schloss.

Gesehen hatte ich sie schon vorher.

Am Rande des Schlossparks, hinter dem Maschinenhaus, wo der Strom fürs ganze Dorf erzeugt wurde, gibt es eine Stelle mit Mairitterlingen. Natürlich durften wir nichts aus dem Schlosspark nehmen, aber keiner achtete mehr darauf und schon im Vorjahr hatte Heinz mir um diese Zeit die Pilze gebracht. Er sagte, nur an einem einzigen Tag im Jahr würden hier die Mairitterlinge im Kreis wachsen, und dann müsse man sie sofort holen, ehe andere sie fänden. Diesmal wollte ich sie in der Dämmerung selbst sammeln, da sah ich am abseits gelegenen Eiskeller den Pungenwagen, mit dem Natalja wohl aus Kuhelmies zurückgekommen war. Ich wunderte mich, warum sie dort hinten hielt, dann sah ich schon die mageren Gestalten, nicht in gestreifter Sträflingskleidung, aber doch als Häftlinge zu erkennen an ihren kahl geschorenen Köpfen und vor allem an dem Blick, diesem durchdringenden Blick. So hatten die Männer auf dem Ohlsdorfer Friedhof auch ausgesehen. Einer war vom Wagen gesprungen, stand und starrte mich an, der andere war mit Natalja dabei, einem Dritten aufzuhelfen, der zwischen den Mehlsäcken lag, der schien schwer zu sein, ohne nachzudenken, trat ich hinzu und fasste mit an. Der Junge, der mich so angeschaut hatte, half jetzt auch, und wir hoben den Dritten aus dem Wagen. Er hielt die Augen geschlossen, sein Gesicht war wie das der anderen hager und hart, er fieberte, aber über dem rechten Mundwinkel hatte er ein Muttermal, wie Walter eines gehabt hatte, wie ich es bei dem Häftling auf dem Ohlsdorfer Friedhof gesehen hatte. Vielleicht träume ich, dachte ich, alles war so unwirklich. Im Keller hockte der Russe und hier hielt ich einen Häftling mit Walters Muttermal im Arm. Vom Schloss her hörten wir Rufe und Pferdewiehern, vielleicht war wieder ein Flüchtlingstreck angekommen oder die Baronin reiste nun doch ohne Mehl ab. Vielleicht aber waren es Soldaten. Natalja schloss schnell den Eiskeller auf, die Männer trugen den Dritten hinein, ein paar Decken vom Pungenwagen warf Natalja den Männern nach, sagte hastig, sie käme bald wieder mit heißer Suppe und Schaffellen.

Die Mairitterlinge waren noch nicht da, auch am nächsten Tag nicht. Am dritten Tag waren sie schon weg, jemand hatte sie abgeschnitten, aber die Tür zum Eiskeller stand auf, die Häftlinge waren im Schloss.

In Lalenhagen und Klabow waren schon die Russen, das Ins-

pektorhaus besetzten sie erst ein paar Tage später. Aber Flüchtlinge waren im Schloss, sogar in der Eingangshalle schliefen
sie, trotzdem bekamen die KZ-Häftlinge das Schlafzimmer der
Baronin. Nur eine Flüchtlingsfrau hörte ich zischen: »Die sind
doch schuld an allem, die haben Deutschland den Dolch in den
Rücken gestoßen.« Die anderen verboten ihr erschrocken den
Mund. Zwei der Häftlinge waren Tschechen, die wollten bald
weiter, ein Russenauto nahm sie mit. Der Dritte, der mit dem
Muttermal, war aus Berlin, er musste bleiben. Eine Lungenentzündung hatte er wohl, der russische Militärarzt gab ihm
Sulfonamid. Ich war dabei, weil ich mehrmals den Kranken-
pflegedienst für Hans Langner übernahm, den der Kommandant angeordnet hatte. Ich hoffte, im Schloss an Lebensmittel
zu kommen. Auf Natalja konnte ich nicht hoffen, obwohl der
Kommandant doch zu ihren Leuten gehörte. Mir schien, sie
ging den Russen aus dem Weg. Dass sie Russisch verstand, fiel
nicht auf, die wolhynischen Flüchtlinge sprachen auch deutsch,
polnisch und russisch. Grigori schien sich immer noch versteckt zu halten, ich wusste, dass er in der Nähe war, aber sah
ihn in den nächsten Wochen nur immer kurz als Schatten und
dann gar nicht mehr.

Wenn ich an Hans Langners Bett saß, konnte ich ihn genau
betrachten. Er hatte doch ein ganz anderes Gesicht als Walter, auch dieser erschreckend magere, von Flecken überdeckte
Körper erinnerte nicht an meinen Mann, doch das Muttermal
war wie bei ihm, wie bei dem auf dem Ohlsdorfer Friedhof.

Als er nicht mehr fieberte, verlangte er nach Zeitungen,
der Kommandant brachte ihm russische, die konnte er nicht
lesen, Natalja setzte sich zu ihm und übersetzte Wort für Wort.
Wenn Semjon Baranowitsch kam, machte sie sich ganz klein
und schlüpfte aus dem Zimmer, wie früher, wenn die Baronin den Raum betrat. Später gab es auch deutsche Zeitungen,

und Natalja musste nicht mehr übersetzen, später saß meistens Johanna, die junge Tochter einer der Flüchtlingsfrauen, bei Hans Langner. Zu dem kamen bald viele Besucher, sogar der neue Landrat aus Güstrow, Bernhard Quandt. Auch Semjon Baranowitsch verbrachte viel Zeit bei Hans Langner im Schloss, er sprach auch Deutsch, und an manchen Abenden stritten sie sogar laut, man hörte Namen wie Stalin und Thälmann. Ich wollte nichts wissen von solchen Sachen, ich hatte genug zu tun, die Kinder satt zu bekommen, und kaum Zeit, an mein eigenes Leben zu denken. Aber ich spürte, das hier war jetzt mein eigenes Leben, noch konnte ich nicht weg, denn Paul Peters saß bei den Engländern im Kriegsgefangenenlager. »Wenigstens nicht bei den Russen«, meinte Heinz, der jetzt fast vierzehn war und immer Hunger hatte und Schuhe brauchte. »Warum glaubst du, dass es schlechter ist bei den Russen?«, fragte ich. Wir hörten ja, was die pommerschen Frauen erzählten, aber unsere hier taten uns nichts. Der Kommandant hatte zwar gleich nach seiner Ankunft angeordnet, dass alle alteingesessenen Einwohner der Dörfer um Machandel und Klabow, auch die Frauen und die größeren Kinder, die Wälder nach Tellerminen absuchen sollten, im Zorn hatte er das angeordnet, denn zwei seiner Leute waren auf eine Mine getreten, aber der Pfarrer aus Klabow war zum Inspektorhaus gekommen in seinem schwarzen Talar, hatte den Kommandanten demütig um ein Gespräch gebeten und sich selbst als Minensucher angeboten, nur die Frauen und Kinder solle man verschonen. Schließlich ließ der Kommandant seine eigenen Soldaten die Wälder räumen.

Dabei sollen sie auf ehemalige Kriegsgefangene und Ostarbeiter getroffen sein, die nun in Verstecken hausten und Bauernhöfe überfielen. Heinz erzählte mir das, er will auch gesehen haben, wie die Minenräumer mit ihren Landsleuten umgingen, halb totgeschlagen haben sie sie und einen, der fliehen wollte, erschossen.

Ich dachte an Grigori, aber Natalja nach ihm fragen wollte ich nicht. Mir war, als hätte ich ihn am Holzstall des Gutshauses gesehen, aber es kann auch ein anderer gewesen sein, es waren so viele Fremde im Dorf. Und irgendwann erzählten die Leute, der Russe, der der Baronin die Autos repariert habe, sei auf der Landstraße vor Teterow gesehen worden, ganz ruhig gegangen sei er ohne Gepäck, und ein Russenfahrzeug habe gehalten und ihn unter Prügeln auf die Laderampe gezerrt.

Heinz hörte kaum noch auf mich, tagelang trieb er sich herum, und wenn er wiederkam, brachte er einen Beutel voller Pilze mit, eine Kanne mit Blaubeeren, einmal einen Eimer Aale, die konnte er nur aus der Aalkiste am Mühlenwehr haben. Ich wollte, dass er wieder zur Schule ging, aber ein paar Tage vor Schulbeginn ertrank er im Krevtsee. Auguste wollte mir später erzählen, ein Bauer aus Bockholt sei hinter ihm her gewesen, dem er einen Hasen aus dem Stall gestohlen habe. Ich wollte es nicht wissen. Seit dem 25. Juli 1943 war etwas in mir hart geworden, das war gerade dabei, sich zu lösen, als Heinz ertrank. Ich weiß nicht, ob ich getrauert habe, aber mein Leben lang habe ich an diesen Jungen gedacht. Und an seine Schwester Marlene. Die anderen Kinder rückten noch enger zusammen, sie gingen zur Schule, halfen mir im Garten und holten Wasser, sie sammelten Brennholz, denn solange die Baronin da war, hatte sie jedes Jahr acht Rundmeter Holz zum Petersschen Katen bringen lassen, jetzt mussten wir sehen, woher wir etwas bekamen. Ich wollte, dass es den Kindern trotz allem gut ging, abends, wenn ich für sie nähte und strickte, erzählte ich ihnen Geschichten. Manchmal las ich ihnen auch vor, ich hatte, als die Leute Möbel und Geschirr der Baronin aus dem Schloss trugen, einen Korb voller Bücher geholt, Klassikerausgaben mit

Goldschnitt. »Nur zur Aufbewahrung«, sagte ich, aber die Baronin hatte ja gewusst, dass sie nicht wiederkommen würde, und ich wusste es auch. Unter den Büchern war Chamissos Geschichte von Peter Schlemihl und seinem verlorenen Schatten, die musste ich auch noch lesen, als die Kinder schon viele Stellen auswendig konnten. Sie waren immer die Ärmsten im Dorf gewesen, die anderen Kinder hatten nicht mit ihnen gespielt, nun waren fast alle gleich arm, und die Flüchtlingskinder im Schloss wurden ihre Spielgefährten. Aus den Blumenrabatten wurden Gemüsebeete, manche Wege wuchsen schnell zu, die Kinder bauten Höhlen in den Hecken und Baumhäuser in den alten Eichen. Die Flüchtlingskinder sprachen anders als die Mecklenburger Dorfkinder, sie sagten Hilken zu den wilden Äpfeln, Firrack zum Bettgestell, Punschken zu Pfannkuchen, aber das verlor sich, und einmal hörte ich von meinen Kindern – meine, dachte ich schon – einen Abzählreim: *Mucha-Fliege, Kosa-Ziege, Krowa-Kuh und raus bist du.*

Auch ich, die ich immer die Fremde gewesen bin, gehörte plötzlich ganz selbstverständlich zu Machandel, weil ich schon da war, als die anderen ankamen.

So ging es wohl auch Natalja, manche hörten auf, sie die Russin zu nennen, denn die Russen, das waren die Uniformierten im Inspektorhaus. Natalja war die aus dem Schloss, anspruchslos wie eine Dachwurze, die von beinahe nichts in den Spalten der Mauern lebt. Ich habe sie ja mit Grigori gesehen, da blühte sie auf, war schön und strahlend, aber die Dorffrauen kannten sie so nicht, für Minna Möllers, Pauline Töpelmann und die anderen war Natalja jetzt beinahe eine von ihnen, während die Flüchtlinge die Hergelaufenen waren. Aber die waren in der Mehrzahl.

Ich hatte Natalja gern, uns verbanden Marlenes Geschichte und die Erinnerung an die Zeit, in der Grigori bei mir im Keller gehockt hatte. Aber wir sprachen kaum darüber, wir sprachen überhaupt wenig miteinander, ich verbrachte die meiste Zeit mit den Kindern. Marianne, die Elfjährige, erzählte gern Geschichten, sie wusste viel über die Blumen, die Vögel, und auch die Kleineren kannten schon die Namen der Pflanzen und wussten, wozu sie gut sind. Manchmal brachten sie etwas durcheinander, sie waren überzeugt, dass der Kuckuck sich über den Winter in einen Sperber verwandelt, weil sie nicht wussten, dass auch der Kuckuck im Spätsommer nach Süden aufbricht. Im Winter aber kamen die Sperber nahe an die Häuser, die Ähnlichkeit der Vögel verwirrte die Kinder, und sie überlegten, wie man den Kuckuck nachahmen und sich in ein anderes Wesen verwandeln könnte. »Ich würde mich in Marlene verwandeln«, träumte Marianne. »Dann wärst du ja weg«, erschrak ihre achtjährige Schwester. »Nein«, antwortete die Ältere, »der Kuckuck ist ja auch nicht weg, im Frühling wird er wieder Kuckuck. Ich will ja nicht wirklich Marleneken sein, ich will nur, dass sie wieder da ist.«

Von den Kindern lernte ich, die Vogelstimmen zu unterscheiden, nach dem Rotschwanz, der ab drei Uhr früh sein kurzes, einfaches Lied sang, hörte man schon vor dem Morgengrauen das Rotkehlchen, dann die Amsel, die Kohlmeise und erst später die Stare. Meine Armbanduhr war die einzige Uhr im Katen, die Kinder richteten sich nach den Vögeln und der Sonne. Und nach den Blumen. Sie wussten, dass die Rosen gegen vier Uhr erwachten, um fünf Uhr der rote Mohn, die Wegwarte öffnete ihre blauen Blüten um sechs Uhr, und wenn sie kurz nach sieben zur Schule aufbrachen, blühten der gelbe Huflattich auf und die Sumpfdotterblume. Die Tulpen in den übrig gebliebenen Rabatten der Baronin aber waren Spätaufsteher, erst um zehn Uhr öffneten sie sich. Ich sehe noch die neunjährige Helga vor mir, die immer hüpfte, selbst wenn sie am Tisch saß, schien sie zu hüpfen, alles an diesem Kind war in Bewegung. Helga hüpfte um die jüngere Christine herum und erklärte: »Tulpen müssen nicht früh aufstehen, weil sie vornehme Blumen sind, eben Schlossblumen.« Die ruhige Christine widersprach, das Tausendgüldenkraut und das gelbe Fingerkraut würden sogar bis in die Mittagszeit schlafen, dabei wären das doch ganz einfache Blumen. »Unkraut«, rief Helga, »Unkraut!« Christine antwortete in der ihr eigenen schleppenden, aber bestimmten Art: »Unkraut gibt es nicht. Nur Wildkräuter.«

Das durch die geöffnete Tür in den Vorraum fallende Licht umflirrte sie, ihr Haar wirkte wie ein goldener Kranz. Helga rief: »Kämm dich lieber, du bist ja eine Hexe, eine Kräuterhexe.«

Die siebenjährigen Zwillinge interessierten sich nicht für Blumen und Kräuter, sie zeigten mir die Vorräte des Neuntöters, Fliegen und Käfer, aufgespießt auf den Dornen der Schlehenhecken, sie brachten die schwarzen Gewölle der Eulenvögel an, ausgewürgte, unverdauliche Reste ihrer Beute, in denen kleine weiße Knöchelchen steckten, wohl von Wühlmäusen. Am meisten aber faszinierten sie die Wacholderdrosseln, die ihr Nest verteidigten und auf ihre Feinde schissen. Und sie bewunderten die großen Raubvögel, die stolz und unnahbar über den Himmel glitten, die Milane und Seeadler, deren Horste sie kannten.

Ich war gern mit diesen Kindern zusammen; wenn Walters Tante mich in ihren Briefen drängte, nach Hamburg zurückzukehren, doch nicht auf diesem Dorf in der Russenzone zu versauern, dann antwortete ich ihr, dass ich vorerst bleiben wolle, der Kinder wegen, aber auch, weil es mir hier gefiel. Das war die Wahrheit.

Im Herbst 45 kam die Bodenreform nach Machandel. Angefangen hat sie in Basedow. Hans Langner, der Häftling aus dem Eiskeller, war dabei, obwohl er gerade vom Krankenbett aufgestanden war. Dieser Bernhard Quandt und zum Erstaunen aller der ehemalige Landesbischof von Mecklenburg, den die Nazis abgesetzt hatten und der in Basedow eine Pfarrstelle hatte, ließen ihn mehrmals mit einem klapprigen Auto holen. Ich weiß noch, dass das Mädchen Johanna eine Tasche mit Papieren trug, sie ging neben Hans Langner, bereit, ihn zu stützen. Als er zurückkam, hat Hans Langner die Leute aus Machandel und Klabow im Schloss zusammengerufen, auch ich ging hin. Die Halle war voll, auf den Treppen saßen die Leute bis in die erste Etage hoch, zweihundert Flüchtlinge lebten im Schloss. Dazu kamen die aus den anderen Dörfern und die Gutsarbeiter. Die Flügeltüren wurden weit geöffnet und auf den Terrassen standen die Leute bis in den Garten hinein. In dieser Gegend gab es keine Großbauern, auch kaum Mittelbauern, in dieser Gegend besaßen fast nur die Gutsherren Land und die waren weg. Hans Langner hielt eine Rede, von einem Assekurationsgesetz aus dem 17. Jahrhundert sprach er, durch das der Adel den Bauern hier im Norden das Land geraubt hatte, von den Stein-Hardenbergschen Reformen, die der Landadel hier unterlaufen hatte. Die Leute wurden schon ungeduldig, sie wollten keine Schulung, Land wollten sie. Ein paar Wochen später bekamen sie es. Wer schon Land besaß, durfte zehn Hektar behalten, doch so viel hatte hier kaum jemand. Auch die Felder und Wiesen der Familie der Baronin wurden verlost und auf siebzig Neubauernstellen verteilt, die meisten Neubauern waren Flüchtlinge. Auch viele der Kätner aus den Dörfern nahmen Land. Einen Moment lang überlegte ich, ob ich mich für fünf Hektar melden sollte, Paul Peters könnte das dann übernehmen, wenn er wiederkäme. Aber dann geschah der Unfall mit Heinz und ich fühlte mich so schwach, die Kinder waren zu jung für Landarbeit. Im Herbst 45 wurde das Land ja noch gemeinsam bearbeitet, doch zum Frühjahr sollte jeder seine eigene Parzelle übernehmen. Es gab Frauen, die das ohne einen Mann machten, aber die waren auf dem Dorf groß geworden. Wir ließen Heinz im Grab seiner Mutter beisetzen, und zu der Beerdigung kam der neue Bürgermeister aus Lalenhagen, der fragte mich, ob ich nicht im Büro arbeiten wolle.

So war das. Ich bin morgens über den Kastanienweg zur Arbeit gegangen, später hatte ich ein Rad, und als 1950 die Arztstelle in Lalenhagen eingerichtet wurde, bin ich Sprechstundenhilfe geworden.

Meine Kinder haben mich später nie viel gefragt. Meine Kinder waren ja dabei, sie wussten, wie alles gekommen ist. Aber Clara hat mich ausgefragt, alles wollte sie wissen, wie es war mit ihrer Mutter Johanna und Hans Langner, was ihre Großmutter für ein Mensch war, warum ihr Bruder hier in Machandel blieb, als Johanna nach Berlin aufbrach, und immer wieder hat sie nach Marlene gefragt. Ich habe ihr schließlich geantwortet, aber immer habe ich gedacht, das Schweigen ist auch wie eine Decke, die sich über den Schmerz legt, man muss es achten.

Was habe ich ihr auch schon sagen können. Es war gut, dass Johanna das Söhnchen bei uns gelassen hat, sie wollte studieren und hoch hinaus, und wie Hans Langner lebte, das sahen wir ja. Als er Leiter vom Ernährungsamt wurde, hat er bis in die Nacht im Schloss über Akten gesessen, der sah immer noch aus wie ein Häftling, und einmal bin ich in seinem Auto mit nach Güstrow gefahren, neben dem Fahrer saß ich, Hans Langner las hinten in seinen Papieren, der hat nicht mal aufgesehen, als wir an den Kranichwiesen vorbeifuhren, wo diese schönen Vögel im flachen Wasser standen. Und als der Fahrer ihn darauf aufmerksam machte, meinte er nur seufzend: »Die Kraniche greifen unsere Wintersaaten an und fressen den Kohl von den Feldern.« Ich weiß nicht, ob Johanna, dieses lebenshungrige junge Ding, bei ihm glücklich geworden ist. Aber Glück ... was ist Glück? Solche großen Worte haben wir hier oben nicht für das Leben. Glück ist ein Wort aus den Goldschnittbüchern der Baronin. Aber der Junge hat es gut gehabt in Machandel. Seine Eltern hätten ihn ruhig hierlassen sollen. Seine Großmutter und der Bogenbauer haben sich gegrämt, als er weg war. In den Ferien kam er immer und dann saß er bei Arthur in der Werkstatt. Arthur. Der Bogenbauer hat mir auch gefallen, das war ein besonderer Mann. Den hätte ich auch genommen, aber als Waltraut starb, war Paul Peters noch am Leben, und als Paul Peters 1963 starb, war Arthur schon seit zwei Jahren fort.

Ich habe Clara alles erzählt, was sie wissen wollte, auch über Marlene. Das Fotoalbum habe ich ihr gelassen, ich war erschrocken, dass wir es auf dem Dachboden im Katen vergessen hatten. Ich dachte, eines der Kinder hätte es an sich genommen, als sie mir nach Paul Peters' Tod beim Umzug in den Neubau halfen.

Paul Peters.

Ich versuche mich zu erinnern, wie es war, als er kam. War es Ende 46 oder 47? Der Junge, mein eigener Sohn, ist 1948 geboren, da wird es wohl 47 gewesen sein, als er durchs Dorf ging und die Flüchtlingskinder riefen: »Ein Heimkehrer, ein Heimkehrer!« Nein, das waren keine Flüchtlingskinder mehr, das waren Umsiedlerkinder. Als das Schloss sich schon langsam zu leeren begann, als Waltraut und der Bogenbauer schon zwei Zimmer für sich und den Jungen hatten und Natalja und Lena auch, als viele Flüchtlinge schon Neubauern geworden waren, die sich eigene Häuschen bauten, da kamen die Umsiedler, Deutsche, die bis 46 in ihren Häusern bei den Polen geblieben waren. Die mussten nun Platz machen für Polen, Ostpolen, die aus ihren Orten, die nun ukrainisch waren, vertrieben wurden.

Die Polen haben die Deutschen verjagt, Rache genommen haben sie. Und immer noch kamen Leute aus Lagern ins Schloss. Potulitz hieß eines. Aber darüber redete man nicht laut. Ende 46 war das Schloss wieder überfüllt. Als es nach der Wiedervereinigung hieß, alles geht rückwärts, die Erben der Baronin bekommen ihr Land zurück, da hatten die Leute hier auf den Dörfern Angst. Die Mutter des Bürgermeisters Schaumack war aus dem Warthegau vertrieben worden, sie hatten ihr Neubauernhaus auf dem Land der Baronin gebaut, einmal sagte sie zu mir: »Wenn wir das hergeben müssen, will ich zurück nach Hause, aber in meinem Elternhaus wohnen Litauer. Die wollen dann auch zurück, wohin wird das führen?«

Die Bodenreform ist nicht zurückgenommen worden. Ich merke, dass meine Erinnerungen ausweichen, dass mir alles Mögliche durch den Kopf geht, aber nicht das Bild auftaucht, wie Paul Peters vor mir stand. Der Bürgermeister, damals war er noch ein Junge, war eines der Kinder, die ihn bis zum Katen begleiteten mit dem Ruf: »Heimkehrer, Heimkehrer!« Er hat mich daran erinnert vor ein paar Jahren. Vielleicht hätte ich es sonst vergessen, ich habe so vieles vergessen, was Paul Peters und mich angeht. Keinen Tag mit Walter habe ich vergessen, keine Stunde mit dem schönen Georgier. Niko Morshonikidse. Sogar an den jungen Soldaten in Farmsen, an den Brandgeruch seiner Haut erinnere ich mich. Paul Peters' Umarmungen habe ich vergessen, es ist ungerecht, das hat er nicht verdient, aber es ist so.

Ich glaube, es hat auch lange gedauert, bis wir uns berührten, er war mir ja fremd, ein grauer, vom Krieg gezeichneter Mann, in dessen Augen etwas zwischen Staunen und Entsetzen stand, ein Mann, mit dem ich nichts gemeinsam hatte. Aber er war der Vater der Kinder, die begegneten ihm scheu, doch mit Zärtlichkeit, sie nahmen ihn mit auf ihre Streifzüge in die

Wälder, sie gingen angeln, und langsam wuchs ihm seine Landschaft wieder zu, sein Katen, seine Kinder wuchsen ihm wieder zu, die Nachbarn freuten sich über seine Heimkehr, und er, der selbst keine Bücher las, der sich schwertat mit allem Schriftlichen, bastelte mir eine Leselampe und zimmerte mir einen Lesetisch, nur für mich allein. Als die Töpelmanns nebenan auszogen, bekamen wir ihre Stuben dazu, Paul Peters machte den Durchbruch, und als ich schwanger wurde, mit achtunddreißig Jahren, heirateten wir, und aus Emma Bekenkamp wurde Emma Peters, und so ist es geblieben.

An Paul Peters gewöhnte ich mich. Wenn er mich ansah, entstand in seinem Gesicht so ein Augenlächeln, und später entdeckte ich seinen ganz leisen, behutsamen Humor. Alles an ihm war leise. Er starb auch ganz leise, unser Sohn war fünfzehn und schon in der Lehre. Später hat er studiert, wurde Agraringenieur. Auch Gisela, die drei war, als ich nach Machandel kam, hat studiert. Sie ist Lehrerin geworden, im Schweriner Schloss war ihre Hochschule. Das hat Paul Peters noch erlebt, zu ihrer Diplomfeier ist er mit nach Schwerin gekommen. Wir sind nicht zu der Klinik auf den Sachsenberg gegangen, Marlene hat ja kein Grab, dort nicht und nirgends.

Paul Peters wusste, was wir über Marlenes Tod herausgefunden hatten, er kannte Wilhelms Brief, den wir nicht in ihre Krankenakte zurückgelegt hatten. Er ging Wilhelm aus dem Weg, wir alle gingen Wilhelm aus dem Weg. Sie waren wohl ziemlich allein dort in ihren großen Zimmern, denn auch ihre Kinder zogen bald weg und kamen kaum noch nach Machandel. Die hatten nicht mit den Flüchtlingskindern spielen dürfen, vielleicht glaubte Auguste, selbst so etwas wie eine Inspektorsfrau zu sein, nachdem sie von den Russen das Haus bekommen hatten. Auguste hat sich immer allem gefügt, ihr Lieblingsspruch war: »Herr, wie du willst und nicht, wie ich will.« Aber manchmal war so ein Glitzern in ihren Augen, sie hatte wohl doch einen eigenen Willen, nur haben wir den nicht gekannt.

Einmal habe ich Wilhelm etwas über seinen Stock gesagt, diesen Spazierstock mit den silbernen Beschlägen und dem Elfenbeinknauf, den der Inspektor wohl im Haus vergessen hatte bei seiner hastigen Abreise. Wilhelm führte ihn herum, als wäre es schon immer seiner gewesen. Ich weiß nicht mehr, was ich sagte, eine spöttische Bemerkung war es. Wilhelm hat es geärgert, seine Lippen wurden ganz schmal, und er fragte, ob ich eigentlich mal wieder was von dem Russen gehört habe, Niko habe er wohl geheißen, mit dem solle ich ja ziemlich dicke gewesen sein. Ich lachte nur, sagte: »Niko Morshonikidse ist ein Georgier«, und ließ ihn stehen. Ich hätte auch Marlenes Namen nennen können, dann wäre er auch still gewesen. Natalja hat das gemacht; wenn er wieder einmal kam, um sich nach ihrer Aufenthaltsberechtigung zu erkundigen, wenn er auf Lena starrte und nach ihrer Staatsangehörigkeit fragte, erwähnte Natalja nur kurz Marlene und drohte mit Hans Langner in Berlin, dann zog er ab.

Nach Lenas Geburt ist Natalja eine Frau geworden, eine große, kräftige Frau. Vorher war sie ein zartes Mädchen, so huschig und schüchtern. Schüchtern war sie nicht mehr; wenn es um Lena ging, konnte sie sogar wie eine Wölfin sein. Wenn irgendwelche Amtspersonen in Machandel erschienen, tauchte Lena gar nicht auf. Sie hat auch nicht mit den Kindern im Park gespielt, wenn andere sie etwas fragten, blieb sie stumm. Minna Möllers hat den Namen wohl aufgebracht, die Stumme war sie für uns. Sie war nur mit Jan zusammen, sie waren wie Bruder und Schwester. Lena ging auch erst mit beinahe zehn Jahren zur Schule, plötzlich hatte Natalja einen Ausweis, in dem ihre Tochter eingetragen war, wie das kam, weiß ich nicht. Mit meinem Sohn war Lena in einer Klasse, dabei war der zweieinhalb Jahre jünger. Aber Lena konnte schon lesen und schreiben und wusste viel, oft hat sie den ganzen Tag bei Arthur in der Geigenbogenwerkstatt gesessen, und er hat ihr Geschichten erzählt. Und solche Levisjeans, wie meine Enkel sie tragen, schenkte der Bogenbauer ihr schon, als sie vierzehn war, bei einem berühmten Cellisten hat er sie bestellt, der nach Machandel kam wegen eines Bogens. Schade, dass Arthur nach Waltrauts Tod gegangen ist. Einen Winter lang hat er noch hier in Machandel gesessen, er hat immer gefroren. Paul Peters hat ihm Feuerholz in seine Werkstatt gebracht, in der er nur noch saß und den Staub von seinen Silberzangen blies und seine Schachteln mit Ebenholz und Elfenbein betrachtete. Seine Hände waren immer von dem brasilianischen Holz verfärbt gewesen, aus dem er die Bögen baute. Das ging nicht mit Seife ab, nicht mit Bimsstein, nur mit Zitronensaft, den es nicht gab. Im Jahr nach Waltrauts Tod brauchte er keine Zitronen, seine Hände waren ganz rein. »Emma, wo kommt nur die Kälte her?«, fragte er mich einmal, als es ganz warm bei ihm oben war, überm Kuhstall war es sowieso nie ganz kalt. Die Kälte kam aus ihm selber, er trauerte um Waltraut, ich kannte so eine Kälte, aber nach einem Jahr packte er seine Sachen und fing da unten im Vogtland von vorn an, wo die Witwen der Instrumentenbauer noch immer Vorräte an Brasilholz besitzen. So jung war er auch nicht mehr, fast sechzig. Hans Langner in Berlin war auch nur drei, vier Jahre jünger. Der und Johanna waren nicht bei Waltrauts Beerdigung, alles ging so schnell und Johanna in Berlin hatte gerade die kleine Clara zur Welt gebracht, da schickten sie nur Geld für den Stein.

Lena war nun mit ihrer Mutter allein. Sie hätte das Abitur machen können, den Kopf dafür hatte sie, aber sie war ja schon achtzehn, als sie mit der zehnten Klasse fertig war, dabei hatte sie schon zwei Klassen übersprungen. Sie lernte Bibliothekarin in Güstrow. Abends kam sie nach Hause, mit dem Bus bis Lalenhagen, die restlichen Kilometer lief sie. Sie wollte das so, Paul hätte sie mit seinem Moped abgeholt. Natalja wollte ihr ein Fahrrad kaufen, aber Lena lief gern allein durch den Wald. Sie war ein schönes Mädchen geworden, größer und kräftiger, als ihre Mutter mit achtzehn gewesen war, aber ihr doch ähnlich. Und ihre Augen waren die von Grigori. Ich habe Natalja nie nach Grigori gefragt, ich habe sie überhaupt nichts gefragt. Aber wir verstanden uns auch so. Lena brachte uns Bücher mit, jede Woche andere, sie und Natalja lasen ebenso viel wie ich. Manchmal versank ich beim Lesen in eine andere Zeit, in eine andere Welt. Als ich Sprechstundenhilfe war, las ich sogar in der Mittagspause und vergaß die Spritzen im Sterilisator. Der Doktor Ritter hat gesagt: »Emma, Sie sind süchtig. Sie missbrauchen die Literatur als Narkotikum.«

Vielleicht war es so. Ich las alles, was Lena mitbrachte. Fontane und Goethe, Dostojewski und Tolstoi, Balzac und Zola, aber ich bat sie auch oft um Gedichte. Ich stieg in fremde Geschichten ein, ging in fremden Häusern umher, es war, als ob ich die Springwurzel der Wacholderdrossel besäße, nach der die Kinder sich gesehnt hatten. Alle Türen öffneten sich, ich sah ferne Länder, lebte in anderen Jahrhunderten, aber wenn ich aufschaute von meinen Büchern, war ich doch in Machandel oder in Lalenhagen. Dann fühlte ich mich für einen kleinen Moment wie im falschen Leben. Aber ich war Mutter und wurde Großmutter, mit dem Fehlenden lebte ich wie Schlemihl mit seinem verlorenen Schatten, diese Geschichte hatte ich den Kindern ja oft vorgelesen. Peter Schlemihl hat sich dann die Siebenmeilenstiefel zugelegt und konnte mit einem Schritt aus seiner Welt heraustreten, über die Ozeane kommen, in andere Kontinente. Vielleicht war es bei mir so mit den Büchern. Später, als Paul Peters schon tot war und ich im Neubau wohnte, bin ich auch in Wirklichkeit wieder in andere Landschaften gereist wie in meiner Jugend, ich war in Samarkand und in Warna am Schwarzen Meer, in der Hohen Tatra und in Leningrad. Die Kinder verdienten gut, außerdem haben sie alle ein, zwei Schweine nebenbei gefüttert. Das brachte Geld, sie haben mir diese Reisen geschenkt. Nach Hamburg bin ich nicht wieder gekommen, auch nicht, als ich Rentnerin war, sooft meine Schwägerinnen mich auch einluden und sosehr meine Enkel mich baten, weil sie wollten, dass ich ihnen Levishosen mitbringe.

Ich habe ihnen nicht erklärt, warum ich nicht nach Hamburg reisen wollte, vielleicht fehlten mir die richtigen Worte, vielleicht aber wollte ich es auch für mich behalten. Ich habe den Kindern viel von mir gegeben, aber nicht alles. Meine Erinnerungen behielt ich für mich, immer.

Ich glaube, das war bei Natalja auch so. Mit Lena wird sie über vieles gesprochen haben, aber sonst war sie nicht sehr mitteilsam, es gab Einwohner in Machandel, die vergessen oder nie gewusst hatten, dass sie die kleine Ostarbeiterin gewesen war, die Russin, zumal die Wolhynierinnen das R ebenso rollten wie sie.

Manchmal habe ich die heranwachsende Lena angeschaut und gedacht, sie wird auch weggehen, sie wird in den Städten leben, wird ins Theater gehen und in Konzerte. Aber sie schien hier verwurzelt zu sein. Lena lernte Auto fahren und fuhr den Bücherbus über die Dörfer, manchmal stand er über Nacht vorm Schloss, da wo der Opel der Baronin gestanden hatte und die Pferdefuhrwerke der Flüchtlinge und das Fahrzeug des Kommandanten, eine Zeitlang auch der Dienstwagen von Hans Langner. Auch Arthurs Kunden, die Geiger und Violoncellisten, hatten an dieser Stelle ihre Autos geparkt, die die Dorfkinder beäugten. Wilhelm passte der Bücherbus nicht, er beschwerte sich beim Direktor der Kreisbibliothek über Lena, das war, glaube ich, der letzte Anlass, bei dem Natalja ihn an Marlene erinnerte.

Einer meiner Zwillinge, Klaus, hätte Lena gern geheiratet, es war wohl auch etwas zwischen den beiden, als Lena achtzehn, neunzehn Jahre alt war. Klaus war Landmaschinenschlosser, ihretwegen meldete er sich in Teterow in der Bibliothek an. Aber sie zog sich immer wieder zurück, und Klaus fand schließlich Elinor, die meine Schwiegertochter wurde.

Auch mit anderen Männern habe ich Lena gesehen, eine Zeitlang dachte ich, der verheiratete Schuldirektor sei ihr Liebster, aber der zog dann auch weg, und Lena blieb bei Natalja im Schloss. Sie wird ein Leben gehabt haben, von dem wir in Machandel nichts wussten, außer vielleicht ihre Mutter, manchmal verreiste sie auch, jedenfalls kam sie nicht jeden Tag nach Machandel zurück. Am Bus redeten die Frauen manchmal über Lena, wenn Natalja nicht dabei war, sie vermuteten, Jan Langner aus Berlin würde sie holen, aber Jan lebte sein eigenes Leben, und Lena war keine, die man holte. Lena ging selbst, wohin sie gehen wollte. Und sie erzählte nur, was sie erzählen wollte.

Wie ich.

Nie habe ich zu einem Menschen über den Georgier gesprochen. Niko Morshonikidse. Für mich klang dieser Name wie ein Lockruf und so war auch der Mann. Selbst in seiner verschwitzten Soldatenuniform wirkte er elegant, nicht so wie die anderen Russen, die ja auch nicht alle Russen waren, wie er mir erklärte. Wir haben englisch gesprochen, er konnte kein Deutsch. Aber wir haben nicht viel gesprochen. Niko Morshonikidse kam aus Tbilissi, er sagte Tiflis. Später las ich Gedichte von Ossip Mandelstam über diese bucklige Stadt, die ich mir immer mit dem Geruch von frischen Zwiebeln und Brot vorstelle, mit dem Geschmack von Weintrauben, von salziger, sonnenverbrannter Haut. Der Georgier gehörte zu dem Stab um Semjon Baranowitsch, er war nicht gleich da, erst im Juli oder August kam er, vielleicht war es schon Anfang September. Nein, es muss noch im August gewesen sein, denn im September fing die Schule an, und da war Heinz nicht mehr da. Heinz war aber noch am Leben in diesem Sommer 45, den ich als heiß und trocken in Erinnerung habe.

Im Inspektorhaus wurde fast jeden Abend gefeiert, die Russen schossen sich Wildenten und Rebhühner, unter ihnen waren auch Soldatinnen, aber die Männer luden junge Frauen aus dem Schloss zu sich ein, die kamen gern, ihr Lachen rollte über die Dorfstraße. Wenn sie gingen, nahmen sie Konserven mit, Chleb, das schwarze russische Brot, und Kolbassa, Wurst. Auch ich brachte den Kindern Chleb und Kolbasa und Maslo, Butter, ich ging von Anfang an im Inspektorhaus ein und aus, jemand hatte mich dem Kommandanten genannt, weil er eine Hausfrau suchte, die die Wildenten zubereiten und das Geschirr abwaschen und die Zimmer aufräumen konnte. Ich habe das getan, Angst hatte ich nicht vor den Russen. Semjon Baranowitsch war ein gebildeter Mann, ich habe ihn auch nicht betrunken gesehen, obwohl bei den Feiern viel Wodka gesoffen wurde und sich irgendwann in das Lachen der Frauen auch die trunkenen, lauten Stimmen der Männer mischten. Manchmal sangen sie schwermütige, schöne Lieder, manchmal gab es auch Streit und am nächsten Vormittag fand ich dann umgestürzte Möbel, zerbrochene Gläser. Wenn es laut wurde, war ich schon wieder im Petersschen Katen und hörte, wie sich das Kreischen der Frauen, die Lieder der Russen und ihre rauen und manchmal tränenerstickten Stimmen mit der Grammophonmusik zu einem Geräusch verbanden, das sich unterschied von dem tristen, eintönigen, das aus dem Schloss drang, wo Kinderweinen und röchelnder Husten, Gekeife und Gelächter manchmal vom Klappern der Schreibmaschine Hans Langners überdeckt wurden, auch von plötzlichem Geschrei, das ebenso plötzlich verstummen konnte oder in Schluchzen überging.

Den Georgier hatte ich schon über den Vorplatz gehen sehen, und etwas an ihm, an seinem Gang, beunruhigte mich. An diesem Abend zog ein Gewitter über das Dorf, es gab viele, einander ähnelnde Gewitter in diesem Sommer. Dann blitzte und donnerte es, aber der Regen war nicht einfach ein Regen, für ein paar Minuten ging eine Flut nieder, ein tosender, tobender, schäumender Wasserfall, der plötzlich wieder versiegte. Die durstige Erde trank das Wasser, nach einer halben Stunde war wieder alles trocken, die Hitze kam zurück, aber war nicht so drückend wie zuvor.

An diesem Abend stand ich im Inspektorhaus am Küchenfenster, meine Arbeit war getan, ich hätte gehen können, aber ich blieb stehen und blickte durch die Scheiben auf die zerplatzenden Regentropfen, das dampfende Kopfsteinpflaster, hörte das sich entfernende Grollen, aber eigentlich hörte ich nur auf die Stimme des Georgiers, von dem ich noch nicht wusste, dass er ein Georgier war, aus dem Nebenzimmer. Dann stand er neben mir, er sah wie ich in den Regen, der schon schwächer wurde, ich glaubte den Mann zu riechen, nach Tabak roch er und nach ungewaschener Uniform, aber auch so, wie ich später in Gedichten den Geruch von Tiflis beschrieben fand: frisches Brot und Zwiebeln, Weintrauben und Salz. Wir hatten noch kein Wort geredet, ich wagte nicht, ihn anzusehen, weil ich merkte, dass durch seine Gegenwart etwas mit mir geschah, eine schon fast nicht mehr gespürte Enge in meiner Brust löste sich wie ein Korsett, wie Heinrichs eiserne Ringe in einem Märchen der Brüder Grimm, mir wurde weit, und in dieser Weite hatte ein anderes, heftiges Gefühl Platz, ein Ziehen, ein Begehren, ich spürte, wie es sich ausbreitete in meinem Körper. Ich spürte in mich hinein, erstaunt und beglückt, und hatte gar nicht das Bedürfnis, den Mann anzuschauen, ich hatte ihn ja schon über den Vorplatz gehen sehen, seine Stimme gehört, ich brauchte ihn nicht anzuschauen, wusste, wer er war, spürte den Strom zwischen uns, während wir gemeinsam auf die Pflastersteine schauten, zwischen denen Wegerauke wuchs, die nur aus Stängel und Armen zu bestehen schien, lang und dünn. Senfrauke nennen sie die Pflanze hier auch, man kann sie essen, Heinz hat es mir gezeigt, ihre mageren Blätter sind scharf. Warum wächst die Wegerauke hier so einfach zwischen dem Kopfsteinpflaster? Die Baronin hat sie immer ausreißen lassen, sie ist weg wie der Inspektor. Die Katze des Inspektors hieß Muschi, Muschi hat im Mai, als die Russen kamen, Junge geworfen, die haben keine Namen, eines der Jungen, rot-weiß getigert, geht jammernd durch die Küche des Inspektors, in der ich stehe, sie streicht schmeichelnd um meine nackten Beine, der Mann nimmt sie auf den Arm, jetzt schnurrt die Katze, jetzt drehe ich doch den Kopf zu ihm, sehe, wie er die Katze streichelt und mich dabei ansieht, seine Hände sind kräftig, schwarze Haare wachsen bis auf seine Finger, die graben sich ins Fell des Kätzchens, das hat die Augen geschlossen, ich will diese Finger mit den runden nikotinbraunen Kuppen auf mir spüren, in mir, diese schwarzen Haare auf dem Handrücken will ich mit den Lippen berühren, der da ist meiner, schreit mein Körper lautlos die Katze an, die erschrocken aus dem Arm des Mannes springt, dessen Hände jetzt an meinem Körper sind, an meinem Hals, meinen Brüsten.

Wie bunt das Kopfsteinpflaster nach dem Regen schillert, dachte ich verwundert, als ich neben dem Mann über den Vorplatz ging. In den Katen mit den Kindern konnte ich ihn nicht mitnehmen, im Inspektorhaus wollte ich nicht bleiben, wir gin-

gen am Kuhstall vorbei über die Kastanienallee zu der Wegscheide, zu der Senke zwischen den Hügelgräbern aus der
Bronzezeit, da lagen schon im nassen Gras ineinander verschlungen eine der Flüchtlingsfrauen und der halbwüchsige
Sohn einer anderen, wir gingen weiter, Niko Morshonikidse
dicht neben mir, ich spürte seinen Atem, seinen georgischen
Zwiebel-Weintrauben-Atem, den ich noch nicht benennen
konnte, seine Schenkel an meinen, seine Hände, seine harten
Hände, die dann ganz weich waren, alles an ihm konnte hart
und weich sein, irgendwo unter den Buchen, wo das Moos noch
beinahe trocken war, legten wir uns hin. Da wusste ich schon,
dass er ein Georgier war und kein Russe, das war mir aber egal;
der einzige Satz, der mir dazu einfiel, war: »Stalin ist ein Georgier.« Da hat er kurz aufgelacht und den Namen wiederholt:
»Stalin«, in einem Ton, dessen Abgründigkeit mich verwirrte,
aber das war mir auch egal, seinen eigenen Namen konnte ich
mir an diesem Tag noch nicht merken, auch das war egal, ich
wollte diese Berührungen, die ich so lange vermisst hatte, nach
denen mein Körper ausgehungert war, mit denen sich jede Pore
meiner Haut vollsog, die mich jubeln und stammeln ließen.

Als wir erschöpft nebeneinanderlagen, sah man zwischen
den Buchenblättern den Mecklenburger Sternenhimmel, er
nannte die Namen der Gestirne, und ich nannte sie, wir versuchten ein Gespräch, aber kamen nicht weit, die Sprache unserer Hände und Leiber passte besser in diese Nacht, die wir wie
ein Fest feierten, immer wieder von vorn, bis wir die Insekten
spürten, die uns schon stundenlang gestochen und bekrabbelt
hatten, bis wir aufstanden und, einander festhaltend, mit den
Kleiderbündeln im Arm, über Wurzeln stolpernd, zu einem der
Wasserlöcher zwischen den Bäumen kamen, wo ich den schönen Georgier nackt im Mondlicht stehen sah und eine Freude
fühlte, deren Abglanz mein Leben lang anhielt, die ich noch

nach Jahrzehnten erinnerte, wenn ich an diese Nacht und an die, die noch folgten, dachte. Mir war das Wasser zu morastig, ich zog mein Kleid über den verschwitzten Körper, er aber tauchte lachend ein und weckte die Kröten und Wasservögel.

Auf dem Rückweg merkten wir, dass wir nicht allein unterwegs waren, hinterm Eiskeller, am Maschinenhaus, hinter den Eichen, überall Wispern und Lachen, Stöhnen und in Umarmungen versunkene Leiber. Einen der Russen aus dem Inspektorhaus sah ich von hinten, die blonde Frau, die er an die Mauer des Maschinenhäuschens presste, schien eine der Wolhynierinnen zu sein. Der Georgier verschwand in Richtung des Inspektorhauses, jetzt musste ich zurück in den Katen zu den hoffentlich schlafenden Kindern, vorher wollte ich einen Eimer Wasser aus dem Schloss mitnehmen, die Vögel sangen schon, wie war das, die Rotschwänze zuerst, dann die Rotkehlchen, die Kohlmeisen… Aber die Vögel hier hielten sich nicht an die Regeln, sie sangen alle auf einmal, auch die Wacholderdrosseln schackerten und die Nachtigall, was machte die Nachtigall, sie tirilierte, aber vielleicht war es auch eine Lerche, ohne die Kinder konnte ich das alles gar nicht unterscheiden, man müsste nachschauen, ob die Blumen auch alle auf einmal aufgestanden sind, öffnen die Rosen sich nicht um drei Uhr früh, ist es nicht schon drei? Ob die Tulpen schon wach sind und der Flieder? Aber der Flieder war längst verblüht, das war kein Fliederduft, den ich roch, nach dem ich selbst roch, ich musste mich waschen, brauchte Wasser. Jetzt betrat ich das Schloss durch den Leuteeingang, der offen war, hier schlug mir ein anderer Duft entgegen, nach dem Wrasen gedämpfter Kartoffeln, nach vollen Kinderwindeln, nach Krankheit und dem Schlaf alter Menschen. Nataljas Kammertür war angelehnt, ich schaute hinein, da lag Johannas Mutter Waltraut. Der Mann neben ihr war Arthur, ein Königsberger, der letzte Woche mit den aus einem

Lager entlassenen reichsdeutschen Frauen gekommen war. Die Leuteküche nebenan war abgeschlossen. Im ehemaligen Bad der Baronin hoffte ich einen Eimer zu finden, da hörte ich Flüstern und unterdrücktes Kichern, unter dem Treppenabsatz war das Strohlager von zwei älteren Flüchtlingsfrauen, die bewegten sich stöhnend unter den Pferdedecken, ich ging die Treppe über ihnen hoch in den ersten Stock, vorbei am Zimmer Hans Langners, hinter dem ich ihn schluchzen hörte oder war es ein Lachen, in das sich Johannas kleine Schreie mischten wie das Rufen eines gerade erwachten Vogels.

Was ist das nur für eine Nacht, dachte ich, und als ich mit dem gefüllten Wassereimer aus dem Schloss kam, stand da Niko Morshonikidse und sagte: »Krieg kaputt, Frau, Mann leben.« Es waren die einzigen deutschen Worte, die ich je von ihm hörte, mehr kannte er nicht, aber wir hatten ja unsere eigene Sprache. Er trug mir den Eimer zum Katen, über das Kopfsteinpflaster, aus dem die Wegerauken im fahlen Morgenlicht plötzlich bedrohlich emporgewachsen schienen, die Kinder schliefen nicht, sie liefen mir entgegen, es war die Nacht, in der Heinz im Krevtsee ertrunken war.

Er hatte mir gezeigt, dass man die Blätter der Wegerauke, die sie hier Senfrauke nennen, essen kann. Sie schmecken scharf wie Mostrich. Er hatte mir nicht gesagt, dass die unscheinbare Pflanze in alter Zeit ein Mittel zum Töten war. Die Wegerauke kann machen, dass das Herz stehen bleibt. Aber das hat Heinz Peters vielleicht nicht gewusst, er war ja noch ein Junge.

19

CLARA

Mit einem Spalt darin

Seitdem Michael im Herbst 89 den *Demokratischen Aufbruch* mitbegründet hatte, war er kaum noch zu Hause. Wenn er nicht Überstunden im Kraftwerk machte, verbrachte er die Abende und Nächte mit seinen neuen Mitstreitern. Der Rechtsanwalt, der Herbert und Maria vertreten hatte, war dort Vorsitzender. Mein Unbehagen, das mich in Gegenwart dieses Mannes befiel, verstand Michael, aber er meinte, man müsse solche privaten Gefühle beiseitelassen, hier ginge es nicht um seine oder meine persönliche Meinung, sondern um die Zukunft des Landes. So große Worte benutzten wir, aber trotzdem blieb mir der nervöse Rechtsanwalt mit seinen glatten Umgangsformen unsympathisch. Auch habe ich den Unterschied zwischen einer Meinung und einer persönlichen Meinung, zwischen einem Gefühl und einem privaten Gefühl nie verstanden, dies hielt ich Michael entgegen, und wir stichelten, als wären wir Gegner. Der Rechtsanwalt trat im Fernsehen auf und hatte bereits mächtige Freunde in den großen westdeutschen Parteien. Herbert hatte ich seit seiner Ausreise nur einmal gesehen, kurz nach der Maueröffnung, als er in Cambridge alles stehen und liegen gelassen hatte, um nach Berlin zu kommen. Weil er kein Einreisevisum besaß, mischte er sich an den überfüllten Grenzübergängen zwischen die Menschenmenge. In Berlin stürzte er sich in den Strudel, bereitete mit ehemaligen Kollegen von der Akademie und der Humboldt-Universität eine Konferenz über einen sogenannten Dritten Weg vor. Sie waren der Meinung, Arbeiterräte wären notwendig, von dem korrupten Gewerkschaftsbund wäre nichts zu erwarten. Anfangs fanden sie Gleichgesinnte in den Betrieben, von einer neuen Gewerkschaft war die Rede, aber schnell wurde klar, dass es nun nicht mehr um eine erneuerte DDR-Gesellschaft, sondern um die Wiedervereinigung ging.

Wenn Herbert länger in Berlin geblieben wäre, hätte er sein Stipendium und den Forschungsauftrag in Cambridge verloren, er kehrte wieder dorthin zurück. Während er in Berlin war, telefonierten wir manchmal, er erzählte mir von Maria und den Kindern und von seinen Zweifeln an dem Rechtsanwalt. Nun trieb der den *Demokratischen Aufbruch* zu einer *Allianz für Deutschland*, gemeinsam mit der CDU und der DSU. Dieser Weg gefiel auch Michael nicht.

In rasender Geschwindigkeit änderte sich unser Leben.

An die neue Freiheit, die Offenheit, die wir ja gewollt hatten, gewöhnten wir uns schnell. Jahrelang hatten sich die politischen Gespräche auf unsere Wohnzimmer, die Küchen, vielleicht noch die Kneipen beschränkt, doch plötzlich weiteten sich die Räume, die Gespräche fanden in aller Öffentlichkeit statt, der Ton änderte sich. Alle hatten wenig Zeit und rannten neuen Zielen nach. Meine Freundin Ruth hatte neben ihrer Arbeit als Kinderärztin eine Weiterbildung zur Familientherapeutin begonnen und war kaum noch erreichbar.

Wenn ich tagsüber ins »Espresso« ging, fand ich es fast leer vor; wie eine Wartehalle war mir dieser Ort immer vorgekommen, nun war die Wartezeit abgelaufen, aber worauf hatten wir eigentlich gewartet? In einer Zeitung las ich ein neues Gedicht von Jürgen Rennert; dieser Dichter, ein freundlicher Mensch, dessen manchmal laute Heiterkeit eine bodenlose Traurigkeit zu überdecken schien, war schon mehrmals in der Alten Pankower Pfarrkirche aufgetreten. In seinen Versen fand ich meine eigene Zerrissenheit wieder. Ich schrieb das Gedicht ab und hängte es an unsere Küchenwand. *Mein Land ist mir zerfallen. / Sein' Macht ist abgetan. / Ich hebe, gegen allen / Verstand, zu klagen an. // Mein Land ist mir gewesen, / Was ich trotz seiner bin: / Ein welterfahrnes Wesen / Mit einem Spalt darin. // Mein Land hat mich verzogen, / Und gehe doch nicht krumm. / Und hat mich was belogen, / Und bin doch gar nicht dumm. // Mein Land hat mich mit Wider- / Willn an die Brust gepresst. / Und kam am Ende nieder / Mit mir, der es nicht lässt. // Mein Land trägt meine Züge, / Die Züge tragen mich. / Ich bin die große Lüge / Des Landes. (Wir meint: Ich).*

Ich sah, wie Michael stirnrunzelnd das Gedicht las, es gefiel ihm nicht. »Was da zu Ende geht, war längst tot.«

Ich schwieg, denn das Gespräch drohte wieder zu einem Streit zu werden, und wir waren müde.

Ein paar Tage vor der Wahl im März 1990 wurde öffentlich, dass der Rechtsanwalt jahrelang ein Werkzeug der Staatssicherheit gewesen war. Er war nicht der Einzige, auch andere, deren Namen seit Kurzem jeder kannte, weil sie sich in die Öffentlichkeit gedrängt hatten, wurden entlarvt, wie ein in diesen Wochen oft genanntes Wort hieß.

Bei der Wahl im März bekam die Bürgerbewegung insgesamt nur zwei bis drei Prozent aller Stimmen. Der *Demokratische Aufbruch* kam auf 0,9 Prozent. Acht Tage lag ich mit Fieber im Bett und war krank. Als ich wieder aufstand, sah ich: Die Stadt hatte sich verändert.

Es roch nach anderem Benzin, anderen Früchten, die Frauen trugen plötzlich andere Kleider. An den Straßenrändern stapelten sich ausrangierte Möbel, Sofas, ganze Schrankwände, oft noch wie neu aussehend. Die Kinder spielten in diesen Möbelhaufen, die die Müllabfuhr gar nicht schnell genug beseitigen konnte, schon wurden andere Polsterteile an den Straßenrand gestellt. Möbelwagen aus Westberlin hielten vor den Häusern, klobige Sessel und Schrankwände wurden in die Häuser getragen, die in meinen Augen ebenso aussahen wie die gerade entsorgten. Noch war die D-Mark gar nicht eingeführt worden, ich wunderte mich, woher die Leute das Westgeld hatten. Und ich verstand nicht, warum sie ihre Möbel wegwarfen, mir gefielen solche Schrankwände sowieso nicht, in unserer Wohnung standen nur selbst gebaute Bücherregale und zusammengesuchter Trödel. Aber alles, was aus dem Westen kam, schien vielen plötzlich begehrenswerter, besser. Wenige Tage vor dem Geldumtausch machte Michael sich frei, und wir fuhren nach Mecklenburg, wo wir lange nicht gemeinsam gewesen waren.

Von Machandel aus wollten wir nach Güstrow, zu Barlachs Atelierhaus, kamen aber nur bis zum Markt. Die Leute rannten und schoben, drängten sich in den Läden, ein verstörender Ausverkauf war im Gange. Dinge, die bisher nur unter dem Ladentisch zu haben gewesen waren, Korbsessel, Bettwäsche, rumänische Teppiche, Zwiebelmustergeschirr aus Kahla, wurden plötzlich verschleudert wie wertloser Plunder. Die Lager sollten leer werden für die neuen Waren. Ungläubig kauften wir für Pfennige einen Schnellkochtopf und ein Bügeleisen, weiße Damastbettwäsche, blau-weiß gepunktete Steinguttassen und gestreifte Liegestühle. Freude über die schönen Dinge aber kam nicht recht auf, als wir mit dem überfüllten Trabant nach Machandel zurückfuhren.

Unterwegs hielten wir an einem Dorfkonsum, dort erzählten Frauen aus der LPG »Frohe Zukunft«, neulich hätten auf dem Markt in Güstrow Bauern von jenseits der offenen Grenze Eier und Tomaten, Kartoffeln und Erdbeeren angeboten, teurer als die heimischen Produkte, aber die Leute hätten alles gekauft.

Die billigeren LPG-Produkte wolle keiner mehr. Da hätten sie, erzählten die Frauen, sich abends aus den Abfalltonnen die westlichen Eierkartons herausgeklaubt und ihre Eier am nächsten Tag darin angeboten.

Drei Wochen später sah ich auf dem Alexanderplatz, als ich aus der U-Bahn trat, ebendiese Frauen mit selbst gebastelten Plakaten, sie waren aufgeregt und wollten zur ersten Demo ihres Lebens. Gegen den Niedergang der DDR-Landwirtschaft wollten sie protestieren, die Schlachthöfe nahmen kein Vieh aus dem Osten mehr ab. Eine sprach ich an, sie erinnerte sich an unsere Begegnung im Dorfkonsum und forderte mich auf mitzukommen, aber ich hatte keine Zeit, es gab so viele Demonstrationen in diesen Wochen und Monaten. Abends sah ich im Fernsehen, dass 50 000 Bauern zum Alexanderplatz gekommen waren.

Ein paar Tage nach der Geldumstellung habe ich meine Dissertation in einem Seminarraum der Humboldt-Universität verteidigt. Es war heiß, wir hörten irgendwelche Sprechchöre vom gegenüberliegenden August-Bebel-Platz, an dem eine Demonstration stattfand, ich weiß nicht mehr, war es für die bevorstehende Wiedervereinigung oder dagegen, jedenfalls war es laut und man musste die Fenster in dem stickigen Raum schließen, damit man meine Thesen verstehen konnte. Meine Eltern waren nicht dabei. Meine Mutter war mit dem Umzug in eine eben fertiggestellte Neubauwohnung in der Otto-Grotewohl-Straße beschäftigt. Michael kam auch nicht zur Verteidigung, den Grund habe ich vergessen, er schien uns damals wichtig. Für meinen Doktorvater war diese Veranstaltung sein letzter Akt an der Humboldt-Universität. Er war schon pensioniert, und im Herbst nach diesem Sommer 1990 zog er mit all seinen Bücherkisten in die Nähe von London, wo seine verwitwete Schwester lebte. Sie war nie nach Berlin zurückgekehrt und hatte, wie er mir einmal erzählte, auch nie verstanden, was ihre Mutter und ihren Bruder zu den Deutschen gezogen hatte. Nun folgte er ihr, um dort sein Hauptwerk, die *Lingua Saxonica,* zu schreiben. Zwei Wochen vor der Wiedervereinigung verabschiedeten ein paar Freunde und ehemalige Studenten ihn am Bahnhof, denn er reiste ganz altmodisch mit dem Zug über Hoek van Holland bis zum Schiff. »So sind in meiner Jugend die England-Emigranten alle gereist«, bemerkte er beiläufig. Als wir da standen, fragte ein junger Student, warum er fortginge, gerade jetzt. Er antwortete mit dem Schluss des Märchens vom Machandelboom: *»Da güng en Damp un Flamm un Führ up von der Städ, un as dat vorby wöör, do stünn de lüttje Broder door, un he nöhm Marleenken by der Hand, un wören so recht vergnöögt un güngen in dat Huus by Disch, un eeten.«*

Für den Studenten, der den Zusammenhang allerdings nicht verstand, übersetzte ich: »Da stieg Rauch auf und Flammen und Feuer gingen aus von der Stätte, und als das vorbei war, da stand der kleine Bruder da, und er nahm Marlenchen bei der Hand und sie waren so recht vergnügt und gingen ins Haus, setzten sich an den Tisch und aßen.«

Mein Vater glaubte wohl, in der neuen Wohnung anonym unter gewöhnlichen Leuten zu leben, und stellte erstaunt fest, dass dort lauter Bekannte einzogen, eine Eiskunstläuferin und mehrere Politbüromitglieder, auch Kurt Hager, der die Perestroika abfällig mit einem für uns unnötigen Tapetenwechsel verglichen hatte. »Das war ein Fehler«, hatte mein Vater einmal doppeldeutig bemerkt, meine Mutter hatte es sicher schon vergessen. Inzwischen war sie damit beschäftigt, ein Bidet für das neue Badezimmer zu besorgen. Sie war nach der Öffnung der Grenzen in einen Konsumrausch verfallen, der für kurze Zeit jeden anderen Rausch zurückdrängte. Sie kaufte neue Möbel und Lampen, auf ihrem Nachttisch stapelten sich bunte Wohnzeitschriften.

Michael erlebte in diesen Monaten Erschütterungen, von denen ich zwar wusste, deren Bedeutung mir aber erst später klar wurde, weil immer einer von uns unterwegs war und wir nur das Nötigste miteinander besprachen, damit der Haushalt weiterlief und die Kinder versorgt waren. Manchmal schlief er sogar in seinem Betrieb, wo er in irgendein Gremium gewählt worden war, das eine Übernahme von unten vorantrieb. Fieberhaft suchten die alten Leitungskader nach westlichen Partnern, das war überall so. Die neu gegründeten Betriebsräte forderten, bei den Verhandlungen mitzureden. Während in den Betrieben die Machtkämpfe tobten, wurde bekannt, dass bereits im April 1990, gleich nach der Wahl, die drei großen Konzerne der westdeutschen Energiewirtschaft sich darauf geeinigt hatten, die ostdeutschen Energiebetriebe zu übernehmen, da diese sofortige Gewinne versprachen. Das nach der Wahl vom März zuständige Ministerium hatte dem zugestimmt. Zu den ostdeutschen Energiebetrieben gehörte auch Michaels Heizkraftwerk. Im Juni sollte eine Konferenz über diese Übernahme stattfinden, am Bogensee, in den Gebäuden der nun geschlossenen Hochschule des Jugendverbands FDJ, dem die Mitglieder abhandengekommen waren. Die Betriebsräte waren zu der Konferenz nicht geladen, aber einige, auch Michael, fuhren trotzdem hin. Doch sie konnten den Stromvertrag nicht verhindern. Der entscheidende Protest gegen die bereits beschlossene Übernahme kam auf dieser Konferenz nicht von ihnen, auch nicht von den ostdeutschen Leitungskadern – die zum Teil beflissen kooperierten, zum Teil damit erpresst wurden, dass man ihnen Kredite verweigern würde, wenn sie nicht unterschrieben –, der Protest kam von fünf kleineren westdeutschen Energieunternehmen, die vom großen Kuchen ihr Stück abbekommen wollten und dagegen waren, dass nur die großen Drei beteiligt sein würden.

So endete die Konferenz am Bogensee mit einem Eklat, aber die westdeutschen Energieunternehmen einigten sich ganz ohne ostdeutsche Beteiligung, und der Stromvertrag, der die neuen Eigentumsverhältnisse festlegte, trat am 22. August in Kraft. Michael kam an diesem Tag betrunken nach Hause und sagte nur zwei Worte, bevor er ins Bett fiel: »Entmündigt. Ausgebootet.«

Einen Tag später beschloss die Volkskammer den Beitritt zur Bundesrepublik Deutschland. Der Mann unserer Pfarrerin, ein Biologe und Theologe, war inzwischen Staatssekretär und nahm seit Mai an den Zwei-plus-Vier-Verhandlungen zwischen den ehemals Alliierten und den beiden deutschen Staaten teil. Drei Wochen vor der Wiedervereinigung wurde in Moskau ein Staatsvertrag unterzeichnet, eine Friedensregelung, die das Ende der Nachkriegszeit bedeutete und Bedingung für den Einigungsvertrag war. Plötzlich hatten viele unserer Freunde das Gefühl, der großen Politik ganz nahe zu sein; es schien, sie müssten nur die Hand ausstrecken, um mit am Rad zu drehen. Doch Michael fühlte sich ausgelaugt nach den monatelangen vergeblichen Kämpfen, für ihn war dies die Zeit der Desillusionierung, der Enttäuschung. Und auch ich teilte nicht die Euphorie vieler Freunde, mir ging das alles zu schnell, die Dinge veränderten sich, bevor ich sie begreifen konnte. Der *Demokratische Aufbruch* ging in die CDU ein, Michael trat aus, obwohl die ihm sogar eine bezahlte Stelle angeboten hatten und seine berufliche Zukunft im Kraftwerk ungewiss war.

Wenn ich später über die Trennung von Michael und mir nachdachte, schien mir, in diesem Jahr 1990 haben wir uns verloren. Er hatte nicht einmal die Endfassung meiner Dissertation gelesen. Aber ich war ja auch meistens zu müde, mich für seine Rauchgasentschwefelungsanlage und die Betriebsräte im Kraftwerk, die CO_2-Emissionen und den Stromvertrag zu interessieren.

In diesem Sommer blieb der Trabant meines Bruders, der nun achtzehn Jahre alt war, irgendwo in Berlin plötzlich stehen. Michael schob ihn an den Rand und fuhr mit der Straßenbahn weiter. Außer den Möbeln standen damals auch ausrangierte Autos an den Straßenrändern, sie wurden ausgeschlachtet, bis sie zerfielen und ihre Reste irgendwann verschwanden.

Michael sagte, der grüne Trabant sei schon weg gewesen, als er ihn später abschleppen wollte. Ich war traurig, für mich war er mehr als ein altes Auto, er hatte meinem Bruder gehört. Mein Mann brachte einen Volkswagen Passat als Überraschung mit nach Hause. Ich wusste nicht, woher er das Geld hatte, wollte davon auch nichts wissen. Meine Mutter besaß kurz nach dem Geldumtausch auch ein neues Auto, einen allerdings gebrauchten Golf. Mein Vater war diesen Dingen gegenüber vollkommen gleichgültig, er konnte die Autotypen nicht einmal unterscheiden. Das Haus verließ er nur noch zu Beerdigungen und dann fuhr er mit dem Taxi.

Die Institutionen, in denen meine Mutter ihr Leben verbracht hatte – die Internationale Frauenorganisation, die Liga für Völkerfreundschaft, die Parteihochschule –, lösten sich auf, aber sie wollte darüber diskutieren, ob der Farbton der Gardinen mit dem ihrer neuen Auslegeware harmoniere. Vor Eifer hatte sie rote Flecken im Gesicht. Ich sah sie nicht trinken, aber als ich meinen Vater danach fragte, zuckte der nur bekümmert die Achseln. »Sie hat jetzt einen Therapeuten.« So wie er das Wort aussprach, hätte er auch Wahrsager oder Quacksalber sagen können. Für meinen Vater waren Psychoanalyse oder Psychotherapie dekadente spätbürgerliche Heilslehren. Für ihn war, wie er einmal sagte, die kleinbürgerliche Herkunft meiner Mutter Ursache ihrer Labilität. Aber weder über diese Herkunft, über die ich ja kaum etwas wusste, noch über das, was er Labilität nánnte, wollte er reden.

Mein Vater las. Mit dicken Büchern zog er sich in einen Winkel zurück, zu meinem Erstaunen sah ich Dostojewskis *Die Brüder Karamasow*, Hegel, auch Nietzsche. Einmal lag auf seinem Schreibtisch Hannah Arendts *Elemente und Ursprünge totaler Herrschaft*. Verwundert blätterte ich in dem Buch und fand die angestrichenen Sätze: *Totale Treue ist eine der wesentlichen psychologischen Grundbedingungen für das Funktionieren der Bewegung. Und sie wiederum kann nur von absolut isolierten Individuen geleistet werden, denen weder die Bindung an die Familie noch an Freunde, Kameraden oder Bekannte einen gesicherten Platz in der Welt garantiert. Dass es überhaupt auf der Welt ist und in ihr einen Platz einnimmt, hängt für ein Mitglied der totalitären Bewegung ausschließlich von seiner Mitgliedschaft in der Partei und von der Funktion ab, die sie ihm zugeschrieben hat.* Mein Vater sah, wie ich diese Sätze las, und nahm mir das Buch wortlos aus der Hand.

Aber er setzte sich bei unseren Besuchen mit an den Tisch, betrachtete die Kinder und hörte zu, wenn ich meinen Eltern das Nötigste erzählte.

Julias Schuldirektorin sollte nach einem Beschluss der Elternvertretung abgelöst werden, aber sie war aus der Partei ausgetreten, die jetzt anders hieß, sie sagte, sie sei selbst jahrelang missbraucht und belogen worden, habe sich von der kommunistischen Idee abgewandt und wolle im Interesse der Schülerpersönlichkeiten als Schuldirektorin nun der Demokratie dienen. Die Kinder in der Klasse unserer jetzt elfjährigen Tochter, eben noch Thälmannpioniere, die gerügt worden waren, wenn sie ihr Halstuch zum Fahnenappell vergessen hatten, diskutierten diese Wandlung aufgeregt in den Schulpausen, bis die Klassenlehrerin, dieselbe, die vor ein paar Monaten noch die

Kinder zu einem gesunden Hass auf den Klassenfeind erziehen wollte, ihnen das untersagte. »Politik hat im Klassenraum nichts zu suchen«, verkündete sie ihre neue Einsicht. Aber sie freute sich über Werber, die in der Schule kostenlose Joghurtbecher und Spielzeug verteilten, und verstand nicht, was ich an harmlosen Schirmmützen mit Werbeaufdruck auszusetzen hatte. Die zähe Auseinandersetzung mit der Schule setzte sich fort. Im Herbst 1991 sollte auch Caroline zur Schule kommen; Michael schlug vor, sie gleich im Westen Berlins anzumelden, in der Evangelischen Schule Frohnau. Das hatte sein neuer Chef ihm empfohlen, der war von dort.

Aber er war nicht lange sein Chef, Michaels Abteilung im Kraftwerk wurde aufgelöst.

Ich erinnere mich, dass wir ein paar Wochen nach der Wiedervereinigung in unserer Küche saßen und über die Zukunft sprachen. Im Fernsehen hatten wir einen martialischen Polizeieinsatz gesehen, der sich gegen die jungen Häuserbesetzer in der Mainzer Straße richtete. Obwohl die Friedrichshainer Wohnungsbaugesellschaft die Besetzer der heruntergekommenen Häuser gewähren ließ, stand der Polizeieinsatz an Brutalität dem Einsatz der Volkspolizisten dreizehn Monate zuvor in nichts nach. »Warum tun sie das?«, fragte ich verzweifelt, und Michael lachte grimmig. Er hatte seit Wochen einen schmerzhaften Schweißdrüsenabszess, mit den Kühlbeuteln unterm Arm saß er da wie eingeklemmt. Bei jeder Bewegung suppte Eiter aus ihm heraus. »Das ist doch klar, die zeigen die Instrumente. Die Zeit des Chaos ist vorbei, jetzt herrschen wieder Recht und Ordnung. Das soll das bedeuten. Nur weg von hier.«

Mit schmerzverzerrtem Gesicht erzählte er mir von seinem ehemaligen Kommilitonen Thomas, der schon vor einigen Jahren ausgereist war. Ich kannte ihn nur flüchtig. Thomas arbeitete seitdem in der Schweiz, in einem Wärmekraftwerk nahe der französischen Grenze. Sein Chef hatte ihn beauftragt, in der untergehenden DDR einen fähigen Mitarbeiter für die Entschwefelungsanlage zu suchen.

Wie ein Rettungsring kam Michael dieses Angebot vor.

»Warum will dieser Chef gerade einen aus der DDR«, gab ich zu bedenken. »Womöglich erwartet man von dir Dankbarkeit, Anpassung. Ich glaube nicht, dass du dich damit wohlfühlen wirst.«

Michael lachte bitter. »Es geht nicht ums Wohlfühlen, es geht um unsere Existenz. Und immer denkst du in solchen Schwarz-Weiß-Kategorien. Der ist ein geborener Tscheche, er hat selbst erlebt, wie schwer es im Westen für einen aus einem kleinen, östlichen Land ist. Vielleicht will er Dankbarkeit zeigen.«

»Dankbarkeit, gerade dir gegenüber?« Ich erschrak selbst über meinen spitzen Ton.

»Ja«, antwortete Michael schlicht. »Thomas hat ihm von der Bürgerbewegung erzählt, vom Friedenskreis. Er hat die Maueröffnung im Fernsehen gesehen und ist begeistert von unserem Mut. So sehen sie das und es ist ja auch nicht falsch. Man muss diesen Moment des Wohlwollens ausnutzen, das wird nicht anhalten. Wir haben uns nun als arme Verwandte dem reichen Bruder angeschlossen, da kann nur Verachtung folgen. Was ich in den letzten Monaten erlebt habe, hat mir jede Illusion genommen. Ich will weg. Zum Glück wissen die in der Schweiz, dass unsere Ausbildung gut war, dass wir gelernt haben, aus Scheiße Gold zu machen.«

Ich spürte, wie etwas meine Kehle zuschnürte, ein Schmerz, eine Ahnung. Ich blickte auf seine Kühlbeutel, und plötzlich schien mir, es war unser Leben, das da aus ihm herausfloss. »Wie könnte denn das aussehen?«, fragte ich mit belegter Stimme. »Du wirst in der Schweiz sein und wir hier?«

Es ist so gekommen, ich blieb mit den Kindern in Berlin und er arbeitete im Kanton Wallis. Im ersten Jahr telefonierten wir täglich und er kam an jedem zweiten Wochenende, dann nur noch an jedem dritten und schließlich nur alle vier, fünf Wochen. Einmal besuchten wir ihn über Ostern und gingen im Rhonetal wandern. Von den Fenstern seiner kleinen Wohnung aus blickte man in eine weite Gartenlandschaft mit einzeln stehenden hohen Bäumen.

»Der Ortolan, der Beethoven-Vogel!«, jubelten unsere Töchter eines Morgens, als sie auf dem Balkon den Frühstückstisch deckten. Tatsächlich saß der kleine Vogel nicht weit vom Haus in einem hohen Birnbaum, sein Di-di-di-dah, Di-di-di-dah klang immer noch wie der Auftakt der Fünften Sinfonie. Julia konnte sich gut erinnern, ihn in Machandel gehört zu haben, aber das war schon einige Jahre her, der Vogel war aus Mecklenburg verschwunden, weil die Felder zu groß waren und weil die Maschinen auch arbeiteten, wenn die Ackervögel brüteten. Begeistert begrüßten die Mädchen den seltenen Vogel, den Emma immer Gartenammer genannt hatte. Aber Michael winkte ab. »Das sind nur Restbestände«, meinte er, »und seltsamerweise vor allem Männchen. Auch im Rhonetal ist der Ortolan fast ausgestorben. Zudem ist er hier und in Frankreich eine Delikatesse. Anfang September locken Wilderer diese Vögel auf ihrem Zug nach Afrika zu Tausenden in Fallen.«

Die Mädchen schwiegen betreten. »Kann man dem Ortolan nicht helfen?«, fragte Caroline.

Michael lachte. »Der gehört nun mal zu einer aussterbenden Familie. Ihr solltet euch über das Exemplar da draußen freuen und nicht so traurig gucken.«

Selbst dieser kleine Vogel war Anlass für unsere alten Streitigkeiten, Michael warf mir vor, ich würde die Kinder auf Vergangenes orientieren, nötig sei nüchterner Pragmatismus.

Vorbei sei vorbei. Er fragte, ob immer noch das Gedicht von Jürgen Rennert an unserer Küchenwand hinge. *Mein Land ist mir zerfallen...*

Einmal sagte er: »Zum Glück ist die ganze Bude zusammengebrochen. Ihr wolltet sie umdekorieren. Das hätte das Elend nur verlängert.«

In mir bäumte sich alles auf gegen diese Gedanken. Wen meinte er mit IHR, war er nicht auch einer von UNS gewesen? Und war Elend wirklich das Wort für unser Leben? Ich sagte nur: »Umdekorieren klingt wie neu tapezieren. Da triffst du dich mit Hager.«

Aber er guckte nur verständnislos, wahrscheinlich hatte er das Interview vom April 1987, über das wir damals so verzweifelt gewesen waren, schon vergessen. Damals war in seinem Kraftwerk die Entschwefelungsanlage der Engländer in Betrieb gegangen, alles andere war ihm weniger wichtig gewesen. Über seine jetzige Arbeit sprachen wir wenig. Er hatte nur einen befristeten Vertrag, deshalb planten wir noch nicht, zusammen in der Schweiz zu leben. Meine Stelle an der Universität schien sicher. Auch hielten mich meine Eltern in Berlin, mein Vater klagte zwar nicht, aber er wurde immer hinfälliger, und meine Mutter kam mir nach dem Umzug unberechenbar vor. Manchmal schien sie völlig normal, dann wieder redete sie wie aufgezogen über Nichtigkeiten, oft aber saß sie apathisch da und reagierte kaum auf mich und die Kinder, wenn wir sie besuchten.

»Hast du dir eigentlich deine Stasi-Akte schon angeschaut?«, fragte sie mich einmal.

»Warum sollte ich das?« Sie murmelte etwas von Jan. Mein Bruder war jetzt schon mehr als fünf Jahre fort, niemand wusste etwas über ihn. Die Puppenspielerin Katja, die ein paar Monate nach ihm in den Westen gegangen war, entdeckte Fotos von ihm in Zeitschriften – diese Kuba-Reportage, einen Bildbericht über landlose Bauern in Bolivien, einen über das Krankenhaus »Karl Marx« in Nicaragua. Katja hat an die Redaktionen geschrieben, man kannte Jans Namen, aber keine Adresse. Eine Fotoagentur, an die sie verwiesen worden war, hatte sich bereits aufgelöst, in den letzten zwei Jahren waren anscheinend nirgends Fotos meines Bruders erschienen.

An der Universität gab es jetzt Umstrukturierungen, wir lernten das Wort Evaluierung. So nannte man die Überprüfung und Auswahl der Mitarbeiter. Anfangs sorgte ich mich nicht sehr um meine Stelle, das Philologische Institut hatte einen guten wissenschaftlichen Ruf. Meine Dissertation war mit magna cum laude bewertet worden. Aber es gab in Westberlin ein ganz ähnliches Universitätsinstitut, mit dem eine vorsichtige Zusammenarbeit begonnen hatte. Nun hieß es, die Institute sollten zusammengelegt werden, die Westberliner sollten ihre meist befristeten Stellen behalten, aber in unsere Räume mit der großen Fachbibliothek ziehen. Die beiden Institutsleiter sollten sich um die Stelle bewerben. Die Gerüchte sagten, es gäbe noch einen dritten Kandidaten, einen Philologen aus Heidelberg. Und wer von uns, befristet natürlich, übernommen werden könnte, würde nach Maßgabe der Forschungsschwerpunkte entschieden.

Nachdem mein Doktorvater nicht mehr da war, hatte ich keinen Mentor, der meine wissenschaftliche Arbeit begleitete. Deshalb war ich sogar froh, als dieser Heidelberger Philologe mich bei einem Kolloquium ansprach, weil ihn das Thema meiner Dissertation interessierte. Er fragte, ob ich die Arbeit des Zürcher Theologen Heinrich Bartholomäus berücksichtigt hätte, und ich dankte im Stillen Professor Simon, dass ich sie wenigstens kannte. Mir waren die theologischen Deutungen des Machandelbaummärchens so fremd und teilweise abwegig vorgekommen, ich habe mich in meiner eigenen Darstellung auf andere Interpretationen bezogen, da die Motive des Märchens schon in vorchristlicher Zeit auftauchten und auch in anderen Kulturkreisen. Das sagte ich dem Professor.

Einige Wochen später saß ich in einer Art Prüfung, es ging darum, ob ich meine Stelle behalten könnte. In der Partei war ich nicht gewesen, die Stasi-Überprüfung ergab auch keine Belastung. Also konnte es nur um meine fachliche Eignung gehen. Die Kommission hatte den Heidelberger Professor als Spezialisten hinzugezogen, der hatte meine Arbeit inzwischen gelesen und bat gleich ums Wort.

Ich hörte, wie er das Märchen mit dem Beginn des Christentums in Zusammenhang brachte, es ginge um *Inkarnation, Tod und Auferstehung,* ich aber hätte diese Zusammenhänge in meiner Arbeit ignoriert. Erst saß ich wie versteinert da, dann schrieb ich seinen Vortrag automatisch mit, ohne zu begreifen, was er meinte. Auf meinem Zettel las ich später Stichworte zur *Kinderlosigkeit als innerseelisch-mystische Entsagungsphase,* Hinweise auf den *Römerbrief 4.14, Genesis 15.1–6, Johannes 3.4.* Ich hörte, wie er die Geschichte der Baumverwandlung mit dem brennenden Dornbusch gleichsetzte, und je länger er redete, umso mehr schien mir, es ging ihm um einen ganz anderen Text, ein anderes Märchen, um einen anderen Lebenszusammenhang.

Jemand aus der Kommission versuchte ihn zu unterbrechen, es könne hier nicht um Details einer bereits anerkannten Dissertation gehen, aber der Professor bat noch um eine abschließende Bemerkung. Ich hatte, neben vielen anderen Aspekten, das Märchen auch als ein Frauendrama gedeutet, darüber machte der Heidelberger sich nun lustig, indem er, amüsiert über seinen eigenen Witz, meinen Deutungsansatz in Zusammenhang mit dem Unabhängigen Frauenverband stellte, dessen

Mitglied ich ja wohl sei. »Oder sagt man bei Ihnen Mitgliederinnen?« Beifall heischend sah er sich um.

Nach dieser schlichten Boshaftigkeit war mein Kopf ganz leer. Ein paar Tage später saß ich mit Isolde, der älteren Kollegin, die ihre Unterschrift fürs NEUE FORUM zurückgezogen hatte, in der Mensa. Ihre Stelle war wohl sicher. Aber sie erzählte mir von dem Gerücht, der Professor, wenn er denn Institutsdirektor werden würde, wolle seinen Assistenten aus Heidelberg mitbringen, dafür brauche er meine Stelle.

Sie beugte sich vor und sprach so leise, dass ich sie kaum verstand: »Es wird erzählt, dass dein Vater ein hoher Parteifunktionär ist. Hans Langner. Dass er früher Minister war und immer noch dicke da bei der SED oder PDS oder wie das jetzt heißt, in deren Rat der Alten. Das hat im *Neuen Deutschland* gestanden. Stimmt das? Ich habe gar nicht gemerkt, dass du eine Funktionärstochter bist.«

»Ich weiß nichts von einem Rat der Alten«, erwiderte ich kühl.

»Deshalb warst du so mutig«, sagte Isolde nachdenklich. »Du wusstest, dass dir nichts passieren wird.«

Beim Aufstehen stieß ich den Stuhl um.

Meine Stelle wurde vom Forschungsrat bestätigt, obwohl der Heidelberger tatsächlich Institutsdirektor wurde und er mehrere Mitarbeiter und seinen Assistenten mitbrachte. Mit dem geriet ich schon in der ersten Woche aneinander.

Nach ein paar Monaten kündigte ich zum nächsten Semester. Ich hatte eine Untersuchung zur Rolle des Niederdeutschen im Nationalsozialismus begonnen und damit angefangen, alte Zeitungen und Rundfunksendungen auszuwerten, um die Aufwertung des Plattdeutschen als Bestandteil der Heroisierung der ländlichen Lebensform nachzuweisen. Dieses Thema hatte ich noch mit Professor Simon abgesprochen, meinen neuen

Chefs passte es nicht ins Forschungskonzept, dies sei eine ethnologische, keine germanistische Problemstellung, hieß es. Ich glaube, zu dieser Zeit gab es außer mir niemanden an der Humboldt-Universität, der freiwillig seine Stelle aufgab. Aber freiwillig war mein Weggehen auch nur in den Augen der anderen. Vielleicht hätte ich kämpfen sollen, doch ich spürte einen Hochmut, der mein Selbstbewusstsein zermürbte, ich fürchtete, krank zu werden.

Isolde ist das geschehen. Sie lebte allein, war kinderlos, die Universität und die mittelhochdeutsche Grammatik waren ihr Leben. Unter den neuen Kollegen war einer, der an einem Lehrwerk zum Nibelungenlied arbeitete, und obwohl er sich in seinen Kommentaren auf ihr Standardwerk stützte, sah er die ältere Wissenschaftlerin als Konkurrenz. Plötzlich ging das Gerücht um, sie sei IM gewesen, eine Zuträgerin der Staatssicherheit. Sie stritt es ab, aber alle ehemaligen Stasi-Spitzel stritten ab, was man ihnen nicht nachweisen konnte. Die Akten entlasteten Isolde, sie machte ihren Widersacher als Quelle der Verleumdung aus, nun stritt der ab, alles verlief im Sand. Solche widerwärtigen Vorgänge waren damals an der Universität nichts Besonderes. Etwa ein Jahr nach meiner Kündigung las ich in der Zeitung Isoldes Todesanzeige. Ich ging zur Beerdigung und erfuhr aus der Trauerrede, dass sie in einem Abschiedsbrief die Verhältnisse am Institut, die *kalte Einsamkeit,* als Grund für ihren Selbstmord genannt hatte.

Diese *kalte Einsamkeit* kannte ich inzwischen auch, nicht nur am Institut hatte ich sie gespürt.

Nach meiner Kündigung war ich spontan zu meinem Mann gefahren, sechzehn Stunden war ich unterwegs, über Köln, Basel und Lausanne, unerreichbare Orte noch vor drei, vier Jahren. Noch immer klopfte mein Herz, wenn ich mir das bewusst machte. Aber als ich von Villeneuve aus im Bus fuhr, hatte ich kaum einen Blick für die Landschaft, weil ich mir das Wiedersehen mit Michael vorstellte. Schon bei der Begrüßung an der Tür merkte ich, dass mein Besuch eher Erschrecken als Freude auslöste. Seine Umarmung war ungewohnt fremd. Während ich ihm vom Institut erzählte, schien er wie abwesend. Als sein Telefon klingelte, überhörte er es.

»Willst du nicht abnehmen? Es könnten die Kinder sein.« Aber er stand nur auf und stellte den Ton des Anrufbeantworters ab.

»Sprich weiter«, forderte er mich auf.

»Wer ruft dich denn so spät an?«, fragte ich verwundert. Als er jedoch mit einer fahrigen Geste den Spruch auf dem Anrufbeantworter löschte, ohne ihn abgehört zu haben, zog sich mein Herz zusammen.

Ich ging ins Bad und da lag auf der Ablage eine kleine silberne Haarspange. Ich saß auf dem Badewannenrand, sah die Geste vor mir, mit der Michael den Spruch gelöscht hatte, und dachte: Das hier lässt sich nicht einfach auslöschen, ich will es wissen, ich werde es aushalten müssen.

Als ich wieder zu ihm kam, hatte er das Bett frisch bezogen und Tee gekocht; er war besorgt wegen der Kündigung. Das Geld würde knapp werden, meinte er, denn die Schweiz sei teuer, deshalb sollten wir nichts überstürzen, die Mädchen würden ja wohl auch in Berlin bleiben wollen.

Ich hatte gar nicht vorgeschlagen, in die Schweiz umzuziehen. Er bemerkte mein Verstummen und schwieg auch. Später sah ich, dass die Spange nicht mehr auf der Ablage im Bad lag. Ich ging auf den Balkon, die Obstwiese hinterm Haus gab es nicht mehr, da war eine Baustelle, auch der hohe Birnbaum war verschwunden, die Singwarte der Gartenammer. Michael lachte, als ich nach dem Vogel fragte. »Ich habe keinen Ortolan mehr gesehen seit damals. Aber ein paar Kilometer weiter, hinter der Grenze, kann man in den Gasthäusern Ortolans enfraissés bestellen, Fettammern, in Cognac ertränkt und in Speck geröstet.«

Im Bett fragte ich ihn nach der Silberspange und nach der Frau, der sie gehörte. Seine Reaktion war mir peinlich, immer ist es mir peinlich, wenn ich belogen werde. Erst bestritt er, dass da je eine Spange gelegen hatte, dann fuhr er mich an, mein Misstrauen sei lächerlich. Schließlich wechselte er den Ton und sagte beschwichtigend etwas von einer Putzfrau, die neuerdings in seine Wohnung käme und womöglich das Ding verloren hätte. Als er mich in den Arm nehmen wollte, drehte ich mich weg.

Am nächsten Morgen frühstückten wir zusammen, ich war noch müde und schweigsam, er blätterte in irgendwelchen Unterlagen für seine Arbeit, würde aber möglichst früh nach Hause kommen, versprach er. Bevor er die Wohnung verließ, schloss er beiläufig seinen Schreibtisch ab, den Schlüssel nahm er mit. Da beschloss ich, nicht auf ihn zu warten.

Als ich im Bad meine Utensilien zusammensuchte, öffnete ich, einem plötzlichen Gedanken folgend, eine Schublade, in der Rasierklingen lagen und eine angebrochene Packung mit Kondomen. Wir hatten nie Kondome benutzt, ich nahm die Pille.

Auf dem Weg zum Busbahnhof schien mir die Gegend mit ihren makellosen, sauberen Fassaden, mit den Blumenkübeln und Spitzengardinen plötzlich bedrohlich. Im Bus merkte ich, dass mir die Tränen hinunterliefen, und ich dachte, ich weine um den verschwundenen Ortolan, der mir die wichtigste Verbindung gewesen zu sein schien zwischen unserem früheren Leben, den Sommern in Machandel, und diesem Ort.

Die meisten Wochenenden verbrachte ich Anfang der 90er-Jahre mit den Töchtern wieder in Machandel. Es war umständlich, weil Michael das Auto hatte; wir fuhren mit dem Zug bis Güstrow oder Teterow und warteten dann eine Stunde auf einen Bus, der in einem Nachbardorf hielt. Dort hatten wir die Räder untergestellt. Wenn wir durch die Landschaft radelten, wenn wir unseren Katen von Weitem sahen, wenn wir die Räume wieder in Besitz genommen hatten, fühlten wir uns angekommen und vergaßen die Mühe der stundenlangen Anreise. Aber auch hier änderte sich alles, nur langsamer. Das erste Zeichen waren die neuen Eingangstüren aus dem Baumarkt, die alten schlichten Holztüren wurden zu Brennholz zerhackt. Dann standen Amphoren aus Kunststoff in den Vorgärten, die tönernen Töpfe verschwanden. Aus einem Sonderfonds sollten ländliche Straßen ausgebessert werden, plötzlich wurde der Kastanienweg nach Klabow asphaltiert. Mehrere Dorfbewohner hatten protestiert, und der Bürgermeister schimpfte, die Alten aus Machandel würden sich gegen den Fortschritt stellen, auf der neuen Straße kämen wenigstens die Ärzte und der Konsumbus durch. Doch der Konsumbus war schon eingestellt worden, als die Asphaltstraße fertig war, auf der nun an den Wochenenden die Jungens aus den Nachbardörfern Wettrennen mit Mopeds und den alten Trabis ihrer Väter veranstalteten. Die sonntäglichen Spaziergänge auf dem Kastanienweg hörten auf. Seitdem auch der Einkaufsbus nicht mehr kam, sah man die Dorfbewohner niemals mehr alle auf einmal, deshalb fiel es kaum auf, dass Frau Poschmann nicht mehr da war. Ihre Kinder hatten sie zu sich geholt, und im Vorgarten ihres Neubauernhäuschens wucherten Brennnesseln.

Ich saß oft bei Emma in ihrem Neubau, der längst schon bröckelte, oder bei Natalja im Schloss, das auch grau und rissig geworden war. Ein Stück vom Wappen der Gutsbesitzerfamilie war von der Fassade abgefallen. Seitdem es den Dorfkonsum im Hauptdorf nicht mehr gab, hatte Natalja viel Zeit und strickte. Die Schafwolle färbte sie mit Pflanzenfarben. Ihre Pullover waren sehr begehrt, sogar aus Rostock kamen Käufer.

Die beiden erzählten mir, dass vorm Schloss oft Autos hielten. Schon kurz vor der Wiedervereinigung waren zwei Herren aus München gekommen, die Großneffen der Baronin oder deren Anwälte. Die Baronin hatte ihre Kinder überlebt, war aber selbst schon vor Jahrzehnten am Bodensee gestorben. Im Auftrag der Erbengemeinschaft inspizierten die Herren das Gutshaus und die Ställe, schritten über die Weiden und fotografierten alles. Doch sie kamen nicht wieder, das Gut Machandel fiel unter die Bestimmungen der Bodenreform, das Schloss ging an die Treuhand, die es an einen Investor verkaufte, der bald wieder das Interesse verlor angesichts des faulenden Dachstuhls, der maroden Elektroleitung und des Hausschwamms an der Westwand. Natalja bohnerte noch immer das Parkett in allen Räumen, aber sie ließ das Haus nicht mehr offen stehen, seitdem sie einmal zwei Männer überrascht hatte, die mitten am Tag beinahe geräuschlos die Holzvertäfelung im unteren Saal abmontierten. Einen Teil hatten sie schon verladen und verschwanden hastig mit ihrer Beute. Und neulich hatten Besucher Messingrosetten von den Fenstern abgeschraubt, während Natalja anderen das Schloss zeigte.

Von Natalja und Emma erfuhr ich auch, dass das Land der Baronin, das die Neubauern in die LPG eingebracht hatten, nun von einer Bodenverwertungsgesellschaft verwaltet wurde, einem Tochterunternehmen der Treuhand. Die ehemaligen LPG-Mitglieder gehörten nun zu einer Agrar GmbH, die einen Teil des Landes gepachtet hatte, allerdings mit nur drei Jahren Sicherheit. »Der Herr von Maltzahn ein paar Dörfer weiter hat die Felder seines Großvaters auch gepachtet, dem haben sie zwölf Jahre bewilligt«, empörte sich Emma, und Natalja ergänzte: »Wegen der unsicheren Zukunft wird in der Gegend hier nur noch der subventionierte Raps angebaut und Mais. Das Gemüse in den neuen Supermärkten kommt aus Holland und Spanien und schmeckt wie Wasser. In meinem Konsum gab es wenigstens Blumenkohl und Gurken von hier. Jetzt sind alle Dorfläden geschlossen. Emma wird ja zum Glück von ihren Kindern versorgt und für uns kauft Lena ein. Der Bücherbus ist auch eingestellt worden, Lena hätte eine ABM-Stelle haben können.« »Eine Arbeitsbeschaffungsmaßnahme«, erklärte Emma das neue Wort, dem sie wie erstaunt nachlauschte, während Natalja erläuterte: »Da muss man Bäume aufästen und die Straßengräben mit der Sense mähen. Oder Schilder für Radfahrwege malen. Aber nur befristet auf ein Jahr. Lena hätte auch in der ehemaligen LPG als Saisonkraft arbeiten können.« »Da hätte sie Steine von den Feldern sammeln müssen, die Düngerhalle säubern«, fiel Emma ein. »Das soll jetzt wieder Frauenarbeit sein. In der Verwaltung und auf den Maschinen sitzen nur Männer.« Die Frauen lachten und erzählten mir, dass Lena eine bessere Arbeit gefunden habe. Burg Schlitz würde zu einem Hotel umgebaut und sie arbeite im Büro des Architekten.

Wohin werden Natalja und Lena ziehen, wenn das Schloss in Machandel verkauft sein wird, fragte ich mich. Und Emma, wohin wird sie gehen? Sie war die letzte Bewohnerin des Neubaus, den die künftigen Schlossbesitzer sicher abreißen würden, denn er stand mitten im verwilderten Park. Aber darüber schien ich mich mehr zu sorgen als die beiden Dorffrauen, die gelassen die Entwicklung abwarteten. Meine Trennung von Michael und meinen Kummer werden sie bemerkt haben, aber sie fragten wenig und ich musste nichts erklären.

»Das Herz eines anderen ist wie ein Wald«, sagte Natalja nur, als sie mich einmal unangemeldet auf der Terrasse überraschte. Sie sah, dass ich geweint hatte, stellte eine Schale Mirabellen vor mich hin und sagte leise diesen merkwürdigen Satz. Ich weiß nicht, ob sie mein Herz meinte oder das desjenigen, an den ich gedacht hatte, als ich dort allein saß und zusah, wie das Licht im Gras und in den Bäumen spielte.

Natalja und Emma freuten sich für mich, als ich nach einigen Monaten der Arbeitslosigkeit und vergeblichen Bewerbungen eine Art Büroleiterin in der von meiner Freundin Ruth gegründeten Beratungsstelle wurde. Sie hofften mit mir auf den Ausbildungsplatz zur Familientherapeutin, aber mein Doktortitel war plötzlich ein Hindernis, ich galt als überqualifiziert.

Manchmal telefonierte ich mit Professor Simon, der bei London an seiner *Lingua Saxonica* schrieb. Ich hatte ihm auch von den Veränderungen am Institut geschrieben, von dem Heidelberger Professor und dessen vernichtendem Urteil über meine Arbeit. Ich erinnere mich an ein Telefongespräch, in dem Martin Simon nur meinte: »Das ist doch nicht überraschend, der Heidelberger war ein Schüler von Bartholomäus und kommt selbst aus einer Theologen-Dynastie. Deutsche Christen. Sein Vater oder Onkel war schon in den 30er-Jahren in Heidelberg Professor. Der hat die Bibel entjuden wollen, für die ist Jesus ein Arier gewesen.« Ich hörte durchs Telefon sein spöttisches Lachen. Meine plötzliche Arbeitslosigkeit sah er nicht als Katastrophe an.

Er sagte, er selbst habe im Leben so oft geglaubt, nichts ginge mehr weiter. Diese Erfahrung habe er nicht nur als Schüler in Deutschland gemacht, nicht nur in Shanghai, sondern auch 1952, als er seine Assistentenstelle an der Universität verlor.

»Warum konnten Sie denn damals nicht an der Universität bleiben?«, fragte ich.

»Ach, die Vorwände habe ich vergessen. Ich war Westemigrant und Jude, dazu parteilos, das genügte. Ich bin ja dann, wie Sie wissen, zurückgekommen an die Universität. Umwege sind keine Sackgassen.«

Plötzlich duzte er mich: »Möge dir im Leben kein größeres Unglück zustoßen als dieses, Clara. Was ist schlimm daran, ein Institut zu verlassen, an dem man, wie du es selbst gesagt hast, nicht mehr atmen kann?«

Mehr als meine berufliche Unsicherheit beschäftigte ihn der Tod seiner ehemaligen Kollegin Isolde, sie hatte auch ihm einen Abschiedsbrief geschickt.

Meine Mutter hat keinen Abschiedsbrief hinterlassen. Meine Mutter starb im Januar 1994.

Einen Tag zuvor war Julia fünfzehn Jahre alt geworden. Michael war aus der Schweiz gekommen und wir hatten meine Eltern zum Kaffee eingeladen. Mein Vater rief an, er war jetzt vierundachtzig Jahre alt. Dem Rat der Alten in seiner Partei gehörte er wohl nur formal an, er konnte kaum noch das Haus verlassen. Deshalb wunderte ich mich nicht, dass er den Besuch absagte. Meiner Mutter, sagte er, ginge es nicht gut. Ihr war es schon lange nicht gut gegangen. Als die neue Wohnung eingerichtet war, als sie sogar eine schwarze Marmorplatte für die offene Einbauküche aufgetrieben hatte, fand sie für sich nichts mehr zu tun und saß stundenlang vor dem Fernsehapparat. Einmal hatte ich sie nach ihrer Therapie gefragt, aber keine Antwort bekommen. Da ließ ich es sein, ich hatte genug eigene Sorgen. Die Absage meiner Eltern kam mir ganz recht, ich hatte ihnen noch nichts über die Trennung von Michael gesagt, über die wir bei seinem Besuch noch einmal sprechen wollten. Mir tat es weh, wie sehr die Mädchen ihn vermissten. Julia war ihm seit seiner Ankunft nicht von der Seite gewichen.

Michael wollte drei Tage in Berlin bleiben, ich hatte mir freigenommen. Am ersten Tag feierten wir mit Julias Freundinnen. Zum Abendbrot war auch Ruth mit ihrem Freund Andreas gekommen, dem Kunstwissenschaftler, der am Pergamonmuseum irgendwelche im Zweiten Weltkrieg zerborstenen Basaltfiguren wieder zusammensetzen wollte. Er erzählte den Kindern von diesem Plan und die jungen Mädchen hingen an seinen Lippen. Ich sah, wie stolz Ruth ihm zuhörte, und beobachtete, wie sie jede Gelegenheit nutzten, sich zu berühren. Ihre Zärtlichkeit ließ mich die kühle Steifheit zwischen Michael und mir noch schmerzhafter spüren.

Am nächsten Tag, die Mädchen waren gerade zur Schule gegangen, rief mein Vater an. Mit tonloser, aber fester Stimme sagte er: »Clara, bitte komm. Deine Mutter ist gestorben.«

Michael fuhr mich zu ihnen, mein Vater stand in der Wohnungstür und trat schweigend beiseite. Er war verstört, wie benommen. »Sie ist schon abgeholt worden. In ihrem Bett ist sie gestorben.« Wir mussten ihn alles mehrmals fragen, in letzter Zeit war er schwerhörig. »Sie ist am Morgen nicht aus ihrem Zimmer gekommen, da habe ich nach ihr geschaut, sie war bewusstlos. Der Rettungsarzt meinte, sie sei tot. Er hat die leere Tablettenpackung vom Nachttisch mitgenommen und deine Mutter in die Gerichtsmedizin bringen lassen. Da ist sie nun.« Mein Vater saß zusammengesunken da, er schien uns nicht mehr wahrzunehmen. Mit seinem Stock, den er neuerdings auch in der Wohnung benutzte, stieß er unter das Bett, stocherte ein wenig herum, und es klirrte. Zwei leere Flaschen trudelten über den Teppich.

»Hast du es dem Arzt gesagt?« Er hob nur die Achseln, eine hilflose Geste, die mich rührte. Endlich konnte ich ihn umarmen, endlich konnte ich weinen. Er hatte keine Tränen, aber sein alter Körper bebte.

Es ist nie geklärt worden, ob sie willentlich die ganze, tödliche Packung des Schlafmittels nahm oder ob sie zu betrunken war, um zu wissen, was sie tat.

In diesen Tagen war mir Michael eine große Hilfe. Mein Vater saß nur schweigend an seinem leeren Arbeitstisch, und auch ich war wie benommen, nahm etwas in die Hand und ließ es fallen, ging zum Telefon und wusste nicht, wen ich anrufen wollte. Michael verlängerte seinen Urlaub und blieb so lange, bis meine Mutter begraben war. Er organisierte die Beerdigung auf dem Friedhof in Pankow, sprach mit der Gerichtsmedizin, mit den Behörden und der Friedhofsverwaltung, suchte zusammen mit unseren Töchtern den Sarg aus; schließlich war er noch immer der Schwiegersohn und ich war ihm dankbar. Es waren nicht viele Menschen, die zu der Beerdigung kamen. Ehemalige Mitarbeiter meiner Mutter sah ich nur zwei auf dem Friedhof, aber Ruth war mit einem ihrer früheren Kollegen aus dem Krankenhaus Herzberge gekommen, er war einer der wenigen namhaften Psychiater und Therapeuten in der DDR gewesen und am Schluss einer der Sprecher des NEUEN FORUM. Warum war der hier, war das der Therapeut meiner Mutter? Meinen Vater konnte ich nicht fragen, mein Vater war gar nicht ansprechbar. Julia und ich hielten ihn untergefasst, er war steif wie eine Marionette und schien gar nicht zuzuhören.

Der Trauerredner vom Humanistischen Verband hatte sich selbst angeboten, er habe, sagte er, meine Mutter gekannt. Erstaunt hörte ich zu, was dieser Mann über meine Mutter sagte. Er begann mit einem Tag vor genau neunundvierzig Jahren, dem 26. Januar 1945. An diesem Tag sei die siebzehnjährige Johanna aus ihrem bisherigen Leben als Oberschülerin in einem samländischen Dorf namens Kamstigall gerissen worden und auf die Flucht gegangen. Auf Pferdeschlitten sei sie mit ihrer Mutter über verstopfte Straßen nach Pillau gekommen, wo die offenen Frachter schon von Menschen überfüllt waren.

Von einer wundersamen Rettung sprach der Redner, von einem glücklichen Umstand, denn die meisten Menschen auf den offenen Frachtern seien später erfroren. In Gotenhafen, wo auch Schiffe abfuhren, sei die *Wilhelm Gustloff* überfüllt gewesen. Viele aus dem Dorf Kamstigall hätten es geschafft, auf das Todesschiff zu kommen, nicht aber Johanna und ihre Mutter Waltraut. Das sei wieder ein Glück gewesen. Und dass sie dann auch die Fähre vor Danzig verpassten, sei ebenso als Glück anzusehen, denn sie hätten mit Tausenden zuschauen müssen, wie die überladene Fähre in der Fahrrinne der noch vereisten Frischen Nehrung absank, ganz langsam, begleitet vom Schreien der Menschen und Pferde. Das nächste Glück der Johanna, sagte der Redner, sei gewesen, dass sie zu Fuß aus dem kleinen Kessel in den großen Kessel gerieten, er nannte Ortsnamen, die ich nie gehört hatte: Lauenburg, Stolp, das Dorf Zipkow. In dieses Zipkow seien Johanna und Waltraut im März geraten, die Rote Armee sei dort gewesen, auch die polnische Armee und versprengte deutsche Soldaten, und alle hätten sie aufeinander geschossen, und Johanna und ihre Mutter und noch einige Frauen hätten sich im Moor bei Zipkow versteckt, da habe noch Schnee gelegen, sagte der Redner, und die Frauen hätten gefürchtet zu erfrieren, und als das Schießen aufhörte, seien einige ins Dorf gegangen, das sei von Polen verwaltet worden, aber die Rotarmisten seien auch noch da gewesen, und die deutschen Frauen hätten nicht überlebt. Johanna und ihre Mutter seien, welch ein Glück, im Moor geblieben, zehn Tage hätten sie sich hinter schmutzigen Laken verborgen gehalten, die von Weitem ausgesehen hätten wie der gefrorene Boden. Dann seien sie weiter geflohen und weiter und seien Ende April in Mecklenburg angekommen, und das sei wieder ein Glück gewesen, denn dort, der Redner hob die Stimme, als hätte er einen Triumph zu verkünden, schaute meinen Vater an und fuhr nach einer kurzen Pause fort: »Dort in Machandel hat Johanna ihren Mann getroffen, Hans Langner.«

Ich weiß nicht, ob mein Vater den Redner verstand, vielleicht, hoffte ich, hörte er gar nicht zu. Solche Geschichten, Flucht und Vertreibung von Deutschen nach dem großen Krieg, hatten immer seinen Unwillen erregt, man könne nicht über die Folgen klagen, ohne die Ursachen zu benennen. Und nie, wirklich niemals hat meine Mutter in meiner Gegenwart über solche Erlebnisse gesprochen. Die Geschichte meines Vaters war es doch, die in meiner Kindheit so schwer und bedeutungsvoll in der Luft lag, dass sie einem den Atem nahm. Er war im KAZETT gewesen und hatte gelitten, er war ein Opfer des Faschismus, aber mehr noch als ein Opfer war er ein Widerstandskämpfer und ein Held. Wer war meine Mutter gewesen? Der Redner sprach weiter von der vom Glück verfolgten Johanna, aber das Glück muss meine Mutter irgendwann verlassen haben. War sie die junge schöne Frau, von der jetzt gesagt wurde, sie sei voller Hoffnung und Zukunftsglauben nach Berlin gekommen? War sie es, die jede Erinnerung an Tod und Gewalt hinter sich lassen wollte und doch am Ende ihres Lebens von ihr eingeholt wurde? Der Redner erwähnte ihr Studium, ihre Promotion, sprach von Enttäuschungen, von verlorenen Illusionen. Meinen Bruder erwähnte er, dessen Haft und dessen Weggehen ihr das Herz gebrochen hätten. Er schloss mit einer Art Wortspiel, von einem Traum sprach er, der zerbrochen sei, während das Trauma sich als stärker erwiesen und sie ihr Leben lang begleitet habe.

Ich begriff, dass ich meine Mutter nicht gekannt habe. Das Einzige, was ich von ihrer Geschichte wusste, war der Name Kamstigall, der Ort ihrer Geburt stand in ihrem Ausweis. Ich fand den Namen als Kind lustig, er erinnerte mich an Nachtigall oder an die Tagtigall des Dichters Morgenstern. Nie wäre ich auf die Idee gekommen, dieses Kamstigall auf einer Karte zu suchen, und ich hätte es ja auch nicht gefunden. Dieser Landschaft, umgeben von Himmel und Meer, dem Samland, von dem der Redner sprach, bin ich in den Gedichten von Johannes Bobrowski begegnet, aber ich wusste nicht, dass das etwas mit meiner Mutter zu tun hatte. Meine Tränen flossen und ich hätte so gern mit meiner Mutter zusammen um dieses Kamstigall geweint, aber ich habe meine Mutter nie weinen gesehen und, das begriff ich erst in diesem Moment, auch ganz selten lachen.

Michael hatte für die Trauergäste Tische in einem neu eröffneten schwäbischen Restaurant an der Kavalierstraße reserviert. Mein Vater saß stumm inmitten einiger alter Genossinnen, Witwen seiner Lagerkameraden, die sich betulich um ihn kümmerten, sodass ich mich zu dem Redner setzen konnte. Er sagte, dass er bei der Liga für Völkerfreundschaft einige Zeit in der Abteilung meiner Mutter gearbeitet habe. Aber die Einzelheiten ihres Lebens habe er erst im Gespräch mit ihrem Therapeuten erfahren. Er wies auf Ruths Kollegen aus Herzberge, der auch mit ins Restaurant gekommen war. Ich sah diesen grauhaarigen Mann still am anderen Tischende sitzen und ging auf ihn zu, sofort nahm er die Tasche vom Stuhl neben sich.

Ja, er habe meine Mutter seit einigen Jahren gekannt und ihren tapferen Kampf gegen die Sucht begleitet, gegen die Angst, die sie immer wieder einholte.

Er sei froh gewesen, dass mein Vater ihn nach Johannas Tod gebeten habe, dem Trauerredner das Bild seiner Frau zu vermitteln. Er selbst, habe mein Vater gemeint, sei dazu nicht in der Lage. Der Therapeut nahm ein kleines Paket aus der Tasche, ein in buntes Papier gebundenes Notizbuch. Ich erkannte es, Julia hatte solche Büchlein vor zwei, drei Jahren zu Weihnachten verschenkt, meine Mutter hatte auch eines bekommen.

»Das ist die Geschichte ihrer Flucht«, sagte er. »Ich habe sie aufgefordert, sie aufzuschreiben. Sie wollte sie einmal Ihnen und Ihren Töchtern geben. Nun mache ich es.«

Spät am Abend war mein Vater wieder allein bei sich zu Hause; er hatte es abgelehnt, bei uns zu übernachten, und auch das Angebot einer der Witwen, vorübergehend zu ihm zu ziehen, erschrocken abgewehrt. Ich telefonierte noch einmal mit ihm, aber er war gefasst und sagte, er ginge jetzt schlafen. Als auch unsere Töchter im Bett waren und Michael schon seine Reisetasche packte, dankte ich ihm für seine Unterstützung. Er nahm mich still in den Arm. Wir hatten gar nicht über uns selbst gesprochen, dafür war keine Zeit gewesen. Ich wollte ihm das von meiner Mutter vollgeschriebene Büchlein zeigen, mit ihm über die Trauerrede sprechen. So vieles wollte ich ihm sagen. Doch eine lange nicht gespürte Verbundenheit und eine fast schon vergessene Sehnsucht nach seinem Körper, sein vertrauter Geruch nach Zigaretten und Wald, das Gefühl, dieser Geruch hätte mir bis zu diesem Moment bitter gefehlt, machten mich stumm.

Mit dem Mund an meinem Hals sagte er: »Clara, ich werde wieder Vater. Lass uns die Scheidung schnell hinter uns bringen.«

20

HANS

Stummsein meine Verdammnis

Jetzt liege ich hier in diesem Krankenzimmer und höre das Stöhnen und Keuchen des alten Mannes im Bett neben mir. Alter Mann, denke ich, dabei bin ich älter. Der Pflegedienst und meine Tochter Clara haben mich hierherbringen lassen, ein paar Tage nur soll es dauern, dann haben sie mich neu auf die Medikamente eingestellt, so nennt man das, als wäre ich eine alte Maschine, deren Schrauben man nachziehen muss. Mein Bettnachbar redet nicht, das ist gut so. Ich war in den letzten Jahren oft in diesem Krankenhaus, einmal lag einer neben mir, jünger als ich, der hat in Sachsenhausen gesessen, aber nicht zu meiner Zeit, sondern später, im Sonderlager. Ich wollte es nicht hören. Der war als Werwolf verhaftet worden, dabei sei er unschuldig gewesen, behauptete er. Aber Hitlerjunge wird er schon gewesen sein, und in seinem Sachsenhausen gab es keine Erschießungsanlage, keine Schuhprüfstrecke, keinen Bock und keinen Galgen. Er hat den Eisernen Gustav nicht kennengelernt.

Clara, der ich damals von dem Bettnachbarn erzählte, hat mich lange angeguckt mit ihren Elseaugen, dann sagte sie leise: »Wer hasst, der wird dem Gegenstand seines Hasses immer ähnlicher.«

Den Spruch hat sie wohl von ihren Friedensaposteln. »Im Sonderlager sind sie verhungert und an Typhus gestorben«, sagte sie noch. Das weiß ich selbst. Aber die Sonderlager haben die Alliierten eingerichtet, aus gutem Grund. Und sie wurden ja auch bald aufgelöst. »Ja«, antwortete Clara und sagte etwas von den Waldheimer Prozessen im Jahr 1950, bei denen es keine Verteidiger und keine Öffentlichkeit gab, aber vierundzwanzig Todesurteile. Vierundzwanzig. In Sachsenhausen haben sie 1944 an einem einzigen Oktobertag siebenundzwanzig von uns ermordet. Aber das habe ich Clara nicht mehr gesagt, ich weiß, was sie geantwortet hätte: Das kann man nicht aufrechnen. Unsere Gespräche waren schon so zäh wie die Diskussionen mit Jan, als er noch mit mir sprach.

Aber Clara muss mit den Schwestern geredet haben; als mein Nachbar nach ein paar Tagen entlassen wurde, haben sie mir gesagt: »Herr Langner, mit Ihrem neuen Bettnachbarn werden Sie sich verstehen, der war General der Volksarmee.«

Das hat der jedem gleich erzählt, dabei roch der schon von Weitem nach Kasernenhof, zackig, zackig. Der hat gleich Du zu mir gesagt und Genosse, das war mir auch nicht recht. Und beklagt hat er sich, dass es ihm im vereinigten Deutschland verboten war, sich General a. D. zu nennen, denn die Nationale Volksarmee war abgeschafft, aber Leutnant a. D. hätte er auf seine Visitenkarte schreiben können, denn das war sein Rang in der Wehrmacht gewesen, und der war anerkannt. Was habe ich, Hans Langner, mit einem Leutnant von der Wehrmacht zu schaffen? Am Anfang musste die Volksarmee auf solche zurückgreifen, es gab ja keine anderen. So viele Spanienkämpfer hatten wir nicht und die besten waren umgekommen, wie Bruno. Darum ist ja dann auch diese Kadettenschule eingerichtet worden, damit wir unsere eigenen Militärs heranziehen.

Ich würde gern mit Jan über all das reden. Anders als damals. Ich würde ihm zuhören. Er ist mein Sohn.

Doch er ist nicht da, und dass der hier nebenan mit mir nicht reden will, ist gut so. Lieber als Hitlerjungs und Wehrmachtsoffiziere ist mir so einer als Bettnachbar, von dem ich nichts weiß, der nichts sagt, der nur hustet und stinkt.

Früher bin ich ins Regierungskrankenhaus in der Scharnhorststraße gekommen, wenn ich krank war, in ein Einzelzimmer. Es gab noch ein anderes in Buch. Da kam ich nicht rein, das hat Johanna bedauert. Aber ich war zufrieden in der Scharnhorststraße, gute Ärzte, freundliche Schwestern. Meinen Sohn hat es erbittert, dass im Patientenzimmer eine Speisekarte lag. Er meinte, wir würden gar nicht mehr wissen, wie das Volk lebt und denkt. Und was für einen Fraß man im Krankenhaus Nordmarkstraße den Patienten vorsetzt.

Diese Dinge gehen mir durch den Kopf, während ich hier liege und warte. Worauf eigentlich?

Das Regierungskrankenhaus wurde nach der Wiedervereinigung aufgelöst. Als ich Ende 1990 wieder einen Herzanfall hatte, existierte es nicht mehr. An dem Morgen hatten sie in den Nachrichten gesagt, Schewardnadse, der sowjetische Außenminister, sei zurückgetreten. Da wusste ich, mit der Sowjetunion ist es jetzt auch aus. *Heil Moskau* war unser Gruß im Rotfrontkämpferbund. Ich bin ja erst nach der Lagerzeit in Moskau gewesen, da wussten wir längst von den Prozessen in den 30er-Jahren. So viele meiner Genossen sind dort umgekommen, erschossen in der Lubjanka, in Butowo, erfroren in den Lagern, verhungert. Das habe ich nicht vergessen. Aber Stalin war tot, Berija auch, die letzten deutschen Emigranten sind Mitte der 50er-Jahre zurückgekommen. Bei uns hat es keinen Ärzteprozess gegeben, keinen Slánský-Prozess, wahrscheinlich war so etwas geplant, aber die Verhafteten wurden nach und nach freigelassen, die Vernunft schien zurückgekehrt zu sein. Was bleibt, ist: Die Sowjetunion hat Hitler besiegt. Die Westalliierten sind ja erst im letzten Moment dazugekommen. Ohne die Sowjetarmee wäre ich in Sachsenhausen verfault. Und ohne den

Arzt, den mir Semjon Baranowitsch geschickt hat, wäre ich aus diesem Kaff Machandel nicht mehr rausgekommen. Else hat im Roten Sprachrohr das Lied der sowjetischen Flieger gesungen: *Und richten sie die Gewehre gegen die Sowjetunion, / dann rüsten rote Heere zum Kampf, / zur Revolution!*

Vielleicht war meine Beziehung zur Sowjetunion so wie die von meinem Brandenburger Zellenkameraden zu seinem jüdischen Gott. Der hat auch nichts auf den kommen lassen, hat täglich seine Gebete absolviert und zu mir gesagt: »Ich glaube an den Gott Israels, auch wenn der das alles hier zulässt.« Der Mann war Mediziner, früher ein berühmter Professor. »Wenn ich meinen Glauben verliere, bin ich nichts«, hat er mir gesagt. Ich denke oft an Kozower. Im Herbst 40 bin ich nach Neuengamme gekommen, von da nach Sachsenhausen. Aber Kozower ist auch nicht in Brandenburg geblieben. Im Sommer 43 soll er nach Theresienstadt gebracht worden sein und von da wohl nach Auschwitz. Ich habe mich in den frühen 50er-Jahren nach ihm erkundigt, habe seinen Namen auf den Listen gesucht und andere gefragt, was aus dem Siegfried Kozower geworden ist. Das hat mir dann die Parteikontrollkommission auch vorgeworfen. Zionistische Umtriebe haben sie vermutet. Ich konnte denen nicht erklären, was ich von Kozower wollte. Noch einmal umarmen wollte ich ihn. In der Zelle habe ich nur über ihn gegrinst. Dabei hat er mir beim Sisalzupfen Englisch beigebracht und Vorträge über Spinoza gehalten. Und er konnte ganze Theaterstücke auswendig, *Woyzeck* und *Dantons Tod* von Georg Büchner hat er mir Szene um Szene erzählt. Das Zuchthaus war meine höhere Schule. In meiner Volksschule in der Driesener Straße sind wir nicht weit gekommen. Und ich war meistens müde, weil ich früh die Zeitungen austragen musste.

Ich war fünfzehn und schon bei der Arbeiterjugend, als die

Sowjetunion 1924 das Vaterland aller Werktätigen wurde. Ja, das haben wir geglaubt, und an diesem Glauben habe ich festgehalten, trotz allem.

Und nun war Schewardnadse zurückgetreten, und es war klar, dass es mit dem Land der Oktoberrevolution auch zu Ende war. Mir liefen die Tränen übers Gesicht, und Johanna, die den Notarzt geholt hatte, glaubte, ich hätte Schmerzen. Der Arzt diagnostizierte einen Infarkt und wollte mich in die Charité einweisen lassen. Das Regierungskrankenhaus in der Scharnhorststraße war zu, wir wussten das noch nicht, und der junge Arzt sagte hämisch zu Johanna: »Die Zeit der Sonderbehandlung ist vorbei für die führenden Genossen.«

Na ja, ich habe genug Sonderbehandlungen erfahren im Leben. Ich brauche auch keine Speisekarte am Bett. Obwohl, die gibt es hier auch. Die gibt es jetzt wohl in allen Krankenhäusern.

Ich sollte die Schwester rufen, damit sie das Kopfteil von diesem Krankenhausbett hochstellt, ich möchte lesen, um auf andere Gedanken zu kommen. Zum Glück machen meine Augen noch mit. Ich habe mir Büchners Briefe mitgenommen. Ein kleines, blau marmoriertes Buch, 1978 bei uns erschienen, im Verlag Der Morgen. Den gibt es auch nicht mehr, aber das Buch liegt auf meinem Krankenhausnachttisch, schon ganz abgegriffen. Ich habe es gekauft, weil Kozower oft von diesem Büchner gesprochen und weil noch früher auch Else mir aus seinen Stücken vorgelesen hatte, jede Rolle mit einer anderen Stimme. Ihr lag eben das Künstlerische, ein bisschen Verrückte.

Aber verstanden habe ich den Büchner erst, als Kozower in der Zelle ganze Szenen deklamierte. Woyzecks ohnmächtige Wut, seinen Hass. Diese Wut kannte ich, die kannte ich gut, die habe ich schon als Junge in der Kopenhagener Straße gespürt, wenn der Schimmel sich in der Stubenecke ausbreitete und Mutter am Monatsende nichts kochen konnte, weil sie nichts hatte. Die erbärmliche Wirklichkeit, an der Woyzeck zugrunde gegangen ist, die habe ich kennengelernt. Und das Gefühl kannte ich, von dem in Dantons Tod die Rede ist: *Ja, die Erde ist eine dünne Kruste, ich meine immer, ich könnte durchfallen…* In den beiden Jahren der Illegalität war das so, ein falscher Schritt, und darunter lauerte der Abgrund. Und danach war es nicht anders, man ging auf der dünnen Kruste, im Zuchthaus, im Lager. Bis 45. Sogar noch danach. *Man muss mit Vorsicht drauftreten, man könnte durchbrechen.*

Andere Gedanken von diesem Büchner habe ich nicht verstanden, aber man konnte darüber nachdenken. Mein Zellengefährte hat mir zitiert, ich weiß es bis heute, wie der philosophierende Gefangene Payne fragt: *Warum leide ich?* Büchner lässt ihn selbst die Antwort geben: *Das leiseste Zucken des Schmerzes, und rege es sich nur in einem Atom, macht einen Riss in der Schöpfung von oben bis unten.*

»Dann wäre ja die Schöpfung völlig zerrissen«, habe ich gesagt, und Kozower erwiderte: »Und, ist sie es nicht?«

Wenn ich hier rauskomme, habe ich gedacht, werde ich ins Theater gehen und mir Stücke von diesem Büchner anschauen. Ich hatte wenig Zeit fürs Theater. Johanna ist gern ins Ballett gegangen, in die Staatsoper. Das fand ich kleinbürgerlich, ich war da nie mit. Im Berliner Ensemble waren wir, auch im Deutschen Theater, da habe ich auch eine Inszenierung von Büchners *Woyzeck* gesehen. Mich hat das Stück aufgewühlt, ich fand es großartig, wie der Wolfgang Langhoff das inszeniert hat. Aber zum Glück habe ich nur mit Johanna darüber gesprochen, in unseren Zeitungen stand, der Abend sei pessimistisch und westlich dekadent gewesen. Statt um den Sieg des Volkes sei es nur um seine Irrtümer gegangen. Es war 1959, ich hatte die Schnauze voll und war froh, einigermaßen rehabilitiert zu sein, und kümmerte mich nicht mehr um Büchner.

Aber als ich zwanzig Jahre später das Buch gesehen habe, kaufte ich es.

Und dann las ich diese Briefe, und mir stockte das Blut, und es war niemand da, mit dem ich darüber sprechen konnte.

Büchner hatte 1834 an seine Braut geschrieben: *Ich studierte die Geschichte der Revolution. Ich fühlte mich wie zernichtet unter dem grässlichen Fatalismus der Geschichte. Ich finde in der Menschennatur eine entsetzliche Gleichheit, in den menschlichen Verhältnissen eine unabwendbare Gewalt, allen und keinem verliehen. Der Einzelne nur Schaum auf der Welle, die Größe ein bloßer Zufall, die Herrschaft des Genies ein Puppenspiel, ein lächerliches Ringen gegen ein ehernes Gesetz, es zu erkennen das Höchste, es zu beherrschen unmöglich. Es fällt mir nicht mehr ein, vor den Paradegäulen und Eckstehern der Geschichte mich zu bücken. Ich gewöhnte mein Auge ans Blut.*

Wir haben doch gedacht, alles entwickelt sich zum Höheren, am Ende der Entwicklung steht der Kommunismus. Und die Gesetze der Gesellschaft brechen sich Bahn durch uns, unser Wollen, unser Tun. Und der schreibt vom Fatalismus der Geschichte. Aber wenn ich zurückblicke, sehe ich, es war, wie Büchner es gesehen hat: *Der Einzelne nur Schaum auf der Welle.*

Ein paar Monate nachdem ich aus der Tuberkuloseheilstätte zurück nach Berlin kam, im Februar 56, war in Moskau der Parteitag, auf dem Chruschtschow die berühmte Rede hielt über Stalins Verbrechen. Im März hat Ulbricht sich vom toten Stalin losgesagt, beinahe beiläufig, wie man mit dem Fuß ein trockenes Blatt beiseiteschiebt. Er sagte, wir bräuchten keine Entstalinisierung, da wir keine Stalinisten gewesen seien. Trotzdem wurde uns Chruschtschows Rede erst nach und nach und in Auszügen bekannt. Manche meiner Genossen habe ich heulen sehen, das hätten sie alles nicht gewusst, sagten sie. Ich kann nicht sagen, dass ich es nicht gewusst habe. Mein Auge habe ich auch schon früh an Blut gewöhnt, schon vor 33. Und spätestens nach Karels Hinrichtung habe ich gewusst, dass die Genossen nicht gelogen haben, die von den sibirischen Lagern erzählten, von den Erschießungen, von der Angst im Vaterland aller Werktätigen. Im Lager habe ich es nicht glauben wollen. Aber ich habe ja die Genossen gesehen, die zurückkamen nach Stalins Tod. Abgehärmt, gealtert waren wir alle. Aber ihr Blick veränderte sich und sie verstummten, wenn man sie fragte, warum sie jetzt erst kämen. Nach dem 20. Parteitag hatten wir auch an Reformen geglaubt, von Tauwetter war die Rede, aber dann sind die Leute um Harich und Janka eingesperrt worden, für Jahre.

Über Karel und die anderen in seinem Prozess Verurteilten stand 68 in unseren Zeitungen, dass sie keine Konterrevolutionäre waren, dass ihre Hinrichtung in Prag ein Verbrechen war. Aber als ich den Genossen in Sachsenhausen Briefe und Fotos von Karel Hunzek gab, als ich die Historiker dort bat, ihm in ihrer Ausstellung einen Platz zu geben, wurde ich vor die Lagerarbeitsgemeinschaft zitiert. Das waren ja meine Kameraden gewesen, aber sie wiesen mich zurecht, es war wie Anfang 1953 vor der Parteikontrollkommission. Was ich bezwecke mit meinem Vorstoß, ob ich einen Keil treiben wolle zwischen die Partei und die Lagerarbeitsgemeinschaft? Damals, Ende 68, war Jan wegen seiner Prager Fotos in Untersuchungshaft. Ich wusste, dass jedes Wort von mir gegen ihn verwendet werden könnte, und ich wusste, als ich in die Gesichter vor mir sah, dass die Zeit noch nicht reif war, jemanden wie Karel wirklich zu rehabilitieren. Inzwischen standen die Panzer in Prag und die Zeit drehte sich wieder rückwärts. Wie die Prager Turmuhr, hatte mein Nachbar gesagt, der Ernst Busch. Ein paar Leute gab es ja damals noch, mit denen man reden konnte.

Meine Briefe von Karel, seine Fotos habe ich nicht wiederbekommen, sooft ich auch danach fragte. Aber der Bericht über unsere Flucht, den ich schon früher geschrieben hatte, lag im Archiv über den Todesmarsch, da hat Jan ihn gefunden. Er wollte von mir alles über Karel wissen, wie besessen war er von dieser Geschichte. Aber er war doch gerade raus aus dem Gefängnis, stand unter Bewährung, ich wollte ihn nicht schon wieder gegen die Wand rennen lassen. Für ihn habe ich mich durch mein Schweigen auf die Seite von Karels Henkern gestellt.

Und jetzt steht alles in den Zeitungen, jede Woche neue Enthüllungen über unsere Geschichte. Aus, vorbei, zu spät.

Ich glaube, ich brauche die Schwester gar nicht, die mir das Kopfteil hochstellen soll, ich muss das blaue Büchlein mit Büchners Briefen gar nicht aufschlagen, ich weiß auch so, was er geschrieben hat. Das ist mir auch aus den Jahren der Illegalität geblieben, ich kann mir wichtige Texte merken, Wort für Wort. Es gibt eine Stelle in Büchners Briefen an die Braut, die ist wie von mir. Aber ich habe keinen, dem ich das schreiben könnte: *Arbeiten ist mir unmöglich, ein dumpfes Brüten hat sich meiner bemeistert, in dem mir kaum ein Gedanke noch hell wird. Alles verzehrt sich in mir selbst; hätte ich einen Weg für mein Inneres – aber ich habe keinen Schrei für den Schmerz, kein Jauchzen für die Freude, keine Harmonie für die Seligkeit. Dies Stummsein ist meine Verdammnis.*

Fünfundsiebzig Jahre vor meiner Geburt hat er das geschrieben.

Ich will mich ablenken von diesem dumpfen Brüten, was habe ich denn außer dem blauen Büchlein noch mitgenommen zum Lesen? *Die Brüder Karamasow* von Dostojewski. Auch keine leichte Lektüre. Das habe ich fast so oft gelesen in den letzten Jahren wie Büchners Briefe. Von Dostojewski hatte Kozower auch gesprochen beim Sisalzupfen. Er hat mir erzählt, wie der nach Sibirien verbannt wurde, am Rand der Welt lebte, abgeschnitten vom Leben. Stillstand, Gefangenschaft wie damals bei uns. Das Leiden des Einzelnen zählt nicht vor der Geschichte. Für meinen Zellengefährten war Dostojewski einer, der wie er mit seinem Gott haderte. Er meinte, Glaube kann den Zweifel nicht aus der Welt schaffen, und der Zweifel den Glauben nicht. »Weil wir Gott brauchen«, hat er gesagt. »Ich brauche keinen Gott«, habe ich ihm trotzig entgegnet. Da lachte er mich aus und sagte, ich solle dessen nicht so sicher sein. Stalin sei doch für meinesgleichen ein Gott. Über Stalin haben wir auch gestritten und in einem musste ich meinem Zellengefährten damals schon recht geben. Stalins Kominternpolitik hat den Widerstand gegen Hitler in den frühen 30er-Jahren gelähmt. »Dein Thälmann war es doch, der die Partei 1928 auf Stalins Linie gebracht hat«, hielt mir Kozower vor. Über Thälmann konnte ich mit ihm nicht reden. Thälmann war wenigstens nicht so ein verholzter Funktionär wie Ulbricht, der war ein Mensch. Ich weiß genug über die Widersprüche im Menschen.

Erst in den letzten Jahren habe ich Dostojewski gelesen und Hegel, gern würde ich mit einem wie Kozower darüber reden. Oder mit meinem Sohn.

Clara kann ich meine Gedanken nicht zumuten. Wenn sie etwas fragt, antworte ich. Aber Clara ist so naiv, sie weiß fast nichts über die Vergangenheit. Vielleicht ist das besser so, sie hat es schwer genug. Nach der Wiedervereinigung musste sie sich einen neuen Beruf suchen, allein mit den Mädchen. Ihr Mann, von dem ich nie besonders viel gehalten habe, ist abgehauen in die Schweiz. Einen neuen Gefährten hat sie mir nicht vorgestellt, nur ein- oder zweimal hat sie einer von mir abgeholt, ein Musiker, der sah auch so aus, als ob er nur Geige spielen kann, nichts Handfestes. Aber sie hat mir nichts weiter erzählt von dem Musiker, nur meine Enkelinnen haben ihn erwähnt und durchblicken lassen, dass sie froh sind, wenn ihre Mutter einen Freund hat und sich nicht so viel mit ihnen beschäftigt. Es sind gute Mädchen, aber ihr Leben ist so weit von meinem entfernt. Die Kleine, Caroline, studiert in Göttingen. Als ich ihr erzählt habe, dass ich dort 1926 bei einem Treffen der Zugführer vom Jungsturm war, hat sie sich geschüttelt vor Lachen: »Geil, mein Opa war ein Rotfrontkämpfer.«

Eine Zeitlang habe ich gedacht, Clara tut sich mit diesem Herbert Ahrens zusammen. Der hat mich in den letzten Jahren manchmal besucht, über Jan weiß er auch nichts. Er ist jetzt wieder Historiker an einem Forschungsinstitut, beschäftigt sich mit der preußischen Eisenbahnverstaatlichung von 1879. Das ist nicht so abwegig, wie es sich anhört. Gerade jetzt, wo sie wieder alles privatisieren wollen. Mit dem Ahrens hatte ich interessante Gespräche über Bismarck. Vor zwei, drei Jahren habe ich ihn mal spöttisch als Revolutionär angeredet, schließlich war er ja eine Figur in dieser friedlichen Revolution. Da sagte er nur knapp, dies sei nie seine Rhetorik gewesen. Eine Revolution habe nicht stattgefunden in Deutschland, weder am Anfang noch am Ende des Jahrhunderts. Dem kurzen Herbst der Utopie von 1989 sei einfach die teilweise feindliche Übernahme eines Betriebs namens DDR gefolgt, der ökonomisch und moralisch bankrott war.

Komischer Kauz, dieser Herbert Ahrens, aber nicht dumm. Jetzt lebt er mit der Tochter der Russin zusammen, die uns damals im Eiskeller versteckt hat. Die Tochter, Lena heißt sie wohl, weiß wahrscheinlich gar nichts davon, und sie wird auch nicht wissen, dass ich es war, der ihnen damals, als ich aus Sülzhayn zurückgekommen war, zu ordentlichen Papieren verhalf, sie waren ja keine DDR-Bürger.

Vorbei, vorüber. Natalja ist längst tot, DDR-Staatsbürger ist niemand mehr.

Manchmal bin ich wütend und denke: Hans Langner, was ist aus dir geworden? Ein Greis mit Urinbeutel, der nicht mehr alleine laufen kann, aber dessen Gedächtnis leider noch funktioniert, der nichts vergessen hat und nichts vergessen kann.

Wenigstens sehe ich hier, wenn ich den Kopf drehe, einen Baum durch das Fenster. Die Zweige sind kahl, aber ich schaue zu, wie sich durchsichtige Tropfen an ihnen bilden, die langsam zu Boden fallen. Vorhin war noch alles in Nebel gehüllt, ich dachte, dass die Fenster blind vor Staub sind, aber jetzt sehe ich alles ganz klar. Ein schwarzer Vogel hat sich in einer Astgabel niedergelassen.

Eine Krähe. Ich weiß nicht viel über Vögel. In unserem Hausgarten am Heinrich-Mann-Platz saßen sie morgens in den Hecken, und Johanna konnte sie am Gesang und am Gefieder erkennen, für mich sahen sie alle gleich aus. Johanna ist auf dem Dorf aufgewachsen, bei uns in der Kopenhagener Straße gab es nur Spatzen. Und Krähen. Das da draußen ist eine Krähe. Jetzt fliegt sie weg. Seltsam, dass sie allein ist, Krähen sind sonst nur in Scharen unterwegs. Totenvögel.

Als ich Ende 46 im Dienstwagen unterwegs war, um an den Todesmarschstraßen meine verscharrten Kameraden zu suchen, hockten die Krähen neben der Landstraße und warteten darauf, dass etwas Lebendes unter die Räder käme. Und als die von der K 5 die Grube am Feldrand gefunden hatten, in der Bruno und das Mädchen Anna und die anderen lagen, als diese Grube geöffnet wurde, war ich dabei, und ich erinnere mich an die Scharen von Krähen, die über uns kreisten.

Johanna mochte Krähen. Johanna sagte, das seien Frühlingsvögel, Hoffnungsvögel. Gesellig und intelligent seien sie, würden paarweise in Ehen leben, die lebenslang halten.

Wenn es doch nur unser Blick auf die Vögel gewesen wäre, der uns trennte. Johanna liebte Tiere. Sie wollte auch immer einen Hund, das habe ich ihr verwehrt. Im Lager hatten die Bewacher Hunde. »Wer die Hunde so schätzt, liebt die Menschen nicht«, habe ich Johanna gesagt. Ich weiß noch ihre Antwort, höre den bitteren Ton: »Und du glaubst, du liebst die Menschen?«

Damals hat mich dieser Satz nur geärgert, heute trifft er mich ins Herz. Johanna hat gefroren an meiner Seite. Sie war doch so jung, sie wollte ein schönes Leben haben nach diesem Krieg. Aber warum hat sie geglaubt, dass sie es bei mir finden könnte? Ich war doch ein KZler, viel zu alt für sie, dem Tod von der Schippe gesprungen. Am Anfang, in diesem Schloss in Machandel, war Johanna nur meine Krankenschwester. Ich muss wochenlang im Fieber gelegen haben, da habe ich Else zu ihr gesagt, sie hat es mir erzählt. Aber dann, als es mir besser ging, hat sie mich ausgefragt, ich sollte ihr so vieles erklären, sie wusste ja nichts. Sie hat gedacht, wir Konzentrationäre seien Verbrecher, Mörder. Sie war ein Kind von fünf Jahren, als Hitler an die Macht kam, sie hat ja nichts anderes gehört. Ihre Mutter hat ihr *Ännchen von Tharau* vorgesungen, hat ihr was über Krähen und Rotkehlchen beigebracht, aber nichts Politisches. Johanna hat mir zugehört wie sonst niemand im Leben. Wie höchstens noch Clara, als sie noch ein Kind war. Jan hat mir nicht so zugehört, mein Sohn verehrte diesen Geigenbogenbauer, was der sagte, zählte für ihn. Und wenn wir miteinander sprachen, war doch immer so etwas Zweifelndes in Jans Blick. Johanna hat nicht gezweifelt, damals nicht. Es hat mir gefallen, wie sie zuhörte. Sie war ja damals noch fast ein Kind, ein Kind mit großen Augen und festen kleinen Brüsten unter der

Strickjacke. Als ich noch liegen musste, habe ich diese Brüste gespürt, wenn sie über mein Bett nach dem Nachttisch langte. Ich habe ihr erzählt, dass wir ein neues Deutschland aufbauen werden, ohne Nazis, ohne Konzentrationslager, ohne Gutsherren und für immer ohne deutsche Soldaten. Dass sie studieren könnte in diesem neuen Deutschland, habe ich ihr versprochen. Was wir Kommunisten wollen, habe ich ihr erklärt, und es hat ihr eingeleuchtet. Vom Schlafzimmer der Baronin aus sah ich Baumäste sich bewegen, wie hier, wie jetzt von meinem Krankenbett aus. Jetzt kommt eine Schwester und fragt, ob sie das Kopfteil hochstellen soll. Ich will nicht mehr lesen, ich will an Johanna denken, an diese Monate im Schloss von Machandel, die vielleicht die besten unseres gemeinsamen Lebens waren.

Wenn ich mich mit dem Kommandanten unterhielt, saß Johanna still daneben. Semjon Baranowitsch behandelte mich wie einen Freund. Als er von den Mecklenburger Genossen, von Bernhard Quandt wohl, erfuhr, dass ich Thälmann kannte, hat er halbe Nächte lang bei mir gesessen. Er wollte wissen, was ich über den Ersten Weltkrieg dachte, über den Rapallo-Vertrag, warum die deutschen Sozialdemokraten und die Kommunisten nicht zusammengegangen waren, und ich habe ihm, so gut ich konnte, geantwortet. An Johannas Augen habe ich gesehen, dass sie nie etwas über diese Dinge gehört hatte, ich sah, wie sie die Worte aufsog, und spürte Zuneigung zu diesem Mädchen, war dankbar für dieses zärtliche Gefühl, das ich schon vergessen hatte, das ich vermisst hatte, ohne es zu wissen. Als ich schon fast gesund war, kam Bernhard Quandt, der mit mir die Bodenreform vorbereiten wollte, da sah Johanna sich schon als meine Mitarbeiterin, als meine Beschützerin, sie kam einfach mit. Weil sie stenographieren konnte, hat Quandt sie auch manchmal in sein Büro geholt. Wenn sie wiederkam, habe ich am Fenster gestanden und auf sie gewartet. Wenn ich sah, wie sie aus dem Auto stieg, wie sie mit der Schreibmappe unterm Arm über den Vorplatz zur Freitreppe ging, wie sie dem Chauffeur zuwinkte und sich dann mit der Hand eine Haarsträhne aus dem Gesicht schob, sah ich: Sie ist kein Kind, sie ist eine Frau, eine schöne Frau.

Dann dachte ich an Else, an all die Toten, und ich spürte, was ich versäumt hatte und was vorbei war und was nie mehr kommen würde, und dachte: Was habe ich hier zu suchen, auf diesem Dorf, in diesem Gutshaus voller fremder Menschen? Ich wollte zurück nach Berlin, aber die Mecklenburger ließen mich nicht fort, ich sollte das Ernährungsamt übernehmen, und Johanna wollte mich auch nicht fortlassen. Sie würde mitkommen nach Berlin, sagte sie mir, und ich erschrak und fuhr sie an, wie sie sich das denke, ich hätte keine Zeit, mich um sie zu kümmern. Manchmal, wenn ich tagelang ohne sie in Schwerin oder Güstrow war, schlief sie in meinem Zimmer im Doppelbett der Baronin; in der Kammer neben der Küche war es eng und es gab nur Strohsäcke. Aber ein- oder zweimal wurde ich nachts zurückgebracht, dann kam ich ins Schlafzimmer der Baronin und da lag Johanna und schlief und ich sah ihr Haar auf den Kissen liegen. Ich habe mich leise neben sie gelegt und auf ihren Atem gelauscht, manchmal seufzte sie im Schlaf, einmal schrie sie und warf sich unruhig hin und her, ich habe nicht gewagt, sie zu berühren. Meistens hörte ich nur ihren leichten Atem, mir war, als ob ich ihn auf der Haut spürte wie einen Sommerwind, und ich bekam eine Gänsehaut. Manchmal machte sie mit den Lippen so kleine Geräusche, es hörte sich an wie ein Zirpen, wie das Rufen eines verlorenen Vogels. Wenn gegen Morgen die Vögel im Schlosspark zu hören waren, wachte Johanna auf und erhob sich leise. Ich stellte mich schlafend und sah sie doch durchs Zimmer gehen, ihre zarte Gestalt, ihre Schritte erinnerten mich an eine Zeit, die vergangen war, an Else in unserer Kochstube an der Ecke Stargarder Straße, an mich, als ich noch ein Mann war und sie begehrte. Mein Lagerkamerad Rudi Wunderlich, der kurz vorm Kriegsende von seinem Aufräumkommando abgehauen ist zu seiner Marthel, die ihn versteckt hat, sagte mir einmal, das war schon in der DDR, er hatte Marthel schon verlassen: »Die haben auch unsere Sexualität kaputt gemacht. Wenn man jahrelang nur unter Männern lebt, wenn einem der eigene Körper so fremd wird, wenn man sich sogar Träume verbieten muss, weil sie schwächen und Schwäche tödlich sein kann, dann ist man kein Mann mehr, der Frauen etwas geben kann.«

So habe ich das damals auch empfunden, mein Körper war ein Knochengestell, zusammengehalten von fleckiger Haut. Das war nicht ich, aber ich hatte nur diesen abstoßenden Körper, er würde jedes Zusammensein mit einer Frau verderben, jede Lust töten, davon war ich überzeugt. Und sowieso war es nicht die Zeit, an diese Dinge zu denken, ich hatte meinen Auftrag hier zu erfüllen, dann wollte ich nach Berlin zu meinen Genossen. Und dieses Mädchen war viel zu jung für einen wie mich und kam aus einer ganz anderen Welt.

Aber sie war da, und ich war am Leben, und an ihrem Arm bin ich spazieren gegangen, erst nur im Schlosspark, Schritt für Schritt. Schön war das. Wie die Erde duftete. Die Flüchtlingsfrauen hatten die Blumenrabatten der Baronin für Gemüse umgegraben und die Erde lag so schwarz und glänzend da, so unberührt.

Es muss im August gewesen sein, die Hitze lag über Machandel, im Schloss standen alle Fenster offen, und immer wieder kam Streit unter den Frauen auf, weil manche meinten, man müsse die Fenster schließen und verhängen, erst nachts dürfe man die Fenster öffnen. Ich saß an dem Tischchen, das mir Semjon Baranowitsch hatte ins Schlafzimmer der Baronin bringen lassen, ihren Schreibtisch benutzte er selbst. Nicht wegen der Hitze, wegen der keifenden Frauen schloss ich die Fenster, aber die aufgeregten Stimmen drangen trotzdem zu mir, dazwischen hörte ich Lachen und sogar Singen.

Es ist gut, dass sie zum Leben erwacht sind, dachte ich, denn Semjon Baranowitsch hatte mir erzählt, in den ersten Tagen und Wochen seien die Flüchtlinge apathisch, wie betäubt gewesen und auch die Kinder habe man kaum gehört.

Vor mir lagen Papiere, ich sollte für Bernhard Quandt den Entwurf einer Rede durcharbeiten, er wollte in Basedow zur Bodenreform aufrufen. Ich erinnere mich an meine Unruhe an diesem Tag, Johanna war mit ihrer Mutter unterwegs, sie wollte schon am Nachmittag zurück sein, immer wieder horchte ich auf ihre Schritte, aber sie kam nicht. Mich störte, wie sehr ich auf dieses Mädchen wartete, und als ein Unwetter aufzog, stellte ich mir vor, sie könnte vom Blitz getroffen werden, und ärgerte mich gleichzeitig über diese lächerliche Besorgnis. Das Gewitter war, wie viele in diesem Sommer, kurz und heftig, ich öffnete wieder meine Fenster und sog die würzige frische Luft ein, spürte, wie die abgestandene Hitze aus den Ecken abzog, als ich mich umdrehte, stand Johanna vor mir, lachend mit nassem Haar. »Lass uns spazieren gehen, es ist so schön draußen«, sagte sie und nahm meine Hand. Es war das erste Mal, dass sie mich duzte. Wir waren ja schon ein paarmal zusammen gegangen, aber da war ich wie ihr Patient und sie wie meine Krankenschwester gewesen, doch heute war es anders. Alles war anders heute. Die vorhin noch so zänkischen Frauen lächelten und machten auf der Treppe Platz, die Kinder vorm Haus hörten auf, von der Freitreppe in die Pfützen zu hüpfen, sie blickten uns nach und winkten, ich sah hinter der Scheibe des Inspektorhauses die Hamburgerin, die auch schon an meinem Bett gewacht hatte. Jetzt brauchte ich keine Krankenwärterinnen mehr, ich war gesund, und jetzt ging ich neben dieser verwirrend schönen Frau, spürte ihre Hand in meiner, nein, sie war es, die meine Hand umklammert hielt, sie hielt mich fest, sie führte mich, wohin? Was machst du hier, Hans Langner, fragte ich mich, eben war ich doch noch ein Häftling, aber das ist vorbei, die Nazis sind geschlagen, der Krieg ist zu Ende, es ist Frieden. Auch die Dorffrauen in ihren Vorgärten schienen das zu begreifen, alle lächelten, eine rief uns etwas Freundliches nach, wir bogen in die Kastanienallee ein, gingen bis zum Lärchenwald, quer über die nassen Wiesen bis zu den Machandelhügeln, da hockten zwei in der Senke und küssten sich. Von Weitem sahen wir die Hamburgerin, die neben einem der Männer von der Komendatura ging, sie blieben stehen und umarmten sich, lange, ganz eng umschlungen gingen sie weiter, ich wollte Johannas Hand loslassen, aber sie hielt mich fest, ich kam nicht mehr los, sie schaute mich ganz ernst an mit Elses Augen, aber sie waren ja nicht grün und waren Johannas Augen. Wie geht das weiter?, dachte ich und wusste es nicht und überließ mich Johanna, ihrer Hand, ihren Augen. Verwundert sah ich mich um, so hatte ich die Welt noch nie gesehen. Ein schmaler Wassergraben, riesige bunt geäderte Steine, eine Hecke mit prallroten Beeren, ein schwarzer Vogel, der sich vor unseren Augen in die Luft schwang und langsam seine Kreise zog. Vom Waldrand her kam die Dämmerung. Auch im Wald waren wir nicht allein, überall trafen wir Paare. Wir gingen weiter und weiter. »In der Dämmerung sieht man Tiere«, sagte Johanna, und als sie mit mir auf einen Jägerhochstand klettern wollte, hörten wir Wispern und Lachen von dort oben und kehrten um. Am Ufer des Krevtsees lagerten Tiere, aber als wir näher kamen, waren es Menschen, verschlungene Körper. Was ist das für ein Abend?, dachte ich. Sogar die Schwäne im Schilf waren zu zweit und zwei Fischreiher flogen über die Hügel.

Vielleicht hatte ich solche Augustnächte früher schon erlebt, vielleicht am Motzener See mit Else oder bei den Fichte-Sportlern am Straussee, aber ich hatte sie in den vergangenen zwölf Jahren vergessen. Ich spürte nur Staunen und sah alles wie zum ersten Mal.

Ich lebe, spürte ich, ich lebe, ich habe alles überstanden, erst jetzt konnte ich es fühlen, und ein Glücksgefühl durchströmte mich. Es war schon fast dunkel, wo wir gingen, gab es keinen Weg, jetzt musste sie mich nicht mehr festhalten, jetzt wollte ich sie berühren, ihren Hals, ihre Haut, mich an sie drängen, aber Johanna lenkte mich zurück zum Dorf, da war schon das Maschinenhaus, der Eiskeller, aus dem unterdrücktes Frauenlachen zu hören war, durch den Park huschten Paare, wir betraten das Schloss durch die Hintertür, ein Stöhnen und Flüstern lag auch hier über allem, nur Natalja, die Russin, saß allein auf der Treppe in dieser Nacht der Liebe. Aus ihrer Kammer neben der Küche hörte ich die Stimme von Johannas Mutter, dazwischen das Lachen des Königsbergers, der vor ein paar Tagen mit seinem Rucksack angekommen war, ein Geigenbogenbauer. Was für eine seltsame Ansammlung von Menschen das hier war und dazwischen ich, Hans Langner. Was will ich hier? Ich gehöre nicht dazu. Jetzt waren wir im Schlafzimmer der Baronin angekommen, Johanna schloss die Tür und lehnte sich dagegen, sie schaute mich an, erhitzt, erwartungsvoll, ich sah sie im großen Wandspiegel, denn ich hatte mich abgewandt, verlegen plötzlich, mir selber fremd. Im Spiegel sah ich auch mich, diesen hohlwangigen Menschen mit den tiefen Kerben im Gesicht, was wollte Johanna mit dem, plötzlich wünschte ich mich weg, ich gehöre nicht hierher, spürte ich nur, ich gehöre nicht zu dir, Mädchen, lass mich allein. Einen langen Moment lang begegneten unsere Blicke sich im Spiegel, sie streckte die Hand nach mir aus, ich wich zurück, verlegen, aber ich war ja ihrem Spiegelbild ausgewichen, und die wirkliche Johanna fing mich auf, sie war eine Frau, eine erfahrene Frau, vielleicht war sie es erst in diesem Moment geworden, aber sie zog mich zu sich, sie wusste, was sie zu tun hatte, ihr Körper wusste es. Wir lagen auf dem Bett, und sie streichelte mich, sie berührte jeden Teil meines Körpers, ihre Wärme, ihr Leben strömten in mich, es war wie in dem Märchen, das meine Mutter vor langer Zeit uns Kindern erzählt hatte, die eisernen Ringe um mein Herz sprangen ab, ich war zurückgekehrt von den Toten. Ich lag an Johannas Brust und war wieder ein Kind, und sie nahm mich auf in ihren Schoß, und ich war wieder ein Mann, ich war Kind und Mann zugleich und tauchte einfach ein in dieses Gefühl, als wäre es immer meine Sehnsucht gewesen, hier anzukommen.

Als es schon hell wurde und die nackte Johanna neben mir eingeschlafen war, zusammengerollt wie im Mutterleib, stand ich auf und sah zu, wie zwischen den Bäumen die Sonne aufstieg. Am Hintereingang stand die Hamburgerin, Emma hieß sie wohl, sie trug einen Eimer, aus dem Schatten trat einer der Russen, der, mit dem sie vorhin im Wald gewesen war, er nahm den Eimer, und mit dem anderen Arm umfasste er sie, und ich sah, wie das Wasser über ihre Füße schwappte, während sie gingen.

Ich wandte mich zurück ins Zimmer, setzte mich neben die schlafende Johanna, betrachtete sie und berührte mit den Fingerspitzen ihre Brüste, fuhr über ihren Hals, zeichnete vorsichtig die Konturen ihres Gesichts nach und hielt erst inne, als ihre Augenlider zuckten. Sie sollte nicht aufwachen, ich wollte nur ihren Geruch einatmen und spüren, wie sich unendliche Dankbarkeit in mir ausbreitete.

So war das, so sind Johanna und ich zusammengekommen, und über viele Jahre war diese Dankbarkeit die Brücke, über die ich immer wieder zu ihr gegangen bin. Aber jetzt liegt sie schon seit fünfzehn Jahren auf dem Friedhof III in Pankow, nicht weit von Ernst Busch entfernt und in der Nähe so vieler, die ich gekannt habe. Else hat kein Grab. Else habe ich vor ihrem Tod verleugnet und Johanna ist zur Trinkerin geworden an meiner Seite. Meinen Freund Karel haben unsere Genossen ermordet und ich habe es hingenommen. Meinen Sohn haben sie eingesperrt und ich habe ihn nicht verteidigt. Aber meinen Schwur aus der Zeit des Roten Frontkämpferbundes habe ich gehalten. *Stets und immer ein Soldat der Revolution zu sein. Meine revolutionäre Pflicht gegenüber der Arbeiterklasse und dem Sozialismus zu erfüllen.* »Eine Revolution hat nicht stattgefunden«, sagt Jans Freund.

Jetzt geht es mir wie diesem Büchner. Stummsein ist meine Verdammnis.

21

CLARA

Grigoris Rückkehr

Nach dem Tod meiner Mutter fuhr ich wochenlang nicht nach Machandel, erst an einem kalten und regnerischen Abend Ende April kam ich wieder ins Dorf, das abweisend schien und leer. Im ausgekühlten Katen roch es nach toten Mäusen, die Rohre in Bad und Küche waren geplatzt, als ich das Wasser anstellte, spritzte es bis an die niedrige Decke. Mit klammen Fingern wischte ich die Böden auf und machte mich wie in den Anfangszeiten mit einem Eimer auf den Weg, um Wasser zu holen. Bei Wilhelm und Auguste sah ich Licht, aber Auguste hatte einmal bemerkt, das Wasser sei teuer geworden, sie habe nichts zu verschenken. Ich wollte mit meinem Eimer zu Natalja gehen und freute mich auf das Wiedersehen.

Dass die Flügeltür über der Freitreppe abgeschlossen war, wunderte mich nicht, Natalja hatte ja von den Dieben erzählt. Aber warum reagierte sie nicht auf mein Klopfen und Rufen, sie hatte doch ein feines Gehör? Alles blieb dunkel. In den Fenstern des Neubaus im Park war nicht einmal der Schein von Emmas Fernsehapparat zu sehen. Etwas Unheimliches wehte mich an.

Ohne Wasser kehrte ich in den Katen zurück und kroch unter die klammen Federbetten. In dieser Nacht wurde ich immer wieder wach, lauschte auf jedes Geräusch, mir war, als ob die Bodentreppe knarrte, ich glaubte Schritte im Garten zu hören und fühlte mich sehr allein, bedroht von etwas, das sich nicht zeigte.

Auch am Morgen lag das Dorf grau und wie ausgestorben unter einer kalten Sonne. Noch einmal klopfte ich am Schloss, Nataljas Vorhänge waren zugezogen und die Fenster trüb, auch bei Emma wirkte alles verlassen. Ich sah Auguste hinter der Gardine des Verwalterhauses, aber als ich grüßte, verschwand ihr Gesicht. Mit dem Rad fuhr ich nach Lalenhagen zum Klempner, der war schon unterwegs, aber seine Frau versprach, ihn noch am selben Tag zu mir zu schicken. Von ihr erfuhr ich, dass Emma Peters, bei der es vor Kurzem auch einen Rohrbruch gegeben und die sich die Hand verstaucht hatte, von ihren Kindern abgeholt worden sei. »Ist doch nix für ne oll Fru so allein in dem dunklen Park. Der wächst auch langsam zu, kümmert sich ja keiner drum. Und nun, wo die Natalja gestorben ist, wird auch das Schloss vergammeln. Ist dir schlecht?« Sie schaute mich besorgt an. »Ihr Stadtleute frühstückt ja auch nicht richtig«, vermutete sie und nötigte mich in ihre Küche, wo sie mir eine Tasse Kaffee und ein Leberwurstbrot hinstellte.

»Natalja ist im Januar gestorben. Ganz plötzlich, die war gar nicht krank gewesen, nur noch stiller als sonst. Noch am Abend davor war ich bei ihr, weil sie mir eine Jacke aus Schafwolle stricken wollte. Die sollte schon zu Weihnachten fertig sein, aber der Russin ging es nicht mehr so von der Hand in letzter Zeit. Dabei war sie ja noch keine siebzig. Die Jacke war immer noch nicht fertig, sonst war die Natalja immer so zuverlässig. Die Stumme hat mir die halbfertige Jacke noch vor der Beerdigung gegeben, bezahlt war sie zum Glück noch nicht. Aber wer soll das nun zu Ende bringen? So wie die Natalja kann keine stricken, die war ja eine Künstlerin. Die Stumme jedenfalls kann das nicht, außerdem ist sie nicht mehr da.«

»Wo ist sie denn?«, fragte ich, aber die Frau hob nur die Schultern.

»Ich habe mich schon gewundert, dass ihr nicht bei der Beerdigung wart, wir dachten, Emma oder die Stumme hätten euch Bescheid gesagt. Aber einer von euch Berlinern war da, der Freund von deinem Bruder, den sie damals eingesperrt haben. Der war ja schon früher in Machandel und im Fernsehen war er auch mal. Ich habe ihn bei der Beerdigung gleich erkannt, auch wenn der Bart ab ist.«

Von Herbert hatte ich lange nichts gehört. Es überraschte mich, dass er zu Nataljas Beerdigung gekommen war, und ich war bestürzt und traurig, dass ich mich nicht von ihr hatte verabschieden können. Natalja war am selben Tag gestorben wie meine Mutter.

Später sah ich, dass eine Traueranzeige von Lena bei uns in Berlin angekommen war, meine Töchter hatten sie jedoch mit all den anderen schwarz umränderten Umschlägen, die meiner Mutter galten, in eine Mappe gelegt, die ich noch nicht wieder angerührt hatte.

Nachdem ich mich von der Klempnerfrau verabschiedet hatte, fuhr ich gleich nach Klabow auf den Friedhof. Das Grab war noch nicht bepflanzt, ich erkannte es an der frisch aufgeworfenen schwarzen Erde, die durch die Abdeckung von Wacholderzweigen schimmerte.

Aber wo war Lena?

Ich beschloss, Minna Möllers zu fragen, die stille Nachbarin, von der ich nur wusste, dass sie Augustes Schwester war und ihr ganzes Leben in Machandel verbracht hatte. Das alte Weiblein schien noch mehr in sich zusammengesunken, sie öffnete mir die Tür, als hätte sie auf mich gewartet, und führte mich, nachdem ich meine Schuhe ausgezogen hatte, in die Küche, wo ihr Mann, der wortkarge Richard, mit einem gemurmelten Gruß seinen Platz räumte und sich nicht wieder sehen ließ. Minnas Augen aber schauten mich blank und neugierig an. Ich blickte mich in ihrer Küche um, die aussah wie alle Küchen in den Neubauernhäusern hier. Auf dem Tisch lag abgewetztes Wachstuch, aber da standen keine gewöhnlichen Küchenstühle, sondern ehemals feine aus Kirschbaumholz, zwar waren die grünen Samtbezüge längst zerrissen und speckig, in den geschnitzten Lehnen aber erkannte ich das Wappen, das auch am Schloss über der Freitreppe zu sehen war. Minna bemerkte meinen erstaunten Blick und sagte mit einer wegwerfenden Handbewegung: »Ach, die ollen Dinger konnten wir 45 noch retten. Die Flüchtlinge im Schloss haben doch alles verheizt, was nicht niet- und nagelfest war. Bei Auguste drüben steht noch mehr, wir haben bloß die Stühle hier abbekommen.«

Sie holte einen Wacholderlikör und zwei schöne, sehr alte Abrissgläser, wahrscheinlich auch aus dem Schloss. Ich fragte sie nach Nataljas Tod und hörte wieder, dass die Russin gar nicht krank gewesen sei. Sie sei eben einfach gestorben, ihre Tochter habe sie gefunden und sei schreiend durch den Park gelaufen, zu Emma Peters. »Awers doot blivt musendoot, da künnt de Hambürgerin ok nix maken«, fiel sie ins Plattdeutsche. Ich fragte nach der Beerdigung, aber Minna sagte, sie habe einen Hexenschuss gehabt und sei nicht bis nach Klabow gekommen. Und Richard gehe nur zu Beerdigungen, wenn es sein müsse. Bei den Zugereisten gehe er nie.

»Zugereiste«, wiederholte ich das Wort gedehnt. »Natalja hat doch ein halbes Jahrhundert in Machandel gelebt.« »Na ja«, lenkte Minna ein, »allens wat wohr is. Arbeiten konnte sie und hat keinem was getan.«

Ich fragte nach Lena und erfuhr, dass die Stumme nach der Beerdigung im Schloss geblieben und nicht mehr zur Arbeit gegangen sei. Nur Emma habe sie zu sich gelassen. »Aber dann ist der Russe gekommen, der Grigori, der ja ihr Vater sein soll, und mit dem ist sie abgehauen. Mit nichts als einem Rucksack und verabschiedet hat sie sich nur von Emma.« Minna Möllers rückte näher an mich heran, ihre Augen glänzten vom Wacholderschnaps oder von der Lust, etwas so Außergewöhnliches berichten zu können.

Ich hatte schon gehört, dass Lenas Vater einer der russischen Kriegsgefangenen aus dem Lager Fünfeichen gewesen war. Aber Natalja hatte ihn nie erwähnt, ich fragte auch nicht danach. Und nun war Natalja nicht mehr da und Lena einfach fortgegangen. Machandel war nicht mehr der Ort, nach dem ich mich in Berlin gesehnt hatte. Aber hatte es den je gegeben? Ich fühlte mich, als hätte ich etwas verloren, das mir nie wirklich gehört hatte. Draußen regnete es, ich wollte aufstehen und durch den Regen zu meinem Katen gehen, aber dort würde es noch immer nach Mäusekadavern riechen, und das Haus würde leer sein, ohne Michael und die Mädchen. In die Stille hinein würden sich die Vergangenheiten drängen, die ganz alte des Märchens vom Machandelboom und die des Mädchens Marlene, die der Emma Peters und auch meine eigene.

»Die Natalja hat keinem was getan«, wiederholte Minna Möllers, ihre faltigen Bäckchen glühten jetzt rot, sie goss sich noch einen ein. »Dabei«, sie senkte die Stimme, »hätte sie manchem schaden können, wenn sie nur gewollt hätte.« Sie sagte dicht an meinem Ohr: »Der Wilhelm, mein Schwager, hatte richtig Angst vor der.«

»Wegen Marlene?«, fragte ich. Aber Minna kicherte nur und nippte an ihrem Glas.

»Wilhelm hat damals einen Brief geschrieben«, hakte ich nach. »Er hat verlangt, dass das Mädchen abgeholt wird. Habt ihr das gewusst? Habt ihr gewusst, dass die Kranken umgebracht wurden?«

Minna Möllers stemmte sich ächzend an der Stuhllehne hoch. Als sie stand, griff sie nach der Flasche und stellte sie in den Küchenschrank. Und wieder ins Plattdeutsche wechselnd, sagte sie, es klang wie ein Abschluss: »Do du dat Dine, Gott deit dat Sine.«

Während ich meine Schuhe wieder anzog, sagte ich: »Auguste hat den Brief an die Erbgesundheitsbehörde auch unterschrieben.«

»De Böse gaf ehr dat in. Dat is all lang heer«, antwortete Minna achselzuckend und, wieder Hochdeutsch: »Wir hatten nichts damit zu tun.«

Als ich im Sommer für länger nach Machandel kam, war Emma wieder da, aber ohne Natalja und Lena war das Dorf auch für sie nicht mehr wie zuvor. Sie sprach davon, ganz zu einem ihrer Kinder zu ziehen, ihren fünfundachtzigsten Geburtstag wollte sie schon in Güstrow feiern. Der Investor, der das Schloss verkaufen wollte, hatte bereits den Abriss des Neubaus im Park angekündigt. Doch während Emmas Abwesenheit hatte sich eine Kolonie Fledermäuse auf dem Dachboden eingenistet, davon erfuhr eine Gruppe von Güstrower Umweltschützern, die die Bauarbeiten verhindern wollten. »Das ist mir alles zu viel Aufregung. Meine Zeit in Machandel geht zu Ende«, sagte Emma.

Sie hatte Sonnenblumen auf Nataljas Grab gepflanzt, das war Lenas Wunsch gewesen, es war die niedrige Sorte mit den vollen Köpfen, die Natalja gern verschenkt hatte. Bei meinen Spaziergängen ging ich oft dort vorbei. Die Frauen, die ich auf dem Friedhof traf, redeten über die seltsame Grabbepflanzung, aber seltsam sei ja die Natalja gewesen, erst recht ihre Tochter. Die junge Frau des Mamerower Tischlers, deren Großeltern zur Gruppe der Wolhynier gehört hatten, berichtete mir von Nataljas Beerdigung: »Die war auch seltsam, gar nicht, wie es sich gehört. Der neue junge Pfarrer hat zwar unter den Trauergästen gestanden, aber Lena wollte keine Rede, von niemandem. Ohne alles wurde der Sarg in die Erde gelassen, nur die Stumme fing plötzlich leise an, ein Lied zu singen, ein russisches. Meine Schwiegermutter und Tante Käte können auch Russisch, die sind ja Wolhynierinnen, haben als junge Frauen im Schloss gewohnt und kannten die Natalja schon von damals. Die kannten auch das Lied und haben mitgesungen und schließlich auch der Mann aus Berlin. Den anderen war das fremd, die hörten nur zu. Merkwürdig ist das gewesen, aber auch irgendwie schön. Mit dem Berliner ist die Stumme dann allein nach Hause gegangen, zu Fuß durch den Wald, aber die anderen Trauergäste waren vom jungen Pfarrer ins Gemeindehaus zu Kaffee und Kuchen eingeladen, darum hat Lena sich wenigstens gekümmert, sie hat es vorher schon bezahlt. Aber sie selbst hat sich von keinem verabschiedet und bei niemandem bedankt, man traute sich kaum, sein Beileid auszusprechen. Der aus Berlin fuhr am nächsten Tag wieder ab mit seinem Auto, das war aber nur gemietet, man sah es am Aufkleber.«

So erfuhr ich doch noch, wie es bei Nataljas Beerdigung gewesen war, so wie man hier fast alles erfuhr, von den Frauen auf dem Friedhof und von der Briefträgerin, von Emma, vom ehemaligen Bürgermeister und von den Nachtvögeln.

Drei oder vier Wochen nach der Beerdigung sei ein Mann gekommen, ein Fremder, in Lalenhagen sei er aus dem Zug gestiegen und kein Gepäck habe er bei sich gehabt.

»Das war kein Fremder«, sagten andere. »Der kannte sich aus in der Gegend, er hat sich umgesehen wie einer, der lange nicht da war, aber dann hat er niemanden etwas gefragt und ist geradewegs über die Landstraße in Richtung Klabow gegangen, vor der alten Schnitterkaserne ist er abgebogen und über die Felder gelaufen, den halb zugewachsenen Feldweg nach Machandel hat er genommen, den nur die Einheimischen kennen.«

»Es war ein alter Mann«, sagten manche, »weit über siebzig. Seine Jacke war aus gutem Stoff.«

»Er sah gut aus, wie dieser griechische Schauspieler, mit seinem grauen Schnurrbart. Aber seine Kleidung war unmodern. Und seine Schuhe alt.«

»Aber ganz blank geputzt waren sie.«

»Das war Nataljas Freund Grigori«, sagte Emma. »Ich habe ihn gleich erkannt, er ging die Dorfstraße entlang wie im Traum. Ich stand an den neuen Briefkästen und habe ihn angesehen, er sah mich auch, aber erkannte mich nicht, nicht in diesem Moment. Vor eurem Katen blieb er stehen, aber Lena wartete schon auf der Schlosstreppe, ruhig schaute sie Grigori entgegen. Man sah, dass ihr langes Haar schon grau wurde, sie hatte es nicht hochgesteckt wie sonst. Als Natalja achtundvierzig Jahre alt war wie Lena heute, sah sie so aus. Aber Grigori hatte sie ja nie so gesehen, Natalja war zwanzig gewesen, als er aus Machandel verschwand. Trotzdem hat er seine nie gesehene Tochter erkannt und sie ihn.«

»Weil er sich angekündigt hat«, sagte die Briefträgerin. »Ein paar Tage vor Nataljas Tod ist ein sonderbarer Brief gekommen, die Marken waren deutsch, aber die Schrift sah so anders aus und die Tinte war lila, wie bei Briefen aus Russland. Ich habe den Einschreibebrief Natalja selbst in die Hand gegeben. Die bekam ja sonst nie private Post. Sie hat den Umschlag umgedreht und den Namen des Absenders gelesen, dann ist sie blass geworden und taumelte, ich dachte, ich muss sie festhalten. Aber sie hat sich losgemacht und ist mit dem Brief ins Haus gegangen. Ohne ein Wort.«

»Vielleicht«, sagten die Frauen, »war das zu viel für ihr Herz. Dieser Brief. Nach beinahe fünfzig Jahren.«

Emma hatte den Brief gesehen, sie wusste, was darin stand. Und Grigori hatte mit ihr zusammengesessen und erzählt, wie es ihm ergangen war. Tatsächlich war er damals von einem Gefangenenlager ins nächste gekommen. Als Offizier, der sich den Deutschen ergeben hatte, wurde er in Arbeitslager geschickt, zum Schluss war er in Tihgina am Dnjestr als Häftling beim Straßenbau. Er hat Lena und Emma den Ort auf der Karte gezeigt, damals lag er in der Sowjetrepublik Moldawien. »Aus Moldawien stammt auch die Frau, mit der er verheiratet ist«, erzählte mir Emma. »Eine Jüdin. Aber das wurde erst wichtig, als die Sowjetunion zusammenbrach und der erwachsene Sohn der beiden auswandern wollte. Mit seinem Pass, der ihm die jüdische Nationalität bescheinigte, konnte er ins vereinigte Deutschland kommen, mit Frau und Kind. Und Grigori und seine Frau zogen der jungen Familie hinterher. Jetzt leben sie alle in Berlin-Marzahn in einem Wohnheim.«

»Warum hat er denn ein halbes Jahrhundert gebraucht, um sich bei seiner Tochter zu melden?«, fragte ich.

»Er sagt, in den ersten Jahren nach dem Krieg hat er nicht schreiben dürfen, weil er ein Gefangener war. Schon gar nicht nach Deutschland. Und dann habe er nicht gewusst, an wen und wohin er sich wenden sollte. Er hat sich nicht vorstellen können, dass es Natalja damals gelungen ist, in Deutschland zu bleiben. Er hat nicht mal gehofft, dass sein Kind geboren wurde.«

Wir saßen auf der Terrasse, es war schon fast dunkel, ich konnte Emma Gesicht nicht erkennen, als sie leise hinzufügte: »Vielleicht hat er Natalja zwischendurch vergessen.«

»Und wie hat er sie gefunden?«

»In Berlin ist er einfach in ein Postamt gegangen, hat sich Telefonbücher aus Mecklenburg-Vorpommern geben lassen, darin waren auch die Dörfer angeführt, an die er sich erinnerte: Klabow, Lalenhagen, Machandel. Und er fand Nataljas und Lenas Namen. Die haben doch nach Arthurs Weggang seinen Telefonanschluss übernommen. Aber nun wird Lena wohl nicht wiederkommen. Drei Tage lang hat sie mit ihrem Vater zusammengesessen, ihm die Fotos gezeigt, die Arthur von ihr und Natalja gemacht hatte. Sie haben sich gegenseitig ihre Leben erzählt. Bei mir im Neubau waren sie, wir haben zusammen gegessen, geheult und gelacht. Natürlich hat er sich an mich erinnert, auch wenn er mich nicht gleich erkannt hat. Das Kellerloch im Katen, die nächtlichen Gespräche, der näher rückende Geschützdonner, das vergisst man nicht.«

Und ich erfuhr, wie Grigori den alten Wilhelm getroffen hat, Emma und die Briefträgerin waren dabei. Ob Wilhelm schon begriffen hatte, wer da zu Lena gekommen war, wussten sie nicht. Aber sie haben gesehen, wie die beiden Männer auf der Dorfstraße sich aufeinander zubewegten. Wilhelm sei von seinem täglichen Rundgang gekommen und auch nicht stehen geblieben, als er Lenas Besucher vor dem Holzhäuschen bemerkte, in dem früher die großen Milchkannen abgestellt wurden. Der Russe, wie die Briefträgerin ihn nannte, obwohl er, wie Emma sagte, Ukrainer war, habe dagestanden, in den Anblick der halbverfaulten Bretter vertieft, als die Briefträgerin ihm einen Gruß zurief, habe er sich umgewandt, zurückgegrüßt und da habe er Wilhelm gesehen. »Direkt angeschaut haben sie sich«, erzählte die Briefträgerin, »überrascht sahen sie beide nicht aus. Wilhelm hat sogar gelächelt und die Hand gehoben, als wollte er grüßen. Der Russe ist auf Wilhelm zugegangen, zehn Schritte, mehr waren es nicht, da ließ Wilhelm die Hand wieder sinken und ging einen Schritt zurück, plötzlich unsicher.«

»Der war überhaupt nicht unsicher«, meinte Emma. »Ich habe es genau gesehen, weil ich vor Möllers' Haus auf die Post gewartet hatte. Gefreut hat er sich wie über einen alten Bekannten. Gegrinst und die Hand ausgestreckt hat er, als Grigori vor ihm stand. Aber der hat die Hand nicht genommen, nur ganz dicht an ihn herangetreten ist er und sein Blick war starr.«

Dann sei die Briefträgerin von ihrem Rad abgestiegen, erzählten die Frauen, und beide hätten sich dicht neben die Männer gestellt, weil sie dachten, Grigori würde Wilhelm schlagen. Er sei größer und kräftiger gewesen als der ältere Wilhelm. Doch Grigori habe nur eine verächtliche Handbewegung gemacht, etwas auf Deutsch gesagt, das habe geklungen wie: »Los, ihr Iwans, dawai, dawai, arbeiten, schneller, ihr Schweine.« Er habe gelacht, ein lautes, böses Lachen, das man noch hörte, als schon die Flügeltür vom Schloss hinter ihm zugefallen war.

An diesem Abend sei Lena zu Emma gekommen und habe gesagt, sie wolle Machandel verlassen, mit ihrem Vater nach Berlin gehen. Alles, was ihr gehöre, sei im Schloss geblieben, nur ihre Kleider, eine Kiste mit Papieren und die Bücher habe sie abholen lassen.

Am Ende des Sommers, als ich selbst wieder nach Berlin zurückfahren wollte, als auch Emma schon ihre Sachen für den Umzug packte, sagte sie mir, Lena habe mit ihr telefoniert, demnächst würde ein Klaviertransport kommen und den Flügel abholen.

»Den Bechstein? Gehört der denn nicht zum Schloss?«

Das habe sie auch erstaunt, sagte Emma. Der Bechstein sei ja Eigentum der Baronin gewesen. Aber Lena habe scharf erwidert, die sei ihren Eltern den Lohn für Jahre schuldig geblieben.

22

HERBERT

Das Erbe

Manchmal rede ich in Gedanken mit Clara. Ich stelle mir einen dieser Sommerabende in Machandel vor, hinter dem Katen. Und Lena sollte dabei sein. Ich weiß, dass Lena oft an Machandel denkt. Einmal hat sie mir gesagt: »In Berlin sieht man die Sterne nicht. Die Stadt ist nicht mein Zuhause geworden. Aber ich will da sein, wo du bist, wo meine Familie lebt.«

Ich verstehe sie. In Ilmenau war ich nie ganz zu Hause, als Kind nicht und nicht als Abiturient, ich wusste immer, dass ich weggehen würde. Die Kadette in Naumburg war erst recht kein Zuhause. Aber in dem Sommer, in dem sie aufgelöst wurde, habe ich in Machandel gespürt, was das ist: Zuhause. Vertrauen, Zusammengehörigkeit. Das habe ich seitdem immer gesucht. Maria habe ich geliebt und liebe sie noch, die Jungen sowieso, aber die verwanzte Wohnung in der Wollankstraße, deren Grundriss ich später in meinen Akten fand, konnte kein Zuhause sein, sie hat uns auseinandergebracht. In Cambridge wollte ich nur zurück nach Berlin. Als Deutschland wiedervereinigt war, ging Maria nach Spanien zu Carlos, und mir wurde eine Stelle an der Neuen Universität von Lissabon angeboten. Dort war ich Dozent für jüngere deutsche Geschichte. In Portugal war ich auch nicht zu Hause, aber ich habe gern dort gelebt. Manche Landschaften dort erinnerten mich an die Gegend um Machandel, sogar einige Pflanzen. Da wächst eine

Art Sonnentau, den manche Leute als Fliegenfänger in Wohnungen halten. Als ich das sah, musste ich an das Schlechte Moor denken, an Lena und ihre Mutter, die dort Kräuter sammelten, und ich spürte eine Art Heimweh.

Als mir Lena die Nachricht über den Tod Nataljas schickte, wollte ich sowieso für ein paar Tage nach Deutschland reisen. Ich bin gerade noch rechtzeitig zu der Beerdigung gekommen und bis zum nächsten Tag geblieben. Nie zuvor habe ich Lena so hautlos erlebt wie an diesem Tag, in dieser Nacht, in der wir nur geredet haben und ich sie streichelte. Wir saßen in der Küche, es war nicht mehr die, in der wir uns vor Jahrzehnten mit Jan, seiner Großmutter und dem Geigenbauer um den Tisch versammelt haben, es war auch nicht mehr Nataljas Küche, in der es nach Kräutersuppen roch, es war einfach ein verlassener Raum in einem kalten, viel zu großen Schloss, in dem Lena zurückgeblieben war.

Ein paar Wochen später schrieb sie mir schon aus Berlin. Sie hatte ein Zimmer in einem Hochhaus in Marzahn gemietet, dicht beim Wohnheim ihres Vaters, dessen Foto sie mir am Tag von Nataljas Beerdigung gezeigt hatte. Ihr Vater, schrieb sie mir, sei ihr vertraut, als hätte sie immer in seiner Nähe gelebt, sein Geruch, sein Lächeln, die Geste, mit der er sich Zigaretten drehte, das alles sei ihr angenehm und selbstverständlich. Sie sprachen russisch miteinander, aber sie wussten, dass man das Verlorene nicht mit Worten zurückholen kann, sie wollten sich Zeit nehmen, einander kennenlernen. Lena schrieb mir von Lara, der stillen Frau ihres Vaters, von Polina, ihrer Schwägerin, und von ihrem Halbbruder Mark, zehn Jahre jünger als sie, der mit Polina und dem Sohn Maxim in einem anderen Wohnheim in Lichtenberg lebte und sich um die Anerkennung seines Ingenieurdiploms bemühte. Maxim, ein zwölfjähriger, schüchterner Junge, wäre lieber zu Hause in Tiraspol geblieben. Er war Schüler am Konservatorium gewesen, nun übte er täglich im Wohnheim auf einem verstimmten Klavier, dazu musste man ihn nicht drängen, die Musik war für Maxim sein Zuhause, wenn er spielte, ging sein Blick aus den Fenstern des Hochhauses, durch die man den Himmel nicht sah, auf andere Hochhäuser, aber seine Seele flog höher. Das schrieb mir Lena, und sie schrieb, dass sie für diesen Jungen da sein wollte, ihm helfen, in Berlin anzukommen.

Dabei war sie selbst fremd dort.

Es war ihr ganz selbstverständlich vorgekommen wegzugehen, nachdem Natalja nicht mehr lebte. Der Tod hatte sich in ihrem Zuhause eingenistet und alles verändert. Nichts war nun unmöglich, das Schlimmste nicht und nicht das Wunderbare. Sie hatte jetzt einen Vater und eine große Familie. Und auch unsere Verbundenheit schien ihr ganz selbstverständlich zu sein. Es war, als hätten wir schon immer zusammengehört und es jetzt erst bemerkt. Als wir von Nataljas Beerdigung zurückgingen nach Machandel, sagte ich ihr, ich würde sie nicht mehr allein lassen. Am Morgen hatte ich noch nicht gewusst, dass ich das sagen würde, dass dieses Gefühl, dieser Wunsch, diese Gewissheit in mir waren, aber nun war es so einfach. Mir schien auch, ich hatte sie schon immer begehrt. Der Anblick der vierzehnjährigen Lena, wie sie aus dem Düstersee kam, die Arme erhoben, um das nasse Haar auszuwringen, hatte mich damals bis in den Schlaf verfolgt. Als Clara und Michael den Katen renovierten und ich Lena wiedersah, war sie erwachsen, nicht mehr jung; spröde wich sie jeder vertrauten Geste aus. Ich war ja nicht ihretwegen gekommen, und Maria war an meiner Seite, aber Lenas Gang, die Art, wie sie ihren Kopf in den Nacken warf, ihre Stimme machten mich unruhig, und ich lief bei meinen Besuchen in Machandel manchmal stundenlang allein durch den Park über die Weiden zum See und zu den Hügeln, die sie Glinkenberge nennen, alle Orte suchte ich auf, an denen wir zusammen gewesen waren. In meinem Kopf entstanden Bilder von damals und ganz andere Bilder, die ich verdrängte und wegschob, vor denen ich in das kalte Wasser des Krevtsees floh, weil sie mit der Wirklichkeit nichts zu tun hatten, nicht in unser Leben passten, das für Maria und mich schwierig genug war, seitdem sie mich aus der Akademie gedrängt hatten.

Lena und ich spüren bis heute eine tiefe Freude über unsere Wiederbegegnung, die uns manchmal lachen lässt, grundlos, wie es Fremden scheint. Wir hatten so unterschiedlich gelebt, wir wussten, dass es lange dauern würde, bis jeder alles vom Leben des anderen wissen würde, was er wissen sollte, aber wir wollten keine Zeit mehr verlieren und zusammenleben, schon in der Nacht nach Nataljas Beerdigung hatten wir davon gesprochen.

Noch als ich in Lissabon war, ging Lena in Berlin mit ihrem Neffen zu einem Konzert im Jüdischen Gemeindehaus. Dort sah sie einen Aushang am Eingang zur Bibliothek, man suchte eine ausgebildete Bibliothekarin, die Russisch und Deutsch sprechen konnte, denn die Kontingentflüchtlinge waren plötzlich die Mehrheit in der Gemeinde.

Bevor sie die Stelle antrat, kam Lena für ein paar Tage zu mir nach Lissabon. Ich plante meine Rückkehr nach Berlin, aber ihre neue Familie verstörte mich. Würde Lena überhaupt Platz haben für mich in ihrem Leben? Sie lachte nur. So versuchten wir es und versuchen es noch immer, ich weiß nicht, sind wir fünf oder zehn Jahre zusammen oder schon immer? Ihre Verwandten sind auch meine Familie geworden.

Manchmal traf ich irgendwo einen meiner ehemaligen Kollegen von der Akademie, sie hatten alle die Hand gehoben, als Peter Heisig aus der Akademie gejagt werden sollte, sie hatten ohne Protest zugesehen, als auch ich gehen musste. Ich war immer erstaunt, dass keiner von denen meinte, er habe mit diesen Vorgängen etwas zu tun gehabt. Sie sahen sich als Opfer, beklagten sich, dass das Institut aufgelöst worden war, und manche glaubten sogar, ich hätte irgendwo Einfluss und könnte etwas für sie tun.

Aus der Zeit vor unserer Ausreise waren mir nur wenige Freunde geblieben. Freunde waren sie vielleicht nie gewesen, eher Verbündete. Aber die Zeit war über unsere Bündnisse hinweggegangen. Die Mutter von Clara und Jan war am selben Tag wie Natalja gestorben, ich erfuhr es erst Wochen danach. Den Alten habe ich seitdem ein paarmal besucht, als Verlierer der Geschichte hat er sich einmal bezeichnet, Bitternis und Ironie sind bei ihm schwer zu unterscheiden. Na ja, als Sieger fühle ich mich auch nicht. Aber Paul, mein großer Sohn, der jetzt auch Geschichte studiert, sagte mir einmal: »Wer von Siegern und Verlierern der Geschichte spricht, vergisst, dass sie ein Prozess ist, das Leben selbst.« Und, mit aller Weisheit seiner Jugend: »Wir sind am Ende alle Verlierer, denn wir sterben.«

Meinen Söhnen gefällt Lena, aber sie leben ihr eigenes Leben. Wir telefonieren, schicken uns Mails, aber sehen uns selten. Benjamin war vier, als Maria zu Carlos ging, er nennt ihn seinen Vater, das gab mir damals einen Stich. Aber Carlos war der Mann, der bei ihm und mit seiner Mutter zusammen war, es ist gut so. Nun ist auch Benjamin erwachsen. Im Sommer wird er zu uns nach Berlin kommen. Vielleicht werden wir auch ein paar Tage nach Machandel in den Katen fahren.

Als sie fortging, dachte Lena, sie würde nie zurückkehren in das Schloss, das für sie ein Trauerhaus geworden war. Nicht einmal ihre Möbel wollte sie holen. Aber man kann nicht von einem Leben ins andere springen, das habe ich auch erfahren, man nimmt das frühere Leben immer mit, und das Vergangene ist nicht vergangen.

Lena weiß das, und ihre Familie weiß es, die bis heute nicht wirklich zu Hause ist in Berlin, obwohl Mark und Polina längst Arbeit und eine schöne Wohnung haben und auch Grigori und Lara ihr Wohnheimzimmer gegen ein Appartement in der Schöneberger Pallasstraße eingetauscht haben. Es gibt kein Zurück, das wissen sie, auch die sowjetische Stadt Tiraspol hat sich wieder einmal gewandelt, sie ist die Hauptstadt Transnistriens. Lara sagte mir einmal, sie gehe gern auf den Markt zum Winterfeldplatz, aber wenn sie die üppigen Käsestände sehe, die Würste und den Schinken, die feinen Ledertaschen, die bunten Kleider und das Gewimmel der satten, schönen Menschen mit Kaffeebechern in der Hand, dann denke sie an die armseligen Gemüsemärkte in Tiraspol, dann spüre sie plötzlich so etwas wie Heimweh nach den Marktfrauen mit ihren geblümten Kopftüchern, die neben eingelegten Pilzen und selbst gezogenen Rüben, an denen noch die schwarze Erde klebt, neben dem Weinbrand Kvint und Fischen aus dem Dnjestr auch gestrickte Bettvorleger und alte Schuhe zum Kauf anbieten.

Dass auch Lena etwas fehlte, spürte ich, wenn sie den Vogelschwärmen über den Dächern nachsah, wenn sie sich an einer Hausmauer nach einer unscheinbaren Pflanze bückte, die sie aus Machandel kannte, wenn sie mir erzählte, wie in einem lange zurückliegenden Winter der Schnee die Schlosstreppen so zugeweht hatte, dass Natalja und sie durch die Fenster ein- und aussteigen mussten. Die Arbeit bei dem Architekten hat sie nach Nataljas Tod ohne Bedauern aufgegeben, aber sie erzählte mir oft, wie sie jahrelang mit dem Bücherbus über die Dörfer gefahren war, bei jedem Wetter, wie das Licht über den Feldern sich im Laufe des Tages verändert hatte und die Felder selbst im Wechsel der Jahreszeiten. Es hatte ihr wehgetan, dem Verfall der Dörfer zuzusehen, sie hatte sich eins gefühlt mit dieser Landschaft, den Leuten dort und den Büchern in ihrem Bus, die sie oft in der Mittagspause gelesen hatte, an einem Feldrain, gegen einen Baum gelehnt oder in ihrer Fahrerkabine, wenn der Wind Regentropfen gegen die Scheiben peitschte.

Als ich in einer Kiste unter Fotografien von Jan aus den 70er-Jahren eine Ansicht des Gutshauses fand, damals sah es noch unversehrt aus, nahm Lena es mir aus der Hand wie etwas, das nur ihr gehörte. Sie hat es auf ihren Schreibtisch gestellt, da steht es noch immer, neben einem Foto vom zugefrorenen Düstersee. Aber sie wollte lange Zeit nicht einmal zu Besuch in diese Gegend fahren. Auch als Clara uns vor ein paar Jahren zu ihrer Silvesterfeier nach Machandel einlud, zögerte sie, aber dann sind wir zusammen dort gewesen, es war gut so.

Es war auch gut, weil ich nach langer Zeit wieder mit Clara reden konnte, weil sie mir bei unserem langen Spaziergang am Neujahrstag 2000 erzählte, was im Februar 1988 geschehen war, als Maria und ich verhaftet waren und die Kinder von uns getrennt. Clara hat mir erzählt, wie sie in unserer kalten Wohnung in der Wollankstraße unser Ausreisegepäck zusammensuchte. Heute denke ich, dieses Weggehen 1988 war eine Befreiung, auch wenn wir es damals als Rausschmiss empfunden haben. Ich habe immer gesagt, ich will nicht Opfer meiner eigenen Vergangenheit sein, ich will mich überhaupt nicht als Opfer fühlen.

Das wäre eine Fortsetzung der Demütigungen, das wäre ein nachträglicher Sieg für Generalmajor Kienberg vom Ministerium für Staatssicherheit mit all seinen Zersetzungs- und Maßnahmeplänen. Als ich in meinen Akten las, dass zu ihren Maßnahmen die *systematische Diskreditierung des öffentlichen Rufs* gehört hatte, verstand ich plötzlich all die absurden Gerüchte über mich, die sogar bis zu meiner Mutter nach Ilmenau gedrungen waren und ihr das Herz schwer machten. Die *syste-matische Organisierung beruflicher und gesellschaftlicher Miss-erfolge* war ihnen gelungen, aber nicht die *Untergrabung des Selbstvertrauens.* Lachen mussten Maria und ich über ihren Plan zum *Einsatz eines geeigneten IM, der zur Ahrens, Maria (Ehefrau des A.) außereheliche intime Beziehungen herstellen kann, um auf dieser Grundlage die Ehe des Ahrens zu zerrüt-ten.* Entweder sie haben so einen IM nicht geschickt oder wir haben seine Bemühungen nicht bemerkt. Von Carlos wussten sie nichts oder haben nicht verstanden, was mit ihm und Maria war. Sie haben so vieles nicht gewusst und das, was sie wuss-ten, nicht begriffen. Dieser Apparat ist fast erstickt an den In-formationen, die er in sich hineingefressen hat, sie haben nach den Feinden des Sozialismus gesucht und nicht erkannt, dass sie selbst es waren.

Ihr Opfer bin ich nicht.

Die Spitzel sind ihre Opfer, denen Niedertracht und Ge-meinheit abverlangt wurden, deren Schwächen benutzt wur-den, die in diesem Apparat ihren Halt sahen. Der Abgrund, in den die gerutscht sind, als ihre Welt zusammenbrach, muss eine Art Hölle gewesen sein. So dachte ich jedenfalls, bis mir einige ehemalige Mitstreiter begegneten, deren IM-Namen ich aus meinen Akten kannte und die taten, als wäre nichts gewe-sen. Ach, ich will mein Leben nicht vergiften lassen durch das Gefühl, denen ausgeliefert gewesen zu sein.

Wir haben uns gewehrt, und das kann ich meinen Kindern erzählen, sie müssen ihre Eltern nicht verachten. Aber mir schien immer, wir konnten es uns nicht aussuchen. Lieber wäre ich an der Akademie geblieben und hätte in Ruhe geforscht. Aber als der Heisig fertiggemacht werden sollte, dachte ich an die Prozesse in der Sowjetunion in den 30er-Jahren, an die in Moskau, Prag und Budapest in den 40er- und 50er-Jahren, an unser ungläubiges Entsetzen, mit dem wir allmählich davon erfahren hatten. Ich dachte an die Nazizeit und unsere nie beantwortete Frage an die Älteren, warum sie das mitgemacht hätten. Als ich gegen Heisigs Ausschluss stimmte, wusste ich natürlich, dass es nichts ändern würde, dieser Wissenschaftler war nicht der erste und nicht der letzte Unbequeme, der einfach über den Rand gekippt wurde.

Ich wollte eigentlich lieber zu den Vielen gehören, aber ich hatte keine andere Wahl. Heute bin ich froh, dass ich nicht bis zum Schluss an der Akademie mein Gehalt bezog und einer dieser Zyniker geworden bin, die höchstens sarkastische Bemerkungen in der Kantine oder im »Espresso« gewagt haben.

Aber draußen zu sein, plötzlich in Cambridge zu sitzen und die Ereignisse nur im Fernsehen verfolgen zu können, war schlimm für mich. Für Maria nicht, sie genoss das neue Leben, das andere Essen, die Kleiderstoffe, die Blumen zu jeder Jahreszeit. Mir war das alles egal, ich habe nur zurückgeschaut und wollte über nichts anderes reden als über das Land, aus dem wir herausgedrängt worden waren.

Diese Demonstranten, die wir im Fernsehen sahen, die Bürgerkomitees, die Ströme von Ausreisern und auch die Reformer in der Partei und im Staatsapparat haben den Untergang des Staates besiegelt, aber heute denke ich, der war am Ende, ausgehöhlt, gelähmt. Die alten Männer waren die Verräter ihrer eigenen Idee, korrupt und handlungsunfähig. Und Ungarn machte die Grenzen auf, und Gorbatschow, dessen eigenes Reich bröckelte, ging auf Distanz. Den Nachrückern im Zentralkomitee und im Politbüro ging es um nichts als die eigene Macht, die bissen sich gegenseitig weg, bis sie begriffen, dass die Partei nichts mehr zu sagen hatte. Das alles zu beobachten, hat mich fasziniert und angewidert. Als ich im Fernsehen sah, wie meine begeisterten Landsleute stammelnd vor Dankbarkeit Kaffeepäckchen auffingen, die ihnen von LKWs mit CDU-Aufschrift zugeworfen wurden, schämte ich mich für sie und war traurig. Die Enttäuschung würde gewaltig sein.

Als der Untergang des Staates schon begonnen hatte, war ich für ein paar Wochen in Berlin. In Gedanken war ich auch vorher nur in Berlin gewesen, Maria hat es mir vorgeworfen. Ich sei gar nicht angekommen in Cambridge, sagte sie, meine Gefühle seien in Berlin geblieben. Nun fuhr ich wieder nach Hause, aber die Stadt war mir fremd geworden oder vielleicht war ich ein Fremder geworden. Die Erde unter unseren Füßen war in Bewegung geraten, befremdet sah ich, wie aus dem Chaos etwas entstand, das nicht das war, wovon wir geträumt hatten. Erst da begriff ich, dass unsere Träume sehr verschieden gewesen waren. Plötzlich schien es nur ein Ziel zu geben: sich dem Westen anzuschließen.

Maria kam gar nicht mehr nach Berlin zurück. Sie wollte endlich leben und ihr Glück nicht von der Zeitungslektüre abhängig machen, sie hatte auch keine Lust, sich in die Nähe ihrer ehemaligen Chefin oder unserer Bewacher zu begeben. Sie hatte wieder zu nähen begonnen und war zu einer Modemesse eingeladen. Außerdem, sagte sie mir vorwurfsvoll, hätten die Kinder genug unter unserem Leben gelitten, sie würde sie nicht mehr allein lassen, nicht mal für ein paar Tage. So fuhr ich allein. Bei der großen Demonstration vom 4. November war ich noch nicht dabei, ich habe sie im Fernsehen gesehen. Von den Reden ergriff mich am meisten die des Dichters Heiner Müller, er hatte ohne jedes Pathos und nur kurz gesprochen, es waren nicht einmal seine eigenen Worte, er verlas einen Aufruf der Initiative für unabhängige Gewerkschaften. Heiner Müllers Botschaft schien mir die wichtigste an diesem Tag: Es ging darum, das Eigentum an den Betrieben zu sichern, unabhängige Gewerkschaften zu gründen, den neuen Begehrlichkeiten zuvorzukommen. Am Abend warf ihm ein Kommentator im DDR-Fernsehen vor, mit dieser Rede ein Spaltungssüppchen gekocht zu haben. Der hat nichts begriffen oder vielleicht doch. Der Kurs war jetzt ein anderer.

Es war zu spät. Nach ein paar atemlosen Wochen in Berlin mit alten und neuen Mitstreitern erfasste mich die Ahnung von Vergeblichkeit. Und nach den anderthalb Jahren gehörte ich nicht mehr dazu. Ich fuhr zurück, als Maria mir schrieb, sie sehe keinen Grund mehr, in Cambridge zu bleiben, wenn ich nicht dort sei. Ein paar Monate später ging sie doch, aber ich blieb und beendete meine Arbeit. Nach Berlin zog es mich nicht. Nicht wegen der Vergangenheit, Lenas wegen lebe ich wieder hier.

Doch ich bin froh, nach den unruhigen Jahren wieder als Wissenschaftler arbeiten zu können. Manchmal treffe ich Gefährten von früher. Ab und zu trinke ich ein Bier mit Walter Römer, der eine Zeitlang im Bundestag gesessen hatte, sich aber nach einem Streit mit der Partei nicht wieder zur Wahl aufstellen ließ. Nun schreibt er, wie vorher auch, Theaterstücke, die niemand aufführt. Marias Freundin Lore ist jetzt Direktorin der Schule, aus der sie damals als für die Volksbildung ungeeignet entlassen wurde. Sie schlug sich dann so durch, lebte davon, dass sie für einen Zauberkünstler Kostüme nähte und die Utensilien bastelte. Der ist jetzt ihr Mann und kein Zauberkünstler mehr. Er arbeitet bei der Stasi-Unterlagen-Behörde, wir haben uns erst zweimal gesehen und nur gestritten.

Die alten Bekannten wundern sich, wenn ich über mein wissenschaftliches Thema spreche. Vor ein paar Tagen erst habe ich einen getroffen, der war Physiker und aus seinem Institut gedrängt worden, wie ich aus meinem. Wir hatten damals viel gemeinsam; während ich im »Siloah« Hausmeister war, hat er als Friedhofsgärtner gearbeitet. Damals litt er darunter, dass man ihm seinen Beruf weggenommen hatte. 1989 saß er an mehreren Runden Tischen, war einer der Wortführer des NEUEN FORUM, später auch Abgeordneter. Ich habe ihn oft im Fernsehen gesehen. Aber nach zwei Wahlperioden war Schluss, wie bei Walter Römer, obwohl die beiden meist unterschiedliche Positionen hatten. Jetzt reist der Physiker herum, hält Vorträge. Wir sind uns in der S-Bahn begegnet, am Hackeschen Markt ausgestiegen und in den Irish Pub dort gegangen. Während der Stunde, in der wir zusammensaßen, hat er mindestens zehn Leute begrüßt, seine Augen gingen immer hin und her, dauernd prüfte er seine beiden Mobiltelefone. Ich erinnerte ihn an ein Jahre zurückliegendes Gespräch, bei dem er mir seinen Traum von der Physik nahegebracht hatte, ich glaube, damals hatte er sogar Tränen in den Augen, und ich fragte ihn, warum er sich nicht wieder seinem Beruf zugewandt habe. Er habe ein ausgefülltes Leben, versicherte er mir, nannte Stiftungsnamen und zählte Gremien auf, in denen er Mitglied sei, ließ berühmte Namen fallen. Aber dann fragte er, warum denn ich aus der Politik ausgestiegen sei, ich hätte sicher Chancen gehabt, mindestens aufs Abgeordnetenhaus. Als ich ihm lachend antwortete, ich sei nie eingestiegen in das, was er Politik nenne, und deshalb auch nicht ausgestiegen, als ich ihm erzählte, womit ich mich jetzt beschäftigte, schaute er mich seltsam an. Immer wenn ich jemandem von Bismarcks und Moltkes Bemühungen um ein Staatsbahnsystem erzählen kann, gerate ich in Begeisterung und hole vielleicht zu sehr aus. »Natürlich ging es denen«, erläuterte ich, »auch um die militärstrategische Bedeutung der Eisenbahn, die sie schon vor 1871 erkannt hatten. 1873 regte Otto von Bismarck dann die Schaffung einer Reichseisenbahnbehörde an, deren Sitz in Berlin war, trotz des Widerstands einiger Länder. Zwölf Jahre später waren schon 11 000 Kilometer

ehemaliger Privatschienen in preußischen Staatsbesitz über-
gegangen.«

Die Frage des ehemaligen Physikers, ob dieses Thema nicht
sehr abseitig und vor allem unpolitisch sei, machte mich fassungslos. »Die Verstaatlichung der Eisenbahn hat schon 1848 in
der Paulskirche eine Rolle gespielt. Außerdem ist die Beschäfti-
gung mit Geschichte nie unpolitisch.« Mein Gesprächspartner
blickte auf die Uhr und eilte davon.

Eine Stunde später war ich im Archiv, froh, dass ich dort sitzen konnte, um mich herum das Rascheln von Papier und das
leise Klappern der Tastaturen. Ich berührte die Akte vor mir
mitsamt ihren Stempeln und Kürzeln aus vergangenen Jahrhunderten, spürte wie immer in solchen Momenten einen Anflug von Feierlichkeit, ein gespanntes Kribbeln, eine Neugier.
Was würde mir diesmal entgegenkommen, wenn ich das vergilbte Papier umblätterte? Es war jedes Mal ein Gang in Unbekanntes, Dunkles: in Räume, die sich überraschend öffneten,
oder durch Gänge, die ins Nichts führten, man musste aufpassen, dass man nicht ausrutschte, es gab keinen vorgezeichne-
ten Weg. Immer wieder erfuhr ich, wie scheinbar Vergangenes
in die Gegenwart führt, wie es immer um dasselbe geht – um
Menschen und ihre Träume, um Macht und Ohnmacht. Und
die Dinge sind selten so, wie sie scheinen.

Meine Mutter in Ilmenau hat auch nie ganz verstanden, was
für einen Beruf ich mir gewählt habe. Wir haben wenig voneinander gewusst. In den Jahren vor der Ausreise haben Generalmajor Kienbergs Leute auch sie bedrängt und eingeschüch-
tert. Sie hat zu mir gehalten, obwohl sie meine Auflehnung
gegen den Staat anmaßend fand. Als einfache Rentnerin, die
ab und zu noch in ihrer Gummibude aushalf, war sie nicht er-
pressbar, und man ließ schließlich von ihr ab. Doch als wir in
England waren und sie uns besuchen wollte, haben sie sie nicht

herausgelassen. Nach der Maueröffnung war sie schon krank und konnte nicht mehr reisen. Zu ihrem siebzigsten Geburtstag durfte ich noch nicht kommen, heute bin ich froh, dass ich wenigstens vor meiner Rückkehr nach England für ein paar Tage bei ihr in der Zweieinhalbzimmerwohnung war. Sie tischte immerzu Essen auf, doch unsere Gesprächsthemen versiegten nach ein paar Stunden. Während sie an einem Pullover für mich strickte, bat sie mich, ihr etwas vorzulesen, ich wählte aus ihrem Schrank eine Novelle von Gottfried Keller. Da saßen wir wie vor fünfunddreißig Jahren, doch damals war sie es gewesen, die mir vorgelesen hatte, während sie für andere Leute strickte. Es gab in ihrer Wohnung immer noch den kleinen Tisch, an dem ich Schularbeiten gemacht hatte. An allen Wänden hingen Zeichnungen und Fotos von Paul und Benjamin. Bald nach der Wiedervereinigung ist meine Mutter gestorben. Sie hatte die politische Entwicklung begrüßt, weil sie glaubte, das sei, was wir wollten. Außerdem rechnete sie als Witwe eines gefallenen Soldaten mit einer höheren Rente und freute sich darauf, uns endlich unterstützen zu können. Zu ihrer Beerdigung kamen Maria und die Jungen mit, es war unsere letzte gemeinsame Reise. Auf dem Friedhof standen die Nachbarn meiner Mutter und ein paar ehemalige Kolleginnen aus der Langewiesener Gummibude, ich lud sie anschließend ins Hotel zur Linde ein. Da saßen die verarbeiteten Freundinnen meiner Mutter in ihren zu engen Sonntagskleidern, erzählten mir, was für ein guter Mensch sie gewesen sei, und trösteten einen weinenden, gebeugten Mann in ihrer Mitte, der alt war, aber bestimmt fünfzehn Jahre jünger als meine Mutter. Er ging bald, ohne dass wir miteinander geredet hatten. Auf seiner Kranzschleife stand, das habe ich aber erst später gesehen: »In Liebe. Dein Alois.«

Maria fuhr am Abend noch mit den Jungen nach Weimar. Ich blieb für zwei Tage in Ilmenau. Eine Nachbarin erbot sich, nach meiner Abreise die Wohnung aufzulösen und die Möbel und Kleider meiner Mutter zu verschenken. Ich sah nur die Papiere durch und nahm die Feldpostbriefe meines Vaters an mich, ein paar Fotos, die Zeichnungen meiner Söhne und all die Briefe, die ich ihr selbst geschrieben hatte im Laufe der Jahrzehnte.

In einem bunten Kunststoffalbum fand ich Fotos meiner Mutter, wie ich sie nicht gekannt habe: Lachend saß sie mit anderen fröhlichen Menschen in irgendwelchen Wohnzimmern oder Sälen, feierte unter Papiergirlanden den Frauentag, eine Auszeichnung zum Kollektiv der Sozialistischen Arbeit, den Geburtstag von Leuten, die ich nicht kannte. Auf manchen Bildern sah man sie inmitten lachender Wanderfreunde auf dem Kickelhahn und auf dem Rennsteig, neben ihr war oft Alois zu sehen.

In ihrer Schrankwand, zwischen den Familienpapieren, lag ihr Sparbuch in einem braunen Umschlag. Darauf stand: Für Herbert. Innen lag ein Brief an mich, datiert ein paar Monate zuvor. Mit ihrer steifen, ungeübten Schrift hatte sie geschrieben: *Mein lieber Junge! Wenn Du das liest, werde ich wahrscheinlich nicht mehr sein. Ich habe mir immer gewünscht, wir beide machen einmal eine große Reise. Ich habe gespart dafür, jede Jahresendprämie, als ich noch arbeitete, und alles, was ich fürs Stricken bekam. Es sind sechsundzwanzigtausend Mark geworden, waren ja auch viele Jahre. Ich staune selbst. Keinen Pfennig von unserem Reisegeld habe ich für anderes genommen. Bin immer gut ausgekommen. Beim Umtausch in D-Mark ist unser Geld halbiert worden. Nur viertausend, das weißt Du ja, sind 1:1 umgetauscht worden. Aber mit fünfzehntausend Westmark kommt man ja auch schon weit. Ich habe immer gedacht, vielleicht fahren wir mal nach Kuba oder nach Ägypten. Jetzt kann man ja überallhin. Aber Du musst jetzt wohl alleine reisen oder mit Deiner Maria.*

Das Beerdigungsgeld habe ich extra auf dem Sparkassen-konto. Vergiss nicht, dass die Gewerkschaft was dazugibt. Ich wünsche Dir ein gutes Leben, mein lieber Junge, schade, dass wir nicht zusammen verreist sind. Gib auch meinen Enkeln was ab, aber ich möchte, dass Du die große Reise machst. Deine Mutter

Das bunte Album wollte ich Alois geben, aber die Nachbarin sagte, er sei nach der Beerdigung auf eine Wanderung gegangen. Ungefragt erzählte sie mir, Alois sei Glasmacher, in der Sophienhütte habe er gutes Geld verdient. Er sei Witwer und schon seit Jahren mit meiner Mutter befreundet gewesen. Jetzt sei die Sophienhütte wegen Unrentabilität geschlossen worden, und Alois, der es nicht aushalte, in der Wohnung zu sitzen, wandere oft allein, manchmal sei er tagelang unterwegs. Sie werde ihm das Album geben, aber sie sei sicher, er hätte diese Fotos auch.

Als ich auf dem regennassen Bahnhof von Ilmenau stand, als ich an der Pörlitzer Höhe vorbeifuhr, dachte ich: Ich werde niemals hierher zurückkommen. Aber dann fiel mir ein Satz ein, den Maria manchmal sagte: Es gibt kein Nie und kein Immer.

23

CLARA

Die Auferstehung der
Vogelmänner

Ohne Emma und ohne Natalja fühlte ich mich in Machandel manchmal wie auf einer fremden Insel gestrandet. Trotzdem kam ich immer wieder. Wenn ich die Jahre zähle, erschrecke ich. An der Wand des Vorraums hängt bis heute ein Foto von mir und Julia aus der Anfangszeit, wie wir Sand herbeikarrten für die Terrasse, damals war ich fünfundzwanzig. Die sechsjährige Julia hatte eine eigene kleine Schubkarre, es ist ein schönes Bild, nur war es mehr als zwei Jahrzehnte alt, als der Geiger Jonas es betrachtete und sagte: »Deine ältere Tochter erkenne ich, aber wer ist das Kind?« Er hielt mich für Julia, so wenig ähnelte ich inzwischen meinem Bild. Meine große Tochter fuhr kaum noch nach Machandel, nachdem sie sich einen Studienplatz in Freiburg gesucht hatte, um ihrem Vater näher zu sein. Mit seiner Frau, die nur sechs Jahre älter als sie selbst ist, hat sie sich befreundet. Nach dem Studium ist sie gar nicht nach Berlin zurückgekehrt. Auch Caroline lebte jahrelang woanders.

Nachdem auch Emma fort war, nachdem der schäbige Neubau im Park trotz der Fledermäuse abgerissen worden war, wurde das Dorf ein anderes. Junge Familien zogen nach Machandel, es wurde gebaut und angebaut. Eines Tages fanden wir ein Gerüst um das alte Gutshaus vor, Bauarbeiter schlugen den Putz ab, während im Inneren des Hauses Wände eingerissen wurden. Jahrelang lebten wir in Machandel im Baulärm, aber jetzt ist das Hotel fertig und es wurde wieder ruhig. Es ist nicht dieselbe Stille wie früher, aber noch immer hört man die Vögel und den Wind.

In dem Sommer, als Jonas mit mir nach Machandel kam, wurde noch gebaut. Er war Musiker, wir kannten uns damals schon ein Jahr, aber bis dahin hatte ich vermieden, mit ihm in den Katen zu fahren. Erst als er mir vorwarf, ich würde einen Teil meines Lebens vor ihm verstecken, nahm ich ihn mit. Der Katen gefiel ihm, aber der Strom war wie so oft ausgefallen, aus der Leitung kam kein Wasser, weil auch die Pumpen elektrisch betrieben werden. Die Stimmung meines Freundes sank. Er konnte sich nicht vorstellen, aufs Duschen zu verzichten, und sah frierend zu, wie ich Holz aus dem Schuppen holte. Am nächsten Morgen gab es wieder Strom, aber das braune Wasser floss spärlich, Jonas entdeckte eine große Spinne in der Badewanne und einen toten Käfer in der Zuckerdose, da konnte ihn auch die Aussicht von der sonnenbeschienenen Terrasse nicht mehr erfreuen, und als ich sah, wie er dort mit Ekel im Blick der Schleimspur einer Schnecke folgte, war ich einverstanden mit seinem Vorschlag, auf die geplante Wanderung nach Burg Schlitz zu verzichten und lieber mit seinem Auto nach Güstrow in eine Ausstellung zu fahren. Ohnehin trug er keine Wanderschuhe und musterte erstaunt meine Gummistiefel. Jonas kam noch ein paarmal mit nach Machandel, aber nicht einmal bis zum Düstersee ist er vorgedrungen; angesichts einer Rinderherde mit dem Bullen kroch er hastig unter einem elektrischen Weidezaun durch, wobei er sich nicht nur einen leichten Stromschlag holte, sondern auch sein sandfarbenes Wildledersakko zerriss. Danach blieb er lieber im Haus, aber nur bei geschlossenen Fenstern, denn vom Baulärm bekam er Kopfschmerzen. Außerdem war er allergisch gegen Pollen. Machandel war nichts für Jonas, das hatte ich geahnt, und Jonas war auch nichts für mich.

Noch zwei andere Männer brachte ich im Laufe der Jahre mit nach Machandel, aber es war schnell klar, dass sie dort nicht hingehörten; einer ließ mit seinen lauten Monologen nicht nur die Abendvögel, sondern sogar Caroline verstummen, und der andere begann sofort, den Grundriss des Katens zu skizzieren und Pläne zu entwerfen. Er wollte den Dachboden ausbauen, Panoramafenster einsetzen. Die alten Ziegelsteine im Vorraum wollte er herausreißen und das ganze Haus mit italienischen Terrakottafliesen auslegen. Den Morgenstein, auf den ich ihn aufmerksam machte, könnte man an der Wand befestigen, die abgetretenen, ungleichmäßigen Ziegel müssten jedenfalls weg. Auch die alten Balken wollte er abschleifen und versiegeln. »In denen wohnt doch die Weiße Frau von Mamerow«, wandte meine Tochter erschrocken ein, aber er hielt das für einen Scherz und fuhr fort, das andere Haus zu entwerfen und eigentlich auch ein anderes Leben mit einer anderen Frau.

Meistens fuhr ich allein nach Machandel.

Ich erinnere mich, wie ich mich jedes Mal fragte, wenn ich hinterm Haus an dem grünen Gartentisch saß, von dem die Farbe abblätterte, ob ich ihn streichen, ob ich überhaupt hierbleiben sollte. Einmal steckte bei meiner Ankunft ein Brief an der Tür, das Angebot der Immobiliengesellschaft, die das Schloss sanierte. Sie wollten den Katen kaufen mitsamt dem Gartenland und boten mir achtzigtausend, fast das Dreifache der Summe, die der Makler genannt hatte, der Frau Poschmanns Neubauernhaus verkaufte. Sein Angebot sei ein Entgegenkommen, sagte er damals, so ein Objekt wie meines sei nicht viel wert, überall stünden Häuser leer, die Jungen gingen zur Ausbildung weg und kämen nicht wieder. Dieser Landstrich sei der am dünnsten besiedelte in ganz Deutschland.

In mir sträubte sich alles, den Katen als ein *Objekt* zu sehen. Natürlich waren achtzigtausend Euro sehr viel Geld, die würde ich nicht in Jahrzehnten zurücklegen können. Ich konnte eigentlich gar nichts zurücklegen, obwohl ich im Museum, wo ich seit ein paar Jahren arbeitete, mehr verdiente als in Ruths Beratungsstelle. Die Ersparnisse meines Vaters waren längst aufgebraucht, seine Betreuungskosten stiegen. Ohne seine Zusatzrente als ehemaliger KZ-Häftling hätte er nicht in seiner Wohnung bleiben können. Caroline hatte zu studieren begonnen, es wäre schön, sie unterstützen zu können. Wenn ich achtzigtausend Euro auf dem Konto hätte, könnte ich mir auch ein Auto leisten, dachte ich. Doch ohne den Katen würde ich kein Auto brauchen. Warum, dachte ich wütend, glauben diese Immobilienleute, dass alles käuflich ist? Aber hatte mich meine Freundin Ruth nicht schon mehrmals gefragt, ob ich denn immer nur an diesen einen Ort fahren wolle? Auch Caroline hatte mir schon vorgehalten, ich sei noch niemals in New York gewesen und in London nur, weil Professor Simon mich eingeladen hätte. Als ich entgegnete, ich hätte doch kürzlich erst in Pforzheim ihre Schwester Julia besucht, die dort am Krankenhaus arbeitete, rief Caroline nur »Pforzheim, Pforzheim«, sie verschluckte sich fast vor Lachen. Sie selbst hatte damals gerade ein Freiwilliges Jahr in Jerusalem hinter sich, wo sie in einem Altenheim hundertjährige Greise und Greisinnen fütterte, die ihr Iwrith vergessen hatten und nur noch Deutsch, die Sprache ihrer Jugend, verstanden. Davor hatte sie ein Jahr lang bei Paul Ahrens in Barcelona gewohnt und gekellnert. »Für dich ist ja schon Wien zu weit«, spottete meine Tochter, denn als ich einmal über Ostern von Ruth nach Wien eingeladen worden war, hatte ich abgesagt. Ich dachte damals an die nötigen Gartenarbeiten in Machandel, an die Forsythien hinterm Schuppen, deren vergängliches Gelb ich versäumen würde, an den meist zu Ostern für kurze Zeit blühenden Teppich von Anemonen im Buchenwald am Tabacksberg. Ruth kam früher selbst gern nach Machandel, aber nun hatte sie keine Zeit mehr, führte auch an Wochenenden Beratungsgespräche. Sie lebte mit Andreas zusammen, der schon vor Jahren so fesselnd über die 27 000 Gesteinsbrocken erzählen konnte, die seit Jahrzehnten im Keller des Pergamonmuseums in Drahtkörben lagerten. Sie waren in den 1920er-Jahren an einem Hügel im Nordosten Syriens ausgegraben worden, unweit der türkischen Grenze. Ein aramäischer Fürst hatte hier, im Zweistromland zwischen Euphrat und Tigris, vor mehr als 3000 Jahren Paläste und Tempel errichten lassen, auf den Fundamenten assyrischer und babylonischer Siedlungen. Die ausgegrabenen Reliefs, Säulen und Skulpturen waren beschädigt, aber ihre geheimnisvolle Schönheit schien unzerstörbar. In einer Bombennacht im November 1943 verbrannten alle Teile aus Kalkstein und in der Hitze zerbarsten die Figuren von Tieren und Göttern aus Basalt. Vom Dach der Lagerhalle tropfender Teer drang tief in die Gesteinsbrocken ein, Löschwasser gab ihnen den Rest.

Ruths Freund gehört zu den Kunstwissenschaftlern, die die Gesteinsbrocken immer wieder sichteten und ein paar Jahre nach der Wiedervereinigung den völlig verrückt erscheinenden Plan fassten, sie wieder zusammenzusetzen.

Deshalb war er nach Berlin gekommen. Schon als Ruth ihn kennenlernte, übrigens auf den Stufen des Pergamonaltars, hatte er ihr von den unzähligen Puzzleteilen aus Stein erzählt, von seinem Traum, sie wieder zusammenzufügen. Vielleicht war es dieser Traum, in den Ruth sich verliebt hatte, in einer Zeit, als viele unserer Weggefährten zu träumen aufgehört und sich, wie sie sagten, von Illusionen verabschiedet hatten.

Einige trafen sich noch immer im Friedenskreis, der ein lockerer Freundeskreis geworden war, den der Stolz auf die gemeinsame Vergangenheit zusammenhielt, manchmal verreisten sie zusammen, fuhren nach Israel und nach Polen, trafen sich zu Diskussionen und um Geburtstage zu feiern. Die Pfarrerin sah ich selten, sie hatte viel zu tun, ihre Gemeinde war gewachsen. Einmal noch war ich in einem ihrer Gottesdienste gewesen, aber das war nun keine politische Veranstaltung mehr, das Evangelium stand im Mittelpunkt ihrer Verkündung, ich hatte das Gefühl, dort nicht hinzugehören. Manchmal ging ich in die Wolfshagener Straße in ein Café, das ein Ehepaar aus dem Friedenskreis führte. Wenn ich dort Bekannte traf, redeten wir oft über Themen, die uns früher nicht interessiert hatten, Altersversorgung, Kredite für Eigentumswohnungen.

Ruths Freund Andreas erzählte uns die Geschichten vom Wettergott Tessup, von der Sonnengöttin Hepat und ihrem Sohn Samura, die auf dem Rücken riesiger Löwen standen. Er zeigte uns Fotos von seltsamen Vogelmännern, liegenden Stieren und beschrieb die Kämpfe zwischen den Assyrern und Aramäern, wunderte sich, dass wir die Bibel kaum kannten, und zitierte aus dem Buch des Propheten Jesaja, wo es im Kapitel 37 um genau diese Vorgänge ging. Er wusste, dass unter dem versunkenen Palast des Aramäerfürsten, getrennt von ihm nur durch eine dünne Erdschicht, die Spuren einer 6000 Jahre alten Siedlung gefunden worden waren. Die Zeit verlor ihre Bedeutung, wenn Andreas von den Ausgrabungen berichtete.

1995 wurden die im Keller an der Spree lagernden Teile endlich in Transportkisten gelegt und zogen um in ein Außendepot der Staatlichen Museen. Sechs Jahre später war der Traum von der Wiedergeburt der steinernen Götter und Tiere kein Traum mehr, Andreas war einer der Archäologen, die nun täglich in einer Halle am Stadtrand die 27 000 Einzelteile in die Hand nahmen, sortierten und schließlich zusammenfügten.

Wenn er, zusammen mit Ruth, in Machandel war, wenn wir

über die Weiden zum See liefen, erzählte er davon, und alles erinnerte ihn daran: die vor Millionen Jahren von den Eismassen hierhergeschobenen Findlinge, die jahrhundertealten blau glasierten Steine, die Eichen auf den Hügelgräbern, die aus den Wurzeln anderer Eichen wuchsen. Wie bei allen Menschen, die von einer Idee, einer Arbeit ganz erfüllt sind, stieß das, was er sah und erlebte, nur an, was ihn ohnehin beschäftigte. Aber auch mich fesselten seine Erzählungen, und als er mich fragte, ob ich nicht in seiner Arbeitsgruppe als Protokollantin mitarbeiten wolle, zögerte ich nicht lange.

Als ich anfing, lagen die 27000 Basaltstücke noch auf Holzpaletten, oft durfte auch ich sie in die Hand nehmen und sortieren. Die äußeren Teile waren leicht zu erkennen, allmählich bekam ich einen Blick dafür, zumal ich viel von den Kunstwissenschaftlern und Archäologen der kleinen Arbeitsgruppe lernte. Schwieriger war es, die Teile aus dem Inneren der Säulen und Figuren zuzuordnen, aber allmählich lernte ich, die Strukturformen des Gesteins zu unterscheiden. War ein Teil identifiziert und gereinigt, erhielt es eine Nummer. Diese Kartierungsarbeiten waren meine Aufgabe. Viele Teile waren jedoch für immer verloren und wurden nur nachgearbeitet, wenn es für die Statik oder das Verständnis des Ganzen notwendig schien. Trotz der Leerstellen sind allmählich mehr als dreißig Bildwerke mit Spezialmörtel und Epoxidharzen wieder zusammengesetzt worden, ich habe zugesehen, wie in ein paar Jahren aus den undefinierbaren Schutthaufen die Götterfiguren und Löwen, der Stier und die Reliefplatten wiederentstanden.

Manchmal musste ich an meine frühere Arbeit denken, an das Märchen vom Machandelboom, und dann fand ich, meine Kollegen machten nichts anderes, als Marleenken, das Schwesterchen des toten Bruders, es getan hat, indem sie all *de Beenkens un Knakens*, all die Beinchen und Knochen, ihres Bruders aufsammelte und in ein seidenes Tuch band, aus dem er sich als ein schöner Vogel erheben konnte, *de süng so herrlich un flöög hoog in de Luft.* Auch unsere Vogelmänner sind nun auferstanden, man sieht ihre Wunden, sieht, was dreitausend Jahre – die Kriege, der Sand, das Vergessen, Feuer und Wasser, Pech und Schwefel – ihnen angetan haben, ihre Krallen sind rissig, ihre Körper voller Abplatzungen, dem Skorpionschwanz fehlen ganze Teile, aber sie sind wieder da. Eine rätselhafte Kraft geht von ihnen aus.

Meine Töchter fragten mich manchmal, was ich nach dem Abschluss dieser Arbeit machen würde. Andreas wusste, was er vorhatte, er wollte an Grabungen an jenem noch immer nicht ganz erschlossenen Hügel im Nordosten Syriens teilnehmen; ein Team aus syrischen und deutschen Kollegen hatte schon damit begonnen, obwohl inzwischen Dörfer bis an den Hügel heranreichten und ein islamischer Friedhof über den Resten so vieler untergegangener Kulturen angelegt worden war. Er war Archäologe, ich aber war Sprachwissenschaftlerin mit ein bisschen Verwaltungserfahrung, nun hatte ich auch noch gelernt, zerbrochene Steine zusammenzufügen, doch ich wusste nicht, was ich damit anfangen könnte.

Ich wusste ja nicht einmal, ob ich dieses Haus behalten wollte, hinter dem ich oft saß, während ich meine Gedanken treiben ließ wie der Wind die Wolken am Mecklenburger Himmel.

Hier, dachte ich, ist mir alles vertraut, hier kann ich die Zeichen deuten. Hier gehe ich nach Regengüssen über die Felder, die hochgekommenen Versteinerungen einsammeln, hier finde ich die blau glasierten Steine, hier spüre ich die geschichtete Erde unter meinen Füßen, die Schichten der Zeit, die ineinander übergehen wie auf dem fernen syrischen Hügel.

Wenn ich an meinem grünen Gartentisch den Kopf wandte,

sah ich den Schuppen, von den Ästen des Nussbaumes beinahe verdeckt. Als der Baum kaum größer war als Paul Peters, fotografierte der hier seine Kinder. Mit einem Fotoapparat aus Pappe, den es im Olympiadejahr 1936 billig zu kaufen gab, seine Tochter Marianne hat es mir erzählt. Das fleckige Foto von Marlene in ihrem Konfirmationskleid hatte ich vergrößern lassen, es hängt bis heute im Katen an der Wand. Ich wusste, wenn ich die Kerben im Balken der Schuppenwand ansah, was sie bedeuteten, dort links war die Axt eingedrungen, die der betrunkene Kätner Jürgen Töpelmann gegen seine junge Frau Pauline geworfen hatte, achtzig Jahre war das nun her. Und einen Meter daneben hatte Michael mit einem Messer in dem Balken herumgestochert, weil er mir zeigen wollte, wie mürbe das Holz schon war. Das war vor zwanzig Jahren, der Balken hielt immer noch. Wenn ich von meinen Schreibarbeiten auf der Terrasse nach oben blickte, sah ich die Luke unterm Dach des Schuppens, dort oben haben Emmas Zwillinge Klaus und Günter ihre ersten selbst gedrehten Zigaretten geraucht, Machorka, bei den Russen am Bahnhof eingetauscht gegen geklaute Eier. Das wusste ich vom ehemaligen Bürgermeister, der damals ein Umsiedlerjunge aus dem Schloss war und mal ziehen durfte. Auch er kannte die wilden Nester der Hühner, aber trank jedes Ei selbst aus. Der kam noch immer hier vorbei in seiner Montur, wenn er zur Jagd fuhr.

Ich erinnere mich, dass er eines Abends anhielt und fragte, wie es ginge. Er schimpfte auf die Jagdpächter aus Ratzeburg und Hamburg. »Keine richtigen Jäger, keine Ahnung vom Wald, wie auch, die hocken in ihren Anwaltskanzleien und scheffeln Geld, und wenn sie dann mal kommen, schießen sie auf geschützte Großtrappen. Die sind auch nicht anders als die Deppen mit Parteiabzeichen früher, die das Wild immer nur angeschossen haben. Immer wieder haben wir damals

Rehe erlösen müssen, die waidwund herumirrten, sogar in der Schonzeit. Die heute sind auch nicht besser. Vom Regen in die Traufe.« Mich wunderte, dass er so redete, denn er trug früher selbst ein Parteiabzeichen. Aber er wollte gar keine Antwort, musste weiter, sagte aber noch, er habe von dem Angebot der Immobiliengesellschaft an mich erfahren. »Das solltest du annehmen, viertausend Ost habt ihr damals bezahlt, das Zwanzigfache wollen sie dir geben, in West, ein gutes Geschäft. In Mamerow steht das alte Gärtnerhaus frei.«

»Man kann doch nicht ein Haus gegen ein anderes tauschen«, protestierte ich, er grinste. Als er schon wieder auf seiner Maschine saß, rief er: »Klar kann man. Alles kann man austauschen, den Mann, die Jagdpächter, den Staat, siehste doch. Überleg es dir, so viel bietet dir keiner mehr.«

Woher wusste er von dem Kaufangebot? Hier sprach sich alles herum. Doch auch ich kannte ja die Geschichten der Leute, wusste, woher sie gekommen waren und wohin ihre Kinder gingen.

War es die Vertrautheit, die mich in diesem Dorf hielt? Aber manchmal spürte ich auch etwas wie Bedrohung.

Ich erinnere mich an einen Sommertag, an dem ich mit dem syrischen Restaurator Sadiq und seiner Familie über die Koppeln zum Krevtsee ging. Sadiq arbeitete in unserem Projekt, seine Frau Lajla und die beiden Söhne waren zum ersten Mal in Deutschland, ich hatte sie übers Wochenende nach Machandel eingeladen. Vom Hügel aus war das Wasser schon zu sehen, und die beiden dunkel gelockten Jungen, neun und elf Jahre alt, liefen voraus. Als ich mit Lajla und Sadiq Minuten später am Seeufer ankam, sahen wir die Brüder dicht beieinander abseits stehen, zitternd in ihren Badehosen trotz der Hitze. Am Ufer aufgereiht standen ein paar Jugendliche, die ich aus den Nachbardörfern kannte, auch Marco, Frau Poschmanns gutmütiger

Enkelsohn, war dabei, der vor ein paar Jahren Caroline an diesem See geduldig das Schwimmen beigebracht hatte. Jetzt stand er bei den anderen, in einer Reihe hatten sie sich bedrohlich aufgebaut wie ein Absperrkommando.

»Das ist ein deutscher See«, sagte einer zu Sadiq und Lajla. Die Kinder wollten weg, ihre Lust aufs Baden war ihnen vergangen, und auch Sadiq, der solche Situationen kannte und deshalb nur zögernd die Einladung in die, wie er es nannte, ostdeutsche Provinz angenommen hatte, wollte nicht bleiben, obwohl Marco, als er mich erkannte, verlegen sagte: »Kann man ja nicht wissen, dass die Türken zu euch gehören.«

Ich erinnere mich an einen Tag in einem anderen Sommer. Morgens traf ich Anna Plän auf der Dorfstraße, eine der alten Frauen, über die die anderen noch immer sagten, sie sei ein Flüchtling. Ich bat sie um eine der hohen Verbenen, die vor ihren Fenstern auf der Südseite wuchsen. Ihre Farbe erinnerte mich an Marias Gewänder. Anna Plän brachte mir die gut bewurzelten Pflanzen am Vormittag, zusammen mit einer Schüssel Süßkirschen, und schaute zu, wie ich einen Platz für sie suchte. Als ich eine Bemerkung darüber machte, dass die zarten Schönen ja wohl fremd in dieser Gegend wären, lachte sie mich aus, das sei Eisenkraut, auch Traumkraut genannt, das habe es schon immer gegeben, an Bahngleisen und auf Schutthalden. Ihre Mutter habe einen Sud daraus gekocht, gegen Rheuma. Sie lachte mit fast zahnlosem Mund, ich verstand sie schlecht, aber horchte auf, als sie meinte, so manches, was schon verschwunden war, käme nun wieder, am Krevtsee campierten seit gestern Fremde mit dunkler Haut, Zigeuner. »Heute geh mal lieber nicht baden und halt die Lütte fest. Zigeuner stehlen Kinder, vor allem Mädchen.« »So sagte man früher«, schob sie nach, und es war nicht ganz klar, ob sie selbst das glaubte.

Am Nachmittag schickte sie ihre Enkeltochter – oder war es

schon die Urenkelin –, ein fünfjähriges Mädchen namens Jessica, das sollte die Schüssel holen, aber sie vergaß es und spielte in meinem Garten, hüpfte herum und sang ein Lied, das sie aus dem Kindergarten kannte. Ich kannte es auch, hatte es selbst gesungen und auch meine Töchter. Aber noch nie hatte ich auf den Text geachtet: *Hampelmann, Strampelmann, nimm dich in Acht. Wer hampelt und strampelt, der wird ausgelacht.*

»Kannst du nichts anderes?«, fragte ich das Kind, als es das zum zehnten Mal wiederholte. Da klatschte Jessica in die Hände und sang ein Tanzlied aus meiner Kinderzeit, an das ich Jahrzehnte nicht gedacht hatte. Bestürzt hörte ich: »*Kleiner Schelm bist du, weißt du, was ich tu, ich stecke dich in'n Hafersack und binde oben zu. Und wenn du dann noch schreist, ach bitte mach doch auf, dann binde ich noch fester zu und setz mich obendrauf.*«

Da fielen mir noch mehr Spiele meiner Kindergartenzeit ein, bei den meisten musste man aufpassen, nicht plötzlich allein im Kreis zu stehen, ausgesetzt dem Gelächter der anderen. *Vierundzwanzig Bauernmädchen* hieß ein solches Spiel, jede musste sich einen Gefährten greifen, und wer übrig blieb, wer am Ende allein im Kreis stand, musste hören: »*Da steht se nun und hat kein Mann, die olle Quietschkommode. Das nächste Mal pass besser auf und mach mit uns die Mode.*« Ich verstand als Kind nicht, was es heißt, die Mode mit den anderen zu machen. Vielleicht verstand ich es doch. Denn sonst hätte ich nicht mit ihnen gelacht über den kleinen Schelm aus dem Lied, das Jessica begeistert wiederholte. Sonst hätte ich seine Angst gespürt, seine Ohnmacht im dunklen Hafersack, der noch fester zugebunden wird, und der Hintern auf dem Hafersack hätte auch mir die Luft abgeschnürt.

Später kam Anna Plän an den Gartenzaun geschlurft, sie rief das Kind, erbat die Schüssel zurück, die Kirschen waren längst aufgegessen. Sie winkte mich zu sich heran, ihre Augen glänzten seltsam. Offenbar trug sie jetzt ein Gebiss, ich verstand sie gut.

»Die Zigeuner vom Krevtsee«, sagte sie, »sind weg. Schon mittags verschwunden. Vorher hat es da noch was gegeben.« Ihr Enkel Ronny, erfuhr ich, sei dabei gewesen, der wollte angeln, auch andere Jungen. Sogar aus Kuhelmies, die hätten ja heute alle Handys und sich verabredet. Der neue Bürgermeister habe dann die Polizei gerufen. Aber ihr Enkel sei schon wieder zu Hause gewesen, als die Polizei kam, auch von den anderen hätte man keine Namen feststellen können. Einer von den Zigeunern sei aber nun im Krankenhaus, mit dem Rettungswagen nach Güstrow gebracht worden.

»Die kommen nicht wieder. Nun können wir die Mädchen wieder zum See gehen lassen.«

Zufrieden sah sie auf Jessica, die fröhlich um uns herumhüpfte, stolz, weil ihr ein neuer Reim eingefallen war: »*Hampelmann, Strampelmann, nimm dich in Acht! Wer hampelt und strampelt, der wird umgebracht.*«

Ihre Großmutter griff nach der Schüssel, die roten Flecken waren wie Blut.

Ich erinnere mich an viele solcher Momente, in denen ich dachte: Hier, in diesem Dorf, kann ich nicht bleiben.

Aber dann kämmte ich abends die kleinen blauen Blüten vom Bleiwurz aus meinem Haar und dachte an Emma, die mir die Ableger in ihrem letzten Sommer geschenkt hatte. Überwintern muss der Bleiwurz im Haus, ich erinnere mich, dass ich im Frühjahr nach Emmas Tod dürre graue Stöcke, an denen noch totes Laub hing, ins Freie stellte; vielleicht hatten sie zu lange im kalten Vorraum gestanden, sie blieben wie abgestorben. Ich konnte mir nicht vorstellen, dass sie jemals wieder Ansätze von Grün zeigen würden. Das schien mir in dieses

Jahr zu passen. Trotzdem beschnitt ich die dürren Zweige noch einmal, gab sie in frische Erde und goss sie ein paar Tage lang mit Regenwasser. Als ich wieder abfahren musste, ließ ich ein totes Gewächs zurück. Doch nach meiner Rückkehr im Sommer sah ich sofort die leuchtende blaue Wolke im satten Grün. Der Bleiwurz hatte an den Schnittstellen Triebe gebildet und blühte noch üppiger als im Vorjahr, seine Blüten sprangen jeden an, der an dem schäumenden Blau vorbeiging.

Nur die Verbenen von Anna Plän kamen nicht wieder.

Mein Garten erzählte mir in jedem Jahr Geschichten von Vergeblichkeit und Hoffnung.

Auch der alte Wilhelm ist nicht mehr am Leben. Ich erinnere mich an unsere letzte Begegnung, drei Tage bevor er starb. Ich war allein nach Machandel gekommen und hatte die Fenster weit geöffnet, um die Morgensonne ins Haus zu lassen. Da sah ich ihn im Vorgarten stehen und wollte mich zurückziehen. Aber er rief meinen Namen. Einen Moment lang zögerte ich, denn ich war noch im Nachthemd. Dann fiel mir ein, dass sie im Dorf meine Kleider sowieso für Nachthemden hielten, und ich trat aus der Tür, ging die paar Schritte bis zu dem rot blühenden Strauch, dessen Namen ich immer noch nicht kenne. Dort, auf drei oder vier Dornen, steckte etwas Winziges, Unbekanntes, das Wilhelm mit einem merkwürdig zufriedenen Lächeln betrachtete. Ich erkannte Reste von etwas, das lebendig gewesen war, und wich zurück. »Der Neuntöter«, sagte Wilhelm und grinste über mein Erschrecken. »Der Neuntöter ist wieder da.«

Ich wusste, dass der Vogel, so klein wie ein Fink, schon als ausgestorben galt. Wie der Ortolan, wie die Feldlerche war er aus dieser Landschaft verschwunden. Aber seitdem die Agrar GmbH sich aufgelöst hatte, seitdem so viele Ackerflächen brach lagen, ist der Neuntöter zurückgekommen.

»Er ist ein Würger, erst nach neun Beutetieren hört er auf zu jagen«, erklärte Wilhelm. Da erkannte ich ein Stückchen Fleisch, an dem noch so etwas wie ein Mäusefell hing, mir wurde schlecht, und ich rannte ins Haus. Im Vorraum beugte ich mich über den Ascheeimer und hörte Wilhelms heiseres Lachen. Am Mittag war das Mäusefell nicht mehr da, nur auf einem Stein vor dem Strauch lag kaum erkennbar etwas Winziges, Rotes, Weiches, vielleicht ein Mäuseherz.

Wilhelms Lachen, dieses brüchige Lachen des alten Mannes, war das Letzte, was ich von ihm hörte. Eine Woche später ging ich zu seiner Beerdigung. Auguste stellte mich ihren Kindern vor, die ich in Machandel nur selten und von Weitem gesehen hatte: zwei freudlos wirkende, ältere Frauen mit ebensolchen Männern und ein Sohn, der mich misstrauisch musterte. Einer von Wilhelms Enkeln, die ich noch nie im Dorf gesehen hatte, trug eine Uniform der Bundeswehr. Außer mir und dem Pfarrer waren nur zwei oder drei Trauergäste gekommen, die nicht zur Familie gehörten, wir wurden zum anschließenden Kaffeetrinken eingeladen. Im Gemeindesaal, wie es hier üblich war, bot die Frau des Pfarrers Blechkuchen an, aber ich ging bald. Wilhelms Töchter stritten sich zischelnd um einen Grundbucheintrag, bis der Sohn seine Schwestern grob zurechtwies; die wandten sich an ihre Mutter: »Nu sag du doch mal was!« Auguste rang barmend ihre Hände, wie ich es oft bei ihr gesehen hatte, und wiederholte den Spruch, den ich auch schon kannte: »Herr, wie du willst und nicht, wie ich will.«

Als ich zu Fuß vom Friedhof kam, die asphaltierte Kastanienallee entlang und an den Neubauernhäusern vorbei, stand Minna Möllers am Zaun und sah mir entgegen. Ich grüßte und wollte weitergehen, aber sie winkte mich heran. »Wi wor de Arfbeer?« »Keiner aus dem Dorf war dabei.« Sie nickte und wollte wissen, welcher Pfarrer gesprochen hatte, der alte aus

Teterow oder der neue aus dem Westen. »Warum seid ihr denn nicht selbst zur Beerdigung eures Schwagers gegangen?«, fragte ich. Sie winkte ab und zeigte auf ihre Knie, bevor sie ins Haus zurückhumpelte.

24

HERBERT

Glühendes Holz

Clara, meine liebe Freundin, kleine Schwester! In Gedanken
spreche ich oft mit Dir, in Gedanken habe ich Dir auch schon
geschrieben, aber das hier wird wirklich ein Brief, auf dem
Papier der Umweltbehörde Ibama, wie Du siehst. In einem
wegen der Hitze abgedunkelten Büro in Belém warte ich auf
einen Jeep, der vielleicht gleich kommt, vielleicht aber erst in
sechs Stunden oder morgen früh. Belém ist die Hauptstadt des
brasilianischen Bundesstaates Pará, hier mündet der Amazonas
in den Atlantik. Seltsam, in Lissabon habe ich auch in einem
Stadtteil gewohnt, der Belém genannt wurde, Haus des Brotes.
Und Pará wird *terra sem lei* genannt, Land ohne Gesetz. Seit
sechs Wochen bin ich hier unterwegs und habe eine Ahnung
bekommen, warum das Land so heißt.

Ich weiß nicht, wo ich anfangen soll, um Dir zu erzählen,
warum ich hier bin und was ich hier gefunden habe.

Vielleicht muss ich mit dem Geigenbogenbauer anfangen.
Clara, Du erinnerst Dich, dass wir manchmal über Arthur gesprochen haben, den Lebensgefährten Deiner Großmutter. Ich
habe sie ja beide noch kennengelernt in dem Sommer Deiner
Geburt. Aber Jan hat mir schon vorher in der Kadette oft erzählt, wie er in Arthurs Werkstatt den Geschichten über den
Pau Brasil zuhörte, aus dessen rotem Holz die Bögen gefertigt
wurden. Ihn hat schon als Kind empört, dass dieser kostbare

Baum beinahe ausgerottet wurde und dass die Bewohner des Amazonasgebietes und der Mata Atlântica gar nichts von diesem Reichtum haben. Arthur hatte ihm von den Indianern erzählt, von den portugiesischen Eroberern, von den Nachfahren der schwarzen Sklaven und immer wieder von dem Baum Ibirapitanga oder Fernambuk oder Pernambuco. Pau Brasil heißt glühendes Holz, so hat er dem Land seinen Namen gegeben.

Es waren für uns Abenteuergeschichten, ich habe kaum noch an sie gedacht, aber Jan hat sie nicht vergessen. Und Lena auch nicht. Ich war verblüfft, als ich eher beiläufig erfuhr, dass der Bogenbauer gar nicht aus ihrem Leben verschwunden war. Sie hat Arthur in seinem vogtländischen Dorf sogar manchmal besucht. Aber als sie aus Machandel fortging, war er schon nicht mehr am Leben. In einem seiner letzten Briefe hatte der fünfundachtzigjährige Mann Lena geschrieben, er habe 1990 eine Vereinigung von Bogenmachern und Geigenbauern gegründet, die *International Pernambuco Conservation Initiative*. Diese Organisation wolle im Amazonasgebiet eine halbe Million neuer Setzlinge des Pau Brasil anpflanzen lassen. Einer von Arthurs Kunden war Soloviolinist bei den Wiener Philharmonikern, er organisierte Sondervorstellungen für den Erhalt des Fernambuk. Auch Berliner Musiker sammelten Geld, und Kollegen aus Australien, Belgien, Finnland, Israel. Mindestens dreißig Jahre braucht der Baum, bis das rötliche Kernholz für den Bogenbau verwendet werden kann. Arthur schrieb, ihm sei klar, dass er das nicht mehr erleben würde, aber er sei glücklich, so viele Jüngere gefunden zu haben, die dafür sorgen wollten, dass der wunderbare Baum nicht von der Erde verschwindet. Lena bekam aus seinem Nachlass einen ganzen Packen von Material über seine Organisation und über eine ähnliche brasilianische Initiative namens *Funbrazil*. Sie sah sich diese Papiere damals nur flüchtig an, aber brachte sie später mit nach Berlin.

Als ich das alles entdeckte, dachte ich an Jan, der mir die Geschichten vom Fernambuk erzählt hat, mit dessen Holz man früher die Mädchenkleider rot färbte und, wie er wohl dazuerfunden hatte, die Fahnen der Französischen Revolution. Auch Jan hatte davon geträumt, die Mata Atlântica wieder aufzuforsten; diesen Traum und die Erzählungen des Bogenbauers hatte er aus Machandel mitgebracht in die Kadettenschule. In diese Welt und in unsere Freundschaft flüchteten wir uns, die waren wie ein unsichtbarer Kokon, der uns schützte.

Ich schrieb an *Funbrazil,* und eines Tages bekam ich Informationsmaterial über die neuen Pflanzungen, auch Fotos waren dabei. Zum Glück hatte ich in meiner Zeit in Lissabon ganz gut Portugiesisch gelernt, doch legte ich erst einmal alles beiseite, um mich später damit zu beschäftigen. Denn am selben Tag, mit derselben Post kam ein Brief von Katja.

Clara, Du erinnerst Dich sicher an Katja, sie war im Pankower Friedenskreis und gehörte zu dieser Puppenspielergruppe vom Kollwitzplatz. Mit ihren Stücken über unsere inneren Gefängnisse haben sie uns den Atem verschlagen, zum Heulen und zum Reden gebracht. In einer düsteren Erdgeschosswohnung haben sie ihre Stücke aufgeführt, manchmal auch in Kirchen, im Pankower Gemeindehaus oder unter freiem Himmel auf dem schmalen Streifen zwischen dem Jüdischen Friedhof und den Hinterhäusern am Kollwitzplatz, dem Judengang, der vor Generationen angelegt worden war, damit die jüdischen Särge nicht durch die Schönhauser Allee getragen werden mussten, vorbei an aller Augen. Aber von dieser Geschichte wussten wir damals nichts, und den Namen Judengang kannten wir nicht, als wir dort auf Küchenstühlen und im Gras saßen, uns dem Spiel aussetzten, mit dem Katja und die anderen unsere Seelen aufrissen. Ach, Clara, ich bin hier in Belém, es ist Oktober, gestern fand hier der Cirio statt, ein Fest, bei dem über eine Million Leute von überall her eine Marienstatue zum Hafen begleiteten. Die Boote in der Bucht waren mit Blumen geschmückt und in der Luft hingen die Gebete und Schreie der Menschen. Wegen des Cirio habe ich kein Hotelzimmer in Belém bekommen und musste hier, in der Umweltbehörde Ibama, schlafen. Sogar in diesem Büro riecht es nach Fisch und nach Gewürzen, die wir nicht mal dem Namen nach kannten. Ist es nicht verrückt, dass ich hier in Belém an den Judengang in Prenzlauer Berg denke und an Katjas Puppentheater, an unsere Sehnsucht nach der Welt hinter der Mauer? Ich war dabei, als Dein Bruder und Katja sich dort in diesem schmalen Niemandsland hinter den Häusern begegneten, es war wie eine Explosion der Gefühle, aber damals wollte Jan schon raus, Katja konnte ihn nicht zurückhalten. Sie durfte ein paar Monate nach ihm überraschend ausreisen, aber sie hat ihn nicht mehr gefunden. Wir dachten, sie hat aufgehört, ihn zu suchen, so wie auch wir uns beinahe damit abgefunden hatten, dass er sich nicht mehr bei uns meldete.

Und nun, am selben Tag, an dem ich die Materialien von *Funbrazil* bekam, las ich Katjas Brief, in dem sie mir schrieb, sie habe einen französischen Fotografen ausfindig gemacht, der bei derselben Agentur unter Vertrag war wie damals Jan. Der Franzose habe ihr erzählt, Jan Langner sei im Juni 1987 nach Belém geschickt worden, um die Beerdigung eines ermordeten Volkshelden zu fotografieren. Jans Kollege erinnerte sich deshalb so gut daran, weil er selbst gern diesen Auftrag übernommen hätte, aber Jan sei gerade in Venezuela gewesen, näher am Geschehen. Er sei dann von der Agentur noch öfter nach Lateinamerika geschickt worden und immer wieder auch für Wochen und Monate in eigenem Auftrag nach Brasilien gefahren, das Land habe ihn nicht mehr losgelassen. Als die Agentur aufgelöst wurde, sagte der Franzose, hatte er schon lange nichts mehr von Jan Langner gehört, aber wenn man ihn suchte, würde man ihn sicher in Brasilien finden.

Katjas Brief ließ mich nicht mehr schlafen; ich bin ja Historiker, Clara, es war nicht schwer, die Bilder zu finden. Mehrere große Zeitungen hatten sie gedruckt und sie werden noch immer veröffentlicht.

Es war das Begräbnis von Paulo César Fonteles de Lima gewesen, seinen Namen hatte ich nie vorher gehört. Du wirst ihn auch nicht kennen, Clara, aber in Brasilien ist er bekannt. Als ich die Fotos sah, als ich über Paulos kurzes Leben las – er war fünf Jahre jünger als ich, drei Jahre jünger als Jan –, verstand ich, warum mein Freund solche Fotos machen konnte. Diese Trauer kann man nur fotografieren, wenn man sie teilt. Als Paulo fünfzehn war, 1964, las er die französischen Aufklärer und die Klassiker der Weltliteratur. Es war das Jahr, in dem die Militärs in Brasilien sich wieder an die Macht putschten. Und es war das Jahr, in dem Jan Abitur machte und ich als Soldat in einer Kaserne von Eggesin meine anderthalb Pflichtjahre in der Schreibstube verdämmerte. In jeder freien Minute las ich, die französischen Aufklärer und die großen Russen. Der Einzige, mit dem ich mich darüber austauschen konnte, war Jan, der in Berlin dasselbe las. Als Paulo zwanzig war, studierte er Jura in Brasilia. Er gehörte zur illegalen Ação Popular; sie gaben verbotene Zeitschriften heraus, klebten Plakate und agitierten für einen Volksaufstand. In diesem Jahr 1969 habe ich meine Doktorarbeit über das Dreiklassenwahlrecht zu schreiben begonnen, ich war zornig und ratlos wegen der Panzer in Prag, wegen der Lügen in unseren Zeitungen, weil sie meinen Freund eingesperrt hatten. Zum Ende des Jahres 68, Jan saß noch im Gefängnis Hohenschönhausen, bin ich immer wieder ins Deutsche Theater gegangen, da spielten sie Goethes *Faust* in der Regie von Adolf Dresen. Damals hatte ich niemanden, mit dem ich reden konnte, unser Traum vom demokratischen Sozialismus war ausgeträumt. Der von Fred Düren gespielte Faust war kein positiver Held, sondern skeptisch und voller Widersprüche; der Schauspieler zeigte die Zerrissenheit, die Ahnung von Ausweglosigkeit und das Aufbegehren gegen diese Endgültigkeit, in seinem Spiel fand ich wieder, was mich umtrieb. Und die wilden Tänze der nackten Hexen in der Walpurgisnacht verfolgten mich bis in die Träume. Immer wieder lief ich dahin, für diese Stunden fühlte ich mich nicht so allein. Ich fand zwar keine Antworten auf meine Fragen, aber spürte, dass ich meinen Zweifel nicht bekämpfen musste wie ein Krebsgeschwür, er war etwas, was ich mit den anderen teilte, vielleicht war er unsere Stärke. Das Stück haben sie mehr als hundert Mal gespielt, als Student brauchte ich nur 55 Pfennige für die Eintrittskarte zu bezahlen, zwanzig, dreißig Mal bin ich dort gewesen. Es wühlte mich auf, obwohl Sätze und ganze Szenen gestrichen werden mussten, auch die tanzenden Hexen waren irgendwann nicht mehr nackt. Als Jan freikam, musste er im Glühlampenwerk im Schichtdienst arbeiten, einmal sind wir trotzdem zusammen in den *Faust* gegangen, da gab es die ganze Szene nicht mehr. Aber an die unheimlichen Verse Gretchens in der Gefängnisszene erinnere ich mich; als Du mir viele Jahre später in Machandel auf einem Spaziergang von Deiner Dissertation erzählt hast, habe ich sie wieder gehört: *Meine Mutter, die Hur / die mich umgebracht hat! / Mein Vater, der Schelm / der mich gegessen hat! / Mein Schwesterlein klein / hub auf die Bein / an einem kühlen Ort; / Da ward ich ein schönes Waldvögelein; Fliege fort, fliege fort!*

Ach, Clara, warum schreibe ich das alles? Ich wollte Dir erzählen, wo ich hier bin und was für Begegnungen ich hier im brasilianischen Bundesstaat Pará hatte. Aber mir scheint, es gehört alles zusammen, in meinem Kopf ist das alles gleichzeitig.

Im Oktober 1971 wurde Paulo César Fonteles de Lima in Pará, dem Land ohne Gesetz, von der Geheimpolizei verhaftet, zusammen mit seiner im fünften Monat schwangeren Frau Hicelda. Beide wurden gefoltert, monatelang. Paulo hat später darüber geschrieben, seine Gedichte sind schwer zu ertragen, dunkle Chiffren aus Schmerz und Ohnmacht. Nach zweieinhalb Jahren haben sie ihn wieder freigelassen. Wir kannten von Brasilien nur den jubelnden Fußballer Pelé, der sich 1970 den dritten Weltmeistertitel holte. Ein bisschen wussten wir vom Regenwald mit seinen 2500 Baumarten, von denen einer unser Geigenbogenbaum war. Von Paulo, Hicelda und ihrem Mut, ihrer Verzweiflung wussten wir nichts, wir waren so mit uns selbst, mit unserem kleinen, ummauerten Land und unserer eigenen Verzweiflung beschäftigt. 1971 wurde Ulbricht abgesetzt. Honecker kam an die Macht. Der war jünger, wie Jans Vater hatte er unter den Nazis im Zuchthaus gesessen. Da war ein Funken Hoffnung, sogar das Wort Wende tauchte in den Zeitungen auf. Aber dieser Moment war nur kurz, die Luft um uns wurde immer zäher.

1985, als sogar im Evangelischen Friedenskreis Gorbatschows Reden studiert wurden – weißt Du noch, Clara? –, glaubten Jan und ich nicht mehr an einen Erlöser. Jan wollte weg und er ist ja dann auch gegangen. Ich blieb. Es begann auch schon die Zeit der Menschenrechtsgruppe. Vorher haben wir nächtelang gestritten. Damals gab es Momente, in denen unsere Freundschaft auf dem Spiel stand. Für mich war damals jeder, der wegging, einer, der aufgegeben hat.

1985, mitten in der Wirtschaftskrise, gab es freie Wahlen in Brasilien, das Land glitt in eine Art Demokratie, aber die mächtigen Familien hielten weiter die Fäden in der Hand. Paulo César Fonteles, Anwalt, Landtagsabgeordneter, Dichter, vertrat die Indigenen und arme Bauern, führte Prozesse gegen Korruption, gegen die Holzindustrie, nannte Namen und wurde von einem ehemaligen Militärpolizisten am 11. Juni 1987 mit drei Schüssen ermordet. Die Auftraggeber blieben im Dunkeln. Und nun bin ich hier, Clara, ich habe Jan nicht gefunden, aber seine Spuren.

Als ich in den Zeitungsarchiven die Fotos von der Beerdigung in Belém sah, habe ich sie gleich als seine Arbeiten erkannt. Jans Blick ist nüchtern, er zeigt, was er sieht, aber vielleicht liegt es an dem Licht, an dem, was er im Halbdunkel lässt, dass man da noch ein Leben außerhalb des Bildes spürt, aus dem die Menschen kommen, in das sie gehen. Man sieht den Moment und spürt, er ist Teil eines größeren Zusammenhangs. Unter einem der Bilder, das den fünfzehnjährigen Sohn des Toten zeigt, entdeckte ich den Namen des Fotografen. Weißt Du, Clara, was da stand? MACHANDEL.

Und als ich endlich in den Broschüren von *Funbrazil* blätterte, sah ich Fotos von Landarbeitern, die auf ihrer Fazenda, finanziert von Musikern aus Arthurs Organisation, Setzlinge des Pernambuco pflanzten. Ganz klein im Impressum wieder der Name des Fotografen: MACHANDEL.

Die Broschüre war schon einige Jahre alt, die Mitarbeiter von *Funbrazil* hatten gewechselt und niemand konnte mir etwas über den Fotografen sagen. Ich erfuhr nur, dass es die Farm zwischen Altamira und Anapu noch immer gab, eine 700 Hektar große Kakaoplantage, die nach der Agrarreform fünfzig landlosen Familien übereignet worden war. Wegen der fallenden Kakaopreise waren sie bereit, auch den Pau Brasil anzubauen. Vielleicht hätte ich Dir die Bilder zeigen sollen, Clara, vielleicht hätte ich Dir erzählen sollen, dass Jan sich als Fotograf MACHANDEL nannte, aber ich erinnere mich an unsere Enttäuschung, als alle Spuren immer wieder ins Leere liefen. Du warst nach der Trennung von Michael oft traurig und müde, erschöpft, weil Du Dich auch noch um Deinen Vater kümmern musstest. Die Töchter waren schon ausgezogen, als ich Jans Foto entdeckte, aber mir schien, ihr Erwachsenwerden war auch nicht leicht für Dich.

Inzwischen hatte ich gesehen, dass auch die Gesellschaft für bedrohte Völker mit Bildern des Fotografen MACHANDEL arbeitet, seine Fotos von Yanomami-Indianern, die an der Grenze zu Venezuela versteckt im Regenwald leben, waren in Ausstellungen zu sehen. MACHANDEL hat Gesundheitsstationen der Wajapi-Indianer fotografiert, und ein berühmtes Foto, das im Frühjahr 1989 auch in deutschen Zeitungen zu sehen war, ist von ihm. Aber wer von uns hat sich in diesen Wochen und Monaten für eine Kundgebung von Indianern in dem brasilianischen Provinzstädtchen Altamira gegen einen gigantischen Staudamm am unteren Xingú interessiert? Sie waren aus ihren Reservaten gekommen, weil die Wassermassen das Land ihrer Vorfahren verschlingen würden.

Auf dem Foto sitzt ein Mann im Anzug, der Direktor der staatlichen Elektrizitätsgesellschaft, wie ich heute weiß, auf einem Podium. Vor ihm hocken Indigene, Männer, die ihren Bogen wie zur Jagd tragen, andere mit Diademen aus Papageienfedern. In dieser Turnhalle war ich vor vier Wochen, ich habe auf dem Fußboden gestanden, der damals mit Palmblättern ausgelegt war. Jans Bild hat den Moment eingefangen, als eine alte Indianerin, in deren Gesicht sich Jahrtausende spiegelten, aufgesprungen und zur Tribüne gestürzt war, sie schwingt eine Machete gegen den erbleichend zurückweichenden Direktor. Dieses Foto ging um die Erdteile, es wurde Symbol einer weltweiten Bewegung, die bis heute anhält. Der Staudamm wurde damals nicht gebaut, am Ende hatte sogar die Weltbank die zugesagten Kredite zurückgezogen.

Clara, ich habe Dir sicherlich erzählt, dass meine Mutter jahrelang Geld gespart hat für eine große Reise mit mir zusammen. In ihrem letzten Brief bat sie mich, auch ohne sie auf diese Reise zu gehen. Aber ich war damals sowieso immer unterwegs, fühlte mich nirgends zu Hause und hatte kein Bedürfnis, weit weg zu fahren. Erst seitdem ich wieder in Berlin war, seitdem ich mit Lena zusammenlebte, dachte ich wieder an den Wunsch meiner Mutter.

Nach Katjas Brief war mir klar, ich würde nach Brasilien reisen. Und als ich die Fotos von der Beerdigung Paulos, die Bilder der Pernambucoplantage sah, hatte ich auch ein Ziel.

Jan muss ja dort gewesen sein, dachte ich, vielleicht erinnert sich jemand an ihn.

Seltsam war, dass ich noch während meiner Reisevorbereitungen einen Brief von dieser Behörde bekam, die die Stasi-Akten verwaltet. Ich hatte ja meine schon Anfang der 90er-Jahre angeschaut, Tausende Seiten, Maßnahmepläne, detaillierte Protokolle unseres Tagesablaufs, Spitzelberichte, Vernehmungsprotokolle. Sogar Fotos meiner Kinder habe ich dort gefunden. Das alles zu lesen, war widerwärtig und unendlich traurig, ich habe diese Akten nie vollständig studiert. Auch fehlten einige Bände. Nun schrieb mir die Behörde, die fehlenden Bände hätten teilweise rekonstruiert werden können, die Blätter seien ganz simpel zerrissen worden, man habe sie wieder zusammengesetzt. Die machen da so eine Arbeit wie ihr in eurer Halle, wo aus Tausenden Einzelteilen wieder Götterfiguren und Vogelmenschen entstehen, nur ist euer Ergebnis sinnvoller, glaube ich. Nein, ich will meinen Widerwillen gegen die Akten nicht auf ihre Bewahrer ausdehnen, als Historiker weiß ich, wie wichtig solche Zeugnisse sein können, man muss sie nur lesen können. Und ohne diese Puzzlearbeit hätte ich nicht Fragmente von Briefen bekommen, die die Stasi gestohlen hatte. Sogar Postkarten meiner Mutter, sogar ein Brief des neunjährigen Paul an Maria und mich, den er aus einem Ostseeurlaub mit Marias Eltern geschrieben hatte. Clara, ich wusste ja, dass sie die Kinder in ihre Maßnahmepläne miteinbezogen hatten, aber Pauls unbeholfener, mit Mühe geschriebener Kinderbrief war wie ein feindliches Dokument ausgewertet worden, jemand hat die Stelle mit Kugelschreiber angestrichen, an der mein kleiner Sohn vom Besuch des Münsters in Bad Doberan schrieb. Ich weiß, es gab Schlimmeres, aber dieser von der Stasi bearbeitete Kinderbrief brachte mich um die Beherrschung, ich habe in diesem Lesesaal geheult. Und ich schrie die Sachbearbeiterin an, die sich weigerte, mir das Original auszuhändigen. Nur eine Kopie durfte ich bestellen, zum Vorzugspreis für ein paar Cent, weil ich ja Opfer sei.

Beinahe hätte ich meinen Besuch in dieser Behörde abgebrochen, aber da waren noch mehr Briefe, die mir zugeordnet waren, unvollständig die meisten. Ich habe Jans Schrift sofort erkannt. Von seinem Brief war nur das rechte obere Viertel erhalten, fast kein Satz vollständig zu lesen, aber das Datum war der 10. Oktober 1987, und der Ort, an dem er schrieb: Belém in Pará. Vielleicht saß er sogar in demselben Raum, in dem ich jetzt bin, ich weiß inzwischen, dass er hier bei der Ibama Freunde hatte und manchmal ihr Faxgerät benutzte.

Außer diesem Fetzen war nur noch der Umschlag von Jans Brief erhalten, er war an mich gerichtet, an meine Adresse in der Wollankstraße, einen Absender hatte er nicht angegeben, nicht auf dem Umschlag. Verstehst Du, was das bedeutet, Clara? Jan hat sich bei uns gemeldet, es war nicht so, dass er im Nichts verschwand und uns alle hinter sich ließ.

Die Sachbearbeiterin im Lesesaal sagte mir, dass möglicherweise auch die anderen Teile des Briefes zum Vorschein kommen würden, es gäbe noch immer viele Säcke zerrissener Dokumente. Vieles sei allerdings noch im Dezember 1989 unrettbar vernichtet worden.

Clara, ich weiß, dass Du Dich nicht um Deine Akten gekümmert hast, aber Du solltest so einen Antrag stellen, vielleicht haben sie auch Briefe von Jan an Dich abgefangen. Lena hat inzwischen auch die Formulare für eine Akteneinsicht ausgefüllt. Zusammen haben wir über der Kopie dieses Brieffragments gesessen, haben versucht, den Worten einen Sinn zu geben, eine Botschaft zu entziffern, aber ich hatte ja schon meine Flugtickets und wusste, die Botschaft würde ich hier finden.

Inzwischen schreibe ich schon stundenlang, der Jeep, mit dem ich nach Santarém fahren wollte, wird wohl heute nicht mehr kommen. Fernando, der einbeinige Hausmeister, ist nach Hause gegangen, sein Chef mit zwei anderen Mitarbeitern unterwegs zu einem illegalen Sägewerk irgendwo hundert Kilometer von der asphaltierten Straße entfernt, das von der Behörde längst geschlossen wurde, in dem aber wohl immer noch Holz zugeschnitten wird, weil die Menschen, die da wohnen, davon leben. Das illegale Holz wird mit nicht angemeldeten Lastkraftwagen und gefälschten Papieren über Straßen transportiert, die in keiner Karte verzeichnet sind, zu Abnehmern, die nur Zwischenhändler sind.

Wahrscheinlich ist es eine vergebliche Fahrt, die der Chef und seine Mitarbeiter da schwer bewaffnet in ihrem Geländewagen unternehmen, es gibt zu viele solcher illegalen Sägewerke, aber solange sie unterwegs sind, kann ich hierbleiben und darf das Papier von Ibama verbrauchen. Fernando ist schon seit zwanzig Jahren bei der Umweltbehörde in Belém, einer der Leiter dieser Außenstelle wurde von Holzfällern ermordet, einer hat den Verstand verloren und einer sitzt wegen Korruption im Gefängnis. Fernando sagte mir, die Ibama war einmal eine große Hoffnung, er sei stolz gewesen, hier zu arbeiten, aber Korruption und die nicht endenden Probleme haben die Hoffnung zerrieben. Fernando ist einer von denen, die Jan kannten.

Seinen Namen wusste er nicht, Jan war für ihn der deutsche Fotograf, *o fotógrafo*, der immer wieder in Belém auftauchte und manchmal mit den Männern der Umweltbehörde in entlegene Gebiete fuhr. *O fotógrafo* hat Fernandos Familie fotografiert, erzählte er mir stolz, und als ich ihm sagte, der Fotograf sei mein Freund, legte er mir die Hand auf die Schulter und sagte, dann sei ich auch sein Freund.

Ob er denn wisse, wo Jan geblieben sei, fragte ich, und Fernando wies mit einer ratlosen Geste auf seine Prothese. »Vielleicht ist er da, wo mein Bein ist.«

Liebe Clara, jetzt ist es schon Stunden später, fast Mitternacht, aber die feuchte Hitze lässt mich nicht schlafen.

Vielleicht ändere ich meine Pläne und versuche morgen, mit einer Gaiola mitzukommen, einem dieser Vogelkäfig genannten Boote, ich werde über den Rio de Pará bis in die Nähe des Dorfes Gurupá fahren, dort soll es auch Pflanzungen von Pernambucosetzlingen geben, die von Arthurs Organisation finanziert wurden. Auch dort hat Jan fotografiert, im Archiv der Ibama von Santarém habe ich seine beschrifteten Fotos gesehen.

In der Pernambuco-Kooperative zwischen Altamira und Anapu war ich gleich am Anfang meiner Reise. Sie haben sich einen Namen gegeben: Paulo César Fonteles de Lima. Wer über die Siedlung spricht, nennt sie einfach Fonteles. Sie besteht nur aus drei, vier Dutzend einfachen Häusern, ein paar Werkstätten und Lagerhäusern. Die holprige Piste dorthin führt durch Weideflächen und Sojaplantagen, die einmal Wald waren, hier wird immer wieder mit Feuer gerodet, obwohl es verboten ist. *Terra sem lei.* Die Luft schmeckt nach Rauch. Die meisten Leute in Fontales haben indianische Gesichter. Sie hungerten auch früher nicht, der Fluss ist voller Fische. Aber es gab keinen Strom. Früher haben sie sicher auch Holz geschlagen, die illegalen

Holzhändler zahlen bar. Aber nicht den Pernambuco, habe ich immer wieder gehört, höchstens die Brasilianische Zeder und den Massaranduba. Den Pernambuco gab es vor ein paar Jahren hier schon nicht mehr, jetzt verehren sie ihn, den Pau Brasil, den Ibirapitanga. Wie sie ihn auch nennen, er hat ihr Leben verändert. Die von Arthur gegründete Organisation hat eine solarbetriebene Brunnenanlage gebaut, das Flusswasser wird gefiltert, seitdem ist die Malaria zurückgegangen. In der Mitte des Dorfes gibt es eine Art Gemeinschaftshaus, darin werden die Kinder unterrichtet. Auch finden Versammlungen dort statt und Schulungen durch Forstwirtschaftler der Universität Belém; die Pernambucoplantage gehört zu einem Wiederaufforstungsprogramm der Universität.

Die Farmer erinnern sich gut an den deutschen Fotografen, ich bin in Häuser geführt worden, in denen ich Jans Bilder an den Wänden sah. Aber die Kinder auf den Fotos waren herangewachsen, und eine Frau, die mir ihr Hochzeitsbild zeigte, war seit Jahren Witwe. Ich schlief im Haus des Vorsitzenden der Kooperative, Lupiciano hatte mir einen Raum für mich allein gegeben, seine sieben Kinder und die Großmutter schliefen in dem anderen, der dritte Raum war das Schlafzimmer der Eltern und Küche zugleich. Dort saßen wir abends um den Herd, doch Jan hatte seit Langem keiner mehr gesehen. Die Großmutter erinnerte sich an ein Bootsunglück auf dem Rio Tapajós, bei dem er wohl sein Leben verloren habe, aber Lupiciano widersprach, das Unglück mit mehreren Toten habe es gegeben, doch der Fotograf überlebte. Da fiel auch der Alten ein, dass er danach noch in der Siedlung gewesen sei mit seiner Kamera, nur habe er sich so eigentümlich bewegt wie der Vogel Tukan, bei dessen Flug man immer denke, er stürze gleich ab. Andere Dorfbewohner, die ich nach Jan fragte, erwähnten eine Ordensschwester, Dorothy Stang, die die Kleinbauern in einer anderen Siedlung hinter Anapu unterstützte und die im Februar 2005 von bezahlten Mördern getötet wurde.

Manchmal, sagten sie, sei der Fotograf mit den Ordensbrüdern der Indianermission unterwegs gewesen, ich solle doch nach Altamira gehen, zum Bischofssitz, vielleicht wisse man dort mehr. Bis heute gebe es Morddrohungen gegen die Gegner des Staudammprojekts Belo Monte, das die neue Regierung wieder aufgegriffen habe.

Ja, Clara, der Staudamm, gegen den schon 1989 die Indianerstämme protestiert haben, soll gebaut werden. Über fünfhundert Quadratkilometer im Amazonasgebiet würden überflutet werden. Der Staudamm Belo Monte würde Elektrizität in die Dörfer bringen – aber zu welchem Preis? 4000 Indigene aus neun Siedlungen haben sich bewaffnet und sind eher bereit zu sterben, als ihren Lebensraum vernichten zu lassen.

Auch die Bauern der Kooperative wollen Abgesandte zu einer großen Demonstration nach Altamira schicken, die der berühmte Bischof Dom Erwin Kräutler vorbereitet.

Deswegen kam einer seiner Mitarbeiter in die Siedlung, Bruder Franz, in dessen Jeep ich dann mitgefahren bin. Auch heute wartete ich hier in Belém auf Franz, der Deinen Bruder gut kannte, Clara, der von ihm als einem Freund sprach. Er nannte ihn bei seinem Vornamen und glaubte, MACHANDEL sei Jans Nachname. Wochenlang sei er allein mit der Kamera durchs Land gezogen, seine Anlaufstellen waren die von der Indianermission eingerichteten Gesundheitsstationen. Natürlich kannte Franz das berühmte Bild von der die Machete schwingenden Indianerin, er war dabei, als es fotografiert wurde, im Februar 1989, als sich die Amazonasindianer gegen den Staudamm organisiert haben.

Damals war er noch keine dreißig und erst ein Jahr hier im Land. Ein Kärntner Bauernsohn, mit dem ich über Gott gesprochen habe. »Mein Gott ist keine Macht in weiter Ferne«, hat er mir gesagt. »Mein Gott ist einer, der herabsteigt, der die Schreie der Ärmsten hört, und der ihnen hilft, sich aus der Sklaverei zu befreien.« Das klingt, wenn ich es hier aufschreibe, so pathetisch, aber für Franz ist es die einfache Wahrheit. Clara, Du weißt, dass Jan jede Religiosität fremd war, er nannte sich Agnostiker. Und doch habe ich verstanden, warum der Ordensbruder Franz und er Freunde geworden sind. Das, was Franz umtreibt, was Paulo César Fonteles de Lima zum Kämpfer und Dichter werden ließ, was uns in unserem untergegangenen Land nächtelang wach gehalten hat, was Jan schließlich hierherführte, ist dieselbe Sache.

Mit Franz war ich bei den Yanomami-Indianern, die erst seit ein paar Jahrzehnten Kontakt mit Weißen haben. Yanomami heißt einfach: Menschen. In dem Dorf mitten im Regenwald ist auch Jan gewesen, aber das ist lange her. Franz wollte mir die Fotos heraussuchen, die im Archiv des Indianermissionsrats liegen müssen. Die Yanomami glauben, dass es einen Himmel über uns gibt und einen Himmel unter uns. Für sie ist es verboten, tief in der Erde zu graben, denn dabei, glauben sie, wird ein unsichtbarer, giftiger Hauch frei, Xwara, der sich schleichend ausbreitet und das Leben erstickt.

Als ich das hörte, musste ich an meine Arbeit als Historiker denken und auch an Deine, Clara, Du hast doch jahrelang über das Märchen vom Machandelbaum geforscht, und jetzt setzt Du wieder uralte Steine zusammen, die schon in der Erde geruht haben, verborgen und vergessen. Wir graben und wissen oft nicht, was wir aufrühren, manchmal erstickt das Vergangene die Gegenwart.

Einige Yanomami haben Portugiesisch gelernt, aber sie wollen selbst bestimmen, was gut für sie ist. Ich habe gesehen, dass sie sich mit batteriebetriebenen Zahnbürsten am Bach die

Zähne putzen, aber sie jagen weiter mit Pfeil und Bogen und nicht mit Feuerwaffen, sie streben nicht nach persönlichem Besitz und lehnen Handel ab.

Dieser Besuch bei den Yanomami hat mich aufgewühlt. Aber diese ganze Reise hat mich aufgewühlt, sie war eine Begegnung mit Menschen, die fortan zu meinem Leben gehören werden, eine Begegnung mit mir selbst, ein ständiger Dialog mit Jan. Clara, Jan ist fortgegangen aus unserem kleinen Land, das für uns der Nabel der Welt war, er wäre sonst erstickt an der Enge. Ich bin auch fortgegangen, aber nicht freiwillig, und bin mit meinen Gefühlen, mit meinen Gedanken lange geblieben, von wo man mich vertrieben hatte. Ich habe die Enge in mir getragen, das Gefühl von Vergeblichkeit. Am Amazonas habe ich begriffen, was mir Maria vorgeworfen hat.

Franz hat mir von seinen Gesprächen mit Jan erzählt. Er sagte mir, anfangs konnte er nicht verstehen, warum Jan, der es doch ablehnte, Gott als seinem Herrn zu folgen, in dieses Land gekommen war. Jan habe ihn an Heinrich von Kleist erinnert, über den er in der Abiturklasse in Klagenfurt eine Prüfungsarbeit schreiben musste. In Kleists Aufsatz über Marionettentheater ging es auch um das verschlossene, verlorene Paradies, und es heißt, man müsse eine Reise um die Welt machen und sehen, ob es vielleicht von hinten irgendwo offen sei. Jan war dem Ordensbruder Franz vorgekommen wie jemand, der den Eingang zu seinem Paradies suchte, wenn nötig auf der anderen Seite der Erde. Aber dann habe er verstanden, dass Jan nicht auf einer Durchreise war, sondern angekommen wie er selbst. An einem Ort, den er zu seinem eigenen gemacht hatte. Deshalb glaube er auch nicht, dass Jan Brasilien verlassen habe. »Wahrscheinlich«, meinte der Ordensbruder, »hat seine Aufgabe auf der Erde sich erfüllt.«

Clara, Kleineschwester – weißt Du, dass Jan Dich immer so

genannt hat, wenn er von Dir sprach? Jetzt ist es längst morgens, auf dem Hof machen sich zwei Arbeiter zu Fernandos Anweisungen lärmend an den beschlagnahmten Holzstapeln zu schaffen.

Nachher werde ich zum Hafen gehen und mir eine Gaiola nach Gurupá suchen, ich will noch diese Pernambucopflanzung sehen, die Jan fotografiert hat. Die ist bald zwanzig Jahre alt, da wird sich schon das rote Kernholz gebildet haben, das aber frühestens nach dreißig Jahren geschlagen werden kann.

Clara, ich schreibe und schreibe und habe nichts von der Tasche geschrieben. Auch in den Briefen an Lena habe ich nichts davon erzählt, ich wollte sie mitbringen und mit euch zusammen den Stein betrachten.

Aber jetzt liegt die Tasche dort vor mir, ich habe sie immer bei mir gehabt, seitdem ich sie in Santarém fand, und ich werde sie erst loslassen, wenn ich sie nach Hause gebracht habe. Doch ich kann diesen Brief nicht beenden, ohne sie wenigstens zu erwähnen. Es ist Jans Tasche, neben seinen Fotos und den Erinnerungen so vieler Menschen die deutlichste Spur seines Daseins in diesem Land, die ich finden konnte. Du kennst sie, wir hatten alle solche Schultertaschen. Eine Theaterschneiderin aus der Alten Schönhauser, die an weiches rehbraunes Leder herankam, hat sie genäht. Sie waren zwar teuer, aber schlicht, groß genug für Bücher, ein halbes Brot und eine Flasche Wein. Sie hielten ewig. Du hast Michael so eine Tasche geschenkt, ich besaß auch so eine, die hat nun Paul in Barcelona, das Alter machte sie noch schöner. Auch Jans Tasche ist abgeschabt und fleckig, aber sie ist kostbar, für mich jedenfalls.

Vor drei Wochen habe ich diese Tasche zum ersten Mal gesehen. Nein, nicht zum ersten Mal, denn Jan trug sie über der Schulter, als er im Sommer 1985 aus unserer Wohnung zur Bornholmer Straße aufbrach. Ich habe sie sofort erkannt, musste sie berühren, an ihr riechen. In Berlin werde ich Dir erzählen, wie ich ins Archiv der Umweltbehörde in Santarém gekommen bin. Dort gibt es Hunderte Fotos von Jan, er hat die Pernambucopflanzungen und die alten, ausgewachsenen Bäume fotografiert. Dazwischen fand ich Fotos vom Alltag in den Siedlungen, von Festen, Versammlungen. Einige wird man mir kopieren und schicken. Ich werde Dir von Emilia berichten, einer Biologin, die in der Umweltbehörde arbeitet, sie kannte Jan gut, aber auch sie hat ihn seit mehr als fünfzehn Jahren nicht gesehen. Irgendwann kam er nicht wieder. Er hatte eine Tasche zurückgelassen, die er beim nächsten Besuch wieder mitnehmen wollte. Diese Tasche, Clara, die jetzt vor mir liegt. Darin waren keine Papiere, die trug er in seinen Kamerataschen. Als Emilia Monate später die braune Ledertasche öffnete, fand sie darin nur ein paar Unterhosen, das Buch *Traurige Tropen* von Claude Lévi-Strauss und einen Stein.

Es war ein Stein aus Machandel, das habe ich gleich erkannt. Er war glasiert wie die Brocken der Granitwannen aus den alten Glashütten, die Jan und ich noch gesehen haben, als wir bei meinem ersten Besuch in Machandel durch die Gegend streiften. Machandelsteine habt ihr sie genannt. Ich habe auch einen Machandelstein mit nach Brasilien gebracht, er sollte mein Geschenk für Jan sein. Der Stein, den er in der Tasche trug und den ich wieder zurückbringen werde, ist anders. Er sieht aus wie eine kleine Skulptur, wie das Werk eines Künstlers, obwohl ihn wohl die Natur so geformt hat. Er ist so groß wie eine Kinderfaust und hat die Form eines Menschenherzens, nicht wie man es von den Lebkuchenherzen, sondern von den Schaubildern in den Wartezimmern der Ärzte kennt. Außen ist das Herz granitgrau, aber über der Wölbung hat es einen Sprung, aus dem ein ganz anderes Material quillt, wie erstarrte Lava. Dieser Stein hat bestimmt nicht zu einer Wanne gehört, in der

Glas geschmolzen wurde. Und doch muss er in die Nähe einer solchen Wanne gekommen sein, denn er ist zur Hälfte von dieser blau-grünen Glasur überzogen, die in einem durchsichtigen Tropfen endet.

Ich höre ein Auto hupen und Unruhe auf dem Hof. Clara, ich muss aufhören zu schreiben. Vielleicht sind die Chefs der Ibama wieder da, vielleicht ist Franz doch noch gekommen. Das steinerne Herz wirst Du sehen, wenn ich wieder in Berlin bin. Und den kleinen Stein für Jan, den ich hierhergebracht habe, werde ich heute noch in den Amazonas werfen.

25

CLARA

Aufbruch

Heute Vormittag bin ich über die abgeernteten Felder zur Kirche von Klabow gelaufen, denn der restaurierte Engel ist zurück, der alte Holzengel mit dem Gesicht von Emmas Urenkeln. Emma hat immer behauptet, der Holzengel habe das Gesicht aller Kinder aus der Petersschen Familie. Ich würde Emmas Urenkel nicht wiedererkennen, bei der Beerdigung vor fünf Jahren waren sie noch klein. Die Kirche war heute voller Hotelgäste, die das alte Altarbild und den Engel fotografierten. Die kennen Emma und ihre Enkel nicht, wissen nichts von Marlenes Geschwistern und deren Vorfahren, sie sehen nur den an einer Kette schwebenden Engel, der seine schlichte Bemalung mit Pflanzenfarben zurückbekommen hat. Der abblätternde Goldanstrich wurde entfernt, nun sieht der Engel wieder aus, wie er vor zweihundert Jahren ausgesehen haben mag, ein dickes, rotbäckiges Bauernkind, vergnügt auf den ersten Blick, aber dann sieht man die aufgerissenen Augen, den wie zum Schrei geöffneten kleinen Mund und fragt sich: Was hat der Engel gesehen? Was ist ihm geschehen?

Auf dem Rückweg nach Machandel habe ich stundenlang auf einem Findling hinter Schlehenhecken und Machandel gesessen und mich an das erinnert, was ich hier erlebt habe. Manches wird für immer wie ein Puzzleteil bleiben, das in kein Bild mehr passt, wie die Basaltbrocken aus dem Zweistromland, die in die Drahtkörbe zurückgelegt wurden, weil sie nirgends eingeordnet werden konnten.

Gestern, als ich den Schrank im großen Gartenzimmer ausräumte, fiel mir ein Foto von Emma in die Hände, eine Trauerkarte, die ihre Kinder damals verschickt haben. Auf der Rückseite steht ein Gedicht: *Das Leben vergeht und schwindet dahin. / Schönheit und Ruhm verwelken / Und der Besitz vermodert. / Warum sind wir so hochmütig / Wir alle sterben und werden zu Erde. / Kommt, Geschwister, schaut in das Grab / Vergangen sind Neid, Feindschaft, böse Worte / und Begierde / Schaut, alles verwandelt in Erde, Lehm und Asche.*

Ich weiß noch, dass ich mich damals über das Gedicht wunderte. Bei der Totenfeier saß ich neben einer von Emmas Ziehtöchtern, mit der habe ich über den Machandel geredet. »Der ist der Baum der Verstorbenen«, sagte sie, »das weiß doch jeder. Wenn man von den Toten eine Botschaft empfangen will, muss man auf die Wacholderdrossel hören, den Vogel Kranawitt. Ich selbst habe das schon nach dem Tod meiner ersten Mutter gewusst, als ich noch ein Kind war.« Als ich sie fragte, ob Marlene ihr das beigebracht habe, meinte sie nur: »An Marlene kann ich mich kaum erinnern.« Und als ich nach der Trauerkarte fragte: »Das hat Emma so bestimmt, die Verse hat sie selbst abgeschrieben aus einem ihrer vielen Bücher.«

Gestern nun blickte mir Polina, Grigoris Schwiegertochter, über die Schulter, betrachtete Emmas Foto, sie hat sie ja nie in Wirklichkeit gesehen, und rief überrascht, das Zitat sei aus einem berühmten georgischen Epos aus dem 10. Jahrhundert. »Warum«, fragte sie mich, »hat diese deutsche Dorffrau georgische Verse für ihre Trauerkarte ausgewählt?«

»Emma war keine Dorffrau, sie kam aus Hamburg«, sagte ich nur, während ich die Karte hastig wegsteckte, als enthielte sie ein Geheimnis.

Das letzte Stück nach Machandel bin ich über den Kastanienweg gegangen, jetzt ist es der asphaltierte Zufahrtsweg zum Hotel. Die alten Kastanienbäume sind von Miniermotten befallen, ihre Blätter werden schon im Juni gelb und fallen bald ab. Aber der Blick auf die hügeligen Weiden rechts und links ist wie immer, die toten Birkenstämme in den Wasseraugen erschrecken nur den, der sie zum ersten Mal sieht. Ich weiß ja, dass sie zu dieser sich ständig erneuernden und doch seltsam gleich bleibenden Landschaft gehören und dass immer wieder neue Birken heranwachsen. Die über den Hügeln träge kreisenden Steinadler und Milane, die trotz der eintönigen Rapsfelder zurückgekehrten Feldlerchen und, je näher man dem Dorf kommt, die Schwalben sind wie Zeichen am Himmel, deren Botschaft ich nicht immer entschlüsseln kann. Die letzten hundert Meter bin ich durch den Schlosspark gelaufen. Wo Emmas Neubau stand, haben sie einen achteckigen Teepavillon gebaut für die Hotelgäste. Fast alle Dorfbewohner arbeiten für dieses Hotel, Machandel ist ein Hoteldorf geworden. Der früher so dunkle, sumpfige Park wirkt hell, die alten Eichen stehen jetzt als Solitäre neben noch jungen Buchen und Linden, zwischen verspielten Hecken und geschwungenen Bänken aus Sandstein an neuen, mit Kies belegten Wegen. Mir ist der Schlosspark fremd geworden, die gut gekleideten Hotelgäste passen nicht hierher, finde ich.

Als ich einmal über dieses Gefühl sprach, lachte Lena nur, obwohl doch das zum Schlosshotel gewordene Gutshaus das Haus ihrer Geburt, Machandel der Ort ihrer Kindheit ist. Die Terrasse, auf der sie sonntags mit ihrer Mutter frühstückte, ist jetzt dekoriert mit bizarren, zu Tierköpfen beschnittenen Buchsbäumchen.

»Habt ihr denn nach Machandel gepasst?«, fragte sie. »Meine Mama hat auch nicht nach Machandel gepasst, als sie herkam, und mein Vater auch nicht.« Lena scheinen die Veränderungen nicht zu stören, sie kommt öfter hierher als ich. Meistens steht sie früh auf, als Erste von allen, und geht noch vor dem Frühstück schwimmen. An manchen Tagen streift sie viele Stunden allein durch die Wälder; sie weiß, wohin die Hotelgäste niemals kommen, sie kennt die Pilzstellen und sammelt Kräuter, wie Natalja es getan hat. Vor zwei Jahren, als Herbert aus Brasilien zurückkam und Lena öfter mitbrachte in meinen Katen, war sie noch scheu und bewegte sich in Haus und Garten vorsichtig wie eine Katze auf fremdem Terrain. Wie er es in seinem Brief angekündigt hatte, erzählte Herbert tagelang, nächtelang von seiner Reise zu Jan. Lena und ich konnten nicht genug bekommen von seinen Berichten, und während wir zuhörten, während wir die Kopien von Jans Fotografien anschauten und auch Herberts Bilder, fühlte ich, wie eine Verbindung zwischen uns wuchs, die keine großen Worte braucht, Lena ist ja auch immer noch die Stumme.

Der seltsame Stein, den Herbert in der Tasche meines Bruders gefunden hat, ist nun wieder zurückgekehrt nach Machandel, es war ja der, den Lena ihm im August 1985 zum Abschied gegeben hatte, auf der Schlosstreppe mit dem damals rostigen, heute golden glänzenden Geländer.

Der Stein liegt neben dem Album mit Marlenes Fotos, das ich vor Jahren im Schutt gefunden habe.

Als meine Töchter sahen, dass Lenas Familie den Katen in Besitz genommen hat, meinten sie: »Nun kannst du ja endlich reisen.« Die 27 000 Basaltbrocken sind längst zusammengesetzt und die wiederauferstandenen Götter und Göttinnen, die Vogelmänner und Löwenmenschen wurden im Museum an der Spree ausgestellt. Ich war die Redakteurin des Katalogs, aber nun ist auch diese Arbeit abgeschlossen. Meinen Töchtern habe ich noch nicht erzählt, dass die Ausstellung in den nächsten

Jahren in mehreren Museen Europas gezeigt werden soll und dass ich sie begleiten werde. Ich habe ihnen auch noch nichts von der bärtigen Sphinx erzählt, die vor hundertzwanzig Jahren an dem Hügel im Tal des fruchtbaren Halbmonds von den Forschern ausgegraben und bald darauf von den Dorfbewohnern zerschlagen wurde, weil die sich fürchteten vor der mächtigen, aus der Tiefe wieder heraufgekommenen Gestalt, die mit ihren schwarzen Augen alles zu durchschauen schien. Einige Archäologen, unter ihnen auch meine Kollegen Andreas und Sadiq, wollen die Bruchstücke dieser und anderer Figuren an dem Hügel nahe der syrischen Grenze suchen und wieder zusammensetzen. Sie haben mich gefragt, ob ich als Dokumentaristin mit ihnen kommen will. Aber noch hat die Arbeit nicht begonnen, dem Archäologenteam fehlen Geld und Genehmigungen. In Syrien kämpft ein Diktator mit Gewalt um seine Macht, ein Bürgerkrieg droht. Und noch lebt mein alter Vater in Berlin, der aufgehört hat zu sprechen, aber auf mich wartet, nur auf mich. Auch Caroline geht ihren Großvater besuchen, manchmal fahren auch Lena, Lara oder Polina ihn in den Tiergarten, wo er spielenden Kindern zusieht. Herbert besucht ihn und liest ihm die Zeitung vor, sogar Ruth kommt zu ihm, aber er spricht nur mit mir. Er nennt mich Else.

Ich werde viel unterwegs sein in den nächsten Jahren. Ab und zu wechsle ich Mails mit Emilia, der Frau aus Santarém, die die Ledertasche meines Bruders aufbewahrt hat, sie hat mich eingeladen, sie zu besuchen. Vielleicht werde ich hinfahren, vielleicht dann, wenn in der Kooperative die Pernambucopflanzen zu großen Bäumen herangewachsen sind, aus deren rotem Kernholz die Rohlinge für Geigenbögen gesägt werden können. Aber von dem Ordensbruder Franz haben wir gehört, dass es Probleme gibt, einige der Hüter des Pernambuco wollen die jungen Bäume jetzt schon verkaufen, als edles Baumaterial ist das Glutholz schon nach fünfzehn bis zwanzig Jahren zu gebrauchen, die Preise sind hoch. Doch die Bäume sind inventarisiert, jeder einzelne ist von meinem Bruder fotografiert worden. Das ist der Schutz des Pau Brasil, der, so wollen es auch die Farmer aus der Kooperative Paulo César Fonteles de Lima, wachsen soll, bis die Zeit der Geigenbögen gekommen ist. Vielleicht werde ich in diese Siedlung fahren, vielleicht, wenn sie den Samen für neue Pernambucosetzlinge gewinnen. Lena hat davon erzählt, als wäre sie schon dabei gewesen, als hätte sie die gelben Baumblüten mit dem roten Tupfen in der Mitte gesehen, den Duft eingeatmet, den sie nur wenige Tage lang verströmen. Sie hat uns die stacheligen Hülsen beschrieben, zu denen die Blüten reifen. Arthur hat vor vielen Jahren ihr und Jan erklärt, dass man warten muss, bis die Hülsen sich von allein öffnen, aber dann kann man den Samen einsammeln und in die Erde bringen, die lehmig sein muss. Aber es dauert lange, bis die Pflanzen sich zeigen, der Pernambuco wächst langsam.

Vielleicht werde ich nicht allein dorthin reisen, vielleicht mit dem, der zwei verschiedenfarbige Augen hat, mit dem ganz andere Geschichten beginnen werden. Vielleicht.

Gestern habe ich meine Schränke aufgeräumt und alles beiseitegelegt, was in meine Berliner Wohnung kommen soll, dort habe ich jetzt Platz. Auch das Album habe ich gestern wieder in die Hand genommen. Einen Moment lang dachte ich: Was soll es hier bei Lenas Familie, die nichts weiß von Marlene und ihren Geschwistern? Nicht einmal Grigori hat Marlene gekannt. Aber dann legte ich das Album wieder unter den Glassturz, der es vor Staub und Mäusen schützt. Es gehört hierher, in diesen Katen, und auch der Herzstein soll hierbleiben. Lena hat ihn im kleinen Gartenzimmer auf das Fensterbrett gelegt, wo er vielleicht schon einmal lag, denn das war die Schlafstube, in der Marlene und ihre Geschwister geboren wurden, in der ihr Vater starb.

Aber all die beschriebenen Blätter werde ich mitnehmen, die ich aus den Schubladen und Schränken des Katens zusammengesucht habe, all die Geschichten und Gedanken, die Liedfetzen und Träume, die mir hier zugeflogen sind.

Eigentlich kann sonst alles hier so bleiben, ich gehe ja nicht für immer fort, ich werde immer wieder nach Machandel kommen, vielleicht nicht so bald und nicht mehr so oft, aber die Geschichten dieses Dorfes haben sich unauflöslich mit meinen eigenen verbunden. Auch Lena und Herbert sind jetzt oft hier, sie haben sich die Kammer, die vom Vorraum abgeht, eingerichtet, mehr als ein großes Bett passt da nicht hinein. Als Lenas alter Vater Grigori das sah, hat er gelacht und Lena in den Arm genommen. Seine russischen Worte habe ich verstanden, obwohl er leise sprach. In dieser Kammer, sagte er zu Lena, sei sie gezeugt worden.

Sonst spricht Grigori nicht viel, er und seine Frau Lara kommen nicht oft hierher. Die eigentliche Herrin im Katen ist Polina geworden. Sie ist fast an jedem Wochenende hier. Zuerst war ich befremdet, wie selbstverständlich sie im Garten und im Haus herumgeht, wie sie ohne Erlaubnis Hochbeete angelegt hat, von denen sie Mohrrüben holt und Gurken, Radieschen, den ganzen Sommer über riesige Zucchini, immer wieder Zucchini, nicht nur uns, alle Nachbarn und ihre Berliner Kolleginnen füttert sie mit diesem Gemüse, das sich auf ihrem Hochbeet über Nacht vermehrt. Einige Male habe ich beobachtet, dass Lena ihre Schwägerin zurechtwies, ihr war es peinlich, wie besitzergreifend Polina sich benimmt. Aber ich merkte, dass es mich nicht störte, hier ist genug Platz, immer noch habe ich das Zimmer rechts vom Eingang für mich allein, und den Raum neben dem Bad behalte ich auch.

Es ist auch gut, dass Lenas Leute untereinander russisch reden, ich verstehe vieles nicht und kann meinen Gedanken nachhängen, während sich die zärtlich klingenden Laute dieser Sprache mit den Geräuschen des Gartens vermischen, mit dem Knarren der alten Bäume, dem Zischen und Zwitschern und Seufzen der Tiere, mit dem Tschak-tschak-tschak der Wacholderdrossel.

Herbert stöhnt manchmal: »Eine Frau habe ich gewollt und eine Großfamilie bekommen«, aber ihm geht es wie mir, er genießt das selbstverständliche Zusammensein mit ihnen. Der Katen, in dem ich so lange allein war mit der Vergangenheit, füllt sich allmählich mit anderen Geschichten, anderen Tränen, mit anderem Lachen und anderen Liedern.

Mark, Lenas Bruder, hat die Fenster neu verkittet, er wechselte den morschen Balken am Schuppen aus, und neulich traf ich ihn im Wald an einer meiner Lieblingsstellen, an der seit uralten Zeiten Findlinge im Kreis liegen. Mark saß da allein auf einem Stein, das grünliche Licht fiel durch die Bäume, und er sagte, als ich mich zu ihm setzte: »Ich habe in Berlin immer gespürt, dass meinem Leben etwas fehlt. Ich habe geglaubt, das sei Heimweh nach Tiraspol, und mich über mich selbst gewundert, denn dort bin ich nicht glücklich gewesen. Aber nun weiß ich, dass es nicht Tiraspol war, was mir fehlte, sondern das hier.« Gemeinsam gingen wir zurück ins Dorf, an der Senke zwischen den Hügelgräbern sah ich Bauschutt zwischen den Hecken, irgendwer hatte hier alte Tapeten entsorgt, aber Mark sah nur die Machandelbäume gegen den Himmel stehen und sagte: »Ein magischer Ort.«

Ich bin froh, dass ich den Katen nicht an die Hotelleute verkauft habe. Die gehören nun auch zu Machandel, manche wohnen hier. Im Frühjahr kam ich an Möllers' Gartenzaun mit dem smarten Stuttgarter ins Gespräch, der sich Headgreenkeeper nennt, er ist für die Golfanlage verantwortlich. Er klagte über den Schneeschimmel, das ist kein weißes Pferd, sondern eine Graskrankheit namens Fusarium. »Sie tritt auf, wenn der Schnee auf noch nicht gefrorenen Boden fällt«, erläuterte er dem alten Richard und mir. »Die Golfausrüstungen der Spieler, ihre Trolleys und Schuhe verbreiten den Schneeschimmel von Platz zu Platz.« Richard stand gekrümmt und klein vor dem sonnengebräunten Mann mit der gegelten Frisur und hielt sich an der Gartenpforte fest, während er dem Headgreenkeeper erstaunt zuhörte, der jetzt etwas von Putteigenschaften erzählte. »Das Unkraut und die Fremdgräser, die sich in den Grasnarben der Winterschäden ansiedeln, verschlechtern die Putteigenschaften und damit die Ergebnisse der Golfer. Da, wo ich herkomme, werden die Golfplätze im Winter nicht genutzt. Die Roughbereiche werden als Langlaufloipen eingerichtet, hier in den neuen Bundesländern aber muss man die Plätze leider durchgehend bespielen, um Gewinne zu realisieren.«

Der alte Landarbeiter nickte und seufzte: »Ja, ja, die Fremdgräser.« Später fragte er mich: »Hat das alles was mit dem Golfkrieg zu tun?« Inzwischen gehört sein saniertes Neubauernhaus zum Hotel, es bekam einen verglasten Anbau. Richard lebt in Kuhlmies bei seinen Kindern, die ihn schon nach Minnas Tod bedrängt hatten, den Kaufvertrag zu unterschreiben.

Im letzten Sommer waren Julia und Caroline zusammen hier, sie haben sich über die Moldawier, wie sie Lenas Familie anfangs nannten, amüsiert und wunderten sich, mit welcher Gelassenheit ich Polinas Spitzendeckchen und ihre bunten Topflappen hinnehme, aber als wir abends im Garten um den eichenen Tisch aus der alten Schlossküche saßen, den Mark mit Bootslack wetterfest gemacht hat, als Polina nicht aufhörte, ihre Suppen und Teigtaschen aufzutragen, als Herbert seine Gitarre herausholte, verstanden sie, dass es mir gut geht mit dieser Familie, und kündigten an, so bald wie möglich wiederzukommen und ihre Freunde mitzubringen. Caroline trifft sich in Berlin oft mit Maxim, Lenas Neffen. Der kommt nur selten nach Machandel, er hat sein Studium an der Musikhochschule zum Kummer seiner Eltern aufgegeben und spielt mit zwei Russlanddeutschen aus Kasachstan und einem jungen Juden aus Vilnius in einer merkwürdigen Band, die sich den Namen *Timur und sein Trupp* gegeben hat, nach einem sowjetischen Kinderbuch. Sogar im Radio hört man ihre seltsam verzerrten sowjetischen Kinderlieder, verfremdete Marschlieder und Parodien von Arbeiterliedern. An den Wochenenden treten sie in ausverkauften Sälen auf. »Man bekommt Ohrenschmerzen davon«, findet seine Mutter Polina. Aber Grigori meint: »Nicht die Ohren, das Herz tut mir weh, wenn die Lieder meiner Jugend so lächerlich gemacht werden und wenn ich meinen Enkel so sein Talent vergeuden sehe.« »Hängst du noch immer an diesen alten Propagandamärschen?«, fragte Mark seinen Vater, ich hatte ihn selten so laut und heftig sprechen hören. »Hast du im Lager nicht genug davon bekommen?« Grigori wandte sich ab, und ich ahnte, dass auch in dieser Familie die Konflikte schwelten.

»Zum Glück«, versuchte Polina zu beschwichtigen, »kommt Maxim noch öfter in unsere Wohnung und spielt Stücke von Chopin auf dem Bechstein-Flügel.« Sie hat vergessen oder weiß nicht, dass der auch einmal hier stand, im Schloss von Machandel.

Ich habe meine Taschen schon gepackt, es ist nicht viel, was ich mitnehme.

Heute Vormittag, als ich aus Klabow zurückkam, hörte ich schon am Teepavillon im Schlosspark Lärm von unserer Terrasse, verzerrte Töne, stampfende Bässe. Mark oder Polina hatten wieder Maxims neue CD eingelegt, die sie schon so oft gehört haben, vielleicht, um zu begreifen, was ihr Sohn mit diesen gnadenlos zerpflückten Liedern sagen will. Die Lautstärke war zu hoch gedreht, manchmal steht auch der Wind in Machandel so, dass er jedes Geräusch aus unserem Garten bis zum Schloss trägt und jedes Flüstern von dort laut, wie von einem Echo verstärkt, bei uns ankommt. Ich hörte Fetzen von *Suliko*, Stalins Lieblingslied, die sich mit einer verjazzten Version von *Vaterland, kein Feind kann dich gefährden* verbanden, das war nicht Maxims Stimme, die auf Jiddisch die *Internationale* sang, aber jetzt stieg er ein, und klang das nicht wie *Dunja, unser Blümelein,* das überging in *Durch die Wiesen ging hurtig Katjuscha*? Diese Lieder hatten wir im Russischunterricht gelernt. Dazwischen hörte ich deutsche Volkslieder heraus, sie stolperten durcheinander, die Bässe zertrümmerten alles Liebliche, eine Tuba überwältigte alles Leise, aber plötzlich wurde es still, nur Klaviermusik war zu hören, und als ich ans Haus kam, nur noch eine Stimme, das Lied kannte ich, seit meinem 27. Geburtstag kenne ich es, meine Töchter müssen es Maxim beigebracht haben, der mit russischem Akzent von einem Bruder sang, von einem Vögelein im Machandelbaum und von einem Abschied, *adie, adie, adie.*

Die wichtigsten Personen

CLARA   1960 geboren, Tochter von **Hans Langner** und **Johanna Langner**, Schwester des Fotografen **Jan Langner**. Mutter von **Julia** (*1979) und **Caroline** (*1985). Clara gehört in Berlin zum Umfeld des Evangelischen Friedenskreises Pankow. Zu Beginn der Erzählung ist sie Doktorandin an der Humboldt-Universität, später arbeitet sie in einer psychologischen Beratungsstelle, dann am Pergamonmuseum.

MICHAEL   Geboren etwa 1955. Claras Ehemann, Vater ihrer Töchter, Sympathisant des Evangelischen Friedenskreises Pankow. Ingenieur in einem Kraftwerk. Er geht nach 1990 zur Arbeit in die Schweiz.

HANS LANGNER   Claras Vater. Geboren 1909 in Berlin Prenzlauer Berg. Werkzeugmacher. Roter Frontkämpferbund, Instrukteur für die illegale Kommunistische Partei, wird 1935 verhaftet. Seine Lebensgefährtin **Else** kommt in der Haft um. Wegen Beihilfe zum Hochverrat wird Hans Langner zu einer Zuchthausstrafe verurteilt, danach Schutzhaft im KZ Neuengamme, 1943 Häftling im KZ Sachsenhausen. Vom »Todesmarsch« im April 1945 flieht er mit zwei tschechischen Häftlingen, gerät schließlich todkrank ins Dorf Machandel, wo die Ostarbeiterin **Natalja** die Männer versteckt. Während seiner Genesung in Machandel trifft er die 1928 in Ostpreußen geborene **Johanna**. Sie wird seine Frau und die Mutter von **Jan** (*1946) und **Clara** (*1960). Hans Langner wird in Güstrow

Leiter des Ernährungsamtes, seit 1946 ist er wieder in Berlin, 1950–1953 Minister für Arbeit. Als einer seiner tschechischen Lagerkameraden 1952 in Prag als Angeklagter im Slánský-Prozess hingerichtet wird, gerät auch Hans in die Mühlen der Sicherheitsorgane. In der Tuberkuloseheilstätte Sülzhayn übersteht er die Parteisäuberungen. Seit 1957 ist er Vorstandsmitglied im Verband der Konsumgenossenschaften, später gehört er zum Antifa-Komitee und ist bis 1990 Mitglied der Volkskammer.

JOHANNA   Claras Mutter. Geboren 1928 in der Nähe von Königsberg. Ihr Vater stirbt früh. Mit ihrer Mutter **Waltraut** (*1902) geht sie im Januar 1945 auf die Flucht, kommt im Frühjahr 1945 ins Schloss von Machandel, das eine Flüchtlingsunterkunft geworden ist. Sie pflegt den kranken Hans Langner, wird seine Frau. Bringt 1946 **Jan** und 1960 **Clara** zur Welt. Geht 1946 nach Berlin, legt das Abitur an der Vorstudienanstalt der Humboldt-Universität ab, studiert, promoviert später an der Parteihochschule, arbeitet bei einer internationalen Frauenorganisation und bei der Liga für Völkerfreundschaft. Sie stirbt 1994.

JAN LANGNER   Bruder von **Clara**, Sohn von **Johanna** und **Hans Langner**. Geboren 1946 im Schloss von Machandel, er bleibt auch dort, als seine Mutter zu Hans Langner nach Berlin geht. Seine Großmutter **Waltraut** zieht ihn auf, zusammen mit dem Geigenbogenbauer **Arthur** (*1906). 1953 wird Jan nach Berlin geholt, seine Eltern bringen ihn 1957 in die Kadettenschule Naumburg. Dort trifft er **Herbert**, sie werden Freunde. 1967 und 1968 ist Jan Student an der Humboldt-Universität, fotografiert den Prager Frühling, später die Panzer auf dem Wenzelsplatz. Er wird 1968 verhaftet, bekommt einen Prozess wegen staatsfeindlicher Umtriebe und wird zur Bewährung ins Glühlampenwerk geschickt. Es kommt zum Bruch mit seinem Vater. Als freier Fotograf arbeitet er für Zeitungen, bis er 1985 aus der DDR ausreist.

HERBERT AHRENS   Geboren 1944 in Breslau. Sohn einer bei Kriegsende nach Ilmenau (Thüringen) geflüchteten Arbeiterin und eines gefallenen Soldaten. In der Kadettenschule Naumburg trifft er **Jan Langner**. Herbert studiert Geschichtswissenschaft, etwa 1978 verlässt er unfreiwillig die Akademie der Wissenschaften, wird Hausmeister in einem kirchlichen Kinderheim. Er ist in den 80er-Jahren einer der Mitbegründer der *Initiative für Frieden und Menschenrechte*, einer wichtigen Gruppe der DDR-Opposition. 1988 wird er verhaftet und mit seiner Frau **Maria** und den Söhnen **Paul** und **Benjamin** aus dem Land gewiesen. Nach Jahren in England und Portugal kehrt er etwa 1994 wieder nach Berlin zurück, arbeitet als Historiker an einem Forschungsinstitut, lebt mit Lena zusammen.

NATALJA   1925 in Smolensk geboren. Ende 1941 wird sie als Ostarbeiterin zwangsrekrutiert, kommt über ein Lager in Schwerin als Hausangestellte nach Machandel, wo sie im Schloss arbeitet. 1945 ist sie schwanger von dem Kriegsgefangenen **Grigori**, bleibt im Schloss, wo sie sich unter die Flüchtlinge mischt und im Januar 1946 ihre Tochter **Lena** zur Welt bringt. Natalja lebt weiter in Machandel, stirbt 1994.

GRIGORI   1918 in Charkow geboren. Arbeitet dort als Mechaniker im weltgrößten Traktorenwerk. Nach Kriegsbeginn Panzerfahrer. Gerät in deutsche Kriegsgefangenschaft, wird Häftling des STALAG Fünfeichen bei Neubrandenburg, von dort mit anderen Kriegsgefangenen nach Machandel zur Land-arbeit geschickt. Trifft dort **Natalja,** wird Vater ihrer Tochter **Lena.** 1945 wird er, da Offiziere sich nicht in Gefangenschaft begeben durften, in ein Straflager in die Sowjetunion gebracht. Grigori gründet nach der Entlassung in den 50er-Jahren er-neut eine Familie. Er kommt 1994 als Kontingentflüchtling mit seiner Frau **Lara** (die Jüdin ist), dem Sohn **Mark** (*1956), der Schwiegertochter **Polina** (*etwa 1960) und dem Enkel **Maxim** (*1982) nach Berlin.

LENA   Tochter von **Natalja** und **Grigori.** Von den Dorf-bewohnern »die Stumme« genannt. 1946 wird sie in Machan-del geboren, wächst im Schloss auf. Sie macht eine Ausbildung zur Bibliothekarin, fährt mit einem Bücherbus über die Dörfer. 1994, nach dem Tod ihrer Mutter, verlässt sie Machandel und geht nach Berlin, in die Nähe ihres Vaters **Grigori** und seiner Familie. Sie lebt mit **Herbert Ahrens** zusammen.

MARLENE PETERS   Etwa 1926 in Machandel geboren. Tochter des Gutsarbeiters **Paul Peters** und seiner Frau. Nach dem Tod ihrer Mutter 1940, ihr Vater ist bereits Soldat, ver-sorgt sie sieben jüngere Geschwister. Sie befreundet sich mit der Ostarbeiterin **Natalja.** 1943 wird sie bei der Erbgesund-heitsbehörde als psychisch krank angezeigt und kommt als Pa-tientin in die Universitätsklinik Rostock-Gehlsheim. Dort wird sie sterilisiert, in die Klinik Schwerin-Sachsenberg überführt, wo sie im Herbst 1944 stirbt.

EMMA PETERS   1910 in Hamburg geboren, Witwe eines Arztes, Ehenamen Bekenkamp. Überlebt die großen Bomben-angriffe im Juli und August 1943 auf Hamburg. Kommt im Herbst 1943 nach Machandel, um sich bis zum Kriegsende um die verlassenen Kinder der Familie Peters zu kümmern. Sie arbeitet bis 1945 als Wirtschafterin im Schloss, dann in der Kommandantur. Sie bleibt bei den Kindern, auch als **Paul Peters** 1947 zurückkommt. Sie heiratet ihn, bekommt 1948 noch einen Sohn, arbeitet als Arzthelferin. 1963 wird sie wieder Witwe, zieht 1995 fort aus Machandel.

WILHELM STÜWE   Etwa 1910 geboren. Stallarbeiter in Machandel, später Aufseher der Kriegsgefangenen aus dem STALAG Fünfeichen. Nach dem Krieg erschleicht er sich das Wohlwollen der sowjetischen Besatzer und bezieht das ehemalige Inspektorhaus. Wird Mitarbeiter der Kreisverwaltung. Stirbt in den 90er-Jahren.

ARTHUR   Etwa 1906 geboren. Er hatte eine Geigenbogenwerkstatt in Königsberg. Geriet auf der Flucht 1945 ins polnische Lager Lambinowice, kommt nach der Entlassung im Spätsommer 1945 nach Machandel. Er wird der Lebensgefährte von **Waltraut** (*1902), der Mutter **Johannas** und Großmutter von **Jan** und **Clara**. Mit **Hans Langners** Unterstützung erwirbt er eine Lizenz und baut eine international gefragte Geigenbogenwerkstatt in Machandel auf. Nach Waltrauts Tod (1960) zieht er um ins Vogtland. Stirbt dort Anfang der 90er-Jahre, nachdem er eine Internationale Vereinigung der Bogenbauer zum Erhalt des Fernambuk gegründet hat.

Danksagung

Der Stiftung Preußische Seehandlung, besonders Frau Dr. Ute Bredemeyer, danke ich für ein dreimonatiges Stipendium im Jahre 2008. In dieser Zeit konnte ich das Manuskript beginnen. Auch durfte ich 2009 drei Monate lang Stipendiatin am Musenhof Kunersdorf sein, dafür danke ich vor allem Margot Prust und ihren Mitarbeiterinnen. Und 2011 war ich fünf Monate lang Stadtschreiberin in Rheinsberg, während dieser Zeit beendete ich das Manuskript. Dank dafür Dr. Peter Böthig und der Stadt Rheinsberg.

Von den vielen Freunden und Kollegen, die mich ermutigten, möchte ich mit Dank vor allem Annette Leo, Gina Pietsch, Jürgen Rennert, Kathrin Schmidt nennen.

Außerdem danke ich Julia Eichhorn von der Agentur Graf & Graf für die Verlagssuche und Claudia Vidoni für ihr Vertrauen und das Lektorat.

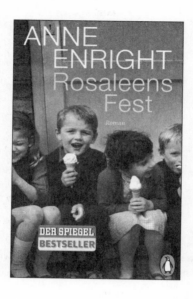

Rosaleen ist eine Frau, die nichts tut und von den anderen alles erwartet. Sie ist Mitte siebzig, die Kinder gehen schon lange ihre eigenen Wege. Da entscheidet sie sich, Ardeevin, das Haus, in dem die vier groß geworden sind, das voller Erinnerungen an Glücksmomente und Verletzungen steckt, zu verkaufen – und lädt zu einem letzten Weihnachtsfest ein. Die Geschwister reisen mit diffuser Hoffnung auf Versöhnung an – und doch endet auch dieses Weihnachten, wie noch jedes geendet hat.

(ꝑ) **PENGUIN** VERLAG